Starck, E. von

Babylonien und Assyrien

Nach ihrer alten Geschichte und Kultur dargestellt

Starck, E. von

Babylonien und Assyrien

Nach ihrer alten Geschichte und Kultur dargestellt

Inktank publishing, 2018

www.inktank-publishing.com

ISBN/EAN: 9783747772201

Babylonien und Assyrien

nach ihrer alten Geschichte und Kultur dargestellt

von

E. v. Starck

Marburg a. L.
Verlag von Adolf Ebel
(früher O. Ehrhardt's Universitäts-Buchhandlung)
1907

Vorrede.

„An den Wassern zu Babel saßen wir und weinten, wenn wir an Zion gedachten. Unsere Harfen hingen wir an die Weiden, die darinnen sind. Denn daselbst hießen uns singen, die uns gefangen hielten, und in unserm Heulen fröhlich sein: Lieber singet uns ein Lied von Zion! Wie sollten wir des Herrn Lied singen im fremden Lande?“

Mit diesem Klageton führt uns Psalm 137 bei dem Volk von Juda ein, das gefangen nach Babylon gebracht war und zu dieser Zeit seinem Schmerz in bittern Tränen Ausdruck gab. Jetzt ist sein alter Trotz gegen den lebendigen Gott geschmolzen wie Eis in der Frühlingssonne. Jetzt kann das Volk wieder weinen und heulen, wenn es an Zion gedenkt, das zerstört ist und Gottes Tempel beraubt und zerbrochen.. Aber singen kann es jetzt nicht, noch auf der Harfe spielen, so sehr auch die Heiden ohne Mitleid und ohne Verständnis für das Leiden des seltsamen Volkes danach verlangen. Das können die Kinder Babels nicht begreifen, wie ein Mensch, dem es zeitlich gut geht, der genug zu essen und zu trinken und kein schweres Arbeitsjoch zu tragen hat, ein immerwährendes Verlangen nach dem verlorenen Glück fühlt, nach einem Glück, das nicht mit Händen zu greifen, nicht mit Gold zu kaufen ist, nämlich Gottes Angesicht zu schauen und seine schönen Gottesdienste zu besuchen.

Der Schmerz des jüdischen Volkes ist um so größer, als es sich täglich sagen muß, daß der Herr ihm billig zürnt um aller seiner Sünden willen, und daß seine Wohltaten dies Volk täglich beschämen und um so tiefer beugen. Schaut es nach Abend hin, da liegt die heilige Stadt, der es nicht vergessen kann. Schaut es nach Morgen hin, da winkt eine Hoffnung, die ihm Gottes Gnade eröffnet hat; denn von dort soll nach siebzig Jahren der Hirte, der Erlöser kommen, der seiner Gefangenschaft ein Ende machen wird, wenn er auch ein Fremder ist. Denn Babels Volk hat kein Mitleid mit Juda; wenn sie auch beide stammverwandt sind und in der Sprache einander verstehen, so ist doch eine hohe Mauer zwischen ihnen aufgerichtet und wird bleiben, bis die Heiden selbst verlangen, von dem Einen ihnen unbekannten Gott und seinen herrlichen Verheißungen zu hören.

Juda genießt diese Wohltat auch in der Fremde. Seines Gottes Boten sind mit ihm in die Gefangenschaft gezogen und halten Gottes Verheißungen lebendig und aufrecht, das gebeugte Volk wieder zu trösten, daß es wie ein Baum gedeihe, der an den Wasserbächen gepflanzt ist. Auch zu dem alten großen Volk von Babel neigt sich der lebendige Gott, indem er es bald mit seinen Gerichten heimsucht wie Israel und Juda, bald sein Wort ihm verkünden läßt. Ninive hörte schon auf eines Propheten drohende Stimme und tat Buße. Babel aber hört viele Propheten und sieht das Volk Gottes selbst in seiner Mitte nach Gottes Geboten wandeln und bleibt dennoch in seinen gewohnten Sündenwegen.

Das ist ein kleines Bild aus der langen Reihe der Beziehungen zwischen zwei stammverwandten Völkern, die uns beide sehr nahe angehn; denn von dem einen haben wir die Grundlage unserer geistig-religiösen Kultur, von dem andern die unserer menschlich-natürlichen Bildung empfangen. Sie gleichen zwei Strömen, einem großen und einem kleinen, deren Quellen ganz nahe bei einander liegen. Oft nähern sie sich, als wollten sich ihre Wasser vermischen. Dann streben sie wieder nach verschiedenen Richtungen, um sich von neuem einander zu nähern. Durch dieses Gleichnis werde der geneigte Leser auf die folgenden Darstellungen aus dem Morgenland vorbereitet. Nach dem Morgenland zieht eine tiefe Sehnsucht viele Christen und Juden aller Zeiten. Das Morgenland ist der Juden Heimat, und das Heil kommt von den Juden. In das Morgenland führt uns die heilige Schrift, weil dort der lebendige Gott manchmal und mancherlei Weise zu den Vätern geredet hat durch die Propheten, zuletzt aber durch seinen Sohn, den er zum Erben über alles gesetzt hat.

Auch der Verfasser hat sich, wie sein „Palästina und Syrien" bezeugt, eingehend mit dem Morgenland beschäftigt. Vor mehr als zwanzig Jahren studierte er Eberhard Schraders „Die Keilinschriften und das alte Testament", dazu das Buch von Friedrich Delitzsch „Wo lag das Paradies?". Auch viele andre Schriften ließen ihn heimisch werden im Morgenland, bis der Streit um Bibel und Babel kam, der unser ganzes Volk erregte. In diesem Streit das Wort zu ergreifen, dazu fühlte sich der Verfasser nicht berufen. Er vernahm die Stimmen von beiden Seiten und merkte bald, was eine Verständigung ungemein erschwerte. Es wurden die Urkunden über Geschichte und Kultur von Babylonien und Assyrien auf keiner Seite unserm Volke zugänglich gemacht, und das Volk konnte sich in dem Streit der Gelehrten kein Urteil bilden. Die Zeitungen und öffentlichen Vorträge trugen den Streit in immer größere Kreise und bis in die Häuser hinein; aber die wenigsten wußten, worauf es ankam. Doch fiel mancher mit seinem christlichen Glauben in große Bedrängnis und Versuchung, während für andere die Wissenschaft der Assyriologie die beste Waffe im Streit wider den Christenglauben zu werden versprach.

Unter solchen Erwägungen wurde die folgende Darstellung der babylonisch-assyrischen Geschichte und Kultur unternommen und ausgeführt. Viele Schriften der Gelehrten beider Seiten wurden zu dieser Arbeit benutzt, und doch ist diese Schrift nicht für die Gelehrten geschrieben, es sei denn hier und da zu zeigen, wo etwa der Bogen zu straff gespannt und über das Ziel hinaus geschossen war. Der Verfasser dachte bei seiner Arbeit vielmehr an die Gebildeten in unserm Volk. Er möchte ihnen allen zeigen, wie wenig Grund zu der Annahme einiger Gelehrten vorliegt, als könnten die reinen Quellen der hl. Schrift aus dem trüben Sumpf entsprungen sein, mit dem die Urkunden des babylonisch-assyrischen Heidentums nach der Seite religiöser Erkenntnis und sittlicher Haltung treffend verglichen worden sind. Wir haben das Nebeneinanderstellen der Bibel und dieser alten Urkunden in keiner Weise zu scheuen. Dabei kann das Buch der Bücher nur an Achtung und Ansehn gewinnen. Wir sind daher auch den Gelehrten dieser und der vorigen Zeiten für die überaus mühevolle Entzifferung der Urkunden allen Dank schuldig; und der Verfasser kann es nicht unterlassen, an dieser Stelle solchen Dank abzustatten, auch wenn er in Auslegung und Anwendung dieser Urkunden öfters anderer Meinung ist, als ihre Uebersetzer.

Insbesondere sage ich Herrn Professor Hommel aufrichtigen Dank für die Mühe, mit der er einen Entwurf dieser Schrift geprüft und dessen Ungenauigkeiten an vielen Stellen gebessert hat. Trotzdem weiß der Verfasser sehr wohl, daß er auch jetzt noch die Nachsicht seiner Leser in Anspruch nehmen muß. Er wünscht nur, es möge dem geneigten Leser die gleiche Erfahrung wie dem Verfasser beschert werden, daß ihm, je tiefer er in die alten Urkunden von Babylonien und Assyrien eindringt, desto heller das Licht der ewigen Wahrheit aus der hl. Schrift entgegenstrahle. Dann wird er ebensolche erhebende Freude an dem Lesen dieses Buches haben, als seine Abfassung dem Verfasser eingetragen hat.

Marburg im Juli 1906.

E. v. Starck.

Einige besonders häufige Abkürzungen in den Anmerkungen.

A. d. W. = Königl. Akadamie der Wissenschaften in Berlin.
A. u. A. = Fr. Hommel, Aufsätze und Abhandlungen.
A. T. O. = A. Jeremias, A. T. im Licht des alten Orients.
B. N. T. = A. Jeremias, Babylonisches im N. T.
G. H. = H. Winckler, Gesetze des Hammurabi.
K. A. T. = E. Schrader, die Keilinschriften und d. A. T.
K. B. = E. Schrader, Keilinschriftliche Bibliothek.
M. u. H. = J. Jeremias, Moses und Hammurabi.
N. u. B. = K. Bezold, Ninive und Babylon.
S. V. u. S. = Fr. Hommel, Semitische Sprachen und Völker.
Z. f. A. = K. Bezold, Zeitschrift für Assyriologie.

Literatur.

M. Duncker, Geschichte des Altertums, Leipzig 1878.
Monatsberichte der königl. Akademie der Wissenschaften, Berlin 1880 u. f.
Fr. Mürdter, Geschichte Assyriens und Babyloniens, Stuttgart 1882.
Fr. Hommel, Semit. Völker und Sprachen, Leipzig 1883.
Fr. Hommel, Gesch. Babyloniens und Assyriens, Berlin 1885—89.
Bibl. Handwörterbuch (Fr. Delitzsch), Calw und Stuttgart 1885.
K. P. Tiele, Babylonisch-assyrische Geschichte, Gotha 1886.
K. Bezold, Zeitschrift für Assyriologie, Leipzig 1886 u. f.
P. Jensen, Kosmologie der Babylonier, Straßburg 1890.
K. W. Belser, Babylonische Kudurru-Inschriften, Leipzig 1891.
H. Winckler, Geschichte von Assyrien und Babylonien, Leipzig 1892.
J. A. Knudtzon, Assyr. Gebete an den Sonnengott, Leipzig 1893.
E. Schrader, Keilinschriftl. Bibliothek, Berlin 1894—1900.
Mitteilungen der deutschen Orientgesellschaft, Berlin 1900 u. f.
E. Schrader, Die Keilinschriften und d. A. T., Berlin 1901.
Fr. Delitzsch, Vorträge, Leipzig und Stuttgart 1903.
H. Winckler, Die Gesetze Hammurabis, Leipzig 1903 u. 1906.
J. Urquhart, Die neuen Entdeckungen u. s. w., Leipzig 1902—4.
R. Kittel, Die babylonischen Ausgrabungen, Leipzig 1903.
H. Winckler, Abraham als Babylonier, Leipzig 1903.
W. Kaspari, Die Religion in den altbabylonischen Bußpsalmen, Gütersloh 1903.
K. Bezold, Ninive und Babylon, Bielefeld und Leipzig 1903.
J. Jeremias, Moses und Hammurabi, Leipzig 1903.
K. Thieme, Der Offenbarungsglaube, Leipzig 1903.
A. Jeremias, Das A. T. im Licht des a. Or., Leipzig 1904.
Fr. Küchler, Beitr. zur Kenntnis der alt-assyr. Med., Leipzig 1904.
Fr. Hommel, Grundriß der Geogr. u. Gesch., München 1904.
Fr. Hommel, Aufsätze und Abhandlungen aus mehreren Jahren.
K. Bezold, Die babylon.-assyr. Keilinschriften, Tübingen u. Leipzig 1904.
A. Jeremias, Babylonisches im N. T., Leipzig 1905.
E. König, Ursprung der israel. Religion, Langensalza 1906.

Inhaltsverzeichnis.

Erster Abschnitt.

Zur Einleitung.

Die nachstehenden Ausführungen werden die Tatsache bestätigen, daß die Geschichte des Volkes Israel von Anfang an mit der Geschichte von Babylonien und Assyrien verflochten war. Ebenso gewiß ist auch der tiefgehende Einfluß, den die heiligen Schriften der Hebräer auf christliches Denken, Glauben und Leben gehabt haben; denn daran zweifelt niemand, daß Israels religiöse Erkenntnis und die Verehrung des Einen lebendigen Gottes, dessen Wortoffenbarung von Anfang an auf die Erlösung der Menschheit abzielte, die Grundlage für die christliche Lehre und für das christliche Leben geschaffen hat. So kommt es, daß jeder Gebildete bei der heute viel besprochenen Frage beteiligt ist, wie groß und tief der Einfluß der babylonisch-assyrischen Kultur auf das Volk Israel und mittelbar auch auf uns Deutsche gewesen ist?

Hiermit aber erhebe ich bereits Widerspruch gegen H. Winckler, der meint [1]), es habe im Altertum nur e i n e Weltanschauung gegeben, die er die orientalische nennt. Mit diesem Ausspruch ist die Gottesoffenbarung in Israel für nicht vorhanden oder für gleichgiltig erklärt. Es geht auch nicht anders; denn auch für diesen Gelehrten entscheidet nur der „gesunde Menschenverstand". Dieser „gesunde Menschenverstand" weiß natürlich alles, auch daß unverständliche Märchen „Reste einer wissenschaftlichen Spekulation" sind. Derselbe bekennt sich auch, da die Anthropologie nichts von einer Schöpfung, also auch von keinem erschaffenen Urmenschen weiß, zu dem nicht mehr neuen „wissenschaftlichen" Märchen vom Affenmenschen, anstatt auch auf diesem Gebiet die Grenze des menschlichen Erkennens zu entdecken und festzustellen, wo ein vernünftiger Mensch stillstehn und bekennen muß: Hier hört das Begreifen und damit das Wissen auch für die Gelehrten auf.

Freilich ist die babylonisch-assyrische Kultur bis heute noch nicht vollständig bekannt; doch werden auf diesem Gebiet von Jahr zu Jahr bedeutende Fortschritte von unsern Forschern gemacht, und für alle Gebildeten wird viel darauf ankommen, daß alte und neue Ergebnisse der

1) K. A. T. Einl. S. 1.

1

Forschung mit Mäßigung und achtungsvoller Zurückhaltung verwendet werden, damit der Einfluß jener Kultur auf uns je nach der von andrer Seite her mitgebrachten Ueberzeugung nicht bald zu hoch, bald zu gering veranschlagt werde.

Wie viel hierin gefehlt worden ist, ersieht man aus Kittels Klage und Anklage [1]): „So ist der Fachwissenschaft — er meint die Assyriologie — Schaden zugefügt, weil sie in den Geruch gekommen ist, als müßte sie eine Gegnerin der Religion sein; und weite Kreise aus drei Lagern religiöser Bekenntnisse sehen mit Mißtrauen auf sie als die Zerstörerin ihres Heiligtums. Und nicht minder ist der Religion Schaden getan; denn die große Masse, in die der Streit getragen ist, kann es nicht anders ansehen, als hätte mit der Offenbarung der Religion und der Kirche selbst der Todesstoß versetzt werden sollen. Es ist anzuerkennen, daß das die Absicht nicht war. Aber es kann auch nicht verschwiegen werden, daß wenn es die Absicht war, der Weg kaum ein viel anderer hätte sein können. Denn Offenbarung ist nun einmal das Lebensmark jeder ihrer selbst bewußten Religion und Kirchengemeinschaft. Der Kampf gegen sie — das fühlt auch der einfache Bürger — ist in der Sache gleichbedeutend mit dem Kampf gegen jene."

Daß in diesem Kampf aber auch in Zeiten des Friedens, manche vorschnelle Urteile abgegeben worden sind, wird schon bei Erwägung der Tatsache glaublich, daß sich die Beziehungen zwischen Israel und Babylonien-Assyrien über einen Zeitraum von über zwei Jahrtausenden verbreiten. Welch eine schwierige Aufgabe ist es schon, nur die Zeit zu bestimmen, in der dieses oder ein andres Stück geistiger Bildung oder menschlich-natürlichen Lebens von Babel nach Israel gewandert sein soll. Für solche Untersuchungen muß als oberster Grundsatz aufgestellt und festgehalten werden, daß ursprünglich Hebräer und die in Babylonien eingewanderten Nordsemiten e i n Volk waren. Wenn ich hier von Nordsemiten und nicht mit einigen Gelehrten von Westsemiten rede, so hat dies darin seinen Grund, daß ich mich nach dem Gebrauch der Geschichtschreiber richte, die die Bezeichnung von Brudervölkern nicht von ihren ursprünglichen Wohnplätzen hernehmen, die öfter gar nicht oder nur wenig bekannt sind, sondern sie knüpfen an die später eingenommenen Sitze an, wie bei den Ost- und Westgothen. Daher suche ich die Westsemiten in Kleinasien, die Nordsemiten in Babylonien, die Südsemiten in Arabien. Der Semiten gemeinsamer Anfang lag aber vermutlich im nördlichen Arabien, wo sie noch e i n Stamm waren, sodaß eine gemeinsame Ueberlieferung über die Vorzeit bei beiden Völkern von vornherein als sehr wahrscheinlich gelten muß, wie auch Jensen [2]) nach M. Müller festgestellt hat, daß „die Heiligkeit der Siebenzahl und der

1) Der Babel-Bibel-Streit — ein Verzicht auf Verständigung.
2) Z. f. A. 1895, S. 234.

Vierzahl bereits zu einer Zeit bestand, als Babylonier und Hebräer noch eine engere Gemeinschaft bildeten", d. h. e i n Volk waren.

Haben hernach die meisten dieser in Babylonien eingewanderten Nordsemiten sich zwar nicht in ihrer Sprache, wohl aber in Sitte und Religion dem Einfluß des bereits dort ansässigen und sehr gebildeten Volkes der Sumero-Akkadier, das sich ihnen wenigstens teilweise unterwerfen mußte, in Schwäche hingegeben, ihr Nomadenleben verlassen, um Ackerbauer und Städtegründer zu werden; so blieben doch die aus dem üppigen Chaldäa wieder auswandernden Nordsemiten, zu denen auch ein Abram gehörte, gleich den Südsemiten in Arabien bei dem Weiden ihrer Herden und bekundeten durch dieses Festhalten an den Sitten der Väter, daß nicht bei allen Semiten fremde Bildung und Sitte leichten Eingang finden könne, wie das von Dillmann anerkannt wird [1]).

Nach den vorstehenden Ausführungen müßte die schwebende Streitfrage näher dahin bestimmt und eingeschränkt werden: Wie viel haben die Hebräer durch Vermittlung ihrer Stammverwandten von der sumero-akkadischen Kultur angenommen, und worin stimmt ihre Ueberlieferung mit der der andern Nordsemiten überein [2])?

Ferner muß hier daran erinnert werden, daß ein V o l k der Hebräer nicht in Babylonien, auch nicht in Kanaan, sondern in Aegypten bei 400jährigem Aufenthalt in diesem Lande herangewachsen ist; und man sollte denken, grade in dieser Zeit, wo aus dem Nomadenstamm im Lauf der Jahrhunderte ein V o l k entstand, sei das Eindringen fremden Wesens leichter als sonst gewesen. Nur müßten wir dann doch erwarten, daß Israel den Aegyptern gleich geworden wäre. Aber auch aus Aegypten kamen die Hebräer als ein Volk von Nomaden heraus, das fest auf seiner Eigenart beharrte; nur daß es in seiner Religion wie schon früher fremden Einflüssen zugänglich war.

Hierzu meint Lepsius [3]), die Babylonier selbst seien durch die Kuschiten mit ägyptischer Bildung befruchtet worden, und wäre diese ägyptische Bildung dann auch an die Hebräer übermittelt worden. Aber wenn auch die Kuschiten mit den Sumero-Akkadiern stammverwandt sind, demnach an eine Verbindung zwischen Babylonien und Aegypten wohl zu denken wäre, so liegt doch die andre Frage ebenso nahe, ob nicht umgekehrt Aegypten unter babylonischem Einfluß gestanden hat? Hierauf weisen mehrere Briefe aus dem Tell el Amarna hin, und Hommel behauptet gradezu das Gegenteil auf Grund der Vergleichung des Götterdienstes, der Baukunst und der astronomischen Kenntnisse beider Völker, nämlich daß Aegypten von Babylon aus kultiviert worden sei [4]).

---

1) A. d. W. 1882 S. 429.
2) Vergl. Fr. Hommel, A. u. A. S. 274.
3) Vergl. Fr. Hommel, Semit. Spr. u. V. S. 165.
4) A. u. A. an mehreren Stellen.

1*

Auch in dieser Frage entscheide ich mich für den gemeinsamen Ursprung beider Kulturen.

Was aber die Abhängigkeit Israels von Babylonien betrifft, so erklärt Professor G. Beer [1]) treffend: „So lange es den Assyriologen nicht gelingt, die Anfänge des Jahvismus aufzuklären oder für die Bedeutung des hebräischen Opfers als Gemeinschaftsmahles zwischen Gottheit und Verehrer oder für die Erscheinung der prophetischen Religion die babylonische Parallele und ältere Vorlage nachzuweisen oder das Hauptkennzeichen der Juden, die Beschneidung, oder die Entwickelung des Judaismus zur Kirche aus Babylonien abzuleiten, ist die Auffassung der Bibel als einer dekadenten [2]) Provinz Babels ein Zerrbild von Babel und Bibel. Wenn von modernen babylonischen Sybillen die Ansicht geäußert wird, daß die Theologen erst Assyriologen werden müßten, um das alte Testament richtig zu verstehen, so zeigen die Blößen, die sich fortwährend Assyriologen im alttestamentlichen Fach geben, die Notwendigkeit einer selbständigen alttestamentlichen Wissenschaft."

Dieselbe Gerechtigkeit übt auch ein Wort von Stade, das er in seinem „Mythus vom Paradies" zwar nur von der Eabanisage gebraucht hat, „diese verhalte sich zu dem biblischen Bericht, wie eine verjauchte Dorfpfütze zum lautern Gebirgsquell"; aber ich bin geneigt, dieses gute Wort auf das ganze Verhältnis von Heidentum und Offenbarungsreligion, von gefälschter und treuer Ueberlieferung anzuwenden [3]). Dabei stütze ich mich auf das Wort eines Mannes, der zwar kein Gelehrter in unserm Sinn war, aber sich in mehreren Stücken als unsern Gelehrten überlegen zeigt; denn zum ersten hat er das alte Babel selbst gekannt, zum andern ist er vom Geiste Gottes erleuchtet. Ich meine den Propheten Jeremia. Er zeichnet Land und Leute von Babylon mit diesen Worten [4]): „Ein goldner Becher, der alle Welt trunken gemacht hat, war Babel in der Hand des Herrn. Alle Heiden haben von ihrem Wein getrunken; darum sind die Heiden so toll geworden." Denn es haben Assyrer, Aramäer, Hethiter, Armenier, Elamiter, Meder und Perser babylonische Bildung und mit ihr babylonischen Götzendienst und babylonische Laster angenommen. Aber dieser Jeremia soll nach H. Winckler [5]) einer der Führer der chaldäischen Partei, also ein Landesverräter und Gegner des Königs gewesen sein, der nicht als Prophet oder weiser Mann vom König befragt wird, sondern weil er ein Mann von Besitz und Einfluß ist. Der Gelehrte scheint die Widersprüche, die er mit dieser Annahme hervorruft, gar nicht zu fühlen. Zunächst macht er aus Jeremia einen Heuchler, der als Chaldäer doch vor Chaldäa

---

1) Zeitschr. d. morgenl. Gesellschaft 1904, 266.
2) So viel als „heruntergekommen", „tiefer stehend".
3) Gegen A. Jeremias, A. T. O. S. 115.
4) Jer. 51, 7.
5) K. A. T. S. 170—174.

warnt! Sodann möge er uns sagen, wo es je geschehen ist, daß ein Herrscher seinen Gegner um Rat gefragt hat? Hat nicht ein König das Recht und die Pflicht, einen Untertan, der es mit den Feinden hält, unschädlich zu machen? Ist aber Juda damals ein Vasallenstaat von Babylon gewesen, hat der König von Juda dem König von Babylon Treue geschworen, so liegt die Sache ganz anders, als H. Winckler sie darstellt; denn in diesem Fall hat der Prophet und die auf seiner Seite stehn, den Rechtszustand, den die politischen Verträge geschaffen haben, unter seinen Füßen; wer aber gegen diese Verträge handelt, der ist der Meuterer und Treulose. Nach dem „gesunden Menschenverstand" erhielt der eine Prophet seine Anweisung von Damaskus, der andere von Ninive, der dritte von Babel; nach dem „gesunden Menschenverstand" sind alle Propheten elende Betrüger, indem sie sagen, daß Gott der Herr durch sie seinen Willen kundtue. Nach dem „gesunden Menschenverstand" sind sie feile politische Werkzeuge in der Hand eines fremden Herrschers und verdienen samt ihren Schriften nur unsre Verachtung. Aber ihre Schriften sind in die Bibel aufgenommen und sollen von den Gelehrten als Gottes Wort der studierenden Jugend ausgelegt werden. Wer ist da bedauernswerter, die armen Lehrer, die mit dem „gesunden Menschenverstand" aller Theologie Grab graben, oder die armen Schüler, die mit Hohn auf das Heilige und Spott und Zweifel zu Führern und Lehrern der christlichen Gemeinde sollen erzogen werden?

So schiefe Urteile, wie wir eben vernommen haben, werden uns noch öfter begegnen. Sie haben ihren Ursprung in dem Grundirrtum, als müsse der „gesunde Menschenverstand" in Sachen der Religion entscheiden. Danach ist auch das Volk Israel von Anfang an in der Vielgötterei gewandelt [1]) so gut wie alle andern Völker, während die Schrift solchen Abfall nur von einem Teil bezeugt; und die Idee des Einen Gottes ist keine Offenbarung von oben, sondern aus eines Menschen Kopf entsprungen, oder nach Rénan ein Erzeugnis der Wüste!

Die Geschichte aber sagt uns etwas anderes. Jedes Mal, wenn das auserwählte Volk von freien Stücken seine Sonderstellung unter den Völkern aufgab und sich dem Einfluß eines heidnischen Volkes willenlos hingab, erging es ihm auch wie den Heiden. Es konnte sich seines Geschickes nicht mehr freuen; denn weil es seinen Gott verlassen hatte, war es von ihm verlassen, es fiel in schwere Gerichte, es hörte auf, eine Stätte der Offenbarung des lebendigen Gottes zu sein und diente den toten Götzen. Sollte es nicht manchem Geist unserer Tage, so hellsehend er sonst auch sein mag, ähnlich ergehen? Gar manchem Menschenkind ist der babylonische Wein, den er aus den alten Tontafeln geschlürft, zu mächtig geworden, hat ihm Kopf und Herz benommen, hat ihm seinen Christenglauben kalt und stumm gemacht. Es muß wohl in diesen

1) Nach H. Zimmern urteilt so K. A. T. 592, anders Ed. König a. a. O. S. 2. u öfter.

Scherben noch heute ein berauschendes Gift verborgen sein, gegen dessen verderbliche Wirkung ein ernüchternder Wasserguß günstigen Erfolg verspricht [1]).

Solche Vermutung wird dem zur Gewißheit, der die „vorläufige Mitteilung“ eines Gelehrten liest [2]), der Moseh bald mit Gilgamis, bald mit Eabani gleich setzt, die Hure bald in Zippora, bald in Mirjam, bald in Hagar erkennt und mit der biblischen Geschichte als mit Dominosteinen spielt. Das nennt man dann Wissenschaft. Aber nicht nur der Pentateuch, sondern auch das Buch Josua, die Elia- und Elisageschichten, Deborahlied und Esther, dazu auch Homers Odyssee, alles entstammt dem geliebten Gilgamisepos! Wer sich durch solche Phantastereien „zum Umdenken“ bestimmen läßt, der hat wenig umzudenken. Andere werden ihr Mitleid dem armen Gelehrten zuwenden, der am Babylonismus erkrankt ist, wie er in der Einleitung seines vor kurzem erschienenen Buches selbst erklärt.

Auch sonst wohlmeinende Gelehrte werden von diesem Gift angekränkelt, wie jener meinte, die Schätze Ninives, Babylons und anderer Trümmerstätten seien ein Bilderbuch zum alten Testament, eine Meinung, die ein andrer flugs in die Tat umsetzte. Doch müßten bei einem rechten Bilderbuch Schrift und Bild mit einander übereinstimmen. Das tun sie auch, aber nur da, wo von dem Abfall und Gericht über Israel und die Völker, die es verführt haben, gehandelt wird. Aber im übrigen stehen beide in scharfem Widerspruch.

Der Herr sagte einmal zu seinen Gegnern [3]): „Wo diese schweigen, so werden die Steine schreien.“ Ja, heute reden die Steine, aber ihre Sprache wird oft nicht verstanden. Die Dichtkunst der Gelehrten übt sich an ihnen, wie an den biblischen Geschichten, macht aus Vater Abraham eine Personifikation des Mondgottes Sin, weil Abraham Anfangs in Urkasdim, dann in Haran lebte, in Urkasdim aber und Haran der Mondgott verehrt wird Frage nun keiner: Was hat die Verehrung des Sin mit Abraham zu tun? Ein andrer Schluß wäre viel richtiger: Weil Abraham weder den Mondgott noch andre Götter je verehrt hat, ist anzunehmen, daß er weder in Urkasdim noch in Haran gelebt hat.

Ein andrer gelehrter Dichter hält Abraham, Isaak und Jakob für alte Götter, die später zu Ahnen erniedrigt wurden, während doch fast sämtliche Heidenvölker den umgekehrten Weg beschritten und sich aus ihren Ahnen Götter gemacht haben, wie Elamiter, Griechen und Römer und wahrscheinlich auch die Babylonier selbst. Aber es ist heute Modesache, der heiligen Schrift alten Testaments allerlei anzuhängen und nachzusagen, was man dann Wissenschaft nennt. Wenn aber zum Beweis

---

1) Vergl. Fr Hommel, Sem. V. u. Spr. S. 50.
2) Z. f. A. S. 406 ꝛc.
3) Luk. 19, 40.

der oben gedachten kühnen Behauptung ein Schriftwort [1]) angezogen wird, so ist das nur ein Schlag ins Wasser; denn grade an dieser Stelle werden Abraham und Israel als Menschen bezeichnet, die keine Gebete erhören können, was Gott allein zusteht.

Wenn aber ein Gelehrter wie H. Winckler selbst zugesteht [2]), daß wir kaum die äußeren Kultformen babylonischer Religion kennen, von den esoterischen Lehren ganz zu schweigen"; dann, meine ich, wäre es doch in jedem Fall geraten, die Sätze gegen die heilige Schrift mit größter Vorsicht und weniger Unfehlbarkeitsgefühl aufzustellen und dem Beispiel von H. Zimmern zu folgen [3]).

Aber an dem Baum der sog. wissenschaftlichen Kritik der hl. Schrift wachsen noch seltsamere Früchte, darüber auch Kittel [4]) mit Recht spottet. Hier nur ein Beispiel: „Abrahams Weib hieß Sarah"; viele Frauen alter und neuer Zeit erfreuen sich desselben Namens. „Seines Bruders Tochter war Milka. Die Mondgöttin heißt in Haran nikkal sarratu, und malkatu ist ein Beiname der Istar." Folglich — sind Sarah und Milka aus alten Göttinnen entstanden, und das alte Testament enthält mythologische Erinnerungen, aber keine Geschichte, und kein Mensch braucht die Märchen zu glauben. Doch schade um diesen schönen Beweis von der Art einer Seifenblase; denn sarratu und malkatu, d. i. Herrin und Königin, heißen auch Zirbanit, Beltis, Gula, Nanna und alle andern babylonischen Göttinnen nach dem Belieben ihrer priesterlichen Verehrer und Pfleger.

Man muß Hommel recht geben, wenn er dabei bleibt [5]), daß die in Babylonien eingewanderten Nordsemiten — einem Teile nach — sich auch in Sachen der Religion den Sumero-Akkadiern angeschlossen hätten. Das aber läßt sich von den wieder ausgezogenen Hebräern wohl behaupten, aber nicht beweisen. Anders mag es mit den weltlichen Dingen stehn, wie mit Münzen, Maßen, Gewichten u. a. Der Ursprung der Monatsnamen ist noch fraglich. Daß der babylonische Name des ersten Monats der Hebräer nicht früher als in den Büchern Esther und Nehemia gebraucht wird, während vorher der hebräische Name üblich ist; diese Tatsache weist darauf hin, daß der bestimmende Einfluß Babels in weltlichen Dingen hauptsächlich vor und während des Exils wirkte. Dazu gehört wohl auch Astronomie und Astrologie, in der die Juden seit dem Exil mehr als vorher bewandert sind [6]), nicht aber die Religion.

Freilich, wenn H. Winckler mit der Behauptung [7]) recht hätte, daß

1) Jes. 63, 16.
2) K A. T. S. 283.
3) K. A. T. S. 345.
4) Babylon. Ausgrabungen S. 16.
5) Sem. V. u. Spr. S. 6.
6) Vergl. A. Jeremia B N. T. S. 82.
7) K A. T. S. 208.

die Grundgedanken, die den Jahvismus oder Monotheismus in Gegensatz zu der herrschenden orientalischen Weltanschauung setzen, nicht in Juda allein entstanden seien und vor allem nicht dort allein gepflegt seien, so wäre der Jahvismus keine Frucht einer Offenbarung von oben, sondern, wie der genannte Gelehrte selbst hernach sagt, „eine Entwickelungsstufe aus einem hochentwickelten Polytheismus". Dieser Behauptung ist nach allen Seiten zu widersprechen; denn der Jahvismus ist nicht erst aus Mosehs Zeit bekannt, sondern so alt, als Menschen auf dieser Erde leben. Ferner ist unerhört, daß Polytheisten nicht neue Götter, sondern e i n e n Gott hervorbringen sollen [1]). Dagegen spricht die Geschichte mit allen ihren Tatsachen, auch die der Chinesen und Indier.

Ebenso unhaltbar ist Wincklers andere Behauptung [2]), daß es im Volksmund keine Ueberlieferung über vorgeschichtliche Ereignisse gebe: „Ein reiner Nomadenstamm hat keine Ueberlieferung und damit keine Geschichte", während doch grade die Nomaden, die des Schreibens unkundig sind, ein außergewöhnliches und fast unfehlbares Gedächtnis für die Ueberlieferungen aus ihrer Vorgeschichte haben.

Wollen wir den Tatsachen einigermaßen gerecht werden, so haben wir sechs Zeiträume zu unterscheiden, in denen Babylonier und Hebräer mit einander in Berührung kamen, nämlich

1. die Urzeit, da beide noch e i n Volk waren;
2. die Zeit der Einwanderung der Nordsemiten in das bis dahin sumero-akkadische Babylonien;
3. die Zeit Abrahams und Josuas oder der ersten und zweiten Einwanderung der Hebräer in Kanaan, das zwar dem Einfluß Babyloniens, aber der Herrschaft Aegyptens unterstand, wozu die Briefe aus dem Tell el Amarna zu vergleichen sind;
4. die Zeit nach der Spaltung des Reiches, wo Israel und Juda zwischen Aegypten und Assur-Babel hin und her schwankten;
5. die Zeit des Aufenthalts in der Gefangenschaft unter Assur und Babel;
6. die Zeit der Untertänigkeit von Galiläa, Samaria, Judäa und Peräa unter babylonischer, alt- und neupersischer Herrschaft. Unter den letztgenannten verstehe ich die Herrschaft der Seleukiden.

Daneben ging zu verschiedenen Zeiten eine mehr oder weniger gewaltsame Vermischung beider Völker ihre verderblichen Wege, namentlich durch die Sklaverei. Es konnte also durch lange Zeiten und bei vielen Gelegenheiten babylonischer Einfluß in Israel sich geltend machen; und wir werden begreifen, warum das Volk der Hebräer durch sein Gesetz und die Propheten vor allem fremden Wesen gewarnt wurde;

---

1) Vergl. Ed. König a. a. O. S. 7. 26.
2) K. A. T. S. 212.

aber erst nach seiner Rückkehr aus der babylonischen Gefangenschaft verschloß sich in Juda ein jedes Tor für fremden Einfluß. So ist es bis heute nicht erwiesen, daß die Hebräer ihren Sabbat, ihr Priestertum, ihre Opfer, ihr Gesetz, ihre heiligen Geschichten von der Schöpfung, vom Sündenfall, von der Sintflut, ihre Vorstellungen vom Paradies, von Engeln und Teufeln aus Babel überkommen haben, wenn auch H. Zimmern hierüber kein Wort mehr verlieren will, als wäre jede Vermutung und jede Annahme gleich einer bewiesenen Tatsache. Wo nur eine Aehnlichkeit oder Uebereinstimmung auf seiten beider Völker entdeckt worden ist, läßt sich fast in jedem einzelnen Falle die berechtigte Frage aufwerfen, ob nicht die sämtlichen Einwanderer dies oder jenes nach Babel mitgebracht, also ebenso lange als die Babylonier selbst gehabt haben? Jedenfalls aber haben sie die Vorstellung vom Paradies nicht aus Babel, wo sie überhaupt weder früher noch später gefunden wird. Vielmehr nannten die Perser also die königlichen Gärten, die in dem weiten persischen Reiche, später auch in Palästina, angelegt wurden. Die Vorstellung vom Paradies im biblischen Sinn ist ebenso alt, wie die von den himmlischen Geistern. Sie geht bis an den Anfang der Menschheit zurück.

Hat nun E. Schrader mit seiner Behauptung recht, der Sabbat sei weder eine hebräische Einrichtung noch eine aramäische Sitte, so haben Abraham und seine Leute auch den Sabbat nicht aus Südbabylonien mitgebracht; denn dort war er nicht bekannt. Aber Sayce meint [1]), sieben sei eine heilige Zahl, deren magische Tugenden die Semiten von ihren akkadischen Vorfahren übernahmen. Er sagt: „Als der chaldäische Noah aus der Sintflut errettet wurde, da war das erste, das er tat, daß er einen Altar baute und je sieben Gefäße, von denen jedes den dritten Teil eines Epha enthielt, über eine Schicht von Schilf, Fichtenholz und Dornen setzte.“ Aber abgesehn von der Erfindung der akkadischen Vorfahren der Semiten, was geht das Opfer des chaldäischen Noah den Sabbat an?

Das göttliche Gebot selbst [2]) weist einen unbefangenen Hörer auf die Tatsache hin, daß wir in dem Sabbat weder etwas babylonisches noch etwas hebräisches noch etwas aramäisches erkennen dürfen. Das Gebot selbst stellt den Sabbat als eine schöpfungsmäßige, alle Menschen angehende Ordnung hin, die so alt wie das Menschengeschlecht selbst ist, wenn sie auch nicht bei allen Völkern gefunden wird, weil sie mit dem lebendigen Gott auch seine Ordnungen verloren hatten.

Wenn dann bei Wiederholung des Gesetzes [3]) das Sabbatgebot mit der Errettung des Volkes Israel aus Aegypten in Verbindung gebracht wird, so begründet sich diese Aenderung in mehrfacher Weise. Einmal

1) Urquhart I, S. 155.
2) Ex. 20. 8—11. Gen. 2, 3. Jerem. A. T. O. S. 86.
3) Deut. 5, 15.

wirkt das Erfordernis, daß dem neuen, in vierzigjähriger Wüstenwanderung herangewachsenen Volk Sabbat für Sabbat die große Gottestat seiner Errettung aus der schweren ägyptischen Dienstbarkeit in das Gedächtnis eingeprägt werden mußte, weil Israel hierdurch ein freies Volk und ein Volk Gottes geworden war [1]), während seine Väter, die den Auszug aus Aegypten erlebt hatten, eines solchen Hinweises nicht bedurften. Zum andern entspricht es ganz der Sachlage, wenn vom Sinai herab das Gebot über alle Länder und Völker ergeht; aber in der täglichen Anwendung auf das nationale Israel insonderheit gerichtet wird.

Uebrigens sind die Babylonier selbst ganz verschiedener Meinung über Wert und Bedeutung des Sabbats. Dem einen ist er ein jum nukh libbi, „ein Tag der Ruhe des Herzens in Gott", wie Lotz schön übersetzt hat. Fr. Delitzsch [2]) aber denkt an das unruhige Herz der Götter, das der Besänftigung am Sabbat bedarf. Sayce übersetzt: „ein Tag der Ruhe für das Herz", auch nicht übel. Andern Babyloniern aber ist der Sabbat ein Unglückstag, eine Auffassung, die Sayce in die akkadische Zeit weist. Er liest udu khilgal, „ein ungiltiger Tag", Fr. Delitzsch aber ud chul gal, „ein böser Tag". Wieder andern Auslegern gilt der Sabbat als ein Tag der Vollendung, wozu Gen. 2, 2 verglichen werden kann. Nach Pinches endlich, der ein Keilschriftfragment mit der sumero-akkadischen Bezeichnung der Tage und daneben die assyrische Uebersetzung veröffentlicht hat, gibt es für die Babylonier einen Tag der Reinigung, einen Tag der Waschung und mehrere andere Festtage im Monat. Der 15. Tag wird in der assyrischen Uebersetzung sabattu genannt. Es war aber dieser Tag nach Pinches kein Tag der Ruhe im gemeinen Sinn, sondern der Tag des Vollmonds, indem der erste eines jeden Monats Neumond war, ein Tag der Ruhe nur als der „Tag der Beschwichtigung der erzürnten Götter", also ein Tag besonderer Opfer und Gebete, womit Pinches die Ansicht von Delitzsch und Bezold näher bestimmt, während die assyrischen Hemerologien wieder den Sabbat umu lemmu „einen bösen Tag" nennen. Auch die Redeweise „6 Tage und 7 Nächte", die im Gilgamis-Epos mehrere Male vorkommt, kann auf den Sabbat gedeutet werden.

Diese Darlegung zu schließen, müssen wir sagen: Die Sumero-Akkadier hatten zur Zeit, da die Semiten bei ihnen einwanderten, die Herkunft und die ursprüngliche Bedeutung des Sabbats bereits vergessen; die zugewanderten Semiten aber waren fast ebenso arm, weil der überhandnehmende Götterdienst den Ruhe- und Festtag des lebendigen Gottes schon durch die vielen Festtage der sichtbaren Götter mehr und mehr verdrängt hatte, wie das in der Natur der Sache liegt. Deshalb aber können wir gar nicht, wie Fr. Delitzsch „die in unsrer Sabbats- bez.

1) Exod. 19, 4—6.
2) I. Vortrag S. 62. So auch K. Bezold N. u. B. S. 108.

Sonntagsruhe beschlossene Segensfülle den alten Kulturvölkern am Euphrat- und Tigris" verdanken; denn was sie selbst nicht hatten, konnten sie auch andern nicht geben.

Daneben aber steht es fest, daß der assyrische König, der „Hirte der großen Völker", am 7., 14., 21. und 28. Tag des Monats kein gebratenes Fleisch und kein gesalzenes Brot essen durfte; denn als Oberpriester mußte er den Hemerologien oder Kulturgesetzen der Priester gehorsam sein. Auch durfte er an diesen Tagen seinen Leibrock nicht wechseln noch weiße Gewänder anlegen, keinen Wagen besteigen, kein Opfer bringen, keine Entscheidung fällen. Beachtet man dieses Verbot, so kann in Assyrien sicher der Sabbat nicht als ein Tag zur Beschwichtigung der großen Götter aufgefaßt worden sein; denn auch der Magier durfte an verborgenen Orten nicht wahrsagen, der Arzt die Kranken nicht besuchen noch Arzneien verordnen. Eine Verfluchung am Sabbat vorzunehmen, wurde nicht passend gefunden; denn es war ja ein böser Tag. Nur Zahlung zu leisten war nicht verboten [1]). Mit allen diesen Bestimmungen gelangen wir nicht zu einem Tag religiöser Freude und geistlichen Segens, wie der Sabbat in Israel tatsächlich auftritt, vielmehr entsprechen namentlich die assyrischen Bestimmungen der Auffassung des Sabbats als eines bösen Tages, wo jeder sich hüten muß, den Zorn der Götter noch mehr zu reizen statt ihn zu beschwichtigen. Solchen Bestimmungen sieht der Talmud viel ähnlicher als die Bibel; sie machen aus dem Sabbat einen Fasten-, Buß- und Trauertag, während das Volk Israel an diesem Tage der großen Taten seines Gottes fröhlich gedachte, sodaß dieser Tag ein ewiges Bundeszeichen zwischen Gott und seinem Volk sein sollte und geworden ist [2]). So wird es dabei bleiben, daß die ursprüngliche Bedeutung des Sabbats nur bei den Hebräern erhalten blieb und, soweit nötig, später wieder hergestellt wurde, während die Sumero-Akkadier und die bei ihnen wohnenden Semiten den Segen und die Freude des Sabbats durch Einwirkung ihres Götzendienstes vollständig verloren hatten.

Doch die Schwärmer für Babylon gehen weiter und meinen, nicht nur der Sabbat, sondern das ganze Gesetz Israels sei von den Babyloniern entlehnt, denn kaum waren die Gesetze Hammurabis bekannt geworden, so wurde das sog. Bundesbuch [3]) mit diesen neu entdeckten Gesetzen verglichen. Unmittelbar vor dem Bundesbuch stehen aber die heiligen zehn Gebote, die Fr. Delitzsch [4]) als „des heiligen Gottes ureigenste Offenbarung" anerkennt. Sie sind gewiß die Grundlage aller menschlichen Gesetze, der Richter aller Sittlichkeit und Religion. So hebt denn das Bundesbuch im Anschluß an das erste Gebot mit dem

---

1) K. B. IV, S. 271.
2) Ex. 31, 17.
3) Ex. 20, 22—23, 33.
4) II. Vortrag, S. 18.

Verbot jedes Götzendienstes an und fährt fort mit Bestimmungen über den Bau der Altäre des unsichtbaren Gottes. Dann wird das Recht der Sklaven und Sklavinnen verkündet, während die folgenden Bestimmungen als Ausführung des sechsten Gebotes [1]) Leib und Leben des Menschen schützen. Sodann wird das achte Gebot bestätigt und das Eigentum gegen Diebstahl, Raub und Veruntreuung gesichert. Betr. des siebenten Gebotes wird die Ehre der Jungfrau geschützt und die widernatürliche Unzucht mit Strafe bedroht. Dann wird die Strafe für die Zauberinnen und für alle Götzendiener festgesetzt. Es folgen Gesetze zu gunsten der Fremdlinge, der Witwen, Waisen und Armen, Verordnungen über Behandlung falscher Anklagen, über Verhütung von Sachbeschädigung, Sorge für gerechtes Urteil, Schutz der Fremdlinge, Jahressabbath, Passahfeier und doppeltes Erntefest. Endlich wird dem Volk Israel Sieg über die Kanaaniter verheißen und wiederholt vor dem Götzendienst gewarnt.

Wenn diese Gesetze, die das Volk Israel durch Moseh erhielt, sich in einzelnen Stücken mit den Gesetzen Hammurabis nicht nur berühren, sondern hier und da fast wörtlich übereinstimmen; und wenn man daraufhin eilfertig die Behauptung aufstellt, die Hebräer hätten ihre Gesetze aus Babel erhalten, so ist mit solcher Behauptung die wirkliche Sachlage nicht erhellt, die Frage nach dem beiderseitigen Verhältnis nicht gelöst und abgetan. Davon abgesehn, daß dem Gesetzeskodex Hammurabis sumero-akkadische Gesetze [2]) vorausgehen und zugrunde liegen, müssen wir daran festhalten, daß viele Gesetze Israels, vor allen die heiligen zehn Gebote, viel älter sind als Moseh und Hammurabi, so alt wie die Menschheit selbst [3]). Aber wie der König Hammurabi die Gesetze, die in seinem Volke galten, zu ihrer Sicherung auf eine Felsensäule schreiben ließ, so wurden dem Volke Israel Gottes Gebote, auf steinerne Tafeln geschrieben, neu und unverfälscht übergeben. Ob nun Moseh sich, wie H. Winckler und A. Jeremias [4]) annahmen, dabei der babylonischen Keilschrift bedient hat, oder ob, wie mir wahrscheinlicher dünkt, die Gesetze Israels in der hieratischen Schrift der Aegypter, in deren Weisheit Moseh unterrichtet war [5]), geschrieben wurden; darauf kommt hier nichts an. Die Zeit, in der die Gesetze Hammurabis aufgezeichnet wurden, wird damals ihren Anfang genommen haben, als der Nordsemite Tharah mit seinem Hirtenstamme Babylonien bereits wieder verlassen hatte; denn diese Gesetze sind fast ohne Ausnahme aus einem seßhaften und ackerbautreibenden Volke hervorgegangen und für ein seßhaftes Volk bestimmt. Jene Auswanderer aber verschlossen sich wie

---

1) Nach biblischer Zählung.
2) Veröffentlicht von H. Winckler, G. H. 4. Aufl.
3) Vergl. das zum 4. Gebot Gesagte.
4) A. T. O. S. 263.
5) Ex. 2. 10. 24, 4. 34, 28. Deut. 31, 9. Apostelg. 7, 22.

gegen den Ackerbau und gegen die Schreibekunst der alten Sumero-Akkadier, so auch gegen die Sitten oder Unsitten dieses Volkes, teilweise auch gegen seinen Götzendienst. Demnach muß die Uebereinstimmung einzelner Gesetze bei Hammurabi und Moseh auf eine Zeit zurückgeführt werden, wo die Semiten noch nicht in Babylonien eingedrungen waren. So auch Grimme und ähnlich J. Jeremias am Schluß seines trefflichen Büchleins [1]), wo er Arabien als Vermittler zwischen hebräischem und babylonischem Recht annimmt.

Vergleicht man aber das Bundesbuch Israels mit den Gesetzen Hammurabis nicht nur auf den Wortlaut, sondern auf den inneren Gehalt, so läßt sich mit A. Jeremias behaupten, daß in Hammurabis Gesetzen nicht ein einziger religiöser Gedanke zu finden ist, daß sie alle rein weltlicher Art nach Ursprung und Absicht sind, während sich das Gesetz Israels vor allem auf den Dienst des Einen unsichtbaren Gottes bezieht, der in den Gesetzen Hammurabis nur wie ein Märchen aus alten Zeiten auftritt. Von Gott ist mehrere Male darin die Rede, aber niemals von seiner Verehrung. Gott ist ein Wort ohne Inhalt geworden. Aber auch von dem Dienst der Götzen ist dort selten die Rede. Abgesehn von der Einleitung und dem Schluß wird nur im Satz 182 eines Götzen namentlich gedacht. Wo bleibt da der von Hommel erfundene Monotheismus der Hammurabidynastie [2])?

An andere Mängel erinnert A. Jeremias [3]), durch die Hammurabis Gesetze weit hinter die Gesetze Israels zu stehn kommen, nämlich daß nirgends die böse Begierde bekämpft, nirgends die Selbstsucht durch Altruismus — lautet auf deutsch tausendmal schöner: Liebe deinen Nächsten als dich selbst — eingeschränkt wird; daß nirgends das religiöse Motiv sich findet, wodurch die Sünde als der Leute Verderben erkannt wird, weil sie der Furcht Gottes widerspricht. Dazu kommt noch manches andre Gebrechen. Beide Gesetzsammlungen enthalten Strafbestimmungen für allerlei Vergehen, aber Israels Gesetz ist in Abmessung der Strafen viel gelinder, viel menschenfreundlicher als die Gesetze Hammurabis. Ferner ist das siebente Gebot in Babel so gut wie vergessen. Nur die allerschwersten Uebertretungen desselben werden noch mit Strafen bedroht. Während in Israels Gesetz die Ehre der Jungfrau beschützt wird, beschäftigt sich bereits 800 Jahre vorher Hammurabi mit den Rechtsverhältnissen der Tempeldirnen!

Daß die Sitten der semitischen Babylonier und der Hebräer vielfach übereinstimmen, ist nach den oben angeführten Gründen ganz selbstverständlich; denn beide sind ursprünglich e i n Volk. Hier wie dort nahm ein Mann, dem seine Frau keinen Erben geboren, eine Nebenfrau, meist die Dienerin der Hauptfrau, wie die hl. Schrift von Abraham und Jakob

1) M. u. H. S. 35 u. 62.
2) Die altisr. Ueberlieferung S. 117.
3) A. T. O. S. 266.

u. a. berichtet. Wenn bei diesen hebräischen Patriarchen die ungebrochene Naturweise des Orients zutage tritt, so haben wir an den betreffenden Berichten nicht nur das Gepräge der Wirklichkeit zu beachten, sondern empfangen auch ein Zeugnis von der Geduld Gottes, der sein Heilswerk nicht auf Heilige, sondern auf Sünder richtet und sein Haus auf Erden nicht mit Heiligen, sondern mit Sündern baut und doch alles herrlich hinausführt, was er sich vorgenommen hat.

Die sittlichen Zustände aber, die der Kodex Hammurabis bei dem babylonischen Volk voraussetzt, sind bereits weit unter die bei den gleichzeitigen Patriarchen der Hebräer gesunken. Ueberall haben es diese Gesetze der Babylonier mit grausamen, selbstsüchtigen, wollüstigen Menschen zu tun, was durch den König selbst bestätigt wird, da er als seine Absicht kundgibt, er wolle den wirtschaftlich Schwachen vor Ausbeutung durch den wirtschaftlich Starken schützen. Ob nun die harten Strafen dieses Kodex das babylonische Volk auf eine höhere Stufe der Sittlichkeit gehoben haben, ist hier nicht zu untersuchen. Jedenfalls werden sie nicht umsonst gebraucht sein, wenn sie das babylonische Volk nur auf der Stufe erhalten haben, auf der es zu Hammurabis Zeiten stand, um noch den letzten Rest sittlicher Kraft aus besseren alten Tagen auf die nachfolgenden Geschlechter zu vererben. Bei andern Völkern werden die Strafgesetze bald gemildert, bald verschärft; aber weder in Babel noch in Assur gibt es einen zweiten Strafkodex, der dem Hammurabis an die Seite getreten wäre.

Auffallend ist auf den ersten Blick, daß in Hammurabis Gesetzen der Blutrache nicht einmal Erwähnung geschieht, während sie in Israel noch tausend Jahre später nach dem Gesetz Mosehs und des Volkes Gewohnheit ausgeübt wurde. Die Antwort oder den Schlüssel zu diesem Rätsel gibt uns die Lebensweise beider Völker. Die Babylonier hatten als Ackerbau treibendes Volk feste Wohnsitze in Städten und Dörfern. Da gibt es ordentliche Obrigkeit, Richter und Gerichte und ihre Diener. Israel aber war zu der Zeit der Patriarchen in Kanaan, dann in Gosen und in der Wüste Sinai und wieder in Kanaan zum Teil ohne Ackerbau und lebte mit seinen Herden nomadisierend. Der Hirte aber ist häufig einsam, fern von größeren Wohnstätten der Menschen. Wird er beleidigt, beschädigt, an Leib und Leben angegriffen, so ist er zunächst auf die Selbsthilfe angewiesen. Darum aber sind die Hebräer noch lange kein roher Nomadenhaufen gewesen, wozu ihn theologische Antisemiten stempeln wollen, als wären seine religiösen Anschauungen und seine Sitten nicht über die der wilden Naturvölker erhaben gewesen. Dieses Märchen ist für die Zeit der Erzväter durch Hammurabis Gesetze, für die Zeit Mosehs durch die Tafeln aus dem Tell el Amarna selbst bei den Leuten widerlegt, die die hl. Schrift erst an zweiter Stelle vernehmen.

Wie weit sich die Vorliebe für Babylonien erstreckt, selbst hinüber auf das Sprachgebiet, ersieht man aus der Behauptung H. Windlers [1]), das Wort „erkennen“, das in der hl. Schrift einen besondern Sinn hat, sei aus der babylonischen Sprache entlehnt. Doch kommt dasselbe Wort mit derselben Bedeutung auch in der Sprache der Araber, der Griechen und Römer vor, ehe diese Völker noch mit Babylonien in Verbindung getreten waren [2]). Dies Wort soll nicht nur eine Handlung verdecken, die auch bei heidnischen Völkern nicht leicht mit ihrem einfachen Namen genannt wird, sondern es besteht nach Vilmar auch eine innere geheime Verwandtschaft zwischen dem geistigen Erkennen und dem leiblichen Erzeugen.

Geht es aber nicht an, einen unmittelbaren Einfluß Babyloniens auf Israel zu beweisen, so wird ein mittelbarer behauptet. Syrien und Palästina standen zwar zu Mosehs und Josuas Zeiten unter ägyptischer Herrschaft, aber die Statthalter des Pharao sprachen babylonisch und schrieben weder mit Hieroglyphen noch mit hieratischen oder demotischen Schriftzeichen, sondern mit babylonischer Keilschrift, die weder der Ueberbringer noch der Empfänger der Steinbriefe lesen konnte. Der Fürst von Mitanni, einem Land der Hethiter, westlich von Assyrien gelegen, gab seinem Briefträger einen targumaanu oder Dolmetsch mit, der dem Aegypterkönig den Inhalt des Briefes übertragen mußte. Nach H. Winckler ist Mitanni gleich Naharina, d. i. Naharaim Aram oder Mesopotamien [3]). Ob mit diesen Briefen der überwiegende Einfluß grade von Babylonien bewiesen wird, kann dem recht zweifelhaft werden, der mit andern erwägt, daß der Dolmetsch aramäisch und nicht bel lisani genannt wird.

Wieder ein andrer Gelehrter [4]) hält zwar daran fest, daß der Vorzug Israels vor andern Völkern nicht zu leugnen sei; er weiß auch, daß derselbe nicht auf dem Gebiet menschlicher Kraft und Bildung, sondern auf dem Gebiet der Religion liegt. Aber er gibt zu, daß viele babylonische Elemente in die israelitische Religion eingedrungen seien, und meint, diese Vermischung habe in der Zeit der Besitznahme des Landes Kanaan stattgefunden, das damals mit babylonischer Kultur und Religion durchsetzt gewesen sei. Israel habe mitten in der Entwickelung der Völker des westlichen Asiens gestanden und von den um Jahrtausende älteren Kulturvölkern, den Aegyptern, Phönikiern und Babyloniern kulturelle, literarische und religiöse Elemente in sich aufgenommen, aber sie im Glauben an den Einen heiligen und gnädigen Gott Himmels und der Erde „umgeprägt“ und durch das Feuer des göttlichen Geistes „geläutert“; aber dieser Glaube habe sich auch in Israel erst in allmählicher Entwickelung unter viel Kampf mit animistischen, polytheistischen und

1) H. G. S. 26, Anm. 1.
2) Vergl. Vilmar, Erkl. der Gen. S. 61 u. 62.
3) Vergl. E. Schrader, A. d. W. 1888, S. 588.
4) Sellin in d. evang. Kzeitung für Oesterreich 1903.

naturalistischen Elementen aus vorigen Zeiten durchgesetzt. Aber in dieser Auffassung zerstört eine Hand, was die andere gebaut hat. Hier wird den Leugnern jeder göttlichen Offenbarung der erste Grundsatz preisgegeben, der unbedingt festzuhalten ist, daß zu keiner Zeit und an keinem Ort, so lange Menschen auf dieser Erde leben, der Monotheismus sich aus dem Polytheismus entwickeln konnte [1]). Und wie will ein Gelehrter, der einer selbst auf naturwissenschaftlichem Gebiet unerwiesenen Entwickelungslehre huldigen zu müssen glaubt, das eine erklären, woher mit einemmale der göttliche Geist kam, der die bis dahin heidnischen Anschauungen läuterte und umprägte? Ist denn läutern und umprägen des Heidnischen genügend, um nur eine einzige göttliche Offenbarung zu ersetzen, wie daß der lebendige und allmächtige Gott durch sein Wort das Weltall ins Dasein gerufen hat?

Auch A. Jeremias [2]) und Fr. Hommel [3]) stehen ähnlich wie Sellin. Wenn dem alten Israel ein henotheistischer Sterndienst aufgezwungen wird, so übersehen solche Gelehrten, daß in Israel zu keiner Zeit Einigkeit in Sachen der Religion vorhanden war. Während Jakob dem lebendigen Gott diente, stahl Rahel [4]) ihres Vaters Götzen. Mit demselben Eifer, mit dem Israel des ursprünglichen Polytheismus verdächtigt wird, streitet ein andrer für den latenten Monotheismus der Babylonier. Mit meisterhafter Logik und Ironie zerstört J. Oppert [5]) die Träume eines berühmten Gelehrten: „Wenn Jauumal ein Verehrer Jahves ist, warum ruft er denn Samas und Marduk an?"

Wenn aber H. Winckler [6]) Polytheismus und Monotheismus gleicherweise als aus Menschengedanken geboren faßt, so bezeugt er nur, daß es für den Geschichtsforscher, wie er ihn versteht oder haben will, überhaupt keine göttliche Offenbarung gibt. Auf dem Gebiete der Religion achte ich, darf viel weniger als auf andern Gebieten menschlicher Erkenntnis Halbheit oder Unentschiedenheit geduldet oder gar ein Friedensbund mit dem Unglauben geschlossen werden; denn dabei wird nicht nur jede göttliche Offenbarung geleugnet, sondern auch gewisse religionsgeschichtliche Tatsachen, die der vielgeliebten Entwickelungstheorie im Wege stehn, werden bei Seite geschoben und einfach tot geschwiegen.

Wußten doch noch die Priester im ägyptischen Theben, wie Herodot und ein Denkmal bezeugen [7]), daß ein einiger Gott sei, der keinen Anfang gehabt habe und kein Ende haben werde. Diesen Gott bekennen ganz alte ägyptische Texte als den einzigen Erzeuger im Himmel und auf

---

1) Vergl. S. 8.
2) A. T. O. S. 84 u. 338.
3) Grundriß 2c. S. 174 2c.
4) Gen. 31, 19.
5) Z. f. A. 1903, S. 241, 303 2c
6) Abraham a. B. S. 31 2c.
7) M. Duncker a. a. O. I, 58.

Erden, der selbst nicht erzeugt sei; als den einen wahren und lebendigen Gott, der von Anfang war, der alle Dinge machte und selbst nicht gemacht wurde. So lehrten die thebaischen Priester noch zu einer Zeit, wo das ägyptische Volk bereits im Aberglauben und Götzendienst gefangen lag. Woher hatten die ägyptischen Priester ihre Erkenntnis des Einen wahren Gottes? Doch nicht aus sich selbst, am wenigsten aus dem Aberglauben des sie umgebenden Volkes. Vielmehr hatten sie einen Rest der ursprünglich allen Menschen gemeinsamen Gotteserkenntnis in treuer Ueberlieferung bewahrt. Wenn auch dieser Rest später verloren wurde, so wird es den ägyptischen Priestern ähnlich wie Aaron gegangen sein, zu dem das Volk sprach [1]: „Auf, mache uns Götter, die vor uns hergehn." Das Volk verlangt nicht nur in Israel, sondern auch in Aegypten und Babylonien für seinen Gottesdienst etwas Sichtbares und Greifbares. Wo dann die Priester wider besseres Wissen solchem Verlangen nachgeben und irgend welche Geschöpfe zur Ehre der Anbetung erheben und an die Stelle des unsichtbaren Schöpfers setzen, da werden sie selbst mit der Zeit in die Finsternis des Aberglaubens gezogen, die sie begünstigt haben.

Auch A. Jeremias sprach auf der zweiten internationalen Vereinigung für allgemeine Religionsgeschichte zu Basel von einer „monotheistischen Unterströmung in Babylon"; also etwas ähnliches vielleicht wie in Aegypten? Er meinte: „Die babylonische Religion war ursprünglich Anbetung der Sterne. Die Sterne sagten den Eingeweihten von göttlichen Dingen." Woher weiß das A. Jeremias? Hat er davon in den tausenden von Aufzeichnungen der babylonischen Sternseher gefunden? Ich nicht, und ich bin des ganz sicher, daß die babylonischen Sternseher auch gar nichts von göttlichen Dingen, sondern ganz allein die Antworten auf Fragen über weltliche Dinge in den Sternen suchten, vielleicht in gutem Glauben, daß sie finden würden, was sie suchten. Aber A. Jeremias fährt fort: „Die Sterne offenbarten ihnen den göttlichen Willen, und die Wissenden bildeten die religiöse Vorstellung in der Richtung des Monotheismus aus, indem sie entweder die zahlreichen Götter einem höchsten Gott streng unterordneten oder gar e i n e große göttliche Macht annahmen, von der die einzelnen Götter Ausstrahlungen sind." Hier begibt sich auch A. Jeremias auf das Gebiet der freien Dichtung; denn der Babylonier sah in der Wirklichkeit die verlorene Mühe, alle Götter e i n e m unterzuordnen und sang in seinen Göttermythen nur vom Streit der Götter unter einander. Oder wenn er einmal einen höchsten Gott annahm, so gab er diese Ehre bald diesem, bald jenem Gott. Wo bleibt da der Monotheismus? Hernach wendet sich A. Jeremias wieder der Wirklichkeit zu: „Der Polytheismus des babylonischen Volkes ist nur eine Popularisierung des Astralsystems, und

1) Ex. 32, 1 ꝛc.

2

auch hier herrschte der Stadtgott oder der Bezirksgott als der summus deus, als oberster Gott; doch zeigt sich nirgends jener wirkliche Monotheismus, der durchweg der Grundzug der alttestamentlichen Religion ist; sondern immer wird zur Seite des höchsten Gottes auch die höchste Göttin gedacht und angerufen, selbst in den erhabenen — vermutlich ein unbeabsichtigtes Lob — babylonischen Bußpsalmen. Der höchste heidnische Gottesbegriff kommt nicht über die Zweigötterei hinaus." Wo bleibt da der oben gerühmte Monotheismus? Weiter sagt A. Jeremias: „Und noch ein anderes muß sehr beachtet werden. Mit jener monotheistischen Richtung in Babylon ist nur etwas über die Quantität Gottes — nicht einmal dieses — ausgesagt, nichts jedoch über die Qualität Gottes. Die Erkenntnis der Qualität Gottes, der Blick in das Herz Gottes beruht auf einer großartigen geschichtlichen Führung, die in Israel sich angebahnt hat und im Christentum zur Vollendung gekommen ist." Hier sollte sich A. Jeremias anstatt zu „geschichtlicher Führung" einfach und ehrlich zu der Offenbarung des lebendigen Gottes bekannt haben, wie sie nach der Schrift bereits dem ersten Menschen, dem Ebenbild und Sohn Gottes, zu teil wurde. Das ist der Anfang seiner „geschichtlichen Führung"; oder diejenigen Naturwissenschaftler behalten Recht, die die ersten Menschen in einem tierähnlichen Zustand der Unwissenheit und Roheit ihren Anfang nehmen lassen. Wenn A. Jeremias also weniger Redekunst geübt und auch als Gelehrter das Kreuz Christi auf sich genommen hätte, so wäre er nicht auf die Dichtung gefallen, den „erleuchteten Geistern einen latenten Monotheismus" zuzuschreiben, während grade diese Geister wenigstens in Babylonien die Erfinder der Götter und Göttersagen gewesen sind.

Geschichte und Logik stemmen sich gegen die Entwickelungstheorie auf allen Lebensgebieten, vor allem aber auf dem Gebiete der Religion. Nie und nirgends ist, wie schon oben betont, aus der Vielgötterei die Anbetung des Einen lebendigen Gottes hervorgewachsen; aber der umgekehrte Weg wird in der Geschichte Israels und anderwärts bis in die Gegenwart beobachtet. Trotz der fortlaufenden Offenbarung des wahren unsichtbaren Gottes wandte sich Israel immer wieder den sichtbaren Göttern zu, und heute geht es nicht anders. War Abraham vor der Nachfolge in dem Abfall seines Vaters Tharah [1]) bewahrt worden, so fielen doch hernach nicht nur einzelne seiner Nachkommen von dem Glauben des Stammvaters ab, sondern fast das ganze Volk diente in der Wüste dem goldnen Kalb [2]) oder betete den Moloch und Remphan [3]) an und fuhr fort in seinem Abfall, bis die Drohung Gottes, die durch die Propheten ergangen war, sich erfüllte und das Volk lange Jahre unter den Heiden zu Babylon leben mußte. Dieses bittere Widerfahrnis beugte

1) Jos. 24, 2
2) Exod. 32.
3) Amos 5, 25—27. Apostelgesch. 7, 43.

endlich den Nacken des halsstarrigen und verkehrten Volkes. Es bekehrte sich endlich von aller Abgötterei und folgte seinem Vater Abraham im Dienst des wahren Gottes nach, der ihm keine Macht, Ehre und zeitliches Wohlergehn einbringen sollte, vielmehr mit viel zeitlicher Not, Spott, Verfolgung und Verachtung verknüpft war.

Aber konnten denn die Priester in Theben und die Wissenden in Babel ihre Volksgenossen nicht zu der Höhe ihres eigenen Erkennens erheben? Wir wissen weder von Zeit noch Ort, wo ein Versuch dazu gemacht wäre. Im Gegenteil werden die Wissenden bald in Erfahrung gebracht haben, daß ein im Aberglauben befangenes Volk viel leichter zu lenken und auszubeuten ist als ein durch die Erkenntnis der Wahrheit befreites Volk; und zum Regieren fühlten sich die Priester der alten Zeit an erster Stelle berufen.

Auch die Geschichte des Reiches Gottes im neuen Bunde liefert uns leider genug Beispiele, daß der Abfall vom Monotheismus zum Polytheismus vielfach stattgefunden hat und in der Weise des Abfalls vom Glauben zum krassen Aberglauben noch heute stattfindet. Aber nicht ein einziges Volk der Heiden, auch nicht die gebildeten Inder und Chinesen oder Japaner, hat bis heute den Weg aus der Vielgötterei zu dem Einen Gott aus sich selbst gefunden und beschritten.

Daher führt ein andrer Gelehrter [1]) mit Recht aus, daß es psychologisch undenkbar ist, wie die niederen Religionsformen, die man gern für die ursprünglichen hält, Fetischismus, Totismus, Animismus u. a. hätten entstehen können, ohne daß die Vorstellung von einer jenseitigen höheren Macht, d. i. die Gottesvorstellung, schon vorhanden war. Er sagt: „Die Vorstellung, ein Stein oder Holz sei Gott oder ein Tier sei Gott, kann nicht die erste sein, sondern ist eine sekundäre. Sicher ist dem Urmenschen Stein gleich Stein, Holz gleich Holz, Tier gleich Tier; und daß sie von sich aus nicht lebendig machen, töten, Wachstum schaffen, sieht der Mensch vor Augen. Wohl kann er, wenn die Vorstellung von Gott da ist, sie dahin entarten lassen, daß jene Macht, weil sie unsichtbar ist, an sichtbare Dinge wie Baum, Stein, Tier gebunden gedacht wird. Jene Vorstellung aber wird, auch wenn sie an mehreren Erscheinungsformen des Naturlebens sich bildet, zuletzt eine einheitliche sein, die der jenseitigen Macht. Auf diese Weise erklären sich die niedern Religionsformen als Produkt eines Entartungsprozesses, während sie als originelle Erscheinungen nur gedrungene Erklärungen zulassen" — oder gar nicht erklärt werden können, weil sie aus der Finsternis geboren, aber nie und nirgends aus der vernünftigen Erwägung des Menschengeistes entsprungen sind. Vielmehr verdanken sie ihre Entstehung dem törichten Aberglauben oder den verkehrten Furchtvorstellungen auf seiten der Unwissenden oder dem absichtlichen Betrug auf seiten der Wissenden.

---

1) Kittel a. a. O. S. 30.

2*

Hat sich aber nie und nirgends aus niedern Religionsformen die „höhere Religionsform des Monotheismus" entwickelt, so muß die immer wieder aufgefrischte Behauptung schwere Bedenken erregen, als habe sich das Volk Gottes aus dem bankrotten Babel seine reine monotheistische Gottesidee geholt. Waren doch schon zu Hammurabis Zeit nur noch schwache Spuren von der ursprünglichen Erkenntnis des Einen Gottes vorhanden! Aber länger als diese Erkenntnis erhielt sich in Babel die Erinnerung an die dienenden Geister [1]), die in allen Gebieten der Schöpfung walten und Gottes Befehle ausführen, wie bei dem alten, viel mißdeuteten Wort: „Lasset uns Menschen machen, ein Bild, das uns gleich sei." Es trägt dieses Wort nichts aus für den sehr willkommenen Beweis eines bei den Hebräern ursprünglichen oder von den Babyloniern abgelernten Polytheismus. Diese Ueberlieferung von den dienenden Geistern reicht vielmehr wie andre auch weit über den Unterschied von Hebräern und Babyloniern hinaus, wurde aber in Babylon bald verdorben, indem aus den Geistern Götter gemacht wurden. Daß aber diese Götter in ihrem Verkehr unter einander Streit und Neid, Haß und Mißgunst beweisen, wird sich auch erklären, wenn wir auf die dienenden Geister achten, die in ihren mannigfaltigen Wirkungen dem Menschen nahe treten, ja täglich sinnlich vernehmbar werden; indem diese Wirkungen dem Menschen bald unmittelbar, bald mittelbar schädlich oder nützlich sind, wie Wind und Wetter, Regen und Sonnenschein, Tag und Nacht und der Wechsel der Jahreszeiten. Grade hier, sagt uns die Erfahrung, war der Abfall vom Glauben zum Aberglauben oder Unglauben besonders schnell und leicht zu vollziehen, indem über die Wirkungen der dienenden Geister der allein und allen gebietende Gott und Herr, weil sinnlich nicht wahrnehmbar, vergessen und allmählich aus der Anbetung der Menschen hinaus gedrängt wurde, während der Mensch an seiner Stelle die erschaffenen Geistwesen als gute oder böse Götter verehrte.

Hier liegt jedenfalls eine sehr ergiebige Quelle der babylonischen Götterbildung; doch die alten Kirchenväter zielten auf etwas andres ab, wenn sie die Götter der Heiden für Dämonen erklärten; denn sie dachten dabei nicht an den Ursprung dieser Götter, sondern sie schrieben ihnen persönliche Wirklichkeit im dämonischen Wesen zu, während die Götter ohne Unterschied doch nur Gedankengebilde des menschlichen Aberglaubens sind, wie bereits oben dargelegt worden ist.

Eine andre Quelle für polytheistische Bildungen war in Babylonien sowohl bei den Sumero-Akkadiern wie bei den eingewanderten Semiten die Verehrung der Ahnen [2]), die Erinnerung an bedeutende Männer,

---

1) Lénormant, la magie chez les Chaldéens et les origines accadiennes.
2) Brockelmann, Z. f. A. 1902, S. 394.

Heroen, Wohltäter des Menschengeschlechts, wie wir später des näheren darlegen werden; hierher gehört auch die göttliche Verehrung der Könige. Hingegen fällt die Verehrung der Naturkräfte und der Gestirne mit der Vergötterung der dienstbaren Geister, die in jenen walten und wirken, zusammen. Ein ander Ding ist es mit der Vergötterung der Tiere oder lebloser Geschöpfe [1]).

Wenn aber einigen Gelehrten die Götter der Heiden und die Männer der biblischen Geschichte ein Spielzeug ihrer Erfindungsgabe oder ein Uebungsplatz für ihren Witz und Verstand sind, dann muß es bald zu Torheiten und Abgeschmacktheiten kommen; so, wenn H. Winckler [2]) der Geschichte von Saul und Jonathan, David und Salomo ein Götterschema zugrunde legt, wobei der Mond den Vater, die Sonne den Sohn, der Morgenstern die Tochter darstellen soll. Jede der drei Gottheiten erhält ihr geschlechtliches Gegenstück, sodaß neben den männlichen auch weibliche Mond- und Sonnengottheiten und neben den weiblichen auch männlichen Istargottheiten stehen; und sollen sich die siderischen Erscheinungen der drei Gottheiten in den Naturerscheinungen wie Sommer und Winter wiederspiegeln. „In unserm Falle, heißt es dort weiter, erscheinen die beiden ersten als Einzelgottheiten, die besondere Bedeutung der dritten als eine, wie es scheint, der kananäischen Volksgruppe (eigene), läßt die Zweiteilung des Naturlebens bei der dritten erscheinen, deren Berührung mit der Natur der Sonnengottheit sich dabei besonders geltend macht. Das Schema stellt sich also dar als Mond, Sonne und zwei Hälften der Natur, Sommer und Winter, wobei der Beginn der Sommerhälfte im Frühlingspunkt, der der Winterhälfte im Herbstpunkt liegt." So fabuliert ein gelehrter Mann und merkt nicht, wie er aus biblischen Geschichten und babylonischer Weisheit ein unverdauliches Gericht kochte. Mit Recht erklärt ein anderer Forscher [3]) solche Behandlung der älteren biblischen Geschichte für ein Spiel der Phantasie. Das trifft auch den andern Gelehrten, der die biblischen Erzählungen von Jesus von Nazareth als die Geschichte eines israelitischen Gilgamis erkennt und als ein System der Propheten und Erlöserlegende in der evangelischen Geschichte nachwirken läßt; dem sogar der Name Jesus verdächtig ist, als käme er aus der Legende [4]).

Was das alte Testament an Schimpf und Schande getragen hat, soll auch dem neuen Testament nicht erspart bleiben, indem ein moderner Celsus nach dem andern auftritt, aber jetzt mitten aus der christlichen Gemeinde. Und das alles nennt man heute „wissenschaftliche Forschung" und staunt es an, wenn es gegen Gottes heiliges Wort angeht, daß es als ein Märchenbuch zur Seite gelegt werde. Doch zurück zu Babel.

---

1) Röm. 1, 23.
2) K. A. T. S. 223.
3) K. Bezold, d. bab.-ass. K. S., S. 40.
4) Jensen, Z. f. A. 1902, S. 11, 411.

Sehr gut sagt A. Jeremias [1]: „Jedenfalls liegt auch hier das religiös Wertvolle nicht in dem, was Bibel und Babel gemeinsam haben, sondern in dem, worin sich beide unterscheiden. An Stelle der mythologischen Götterwelt, die sich gegenseitig belügt und überlistet, . . . finden wir in der Bibel den zürnenden Gott, der die Welt richtet und der sich des Gerechten erbarmt."

Aber was ist das Ergebnis seiner gelehrten Untersuchungen? Er meint, das alte Testament gebrauche viele babylonische Formen, aber fülle sie mit einem ganz neuen Inhalt. Damit aber hat der gläubige Gelehrte schon zu viel nachgegeben. Wir halten daran fest, daß Hebräer und semitische Babylonier e i n e s Stammes sind; und was man bei beiden Völkern gleich oder ähnlich findet, hat darum nicht Israel von Babel oder Babel von Israel entlehnt, sondern es ist in den meisten Fällen ein von alters her beiden Völkern gemeinsames Eigentum, was Religion und Sitte und Sprache betrifft, ich meine die Ausdrucksweise der hl. Schrift alten Testaments. Sie ist orientalisch gefärbt und konnte gar nicht anders sein. Was würden die Herren Kritiker für einen Lärm schlagen, wenn die Propheten etwa in der Sprache eines Homer, im Stil eines Cicero geredet hätten? Nun aber die Männer Gottes im alten Bund, auch unser Herr und seine Apostel im neuen Bunde nach ihres Volkes Weise reden, so ist es den Kritikern wieder nicht recht; und derselbe gläubige Gelehrte schreibt von „Babylonischem im N. T.", als ob damit etwas Fremdes ausgemerzt werden müßte. Man lasse doch den Juden jüdisch reden!

Schon früher haben wir darauf geachtet, daß auch in Israel fast zu allen Zeiten heidnischer Aberglaube und Götterdienst sich einnistete, ja so verbreitete, daß der Glaube an den lebendigen Gott nur bei einer Minderheit zu finden war, wie zu Elias Zeit. Auch Abraham, Moseh, David und andre Gottesmänner stehen einsam da, aber doch gleichen sie den schützenden und Segen spendenden Riesenbäumen, die ihre weitragenden Zweige über das mitlebende und nachfolgende Geschlecht ausbreiten, um aus ihm zu retten, was sich retten läßt. Wo aber ein Schriftsteller des alten Testaments mit heidnischen Begriffen oder Redeweisen umgeht, tut er nichts anderes, als wenn heute ein christlicher Prediger etwa von Asen, Nixen und Kobolden redete, um seinen Zuhörern, denen diese Sachen vielleicht nahe liegen, etwas ferner Liegendes verständlich zu machen.

Doch für dieses Mal sei es mit „für" und „wider" genug. Zur weiteren Beurteilung und Entscheidung der noch nicht gelösten Zeitfrage wird die folgende Geschichte, insbesondere die Darstellung der babylonisch-assyrischen Götterwelt und Göttersagen, sowie der bis heute bekannten Kultur beider Völker weitere Mittel an die Hand geben; und bin

1) A. T. O. S. 144 ꝛc.

ich mit Bezold [1]) der festen Ueberzeugung, daß die immer weiter gehende Enträtselung der Keilinschriften der heiligen Schrift alten und neuen Testaments nur zu gute kommen wird, und daß sich diese beiden Quellen der Altertumskunde gegenseitig stützen, aber nicht stürzen, aufbauen und erleuchten, aber nicht niederreißen und verdunkeln werden.

1) Bab.-ass. K. S., S. 43.

Zweiter Abschnitt.

Die Länder und ihre Bewohner.

Die beiden Länder, die man gewöhnlich unter den Namen Babylonien und Assyrien begreift, empfingen diese Namen schon in alten Zeiten nach den beiden Hauptstädten, die dort früh gebaut waren, Babylon und Assur. Noch E. Schrader [1]) meinte, der Umstand, daß der Name mat Assur d. i. Land Assur in den Briefen aus dem Tell el Amarna nicht erwähnt werde, stimme ganz mit unserm bisherigen Wissen von dem Aufkommen und der Entwickelung des assyrischen Staates; aber das „bisherige Wissen" ist in den beiden letzten Jahrzehnten grade betreff Assurs sehr erweitert worden, wie wir bald sehn werden.

Das Gebiet von Babylonien umfaßte hauptsächlich die ebenen Gefilde am mittleren und unteren Purattu oder Euphrat und am Idignu oder Dignat, dem Tigris. Die Griechen nannten einen Teil des Gebietes Mesopotamien oder Mittelstromland. Das assyrische Reich breitete sich im Gegensatz zu Babylonien über die im Nordwesten gelegenen Gebirge aus [2]).

Die ältesten Namen von Babylonien sind Kadingira oder Dingirraki d. i. Gottesland, Amnanu, Kingi oder Kiengi, Kiurra, Urdu [3]). Diese Namen erinnern schon durch ihre Sprachform an die ersten Bewohner des Landes, die uns bekannt sind. Es waren Nachkommen Hams, die man nach den beiden im alten Testament [4]) gebrauchten Namen Sumero-Akkadier genannt hat. Nach Fr. Delitzsch, der als Sprachforscher große Verdienste sich erworben hat, aber auch viel Widerspruch erfährt, ist Sumer gleich Sinear, hebr. Singar, weil im akkadischen für das semitische ng ein m gesetzt wird. Andere vergleichen für Sinear das akkadische Tintir. Sumer oder Kingi, Imgida bezeichnet das babylonische „Meerland" oder das alte Weideland Chaldäa, ein Name, der bisweilen auch ganz Babylonien zugeteilt wurde. Akkad, Burbur, Urtu sind Na-

---

1) A. d. W. 1888.
2) Vergl. Duncker, Gesch. d. Altert. I, S. 227 ꝛc.
3) Hommel, Grundriß I, S. 241.
4) Gen. 10, 10.

men für Nordbabylonien oder Babylonien schlechthin. Die Grenze zwischen Nord- und Südbabylonien bildete meist der Euphrat. Ein späterer Name für Babylonien ist Kardunias, der der kassitischen Sprache entstammt und bei den Kassiten gebräuchlich war. Berosus erzählt:

„Es war eine große Menge von Menschen verschiedenen Stammes, die Chaldäa bewohnten; aber sie lebten ohne Ordnung wie die Tiere. Da erschien ihnen, aus dem Meer aufsteigend, am Ufer Babyloniens ein weises Wesen mit Namen O a n. Sein Körper war der eines Fisches, und unter dem Kopf des Fisches war ein andrer Kopf angehängt, und an dem Schweife waren Füße wie die eines Menschen, und es hatte die Stimme eines Menschen. Sein Bild wird noch jetzt aufbewahrt. Am Morgen kam dieses Wesen an das Land und verkehrte am Tag mit den Menschen; aber es nahm keine Nahrung zu sich und tauchte mit dem Untergang der Sonne wieder in das Meer und brachte die Nacht im Meere zu. Dieses Wesen lehrte die Menschen die Sprache und das Wissen, das Einsammeln der Samen und Früchte, die Regeln der Grenzen, die Erbauung von Städten und Tempeln, die Künste und die Schrift und alles, was zur Sittigung des menschlichen Lebens gehört."

So weit Berosus und seine rätselhafte Erzählung, die verschiedene Deutungen erfahren hat. M. Duncker erkennt in Oan den Gott Anu; und wenn sieben solcher Fischmenschen erwähnt werden, die den Namen Odakon oder Dagon tragen, so will er in ihnen die sieben heiligen Bücher der Priester erkennen, von denen die sechs letzten die im ersten Buch enthaltenen Lehren ausgelegt hätten; aber die heiligen Bücher der Babylonier wurden nach ihrer eignen Sage vor der großen Flut in Sippara vergraben, und niemand weiß, wo sie geblieben sind.

Andere erkennen in Oan die Sonne, die für Küstenbewohner an jedem Morgen aus dem Meer emporsteigt und jeden Abend wieder im Meer untertaucht. Wieder andere meinen, in Berosus werde mit poetischer Freiheit die Tatsache vorgestellt, daß seefahrende Leute, die an der babylonischen Küste mit ihren Schiffen lagen, am Tage die Einwohner des Landes mit ihrem Wissen bekannt machten, am Abend aber wieder auf ihre Schiffe gingen, um da zu übernachten. Dieser Auslegung dürfte wohl mancher Beifall spenden, und vielleicht auch der Vermutung, daß diese Seefahrer aus Aegypten gekommen seien; nur Fr. Hommel [1]) urteilt anders. Aber es ist und bleibt eine Sage. Verbürgt ist dagegen, daß um das Jahr 3000 v. Chr. Nordsemiten aus Arabien in das blühende und hoch kultivierte Babylonien einwanderten. Von den Semiten rühmt Nöldeke im „neuen Reiche" die religiöse Begeisterung und Neigung zum Monotheismus, daneben angeborne Ritterlichkeit, aristokratische Gesinnung, hohe Begabung für die Erzählung, edlen Formensinn in der Sprache, wonach diesen Einwanderern eine der höchsten Stellen unter den Völkern gesichert scheint. Daneben erklärt derselbe Gelehrte die Semiten für fanatisch, grausam und wenig leistungsfähig in Kunst und Wissenschaft. Wie weit dieses Urteilt zutrifft, wird sich später zeigen.

1) Grundriß I, S. 109, Anm.

Sind aber die Semiten in Babylonien eingewandert, so können auch die Hebräer, die nur ein Teil von diesen Einwanderern darstellen, Babylonien nicht ihre Urheimat nennen [1]). Wird andrerseits den Babyloniern die Ehre zuerkannt, „die Wiege der Menschheits- und Völkerkultur" zu sein [2]), so fällt diese Ehre nicht den Semiten, sondern den Sumero-Akkadiern zu. Sie wurden die Lehrer der kriegerischen Semiten in allen Künsten des Friedens, wie sie selbst die wilden Westindogermanen den Ackerbau lehrten [3]). Aber wie ein Teil der eingewanderten Semiten Babylonien wieder verließen, um ihre Zelte in andern Gefilden aufzuschlagen, so steht zu vermuten, daß nicht alle Sumero-Akkadier den semitischen Siegern untertan wurden, sondern in das östliche Zentralasien weiter zogen, wohin sie ihre Kultur trugen [4]). Die übrigen aber lebten, soviel wir wissen, mit den eingewanderten Semiten und andern Völkern friedlich in dem fruchtbaren Land, das sie alle reichlich nährte, wenn es mit Sorgfalt bebaut wurde.

Schon hierin trägt das Land Babylonien eine auffallende Aehnlichkeit mit Aegypten. Weiter sehen wir hier wie dort schon bei oberflächlicher Betrachtung eine Talebene, die durch viele Kanäle aus einem großen Strom bewässert wird. Hier wie dort herrscht subtropisches Klima, das sowohl vor Frost wie allzu großer Hitze bewahrt ist, gesegnet mit allen günstigen Bedingungen für die gedeihliche Entwickelung eines Volkes, das durch Mischung aus verschiedenen Rassen vor Einseitigkeit geschützt war. Nur in Sachen der Religion wurden die Semiten den Sumero-Akkadiern bald so weit untertan, daß sie sich gleich diesen mit Vorliebe das „Volk Bels" nannten. Ihre Sprache aber hielten sie fest, sodaß Jahrtausende hindurch zwei Sprachen, mit e i n e r Schrift geschrieben, neben einander bestanden, zwar nicht so lange gesprochen, aber doch geschrieben und verstanden wurden. Schon der König Dungi um 2850 v. Chr. ließ Inschriften in beiden Sprachen abfassen, und über 2000 Jahre später gab Nebukadnezar II. seinen Tempeln noch sumero-akkadische Namen.

Was den Namen des vornehmsten Volkes angeht, das dieses gesegnete Land für sich gewonnen, so heißt derselbe in Keilschriften Kardu, Kaldu oder Kasdu, im A. T. Kasdim, bei den Griechen Chaldäer; aber nach Fr. Delitzsch sollen diese erst 900 v. Chr. auf den Schauplatz getreten sein. In Gen. 22, 22 heißt Chasad ein Sohn Nahors. Als gefährliche Nachbarn sind sie schon in alter Zeit bekannt [5]). Aus Chaldäa oder dem nordwestlichen Arabien kamen Tharah, Abram und Nahor und wurden Hebräer genannt, weil sie hanahar d. i. den Euphrat über-

1) Gegen A. Jeremias A. A. O., S. 103.
2) Daselbst S. 170.
3) E. Hoyck, Deutsche Gesch.. I, 19.
4) Die Zeitrechnung der Chinesen reicht bis zum Jahr 3000 vor Chr. zurück.
5) Hiob 1, 17.

schritenn hatten (ibri). Mit ihrer Wohnschaft im babylonischen Ur gaben sie der Stadt den neuen Namen Ur Kasdim [1]). Danach sind die Chaldäer Semiten und haben mit den pontischen Chalden, die sich nach ihrem Gott Chaldis nennen, gar nichts gemein; denn diese sind weder Semiten nach Japhetiten, sondern Hamiten wie die ersten Bewohner von Babylon und verstehn auch die Kunst, mit Keilschriften zu schreiben, wie die Weiheschilde vom Van-See beweisen.

Andere vergleichen den nördlichen Teil von Assyrien, Karduchien, dessen kriegerische Einwohner nach Babylonien verpflanzt wurden [2]); aber der vieldeutige Name „Chaldäer" bezeichnete bald die semitischen Einwohner von Babylonien zur Unterscheidung von Arabern und andern stammverwandten Völkern, bald die kastenartig gegliederten Sterndeuter, Priester, Zauberer und Beschwörer, die als Magier einen Staat im Staate bildeten und namentlich in Babylon den allergrößten Einfluß auf die Staatsleitung hatten. Sie besaßen wie der Stamm Levi in Palästina ihre eignen Städte und Gaue wie Bitadini, Bitammukani, Bitdakuri, Bitsilani und Bitjakin. Aus ihren Reihen gingen mehrere Fürsten und Könige des babylonischen Reiches hervor wie Ukinzir, Merodochbaladan, Saosduchinos und dessen Nachfolger, auch Muschisibmarduk oder Schusub, unter dessen Herrschaft Babylon zerstört wurde. Doch war die Zugehörigkeit zu dieser Kaste nicht an ein besonderes Volkstum geknüpft, wie auch Herodot medische Magier kennt; und die hl. Schrift [3]) nennt Daniel, einen Sohn Israels, einen Obersten unter ihnen.

Die Assyrer waren nach Maspero eins der begabtesten Völker von Asien. Sie hatten weniger Originalität als die Chaldäer, deren Bildung sie als gelehrige Schüler annahmen; aber sie besaßen mehr Kraft und Ausdauer wie jene, dazu die Eigenschaften eines echten Kriegers, körperliche Kräfte, schnellen Entschluß, kühle und unerschütterliche Tapferkeit. Sie trieben den wilden Stier und den Löwen, die sich häufig in ihren Waldbergen fanden, aus ihren Schlupfwinkeln heraus und traten ihnen kühn zum offenen Zweikampf entgegen.

Als die Heimat dieses Volkes, das nach der hl. Schrift [4]) wie auch Elam semitischen Ursprungs ist, aber wie seine Stammverwandten in Babel bereits semitische Kultur in seiner späteren Heimat vorfand [5]), gilt bei den einen Gelehrten das Becken des Tigris bis dahin, wo dieser Strom in die nordbabylonische Ebene eintritt. Seine Berge waren wie geschaffen zur Heimat eines starken Kriegsvolkes, das an dem weicheren babylonischen Nachbar und andern umwohnenden Völkern sich vielfachen Antrieb zur Wachsamkeit, zur Uebung in den Waffen und zu

1) Gen. 11, 28. 31.
2) Jes. 23. 13.
3) Dan. 1, 4. 17 u. a.
4) Gen 10, 22.
5) Gen. 10, 8—12.

reichen Beutezügen ersah. Dagegen waren andre schwache Nachbarn froh, unter den schützenden Flügeln eines so starken kriegerischen Volkes Frieden zu finden.

Andere Gelehrten wie Fr. Hommel [1]) weisen nach, daß Assur ursprünglich eine Landschaft war, die zwischen Südpalästina, Aegypten und dem nordwestlichen Arabien lag, also Edom noch in sich schloß; und daß ein Teil seiner Einwohner etwa um 2000 v. Chr. nach dem Bergland auswanderte, das von dem Oberlauf des Tigris und dessen Nebenflüssen durchströmt wird.

Aber diese Ansicht, die wohl mit den Nachrichten der hl. Schrift zu vereinigen wäre, stimmt nicht mit den Nachrichten der K. S. überein, die uns Assur als einen sehr alten Patesistaat erkennen lassen, wie im folgenden Abschnitt weiter auszuführen ist.

Den guten Eigenschaften des assyrischen Volkes standen schwere Laster gegenüber. Die Assyrer waren ein grausames, blutgieriges Volk, voll von Lüge und Gewalttat, dazu sinnlich, hochmütig, listig, verräterisch, voll Verachtung gegen ihre Feinde. Wenige Völker des Altertums haben in so unverschämter Weise wie sie das Recht des Stärkeren gegenüber dem Schwächeren geltend gemacht und mißbraucht. Sie zerstörten und verbrannten die Städte und Dörfer, die auf ihrem Kriegspfade lagen, schonungslos. Ihre Einwohner wurden getötet oder weggeschleppt und zu Sklaven gemacht, die Anführer derselben öfters lebendig eingemauert oder ans Kreuz geschlagen, geschunden und gepfählt und auf allerlei Weise gefoltert und mißhandelt. Trotz ihrer mannigfaltigen Bildung blieben die Assyrer, was ihre Sitte angeht, Barbaren.

Ihre Könige liebten es, wie viele Inschriften bezeugen, von ihren Taten ein großes Rühmen zu machen und nicht immer nach der Wahrheit. So prahlt einer von ihnen betreff seiner Feinde:

„Ich füllte mit ihren Leichnamen die Schluchten und Gipfel der Berge. Ich enthauptete sie und krönte mit ihren Köpfen die Mauern ihrer Städte.“

Ein anderer läßt berichten:

Ich bedeckte mit Trümmern die Gebiete von Saransch und von Ammansch, die seit undenklichen Zeiten sich niemals einem Feinde unterworfen hatten. Ich maß mich mit ihren Herren auf dem Berg Agouma, ich züchtigte sie, ich besäte den Boden mit ihren Leichen gleich wilden Tieren. Ich nahm ihre Städte ein, ich führte ihre Götter hinweg. Ich gab ihre Städte den Flammen preis, ich verwandelte sie in Ruinen und Schutt, ich legte ihnen das schwere Joch meiner Herrschaft auf. Ich brachte in ihrer Gegenwart dem Gott Asur, meinem Herrn, meinen Dank dar.“

Ueber die Behandlung von Aufrührern berichtet eine andere Inschrift:

„Ich erschlug von ihnen einen aus je zweien. Ich baute eine Mauer vor den großen Toren jener Stadt, ich ließ die Aufrührer schinden und bedeckte diese Mauer mit ihrer Haut. Einige wurden lebendig darin eingemauert, einige wurden längs

---

1) A. a. A., S. 277.

derselben auf Pfähle gesteckt. Ich häufte ihre Köpfe in der Form von Kronen an und ihre durchflochenen Leiber in der Form von Laubgewinden."

Das alte Testament [1]) nennt neun Provinzen Assyriens: Dina, Persien, Apharsach [2]), Tarpal, Erech, Babel, Susan, Dahar und Elam.

1) Esra 4, 9.
2) Arb kisati bedeutet die vier Weltgegenden.

Dritter Abschnitt.

Die Herrscher in beiden Reichen.

1. Urzeit.

Die erste Geschichte Chaldäas schrieb ein Priester des Osiris in dem ägyptischen Abydus, woher er Abydenus genannt wird, unter Benutzung der Werke des Berosus, der zur Zeit des Königs Antiochus Soter um 270 v. Chr. ein Priester des Bel zu Babel war und dessen Tempelarchive benutzen konnte. Nach der übergeistreichen Entdeckung des Engländers F. Cope Whitehouse ist Berosus nur eine Personifikation von Brefchit, dem ersten Wort der hebräischen Bibel! Von seinen drei Büchern babylonischer Geschichten sind uns nur Bruchstücke bei Josephus, Eusebius, Syncellus u. a., in griechischer Sprache geschrieben, erhalten worden. Nach ihm regierten vor der großen Flut zehn chaldäische Könige.

1. Alorus, ein Hirte aus Babylon, regierte 185 Jahre.
2. Alaparus, Sohn des Alorus, regierte 55½ Jahre. Er wird von einigen mit Adapa verglichen.
3. Amelon oder Alamlon aus Pautibilla, regierte 240½ Jahre. Amelu bedeutet im assyrischen den Menschen.
4. Ammenon aus Pautibilla, ein ummanu oder Werkmeister, regierte 222 Jahre.
5. Amegalaros aus Pautibilla, regierte 333 Jahre.
6. Daonus aus Pautibilla, regierte 185 Jahre.
7. Evedorandhus aus Pautibilla, regierte 333 Jahre. Von ihm teilt H. Zimmern[1]) eine Inschrift aus der Bibliothek Asurbanipals mit, die nach wenigen Aenderungen also lautet:

„Enmeduranki, den König von Sippar, den Liebling des Anu, Bel und Samas in Ebabbara, beriefen Samas und Ramman in ihre Gemeinschaft. Samas und Ramman auf goldnem Thron (lehrten ihn) Oel auf Wasser zu beschauen, das Geheimnis Anus, Bels und Eas, die Tafel der Götter, die Omentafel des Geheimnisses von Himmel und Erde; den Zedernstab, den Liebling der großen Götter, gaben sie in seine Hand. — Er selbst aber, nachdem er solches empfangen hatte, lehrte es seinen Söhnen. In Sippar und Babylon brachte er den Göttern reichliche Opfer und lehrte seinen Söhnen, Oel auf Wasser zu beschauen, das Geheimnis Anus, Bels und Eas, die Tafel der Götter, die Omentafel des Geheimnisses von Himmel und

1) K. A. T., S. 533.

Erde, den Zedernstab, den Liebling der großen Götter, gab er in ihre Hand ... Der Weise, der Wissende, er bewahrt das Geheimnis der großen Götter; er läßt seinen Sohn, den er liebt, auf die Tafel und den Tafelstift von Samas und Ramman schwören und läßt ihn lernen „wann der Wahrsager" ... der Oelkundige aus uraltem Geschlecht, ein Sproß des Enmeduranki, des Königs von Sippar, der die heilige Omentafel hinstellt, den Zedernstab erhebt .... ein Geschöpf der Ninharsag, aus priesterlichem Geschlecht, von reiner Abstammung, auch selbst an Wuchs und Körpermassen vollkommen, darf vor Samas und Ramman der Stätte des Wahrsagens und des Orakels sich nahen ... Ein Wahrsagersohn von nicht reiner Abstammung, oder der an Wuchs und Körpermassen nicht vollkommen ist, der spitzäugig ist, der zerbrochene Zähne, einen verstümmelten Finger hat, der entmannt ist, an Hautkrankheit leidet, der darf nicht die Satzungen des Samas und Ramman beobachten, nicht herannahen zum Orakel des Wahrsagedienstes; dem eröffnen sie nicht den geheimnisvollen Ausspruch, geben ihm nicht in die Hand den Zedernstab, den Liebling der großen Götter."

Es ist selbstverständlich, daß dieses Schriftstück, das die Götteranbetung mit der Becherwahrsagekunst und allen Bestimmungen über die notwendigen Eigenschaften eines Priesters in die graue Vorzeit rückt, nicht aus der Zeit des vorsintflutlichen Königs Enmeduranki stammt, dessen Namen H. Zimmern die Bedeutung „Oberpriester" zuschreibt, sondern aus viel späterer Zeit.

Eine Erinnerung an die echte Ueberlieferung ist auch in diesem langen Gedicht vorhanden, die Erinnerung, daß ein Mensch, Henoch mit Namen, Gott besonders nahe stand, „und dieweil er ein göttlich Leben führte, nahm ihn Gott hinweg, und ward nicht mehr gesehen" [1]). Dieses kurze Schriftwort und das lange babylonisch-assyrische Gedicht sind ein Vorbild für das ganze Verhältnis von echter und gefälschter Ueberlieferung.

8. Amempsinus, vielleicht gleich amelu sin d. i. Mann des Sin, stammte aus Lanaharis oder Laramha und herrschte 185 Jahre.
9. Ardates oder Otiartes, sumerisch Ubaratutu, herrschte 148 Jahre; auch er stammte aus Lanaharis.
10. Xisuthros, Sohn des Ardates, regierte 333 Jahre.

Berosus berechnet also die Zeit der vorsintflutlichen Herrscher auf 2220 Jahre, der hebräische Text des ersten Buches Moseh gibt für die Zeit der zehn Patriarchen, Noah eingerechnet, 1656 Jahre, die Septuaginta aber 2242 Jahre.

In die Zeit nach der Sintflut setzt Berosus die erste hamitische Dynastie, 86 Könige von Babel, sehr freigebig mit 33091 Regierungsjahren an. Was damit die 96 „Semssöhne" zu tun haben, die sich Fr. Hommel [2]) aus dem A. T. ausrechnet, ist nicht leicht zu verstehen.

Die zweite Dynastie der Meder oder Elamiter enthält bei Berosus 8 Könige mit 224 Jahren. Sie können, wenn die erste Dynastie in die

1) Gen. 5, 24.
2) Grundriß I, S. 184 xc.

Vorgeschichte verwiesen wird, auf die Jahre 2300—2076 v. Chr. angesetzt werden.

Die dritte Dynastie, 11 chaldäische Könige, herrschte dann 2076 bis 1983 v. Chr.

Die vierte Dynastie, 49 chaldäische Könige, herrschte 1983 bis 1525 v. Chr.

Die fünfte Dynastie, 9 arabische Könige, herrschte 1525—1280 v. Chr.

Die sechste Dynastie, 45 assyrische Könige, herrschte 1280 bis 754 v. Chr. Dazu kämen dann noch 18 einheimische Könige von Nabonassar bis Nabonedus 754 bis 538 v. Chr.

Wie auf die Namen so ist auch auf die Zahlen, die Berosus angibt, wenig Gewicht zu legen, auch wenn sie mit der Rechnung der Aegypter übereinzustimmen scheinen, die in 48 863 Jahren 832 Mondfinsternisse und 373 Sonnenfinsternisse beobachtet haben wollen, wozu man so lange Zeit gar nicht braucht.

So weit Berosus. Das Buch des Abydenus ist bis auf e i n e Erzählung verloren, die spätere Schriftsteller gelesen und uns aufgezeichnet haben [1]): „Es wird gesagt, daß die ersten Menschen, durch ihre Stärke und Größe über alle Maßen aufgeblasen, anfingen die Götter zu verachten und sich für erhabener zu halten. Angetrieben von diesen Gedanken bauten sie einen Turm von ungeheurer Höhe, der jetzt Babylon ist. Er hatte beinahe den Himmel erreicht, als die Winde den Göttern zu Hilfe kamen und das ganze Gerüst umstießen und es auf die Bauleute warfen. Seine Trümmer werden Babylon genannt; und die Menschen, die bis dahin e i n e Sprache hatten, begannen von da an auf Befehl der Götter verschiedene Dialekte zu reden."

Aehnlich erzählen Alexander Polyhistor und die armenische Ueberlieferung, alle in deutlicher Abhängigkeit von der griechischen Uebersetzung des A. T.

---

2. Nimrod und die Patesi.

Nach der hl. Schrift [2]) war Chus (Kusch) ein Sohn Hams, dessen Sohn war N i m r o d. Diesen Namen hörten die Semiten, wie mir scheint, aus dem sumero-akkadischen N i n m a r a d , d. i. Herr von Marada, heraus. Er machte sich als ein Eroberer und „gewaltiger Jäger vor dem Herrn" bald zum Gebieter von Akkad. Babel, Chalne und

1) Vergl. Urquhart a. a. O. I, S. 249 ꝛc.
2) Gen. 10, 9—11.

Erech. Darauf zog er weiter nach Assur und baute dort Ninive, Rehoboth-ir, Kalah und Resen. So die hl. Schrift. Anders viele morgenländische Sagen, anders viele Gelehrten.

In der syrischen „Schatzhöhle" heißt es:

„Es begab sich Nimrod von Nod nach Jokdora, und am Atrasmeer angelangt fand er da Jontra, den Sohn Noahs. Er stieg hinab in jenes Meer und wusch sich darin."

Er gilt nach der erwähnten Schrift als Erfinder der Astronomie, erster Feueranbeter und Erbauer des babylonischen Turmes.

Mehrere Gelehrte wollen in Nimrod den Helden erkennen, den die chaldäische Ueberlieferung Gilgamis oder Izdubar König von Erechsuburi, nennt, wie denn aus dem Namen Izdubar oder Gilgamis (Gilgimas) geschlossen werden kann, daß auch in der chaldäischen Ueberlieferung Nimrod nicht als Semite, sondern als Kossäer (Kuschite) gefaßt wird. Seine Namen und Taten erinnern hiernach an die erste Herrschaft der Kossäer über Babylonien und Assyrien.

Nach Vigoureux war dieser Izdubar zu gleicher Zeit ein großer Krieger und ein großer Jäger um das Jahr 3000 v. Chr. Nachdem er seine unbekannte Heimat verlassen hatte, besaß er, wie wir bereits aus der hl. Schrift wissen, zuerst nur Babel und seine Umgebung; aber allmählich dehnte er seine Herrschaft weiter aus, bis er zuletzt das Flußgebiet des Euphrat und Tigris sich unterworfen hatte, das von den Bergen Armeniens im Norden bis zum persischen Meerbusen im Süden reichte.

Andere Gelehrte, wie Delitzsch, Lenormant, G. Smith und Rawlinson stimmen mit Vigoureux überein, obwohl dieser dem Bild Izdubar-Nimrods die Züge eines viel späteren Herrschers gegeben hat; wie denn ein andrer, Smith, Nimrod gleich Hammurabi hält [1]).

Jedenfalls hat die Nachwelt das Bild dieses Helden nicht mit geschichtlicher Treue festgehalten, sondern mit Sagen umwoben; und ich bin der Meinung, wie die Griechen ihren Herakles, die Römer ihren Romulus unter die Götter versetzt haben, so taten die alten Babylonier mit ihrem Nimrod, dem Herrn von Marada. Er wurde ihr Marduk, der auch Lugal-marada, das heißt ebenfalls Herr von Marada, genannt wird; denn auch an ihrem Gott rühmen sie noch, daß er ein großer Krieger und Jäger sei. Zu Füßen seiner Bildsäule sieht man eine Antilope liegen, vier Hunde begleiten den großen Jäger; und wie die Heldenlieder von seinen Kämpfen mit Ungeheuern singen, so rühmen ihn die sog. Schöpfungsmythen als Städtegründer. Sicher ist, daß die Stadt Marad als Nimrod-Izdubars Geburtsort galt [2]). Ptolemäus hat den Namen Marduk in seinem Amordakaia erhalten, womit er eine Landschaft in Chaldäa bezeichnet.

1) Bezold, bab.-ass. K. S., S. 54.
2) Hommel, S. V. S. I, S. 280.

Noch liegt dieser Nimrod der heutigen Wissenschaft wie ein Stein im Wege, um den ein jeder herumgehen muß. Wellhausen hatte vermutet, daß Marduk durch aramäische Vermittlung den Hebräern bekannt geworden und zu Nimrod umgewandelt worden sei. Aber der große Gelehrte hätte uns auch sagen sollen, was Aramäer und Hebräer für einen Gewinn daran hatten, wenn sie aus einem altbabylonischen Gott einen hamitischen Jäger machten? Der umgekehrte Weg hat mehr für sich.

Fr. Delitzsch [1]) ließ Nimrod aus Nu-marad, d. i. Mann von Marada, entstehen. Halévy denkt an Namar-uddu, d. i. Licht des Morgenlandes, Hommel weist auf Namrasit hin, das einen ähnlichen Sinn hat. Derselbe läßt Nimrod aus Arabien kommen [2]), und A. Jeremias [3]) folgt ihm darin nach und läßt ähnlich wie Halévy den Namen ursprünglich Namir-uddu lauten. Das ist aber der Name eines Kinäden und gar nicht arabisch.

Andere lassen ihn aus Aegypten kommen, was eher glaublich ist, wenn auch die Radikalen oder Wurzelkonsonanten von Nimrod noch nicht in einem ägyptischen Wort entdeckt wären [4]).

Wellhausen hat in späterer Zeit den aramäischen Gott Mauri oder Mari herangezogen, andre dagegen den kossäischen Gott Maradasch, der den assyrischen Ninib vertritt. Eine nette Blumenlese. Ich bin aber nicht gewiß, daß meine Sammlung der verschiedenen Meinungen über Nimrod eine vollständige ist.

Die Patesi.

Alle Herrscher oder Könige sind nach Anschauung der Babylonier göttlichen Geschlechts, Söhne einer Istar, sei es der „großen Buhlerin" oder der Istar von Arbela. Die ältesten Herrscher in Babylonien und in Assyrien waren zu gleicher Zeit Könige und Priester. Man nennt sie daher Priesterkönige, Patesi und Isakku. Ihre Herrschaft erstreckte sich anfangs nur je über ein kleines Gebiet; aber nach und nach wurden solche kleine Herrschaften vereinigt. Zuerst entstand als größere Herrschaft das alt-babylonische Reich mit der Hauptstadt U r , wo Semiten bereits um 3000 v. Chr. vermutlich aus Arabien eingewandert waren und Wohnsitze und Einfluß gewonnen hatten [5]). So mögen diese zuerst hier auf-

---

1) Fr. Hommel, bab.-ass. G., S. 221.
2) A. u. A., S. 298.
3) A. T. O., S. 168.
4) Meyer in Stades Zeitschr. für altt. Theol. 1888.
5) Gen. 11, 28.

geführt werden; die wichtigsten aber unter ihnen werden noch eine eingehende Darstellung erfahren.

In Ur regierten in vorgeschichtlicher Zeit Igurkapkapu, Samsiramman, Khallu, Iri, Zirlab und später Urbau oder Urgur und Dungi, der Sohn Urgurs, etwa um das Jahr 2850 v. Chr. [1]). Doch ist zu bemerken, daß die keilschriftlichen Denkmäler dieser ältesten Zeit dem Altertumsforscher volle Freiheit in der Anordnung der Herrscher lassen.

Aus den folgenden 450 Jahren kennt man als Herren von Ur Inlil, Tassigurumas und Agumkakrime. Auf diesen folgen die Könige der ersten Dynastie, die bei Berosus die zweite heißt, 2300—2076 v. Chr. Zu ihr gehören Sumuabi, der in seinem 5. Regierungsjahr den erhabenen Tempel des Gottes Nannar zu Ur erbaute und im 8. Jahr eine Zedernholztüre an diesem Gebäude machen ließ. Sein Nachfolger Sumulailu erwählte die Stadt Babel zu seiner Residenz und baute eine große Mauer gegen einbrechende Nomaden.

Zabiu oder Zabum baute bereits am Esagila-Tempel zu Babel. Es folgte Apilsin oder Abisin. Sinmuballit schlug die Truppen von Ur mit dem Schwert, nämlich die Nomaden des Meerlandes, die nächsten Stammesverwandten eines Abram. Es folgt Sinmuballits Sohn Hammurabi, dessen Sohn Samsi-iluna I. und Ibisum. Amisatana oder Amiditana heißt bereits auf den gefundenen Inschriften „der mächtige König, König von Babel, König von Kiski, König des Landes Sumer und Akkad, König des weiten Westlandes". Es folgen noch Amisadugga und Samsusatana oder Samsuditana.

Die zweite Dynastie in Babel beginnt mit Isammi, ihm folgen Kudurbel, Sagasaltias oder Sagaraktias und Sargon I. um 2000 v. Chr.

Naramsin, Sohn Sargons I., gewann einen Sieg über Elam. Die Säule, die diese Tat verherrlichte, wurde durch Schutruk nachunte verstümmelt.

Gulgunu oder Gulkisar (?), Samsi-iluna II.

Betreff der Zeit und Folge der einzelnen Patesi herrscht, wie schon oben angedeutet wurde, eine große Unsicherheit, da alle ihre vielen Bauinschriften ohne Zeitangabe sind. Daher wird u. a. Sargon I. von Agade von einigen Forschern auf 3000 [2]), von andern auf 3750 [3]) v. Chr. angesetzt.

In Arban, einer Stadt der Kissati, die später assyrisch wurde, herrschte der Patesi Muses-ninib.

---

1) Andere Herrscher siehe unter Ur, S. 39.
2) Fr. Hommel, Grundriß, S. 299. 324.
3) Bezold, N. u. B., S. 27.

3*

In Asnunna, einer Babylonischen Stadt, sollen auch Patesi geherrscht haben; aber noch ist m. W. kein Name derselben bekannt geworden.

In Assur herrschten im dritten Jahrtausend v. Chr. die folgenden Patesi als unabhängige Fürsten: Uspia, Suuspinisi und sein Sohn Ilusuma. Erisum I. erbaute einen Tempel des Asur und einen Palast, in dessen Trümmern Pfeilspitzen von Obsidian und Feuerstein gefunden wurden. Es folgten Ikunum, Belkapkapu, Ismidagan und sein Sohn Samsiramman oder Samsiadad. Er erneuerte den von Erisum I. erbauten Tempel des Asur. Sulilu, Hallu und Erisum II. H. Winckler nennt noch Adasi und Balbani, die vermutlich zwischen Belkapkapu und Ismidagan anzusetzen sind.

In Gischu oder Gisuch herrschten als Patesi Ezuab, der mit Enannatum von Sirpurla kämpfte; dann Enakalli und sein Sohn Kalablumma oder Kalabchunna, der auch Herr von Te, der Umgebung von Gischu war. Kursis, auch Papsis oder Nasirachi genannt, war noch selbständig; Urnesu aber war schon Vasall von Urgur, dem Herrn von Ur.

In Iskunsin oder Isnunnak (?), einer Stadt nahe bei Nippur, wird ein Patesi Haashameir genannt.

Als Patesi von Kasallu sind bekannt Jahzirilu zur Zeit Sumulailas und Krastubila, gleichzeitig mit Sargon I.

In Kingi herrschten die Patesi Ensagkusanna und Enbildar, der auch Herr von Kalamma war.

In Kisch werden genannt die kossäischen Patesi Kalabdunpauddu, Aluusarsid, der Elam und Barehse eroberte und aus der Beute von Elam dem Bel zu Nippur Geschenke machte. Manistusu nennt sich bereits „König der Welt" auf einem Gegenstand, den er der Aja von Sippar weiht. Mesillim unterwarf den Patesi Lugalsuggur von Sirpurla, wie die Inschrift auf einem Streitkolben bezeugt.

In Kischurra herrschten Dada und sein Sohn, über die die sog. kuthäische Schöpfungslegende zu vergleichen ist; dann Haladu, der auch als Patesi von Sirtella genannt wird, Idinilu und Idursamas.

Von Lamkurru ist noch kein Patesi mir bekannt geworden.

In Larsa oder Larsam, im A. T.[1]) Ellasar genannt, herrschten Gaesch und noch zwei semitische Patesi Nurramman und Siniddina. Von diesen ist ein Tonkegel erhalten, beschrieben auf allen Seiten in 38 Zeilen:

„Siniddina, der starke Held, der Ausschmücker von Ur, König von Larsam, König von Sumer und Akkad, der Ebabbara, das Haus des Sonnengottes, baute; die Satzung des Kiskanu[2]) der unterirdischen Gottheiten wiederherstellte, der den

---

1) Gen. 14, 1.
2) Orakelbaum.

Tigriskanal, den breiten Kanal, grub und Wasser in Fülle, in Ueberfluß, unversiegbares, seiner Landeshauptstadt verschaffte; Sohn des Nurramman, Königs von Larsam. Sein Land ließ er ruhig wohnen und seine Städte befestigte er. Auf ewige Zeiten währt der Ruf der Erhabenheit seiner Königsherrschaft. Tatkräftig ließ er eine große Mauer, die Mauer des Stadtteils der Broncearbeiter von grund aus großartig bauen. Siniddina, der gerechte Hirte, gefiel Samas und Tammuz wohl. Möge seine Regierungszeit unabänderlich bleiben auf ewig [1])."

Diese Inschrift ist mit altbabylonischen oder sumerischen Schriftzeichen geschrieben.

Es sind auch Briefe von Hammurabi an Siniddina erhalten. Darin wird ein Kudurnu-uhgamar erwähnt und ein Tuudhula, Namen, die in Gen. 14 mit Kedorlaomor und Tideal wiedergegeben sind. Einer dieser Briefe lautet:

„Hammurabi an Siniddina. Ich sende dir 6 mal 60 Arbeitsleute. 3 mal 60 mögen die ... von Larsa und 3 mal 60 die .... der Stadt Rahabi machen; daß ... erhebe" ...

Auf Siniddina folgten zwei kassitische Herrscher, Kudurmabuk oder Kudurlagamar. Er bezeichnet sich als adda Emutbal oder adda Martu, d. i. Vater des Westlandes. Sein Sohn Emutbal heißt sonst Eriaku oder Rimsin, der im A. T. Arioch von Ellasar genannt wird. Er vollführt den Spruch des heiligen Baumes von Eridu [2]). Inschriftlich hören wir von einem Jahr, da dem König Rimsin die Göttin Ninmach (Ninharsag) im Tempel von Kis nebst seinem teanki (ziggurat) das Königreich von Kalamma zum Ueberfluß herrlich erhöht hat; und da kein Feind und kein Böser seine Brust gegen die Länder (des Königs) wandte.

Das Erbe dieser Patesi von Larsam wie vieler andrer trat Hammurabi von Babel an.

Aus Nippur, das schon früh mit Ur und Nisin verbunden war, werden als Patesi, die zur Zeit Dungis herrschten, genannt Urannandi und sein Sohn Lubad-duggal, dann Tabiutulbel und Kalabbel.

Sein erster kassitischer König war Gadda.

In Nisin herrschten die Patesi Sinmagir, Libitnana, Gamilninib (nindar), Libitistar, Isbigirra, Ismidagan. Von ihm ist eine Inschrift erhalten: „Ismidagan, Nährherr von Nippur, Hauptmann von Ur, uddadu von Eridu, Herr von Uruk, der mächtige König, König von Isin, König von Kengi und Akkad, Liebling der Göttin Istar." Ein andermal nennt er sich den „geliebten Gemahl der Nana".

Ismidagan hatte zwei oder drei Söhne. Der ältere von ihnen, Gungunnu, nennt sich König von Ur und Nippur, Sumer und Akkad. Der jüngere, Samsiramman, ist nicht mit dem gleichnamigen Patesi von Assur zu verwechseln. Später kam Nisin unter Larsa.

H. Winckler nennt als dritten Sohn Enannadu.

---

1) Fr. Delitzsch, Beitr. zur Assyr. 1889.
2) Fr. Hommel, Grundriß, S. 368.

Aus Sippar werden als Patesi genannt Naramsin, der mit dem von Babel nicht eine Person sein kann, da er um 1000 Jahre älter als dieser ist. Er baute in Sippar den Tempel des Sonnengottes, den Sagasaltias im Zerfall gesehen hat. Den Enmeduranki, der auch unter den Patesi von Sippar genannt wird, haben wir bereits als einen vorsintflutlichen Herrscher und als Evedoranchus des Berosus kennen gelernt.

In Sirpurla oder Sirgulla, das auch Lagasch heißt, herrschten um 3500 v. Chr. Galginna und sein Sohn Urganna, dessen Zeichen auch Engagal oder Belchigalli gelesen wird, nach Hommel [1]) der König Orchamos des Ovid. Eine Inschrift lautet:

„Urganna, König von Sirpurla, Sohn des Galginna, hat den Tempel des Gottes Ningirsu erbaut, einen Palast erbaut ... den Tempel der Ninni hat er erbaut, den Tempel Egadda erbaut, seinen Bruder erbaut."

Hierunter ist wohl ein zum Tempel gehöriger Nebenbau zu verstehn, also ein Stufenturm oder Ziggurat. Engagal aber bedeutet „Herr des Ueberflusses".

Die Anordnung der folgenden Herrscher, außer denen Radau, ein amerikanischer Gelehrte, noch Galukani, Urlama, Erinannar als Zeitgenosse von Urgur bis Inisin, den Patesis von Ur, nennt, bietet keine Gewähr betreff der Zeit und Nachfolge. Es werden genannt Urukagina, der auch König von Girsu war. Lugalsuggur wurde ein Vasall von Kisch. Von Aldu oder Tuddu ist nur der Name bekannt. Urnina oder Kalabgula hat, wie es inschriftlich von ihm heißt, „die Mauer von Sirpurla gebaut, den Gott Lugaluru hat er ausgemeißelt" [2]). Noch werden genannt Akurgal und Idingiranagin. Inannatuma oder Enannatu zählt auf einer großen Kieselinschrift seine Städte auf, darunter Erech, Larsa, Ur und Gischu. Intina oder Enteminna. Diese beiden legten Kanäle an wie den von Antasurra bis zum Tempel des Gottes Galdimzuab. Inschriftlich: „Er baute dem Gott Enki, dem König von Nunki, den Zuab, den glänzenden Kanal" [3]). Ferner werden genannt Nammuru und Urbau. Von diesem ist eine Inschrift erhalten auf einer des Kopfes beraubten Bildsäule, die in Tello gefunden wurde:

„Dem Gott Ningirsu, dem mächtigen Krieger des Gottes Enlilla, Urbau, der Patesi von Lagasch."

Er baute auf einer Terrasse den Tempel des Ninnu oder Imikulaglag und der Göttin Ninharsag. Aber der Bau, der guten, der Tochter der Ana, baute er einen Tempel in Uruazaga. Er baute dem Gott Nindar, der Göttin Ninmar, der ältesten Tochter der Göttin Nina, dem Tempelhof von Sagipada gegenüber eine Kapelle. Dem Gott Gudana, dem Herrn der Welt, baute er einen Tempel in Girsu, ebenda dem Gott

---

1) Grundriß S. 340.
2) Hommel, Grundriß S. 304.
3) Fr. Hommel, Grundriß S. 366.

Duzizuab, dem Herrn von Kinunir. Urintil oder Nammaghni. Gudea. Urninshaph. Urningirsu. Lukani. Bauninau oder Kalabisganna. Galalama. Lugalusugal war bereits dem König von Babel, Sargon I., untergeordnet.

Aus Tammun oder Ud ist mir kein Patesi bekannt geworden.

Als erster Priesterkönig von Uru gilt bei einigen Urbau oder Urbagas, Urguribisin, Kalabbau genannt. Nach Fr. Hommel [1]) aber vereinigte er bereits die Länder östlich und westlich vom Euphrat unter seinem Szepter. Inschriftlich:

„Urengur, König von Ur, hat dem Gott Sin, seinem Herrn, diesen Tempel Ti̇ismila errichtet, das Haus, an dem er Gefallen hat."

Er baute auch den Tempel des Bel und der Beltis, des Samas und der Nana 600 Jahre vor Hammurabi. Auf Urbau folgte Kalabgurra, der in Nippur Tempel baute, auch in Ur dem Nannar den „Tempel seiner Liebe".

Dungi nennt sich in den Inschriften den mächtigen König von Ur, König der vier Weltgegenden, König von Sumer und Akkad. Er stellte die Tempel Eanna und Eharsag wieder her und baute dem Nergal den Tempel Esidlam. Er vollendete den Stufenturm Egissirgal, den Urengur zu bauen begonnen hatte. So meldet eine Inschrift, die von Ur nach Ninive verschleppt war. Aber ihm selbst wurden auch Tempel gewidmet, vielleicht schon zu seinen Lebzeiten [2]). Nach dem „Dungi-Gewicht" ließ Nebukadnezar II. die babylonischen Gewichte einschätzen und ordnen.

Amarsin baute den Tempel Ekisnugal mit der Ziggurat Eapsu.

Gungunnu ist nicht mit dem gleichnamigen Patesi von Nisin, dem Sohn Ismidagans, zu verwechseln. Bursin heißt auch Herr von Nippur und Eridu. Inschriftlich: „Bursin, von Bel in Nippur zum Patesi des Belstempels ernannt, der tapfere Held, König von Ur, König der vier Weltgegenden" [3]). Er führte Krieg mit Anzan oder Medien. Auch ihm wurden Tempel erbaut.

Gamilsin, auch Gimilsin, Katsin genannt, baute in Gisuch einen Tempel der Nina und zerstörte die Stadt Zabsali.

Inisin, d. i. Auge des Sin, nennt sich auf einer Inschrift:

„Inisin, der mächtige König, König von Ur, König der vier Weltteile."

Das übrige ist unlesbar. Nurramman und die vier folgenden Patesi haben wir bereits als Herrn von Larsa kennen gelernt, außer Simtischilschak, nämlich Siniddina, Simtischilschak, Kudurmabuk oder Kudurlagamar, Eriaku oder Rimsin und Emutbal.

---

1) Grundriß S. 243.
2) Mitt. v. 1903, Nr. 17, S. 15.
3) Andere Patesi von Ur siehe S.

Immirum ließ den Kanal Asuhi graben. Er gebot auch über die elamitische Provinz Jamutbal.

Aus Uruk wird als ältester Patesi Gilgamis oder Izdubar genannt. Auf ihn folgte um das Jahr 3000 v. Chr. Lugalzaggisi, nach Fr. Hommel [1]) regierte er noch 1000 Jahre früher. Er rühmt von sich inschriftlich, er sei mit der Lebensmilch der Göttin Ninharsag ernährt und habe Ur, Larsa, Gisbaa und die Länder Ninni-abbi und Dingiraki erobert. Unter dem erstgenannten Land, der „Istar des Meerlandes", sonst mat marrati genannt, versteht Fr. Hommel die arabische Landschaft, aus der nach seiner Meinung Nimrod kam; unter dem „Gottesland" aber das übrige Arabien, wo n. s. M. das Paradies gelegen war. Die vier Flußläufe, die in den K. S. öfter erwähnt werden, sind ihm eine Erinnerung an die vier Flüsse des Paradieses. Sie heißen Naru, Sigal, Silim und Idignu.

Auf Lugalzaggisi folgte Lugalkizubnidudu.

Singasid nennt sich auch König von Amnanu. Er baute seinen Göttern Lugalbanda, d. i. dem Sin und der Ninsum den Tempel Kankal. Er soll um 2300 v. Chr. gelebt haben.

Noch werden genannt Amaan, Singamil und Bilgurahi.

Aus Zirtella kennen wir die Patesi Haldu oder Haladdu, wozu Kischurra zu vergleichen ist, Urninna und Kurgal.

Amerikanische Forscher [2]) wollen die Bildsäule eines babylonischen Königs Daudu gefunden haben, der 6000 Jahre v. Chr. regiert haben soll. Der Name scheint semitisch zu sein und erinnert an David. Wenn die Amerikaner 3000 Jahre streichen, läßt sich wohl über die Sache reden.

Obwohl von diesen Priesterkönigen, wie wir gesehen haben, zahlreiche Inschriften vorhanden sind und deren immer neue gefunden werden, so läßt sich doch keine zusammenhängende Geschichte dieser Vorzeit entwerfen; denn die meisten der Inschriften beziehen sich auf Tempelbauten und enthalten keine Zeitangabe wie die folgende:

> Dem Gott Sulsagana, dem vielgeliebten Sohn des Gottes Ningirsu, seinem König, hat Gudea, der Patesi von Lagasch, seinen Tempel Kidurguttini erbaut"

oder die andere:

> „Dem Gott Ningirsu, dem mächtigen Krieger des Gottes Enlilla, seinem König, hat Gudea, der Patesi von Lagasch, auf daß eine strahlende und reine Heiterkeit sei, den Tempel des Ninnu, seines Gottes Emigulaglag gebaut; an seiner Stelle hat er ihn wieder aufgerichtet."

Immerhin ergibt sich als gewisse Tatsache, daß im Laufe des dritten vorchristlichen Jahrtausends die kleineren babylonischen Herrschaften immer mehr zu einem größeren Reiche vereinigt wurden. Auf dieses

---

1) A. u. A., S. 281.
2) Reichsbote von 1905.

Ziel drängte nicht allein die Ländergier einzelner Herrscher, sondern mehr noch die allen und grade den Schwächeren besonders gefährliche Nachbarschaft von Elam.

Mehrere Priesterkönige sind unter den genannten so hervorragend, daß sie eine besondere Betrachtung verdienen.

Gudea oder Kamumal (?) war Herr von Lagasch oder Sirpurla. Inschriftlich läßt er die Göttin Gatumdug also anreden:

„O meine Königin, du Kind der reinen Götter, der unter den Göttern der erste Rang gebührt, du bist die Königin, die Mutter, die den Tempel Lagasch gegründet hat. Ich habe keine Mutter, du bist meine Mutter. Ich habe keinen Vater, du bist mein Vater. An einem heiligen Ort hast du mich geboren."

Die Göttin, von der Gudea also in der vertrautesten Weise redet, ist Istar, seine Beraterin und Traumdeuterin [1]).

Er erbaute Egadda oder Eninnu, den Tempel des Ningirsu, aus Ziegelsteinen auf einer Grundlage aus gehauenen Steinen, die aus dem Westland geholt waren. Die Decke und das Dach wurden aus Zedern (lammu) vom Libanon und Amanus hergerichtet [2]).

Ferner ließ er aus dem Bergland Madga, vermutlich das Hauran-gebirg, Asphalt holen, der zur Bereitung des Mörtels gebraucht wurde. Diese Gegend nannten die Nordsemiten nahar, die Assyrer kibri nari. Ein Fluß h. wadi Sirhan führte den Asphalt mit sich. Vor Zeiten mündete er in den Euphrat, heute ist er ein wasserloses Flußbett.

Inschriftlich:

„Dem Gott Ningirsu, seinem König, hat er den Tempel Egadda, das Haus der 7 Stufen, jenen Tempel Egadda, zu dessen Spitzen herauskommend (d. i. dessen Ersteigern) der Gott Ningirsu ein günstiges Geschick bestimmt, (neu) erbaut."

Dieses Versprechen erinnert an den Ablaß, der gegen eine gewisse Leistung zugesagt wird.

Jensen [3]) übersetzt etwas anders:

„Den Tempel Epa, den Tempel der 7 Weltzonen (ub), diesen Tempel, dessen Besteiger bis zu seiner Spitze Ningirsu ein gutes Schicksal bestimmt."

Aehnlich Amiaud.

Eine andre Inschrift besagt [4]):

„Den Tempel der Zahl 50 .. hat er erbaut, darin seine geliebte Grabstätte mit Weihrauch und Zedernholz ausgestattet, seinen 7stufigen Tempel Egadda erbaut und darin die Morgengabe der Göttin Bau, seiner Herrin, niedergelegt."

Daß mit der Grabstätte Gudeas eine Kapelle (gigunnu) oder Grabkammer oder gar der Stufentempel selbst gemeint ist, wie Hommel will, wird nur der zugeben, der gleich ihm die ägyptische Kultur aus Babylonien stammen läßt, während doch wenigstens zwei andre Möglichkeiten

---

1) A. Jeremias, Bab. i. N. T., S. 29.
2) K. B. III, 1, 35—37.
3) Kosmologie, S. 172.
4) Hommel, S. V. S. I, 415.

vorhanden sind, die Verwandschaft beider Kulturen zu erklären. Es können doch ebensogut die Babylonier von den Aegyptern gelernt haben, was die Sage vom Fischmenschen uns nahe legte; oder die Kultur beider Völker hat den gleichen Ursprung und das gleiche Alter.

Gudea baute auch einen Tempel der Bau, Esilgid genannt. Ihr zu Ehren feierte man zu seiner Zeit das Neujahrsfest. Die Inschrift besagt:

„Im Tempel des Ninshagh, seines Königs, ist die Bildsäule Gudeas, des Patesi von Sirpurla, aufgestellt, der den Tempel so erbaut hat."

Einen Tempel der Istar baute er in Ninuaki.

Die Schiffe dieses Priesterkönigs holten Gold und Edelsteine aus Magan und Melucha, d. i. das nördliche und das peträische Arabien, und von der Insel Dilmun. Aus Gubi, Nituk und Martu oder Dedan verschaffte er sich die Materialien zu seinen Tempeln und Bildsäulen, die er den Göttern Ninshagh, Masib (?), Bagas und Bau errichtete [1]). Den Alabaster lieferte Tidanu, in dem der Antilibanon zu vermuten ist, Kupfer bezog er auch aus Makan in Gestalt von Malachit, Samtustein genannt. Nur Haupt erkennt darin Perlen oder Fischkupfer [2]).

Eine große Cylinderinschrift, die Thureau-Dangin vollständig mitgeteilt hat [3]), berichtet von dem Traumgesicht des Königs. Gudea sah eine göttliche Gestalt, zu deren Rechten der göttliche Vogel Zu saß, während zwei Löwen zur rechten und zur linken Seite lagen. Die göttliche Gestalt befahl ihm ein Haus zu bauen, während andre lichte himmlische Gestalten herzutraten, mit Griffel und Tafel ihm den Bauriß vorzuzeichnen. Derselbe ist heute noch auf der steinernen Bildsäule des sitzenden Königs auf dessen Schoß liegend zu sehen, daneben eine Reisschiene mit eingeteiltem Ellenmaß. Auf der Tafel aber sieht man nicht den Aufriß eines Hauses oder Tempels, sondern den Entwurf einer Stadtbefestigung mit Türen und Toren nach den vier Außenseiten [4]).

Da der König nach der Bedeutung des Traumes fragte, erwiderte ihm seine Mutter, die Göttin Nina:

„Mein Hirte, dein Gesicht will ich dir deuten. Der Mann ist mein Bruder, der Gott Ningirsu. Er gebietet dir, die Wohnung seines Tempels ... zu bauen."

Auch ein Gott Ningiszida, der Herr des Szepters der Wahrheit, tritt in diesem Traum auf. Von der Frau mit Schreibgriffel und Tafel sagt die deutende Nina:

„Dieses Mädchen ist meine Schwester, die Göttin Nisaba."

Das Bild des Hengstes, den Gudea gesehen, deutete Nina:

„Das bist du. Du bist meine Mutter, du bist mein Vater [5])."

---

1) Tiele a. a. O. S. 108.
2) Z. f. A. 1895, S. 368.
3) Ebenda 1902, S. 352.
4) Vergl. Franz Rever, Z. f. A., 1887, S. 31.
5) H. Zimmern in Z. f. A. III, S. 234 ꝛc.

Bei diesen Worten darf man nicht daran denken, daß Nina seine leibliche Mutter ist; sie will sagen, daß ihr Sohn für sie und ihren Gottesdienst sorgt, wie Vater und Mutter für ihre Kinder sorgen. Echt orientalisch.

Nach Gudeas Zeit kamen die kleinen babylonischen Herrschaften in die Gewalt der Kassu, Kassiten oder Kossäer, die nach E. Schrader in Gen. 2, 13 und 10, 8—12 mit dem ägyptischen Kusch verwechselt werden. Wieder eine Anklage gegen die hl. Schrift ohne allen Grund. Die erste Stelle bezieht sich auf die Lage des Paradieses, die heute nicht mehr zu kontrollieren ist; die zweite Stelle versteht Schrader nicht, weil er Nimrod für einen Babylonier hält, während die hl. Schrift ihn für einen Sohn von Kusch erkennt, und wer berichtet sonst noch von Nimrod? Uebrigens sind die Kuschiten in Aegypten und die Kassiten in Babylonien ohne Zweifel verwandte Völker. Das geben schon ihre Namen an die Hand, wie auch Fr. Delitzsch festhält. Vermutlich bildeten sie mit den Sumero-Akkadiern ursprünglich e i n Volk.

Der erste König aus diesem Stamm war Gadda oder Gandas, Herr von Babel. Bekannter ist sein Sohn.

A g u m k a k r i m e, d. i. Agum der jüngere, der um 2400 v. Chr. [1]) regierte. Als seine Ahnen bezeichnet er selbst Isi oder Ussi, Agumrabi, Abigu, Tassigurumas, von denen nur der erste König genannt wird. Er nennt sich den glänzenden Sproß des Sukamunu oder Nergal, König der Kassu und der Akkadier, auch von Padan und Alman, König der Guti [2]), König der vier Weltgegenden. Die Bilder des Marduk und der Zirbanit, die in das Land Khani [3]) weggeführt waren, brachte er nach Babel zurück und stellte den Tempel des Bel wieder her. Davon berichtet er in einer ansehnlichen Inschrift:

„Agumkakrime, Sohn des Tassigurumas, erlauchter Sproß des Sukamunu, berufen von Anu und Bel, Ea und Marduk, Sin und Samas, ein gewaltiger Held der Istar, der Königin, bin ich. Als die großen Götter mit ihrem erlauchten Mund Marduk, dem Herrn von Esagila und Babylon, die Rückkehr nach Babylon geboten ... da dachte ich und wandte mein Antlitz, Marduk nach Babel zu holen, und befragte den Gott Samas durch ein Lamm des Opferschauers und sandte nach dem fernen Land Khani; und sie ergriffen die Hand Marduks und der Zirbanit. Nach Esagila und Babel führte ich sie zurück. Im Hause des Samas, im hinteren Gemach, stellte ich sie auf und ließ Handwerker sie hinsetzen. Vier Talente vorzüglichen Goldes gab ich her für ein Gewand des Marduk und der Zirbanit, dazu Bergkristall, kostbaren strahlenden Stein, und besetzte damit die Oberfläche des Gewandes ihrer großen Gottheit und hohe Hörnermützen, wie sie zu der göttlichen Würde gehören."

„Und den Drachen, das Reittier seiner Gottheit, umgab ich mit Gold und stellte ein taamtu auf und brachte in dem andern Tempel auf seiner Brust kostbare Steine an."

---

1) Hommel u. a. setzen ihn nach Hammurabi.
2) Nach H. Winckler, Armenien.
3) Später mat acharri, mat martu oder Khatti, das Westland gen.

Das taamtu erinnert an das babylonische Tiamat, die vornehmste Gottheit der Sumero-Akkadier, wie auch heute bei den Chinesen der Drache überall verehrt wird. Sonst erscheint der Drache nicht als Reittier Marduks, der ihn besiegt hat. Wir dürfen in dieser Vereinigung vielleicht ein Stück Union zwischen der Religion der Kassiten und der semitischen Babylonier erkennen.

„Auch schickte ich Handwerker zum Berg der Zedern und Zypressen, zu einem Schneeberg, dessen Duft schön ist; und ich ließ Türen von Zedernholz machen und stellte sie in den Gemächern des Marduk und der Zirbanit auf mit einer Schlange, einem Widder, einem Hund, einem Fischmenschen, einem Ziegenfisch. Ein Schlangenbeschwörer reinigte Esagila; grosartige Freudenfeste veranstaltete ich, Geschenke von Gold und Silber gab ich den Göttern von Esagila."

Eine spätere Nachschrift lautet:

„Dem guten König Agum, der die Gemächer des Marduk baute und die Kunstverständigen abgabenfrei machte, dem mögen Anu und Antu im Himmel Segen verleihen. Bel und Belit mögen ihm in Ekura [1]) sein Lebensschicksal bestimmen. Ea und Damkina, die im großen Weltmeer wohnen, mögen ihm ein Leben langer Tage geben. Samas, der Herr Himmels und der Erde, möge die Grundlage des Thrones seiner Königsherrschaft für lange Zeiten festlegen." ....

Diese Nachschrift gibt die „Schrifttafel Ahurbanipals, des Königs der Welt, des Königs von Assyrien, der auf Asur und Belit vertraut . . wer sie fortnimmt und seinen Namen für meinen Namen hinschreibt, den mögen Asur und Belit in Zorn und Wut niederwerfen und seinen Samen und seinen Namen im Lande vernichten".

Von den Nachkommen dieses „guten Königs" wissen wir nichts. Zu ihrer Zeit wurde Babylonien von Kudurnachunte, dem König von Elam, unterworfen. Der Name Elam bedeutet Hochland, assyr. Elamtu oder Ilamti, akkad. Nummaki; Jensen aber liest das Ideogramm Nimki und läßt es Ostland bedeuten. Seine alte Hauptstadt war Ansan. Kudurnachunte nahm aus Erech das Bild der Nana und brachte es in seine Hauptstadt Susa. Von dort holte es 1635 Jahre später der assyrische König Asurbanipal zurück. Er läßt darüber inschriftlich berichten:

„Kudurnachunte, der Elamit, der keine Achtung vor dem großen Namen der Götter hatte, der sich in verkehrtem Geist auf seine eigenen Kräfte verließ, hatte Hand an die Tempel des Landes Akkad gelegt und Akkad von oberst zu unterst gekehrt. Aber die Tage wurden erfüllt, die Zeit der großen Götter kam herbei ... 2 ner, 7 soß und 15 Jahre (sind dahin seit dem) Frevel der Elamiten. Mich Asurbanipal, den großen, ihren Verehrer, sandten die großen Götter aus, um Elam niederzuwerfen."

So fromm sich hier der assyrische König auch ausspricht, tut er dem Elamiten doch unrecht. Sicherlich raubte dieser Eroberer fremde Götterbilder nicht aus Mangel an Achtung, sondern weil er der Meinung war, diese Götter seien mächtiger, hilfreicher als seine eignen; also ihr Dienst vorteilhaft. Freilich hatte er für diese Meinung einen schlech-

1) Nach Jensen Kosm., S. 194 gleich Erde, aus der nach babylon. Vorstellung die Götter entsprossen sind. Dann nannte man ihre Tempel so, endlich den Gott selbst. Hier der Ort der Seligkeit.

ten Grund, wenn diese Gottheit doch seinen Feinden nicht geholfen hatte, aber einen guten Grund, wenn er seinen Sieg ihr zuschrieb.

Die Berechnung, die Asurbanipal hier aufstellt, ist sehr wichtig für die Zeitbestimmung: 2 ner = 1200, 7 soß = 420 und 15 Jahre = 1635 Jahre.

Das elamitische Reich erstreckte sich nach Eroberung Babyloniens und des Landes Khani vom persischen Meerbusen bis zum Mittelmeer, umfaßte also auch Palästina, das Land der Amoriter, in sich. Auf Kudurnachunte folgte Simtischilschak. Dessen Sohn war Kudurlagamar, d. i. Diener der Göttin Lagamar. Im A. T. wird dieser Name mit Kedorlaomor wiedergegeben [1]). Unter dem Namen Lagamaru zählt ihn Asurbanipal zu den Göttern Elams. Die andern sind Susinak, Sumudu, Partikira, Ammankasibar, Uduran, Supak, Husun, Ragibe, Sungura, Karsa, Kirsamas, Sudanu, Aipaksina, Bilala, Panintimri, Silagara, Napsa, Napirtu, Kindakarpu, eine stattliche Reihe von ilani und istarati, Götter und Göttinnen, die noch manchen König oder Königin von Elam in sich schließen mögen [2]). Ihre Bilder nahm der klügere König von Assyrien nicht mit fort; denn er dachte wohl, wie sollten ihm die fremden Götter helfen, die ihr eignes Volk nicht aus seiner Hand erretten konnten.

Ob Kudurlagamar und Kudurmabuk eine und dieselbe Person sind, wird einstweilen noch ungewiß bleiben. Er nennt sich König von Elam, Herr von Syrien, Vater des Landes der Amoriter oder des Westlandes, adda martu.

Mit seinem Sohn Eriaku der im A. T. [3]) Arioch, assyr. Aradsin oder Rimsin, d. i. Diener des Sin, heißt, erlosch das elamitische Herrschergeschlecht in Babylonien. Er wurde von Hammurabi, seinem früheren Vasallen, besiegt. Eine Kanephore oder Korbträgerin aus Asadch am Tigris trägt eine Inschrift, die kundtut, daß diese Bildsäule von Kudurmabuk und seinem Sohn Rimsin, König von Larsam, der Nana, der Herrin des Gebirges, der Tochter des Mondgottes, der Bewohnerin des Tempels Meurur, geweiht worden sei. Sie lautet:

„Der Göttin Nana, der Herrin, die mit verschwenderischer Pracht geschmückt ist, die von Gnade überströmt, dem lichten Sproß des großen Himmelsgottes, ihrer Herrin, haben Kudurmabuk, der Vater von Emutbal, Sohn des Simtischilschak, und Rimsin, sein Sohn, der erhabene Fürst von Nippur, der Pfleger von Ur, König von Larsam, König von Sumer und Akkad, Esachulla d. i. Haus der Herzensfreude oder Lieblingswohnung erbaut, aufdaß ihnen Leben zu teil werde, ihre Spitzen hoch aufgeführt, gleich einem Berge gefügt."

Den Schluß der Inschrift macht ein Gebet.

---

1) Gen. 14, 1.
2) K. B. II, S. 208.
3) Gen. 14, 1.

Unter der Herrschaft der Kossäer und Elamiter war das babylonische Volk, das nun nicht mehr in viele kleine Bezirke zerfiel, geeinigt und erstarkt. Das bezeugt schon die Aufzeichnung der sumero-akkadischen Familiengesetze [1]), die in dieser Zeit geschehn sein mag. Noch mehr aber tritt diese Tatsache ans Licht durch die erfolgreiche Erhebung gegen das elamitische Joch, die unter dem Semiten Hammurabi geschah. Mit ihr beginnt die Geschichte von Babylonien, freilich nur, um mit dem Schluß seiner Regierung wieder für Jahrhunderte in Dunkel gehüllt zu werden.

8. Die altbabylonischen Könige.

Hammurabi,

König von Babylonien, herrschte etwa 2250 bis 2200 v. Chr. Er heißt im A. T. in der Uebersetzung der Siebzig Amarphal, bei Luther nach Hieronymus Amraphel. Es ist aber nicht nötig, im hebräischen Text das auslautende el zum nächstfolgenden Wort zu nehmen; denn wenn auch Amraphel nicht dem Namen Hammurabi entspricht, so kommt in den Keilschriften neben dem Namen Hammurabi auch die Schreibweise Ammurapaltu vor, wodurch die hebräische Endung e l vollkommen gerechtfertigt ist. Früher las man sein Zeichen Hammuragas und setzte seine Regierung um das Jahr 1500 v. Chr. an; aber der König Nabumaid bezeugt ausdrücklich, daß Hammurabi 700 Jahre vor Burnaburias gelebt habe. Um dem Leser gelegentlich einen Begriff der Keilschrift zu geben, sei hier erwähnt, daß Hammurabi mit dem Zeichen Fisch (ha), Antilope (am,) Name (mu), Ueberschwemmung (ra), Wein (bi) geschrieben wird [2]).

Inschriftlich nennt sich dieser König „Hammurabi, der mächtige König, König von Babilu, König der vier Weltgegenden, der Erbauer des Landes, dessen Werke Samas und Marduk wohlgefallen" oder „für die zukünftigen Tage hat es mit dem Griffel kundgetan Hammurabi, der mächtige König, der gewaltige, der Vernichter des Feindes, die Sturmflut des Kampfes [3]).

Herodot erzählt, daß um diese Zeit Sesortesen II. von Aegypten ganz Asien erobert habe; aber bis Babylon ist er nicht gekommen, und ehe Hammurabi Babel zu seiner Residenz und Hauptstadt eines freien Königtums gemacht hatte, zog er als Amraphel von Sinear mit seinem Lehnsherrn, Kedorlaomor von Elam, und seinen Mitvasallen Arioch von Ellasar, d. i. Eriaku von Larsa, der auch Herr von Erech und

1) H. Winckler, Ges. Hamm. 4. Aufl.
2) K. B. III, b, S. 91.
3) Fr. Hommel, S. V. S. I, S. 301.

Nisin war, und Tideal, d. i. Tudghula, König der Goim, gegen die Herren des Westlandes „zu streiten im Tale Siddim". Unter den Fürsten dieses Landes wird Sineab, König der Stadt Adama, genannt, der in den K. S. Sanibu, König von Amman, heißt. Was aber den König der Goim, bei Luther „König der Heiden", betrifft, so ist der Vorschlag des Symmachus, statt goim gogim zu lesen und so einen „König der Skythen" zu gewinnen, gänzlich überflüssig, da in einer Inschrift des Königs Asurbanipal das Volk der Goim [1]) neben Syrien genannt wird, die beide unter der Botmäßigkeit Elams standen.

In diesen Krieg wurde auch Abraham, der Stammvater des hebräischen Volkes, verwickelt. Ungewisse Zeit vorher war er mit seinem Vater Tharah und mehreren Stammesgenossen aus Uru in Chaldäa ausgewandert, wo schon der Vater Hammurabis die dort wohnenden Nomaden bekämpft hatte [2]), und als Haupt und Anführer eines Nomadenstammes, nicht als ein Mann der Religionspropaganda [3]), mit seinen Herden gegen Nordwesten dem Strom der Flüsse entgegen gezogen. In Haran starb Tharah, und Abram — in K. S. kommt ein Aburamu vor — zog, während ein Teil seines Stammes sich hier zu dauernder Ansiedelung niederließ, auf der alten Handelsstraße von Haran weiter nach Südwesten und kam über Damaskus [4]) in das Land Kanaan, das unter der Herrschaft Elams stand, aber sich häufig gegen diesen fremden Herrn auflehnte. Als Abraham seinem Stammesgenossen Lot gegen die verbündeten Könige des Ostens und der Mitte Hilfe brachte, zog er nicht allein, sondern mit ihm die Führer amoritischer Stämme Aner, Eskol und Mamre [5]).

Es ist gar nicht zu verwundern, daß es den Hirtenstämmen in Babylonien um diese Zeit bange wurde wegen der Ernährung ihres Viehes; vielmehr werden wir bald wahrnehmen, daß grade jetzt die in Babylonien wohnenden Nomaden entweder zur Auswanderung gezwungen waren oder ihre Lebensweise aufgeben und Ackerbauer werden mußten. Ein Teil dieses Zwanges wird auch durch den oben erwähnten Zug Sinmuballits gegen die Nomaden vorgestellt, die ihr gutes Recht mit den Waffen verteidigt haben werden.

Außerdem wird auch eine religiöse Bewegung innerhalb Babyloniens mitbestimmend auf diese Auswanderung gewirkt haben, wie 750 Jahre vorher auf die Auswanderung der Sumero-Akkadier [6]); worauf später zurückzukommen ist.

---

1) Tiele erkennt in Goim die sonst genannten Guti.
2) S. S.
3) Gegen A. Jeremias, A. T. O., S. 210.
4) Gen. 15, 2.
5) Gen. 14. 24.
6) Vergl. J. Jeremias, M. u. H., S. 5. H. Winckler, Abraham a. B., S. 26.

So werden äußere und innerliche Bedingungen der Ereignisse und Zustände nicht außer acht gelassen, wie von manchem geschieht, der solches tadelt.

Wie aber Hammurabi, von dem Krieg im Westland zurückgekehrt, den Krieg mit Elam aufnahm und sein Land frei machte, darüber schweigen die Urkunden; aber wir dürfen erkennen, daß dieser Mann nach beiden Seiten Hervorragendes leistete. Er war der König, der „das Land der Elamiter, der Widersacher, niederwirft", der aber auch „die Kämpfe zur Ruhe bringt, der die Aufruhrstämme zur Sättigung führt, der die Streiter vernichtet wie ein Bild aus Ton, der da öffnet die Unwegsamkeit unzulänglicher Berge". So schildert Hammurabi selbst seine Tätigkeit in Krieg und Frieden.

Unter ihm hielt die Gründung von Städten mit der Ausdehnung und Verbesserung des Ackerbaues gleichen Schritt. Aber die Viehhirten wurden von allen Seiten bedrängt, das Weiden der Schafe und Rinder besonders durch die vielen Kanäle, die mehr und mehr das Land nach allen Seiten durchschnitten, sehr erschwert [1]), wenn nicht unmöglich gemacht. Der König läßt darüber auf mehreren Tafeln berichten. Die erste Inschrift nämlich lautet weiter:

„Ich erhöhte die Mauer von Sippar mit Erdmassen wie einen großen Berg. Mit Rohrdickicht umgab ich sie. Den Kanal Udkipnun (arachtu?) grub ich nach Sippar hin und errichtete für denselben einen Sicherheitsdeich."

Auf einer Alabastertafel ließ der König schreiben:

„Hammurabi, der mächtige König, König von Babel, König der vier Weltgegenden, der den Sieg Marduks gewinnt, der Hirte, der das Herz dieses Gottes erfreut, bin ich. Als die Götter El und Bel (mir) das Volk von Sumer und Akkad zu beherrschen verliehen, mich mit der Oberhoheit über sie belehnten, grub ich den Kanal Nar Hammurabi, den Segen des Volkes, welcher dem Volk von Sumer und Akkad Wasser in Fülle zuführt. Seine Ufer zu beiden Seiten bestimmte ich für die Ernährung, indem ich Scheffel von Korn ausgoß. Ihre zahlreichen Scharen versammelte ich. Was ihnen zur Speise und Trank dienen sollte, übergab ich ihnen. Mit Segen und Ueberfluß beschenkte ich sie, in behaglicher Wohnung ließ ich sie wohnen."

Wenn hier Hammurabi sich einen Hirten nennt, so wird ein Ehrentitel gewonnen, wenn der entsprechende Allgemeinberuf mehr und mehr aufhört. Doch gab es zu seiner Zeit noch einige Hirten alten Schlages wie in Gubrun am Idinnafluß, andre am Uggimdufluß, andre auch in der Gegend von Larsa und Girsu [2]). Die Inschrift fährt fort:

„Folgendes tun wir kund und zu wissen. Hammurabi, der starke König, der Verehrer der großen Götter, bin ich. Mit Hilfe der gewaltigen Kräfte, die Marduk mir verliehen, erbaute ich ein hohes Schloß mit großen Türmen, deren Spitzen bergegleich emporragen, am Ausgang des Nar Hammurabi, des Segens des Volkes. Dieses Schloß nannte ich „Schloß des Sinmuballit", des Vaters, meines Erzeugers. Zu Ehren des Sinmuballit, meines Erzeugers, legte ich seinen Grund nach den Himmelsgegenden."

---

1) H. Winckler, B. u. A., S. 305.
2) Fr. Hommel, Grundriß, S. 288.

Das Wasser der Ströme Euphrat und Tigris, das in diesen Kanälen weithin durch das meist ebene Land geleitet wurde, das den Fleiß des Landmanns mit hundertfältiger Ernte belohnte, konnte auch verderblich wirken; wie das Beispiel der Stadt Umlias beweist, die im Monat Arachsamna durch eine Ueberschwemmung des Tigris zerstört wurde. Da dieser Strom mit seinem starken Fall besonders gefährlich war, ließ Hammurabi an seinen Ufern Dämme oder Deiche anlegen, Karasamas genannt.

Daß ein Teil der in Babylonien aus Arabien eingewanderten Semiten wieder auswanderte und sich unter Tharah und Abram eine neue Heimat suchte, ist bereits erwähnt worden. An dieser Tatsache haben, wie wir sahen mehrfache Gründe mitgewirkt, vor allem die Hebung des Ackerbaues unter der Regierung Hammurabis. Aber ein Ackerbau treibendes Volk ist seßhaft und muß seßhaft sein. Ein seßhaftes Volk schafft sich bald bestimmte Gesetze. Die Freiheit des Einzelnen wird zum Wohl des Ganzen beschränkt. Aber solcher Beschränkung geht der Freiheit liebende Nomade aus dem Wege. Und noch eins. Hatten die eingewanderten Semiten nicht nur die Neigung zum Götzendienst, sondern auch diesen selbst mitgebracht, wie auch die Stammesgenossen Abrams andern Göttern dienten [1]), so trafen sie diesen Abfall von dem lebendigen Gott bei dem unterworfenen Volk von Sumer und Akkad schon vollzogen, sodaß dem, der nicht an dem volkstümlichen Dienst der fast unzähligen babylonischen Götter teilnehmen wollte, nichts andres übrig blieb, als diese zweite Heimat zu verlassen und sich eine dritte zu suchen.

Auch Hammurabi war wie sein Volk groß im Aberglauben. Er baute Ebarra, den Tempel des Samas, wieder auf, nachdem derselbe durch die Gewalt der Winde und Regenstürme zu Fall gebracht war. Darüber hat der König Nabunaid aufzeichnen lassen:

„Der Grundstein von dem Hause des Gottes Samas und der Ai ward wieder gefunden, und die Mauern kamen zum Vorschein. Die Schrift des Namens von Hammurabi, des alten Königs, der 700 Jahre vor Burnaburias Ebarra erbaut und den Stufenturm für Samas errichtet hatte, sah ich. Da erschrak ich, und Schrecken überfiel mich, ich erhob meine Hände und betete."

Auch den Tempel des Zamama in Kis, Emeteursag genannt, und den der Istar ließ der König erneuern.

Erst im 31. Jahre seiner Regierung war es Hammurabi gelungen, in einem siegreichen Krieg gegen Jamutbal [2]), den König von Elam, das vereinigte Babylonien unabhängig zu machen; und in diese nun folgende Friedenszeit wird das größte Kulturwerk des großen Königs fallen, seine Gesetzgebung. Wie wir bereits bemerkten, war das Familienrecht der Sumero-Akkadier bereits aufgezeichnet. Hammurabi aber sammelte alle für die beiden nun verschmolzenen Völker, die Sumero-

1) Jos. 24, 2.
2) Andere erklären J. für einen Teil von Elam.

Akkadier und die Semiten, geltenden Rechte, wie sie in den 7 Jahrhunderten ihres Zusammenlebens ausgebildet waren, und liess sie zum ewigen Gedächtnis und unauslöschlicher Geltung auf Felsen schreiben [1]). Einer derselben, der uns erhalten ist, trägt zum Zeugnis über die dicke Finsternis, die auch auf diesen Heiden lag, die Gestalt eines Phallus [2]). Dieser Diorit-Felsblock wurde, wir wissen nicht wie lange nach seiner Beschreibung und Aufrichtung, von Elamitern, die ihn vermutlich für ein Götterbild hielten, aus Erech geraubt und nach Elam gebracht, wo er bis zum Jahr 1901 unter Schutt verborgen gelegen hat, wohl gegen 3000 Jahre oder gar noch länger! Da fand ihn J. de Morgan. 44 Zeilen laufen auf ihm senkrecht von oben nach unten, 16 auf der Vorderseite, 28 auf der Rückseite. Eine französische Uebersetzung gab P. V. Scheil, eine deutsche Professor H. Winckler heraus. Auf dem Stein ist auch ein Bild in Hautrelief ausgemeißelt, das nach einigen Forschern Marduk, nach andern Samas als den Gott darstellt, der die „Rolle des Gesetzes" an Hammurabi darreicht. Dabei wird ganz vergessen, daß es in Babylon keine Schriftrollen, sondern nur Tafeln und Prismen, Cylinder, allerlei Gefäße und Felsen gibt, auf die man schreibt, nur keine Papyrus- oder Pergamentrollen. Aber sollte es nicht möglich sein, daß weder Marduk noch Samas, sondern Hammurabi selbst in der sitzenden Gestalt abgebildet ist, der seinen Herrscherstab oder Szepter dem Gehorsam pflichtigen Untertan entgegenstreckt. J. Jeremias [3]) hält das Bild für den Gott Samas, der in seiner rechten Hand einen Schreibgriffel und einen kreisförmigen Gegenstand hält. Also erfährt das undeutliche Bild mehrfache Deutungen.

Es gab aber, wie oben erwähnt, mehrere solcher Steine mit Gesetzesinschriften und auch Abschriften dieser Gesetze auf Tafeln, wie solche wenigstens in Bruchstücken uns erhalten sind, noch aus der Zeit des Königs Asurbanipal.

In der Einleitung oder Uebersicht dieser Gesetze nehmen des Königs Titel und Taten den größten Raum ein. „Ihn haben die hehren Götter Anu und Bel berufen, ihn, der Reichtum und Ueberfluß über sein Volk ausschüttet, daß er wie die Sonne die Schwarzköpfigen erleuchte" [4]). Mit diesem Schmeichelwort scheint der König alle seine Untertanen zusammen zu begreifen; aber ist er nicht selbst ein Schwarzkopf gewesen? Doch stolz wie die Sonne schaut er vom hohen Königsthron auf das gemeine Volk herab.

Er nennt sich den tapfern König, der die vier Weltgegenden bekämpfte, der den Namen Babels groß machte, der Ur bereicherte. Anu,

---

1) Nach H. Winckler. G. d. H., S. 7 wurden mehrere beschrieben.
2) A. Jeremias, A. T. O., S. 262.
3) M. u. H., S. 4.
4) Die Worter lauten: nisi salmat kakkadu.

der erhabene, der König der Anunaki, der Geister der unteren dunkeln Welt, und Bel, der Herr von Himmel und Erde, der das Schicksal des Landes festsetzt, hatten Marduk, dem Herrschersohn Eas, die Herrschaft über die irdische Menschheit zuerteilt und unter den Igigi, den Geistern der oberen lichten Welt, ihn groß gemacht und in Babel ein ewiges Königtum begründet, dessen Grundlagen wie Himmel und Erde festgelegt sind. Dieser Marduk ist es, der den Hammurabi sandte die Menschen zu regieren, dem Land Rechtsschutz zu teil werden zu lassen; und er legte Recht und Gerechtigkeit in den Mund der Leute und schuf das Wohlbefinden seiner Untertanen.

Vermutlich will der König hier sagen, daß er seine Untertanen diese Gesetze auswendig lernen und hersagen ließ, worin spätere Gesetzgeber ihm klugerweise nachgefolgt sind, ihre Gesetze volkstümlich und dauerhaft zu machen. Dies konnte in Babel um so leichter erreicht werden, als diese Gesetze wahrscheinlich aus den Annalen eines Gerichtshofes stammen und zwar eines höheren Gerichtes, dessen Entscheidungen auf sichrer babylonischer Rechtsgewohnheit beruhten. Sicher sind sie nicht aus Spekulation hervorgegangen [1]).

Der erste Satz dieser ältesten Gesetzsammlung der Welt lautet nach H. Winckler:

„Wenn jemand einen andern umstrickt, einen Bann auf ihn wirft, es aber nicht beweisen kann, so soll der, der ihn umstrickt hat, getötet werden."

Umstricken oder den Bann auf jemand werfen bedeutet gegen jemand Zauberei gebrauchen. Von dieser Geheimkunst gab es in Babylonien hauptsächlich zwei Arten, nertu und kispu genannt. Bei der einen wird der Zauber durch geknüpfte Knoten, bei der andern durch einen Trank bewirkt, wovon im 7. Abschnitt des weiteren gehandelt wird. Bezeichnend ist für den einzigen babylonischen Gesetzeskodex, denn von einem „Buch" kann man hier doch nicht sprechen, daß er sogleich mit dem heidnischen Aberglauben der Zauberei beginnt, aber nicht um ihn zu verbieten, sondern um sich mit ihm auseinander zu setzen, weil wohl seine zeitweise Ehrlosigkeit und Gefährlichkeit, aber nicht seine Gottwidrigkeit und Unsittlichkeit erkannt ist.

Der zweite Satz ordnet eine Art von Gottesurteil an und läßt an der Zauberei etwas ehrenrühriges erkennen. Er lautet:

„Wenn jemand einem andern Zauberei vorwirft, es aber nicht beweisen kann, und derjenige, dem die Zauberei vorgeworfen ist, zum Fluß geht und in den Fluß springt; wenn der Fluß ihn verschlingt, so soll der, der ihn bezichtigt hat, sein Haus in Besitz nehmen. Wenn aber der Fluß jenen für unschuldig erweist, und er unversehrt bleibt, so soll der, der ihm die Zauberei vorgeworfen hat, getötet werden, und der, der in den Fluß gesprungen ist, soll das Haus seines Verleumders in Besitz nehmen."

---

1) Vergl. J. Jeremias, M. u. H., S. 11.

Dies ist offenbar ein sehr bedenkliche Bestimmung, wodurch nicht wenige zum Vorwurf der Zauberei verleitet werden mußten, weil ein großer Vorteil in Aussicht gestellt war, wenn der Fluß so wollte.

Der 3., 4. und 5. Satz handeln von dem Zeugnis vor Gericht und bestimmen die Strafe für ein fehlerhaftes Urteil des Prozeßrichters. Es wurde aber das Amt des Richters von dem Priesteramt eingeschlossen, oder es traten die Aeltesten (sibu gen. hebr. sekenim) in diese Tätigkeit ein, die für gewöhnlich nur als Zeugen oder Sachverständige beteiligt waren [1]). Der 6. Satz lautet:

„Wenn jemand Besitz von Gott oder Hof stiehlt, so soll er getötet werden."

Wenn hier kein einzelner Götze oder Götzentempel als Eigentümer genannt, sondern oon Gottesbesitz d. h. von heiligem, für den Gottesdienst abgesonderten Besitz im allgemeinen geredet wird, so läßt sich hier sehr wohl eine Spur des Monotheismus erblicken, der auch bei den Sumero-Akkadiern die ursprüngliche Religion war. Schwört man doch in dieser Zeit nicht bei einer der vielen Gottheiten, sondern bei Gott allein oder früher bei Gott und dem König [2]). Man vergleiche die Sätze 20. 103. 107. 121. Hier liegt ein zweiter Beweis des ursprünglichen Monotheismus vor.

Zu bemerken ist noch, daß zunächst hier nicht der Diebstahl im allgemeinen mit Strafe bedroht wird, sondern nur der qualifizierte, der den Besitz der Tempel oder des Königs angreift. Erst die folgenden Sätze bis 41 handeln von dem Diebstahl andrer Art und setzen die Strafen dafür fest; dann von verlorenem Gut, von Kauf und Verkauf der Sklaven, von Raub u. a. m.

Einen Einblick in den babylonischen Gerechtigkeitssinn gewährt der 25. Satz:

„Wenn im Hause jemandes Feuer ausbricht, und jemand, der zu löschen kommt, auf das Eigentum des Herrn sein Auge wirft und das Eigentum des Hausherrn nimmt, so soll er in dasselbe Feuer geworfen werden."

Es ist gemeint, daß der Dieb in flagranti ertappt wird. Aber er hatte immer die Ausrede, daß er das ergriffene Gut „retten" wollte.

Der 26. Satz bedroht den Untertan .der sich dem Kriegsdienst entzieht, mit Todesstrafe. Ein solcher beschädigt durch seine Fahnenflucht das Reich, den König. Demnach war der Kriegsdienst eine Pflicht sämtlicher freier Männer, wie auch sonst im alten Orient und Occident, während die Sklaven von dieser Leistung befreit waren. Die Alten waren klug genug, nicht nur die Gefahr zu erkennen, die in der Bewaffnung und Waffenübung der Sklaven lag, sondern sie sorgten auch mit dieser Maßregel für Ackerbau, Handwerk, Gewerbe und Handel, daß diese im Kriegsfall ohne Unterbrechung von den Sklaven weitergeführt

1) Vergl. J. Jeremias, M. u. H., S. 32.
2) H. Winckler, Bab. u. Aff., S. 27, Anm.

werden konnten. Genau genommen ist aber hier bis Satz 41 nicht von jedem freien Untertan überhaupt die Rede, sondern von dem rid sabe, einer Art königlichen Hauswirts, der für seine Dienste mit Feld, Garten und Haus belehnt wurde. Vergl. ridute.

Der 27. Satz bestimmt: „Jedem Krieger, der im Unglück des Königs gefangen wird, soll sein Eigentum bis zur Rückkehr aus der Gefangenschaft bewahrt werden.„ Die Babylonischen Herrscher hatten oft das Mißgeschick, daß sie und ihre Heere geschlagen wurden; auch war es wohl vorgekommen, daß Eigentum von gefangenen Kriegern ohne Rücksicht auf die Angehörigen als gute Beute angesehen wurde. Solcher Uebergriff mußte manchen vom Kriegsdienst zurückschrecken.

Die Sätze 42—126 enthalten Bestimmungen über Pachtung, Benutzung und Beschädigung von Grundstücken, über Borgen, Zurückzahlen und Verzinsen eines Kapitals, über Hinterlegung und Schuldhaft.

Die Strafe des Verkaufens, die in Satz 54 dem säumigen Schuldner angedroht wird, finden wir noch in einem Gleichnis des Herrn [1]). Satz 112 erinnert an das andre Gleichnis, das von anvertrautem Gut handelt [2]).

In Nr. 63 und 64 wird das Schaffen neuer Werte durch Anroden von Wüstungen oder Pfropfen von Wildlingen belobt, wie andrerseits in Satz 61, 62, 65 Faulheit und Nachlässigkeit getadelt werden.

Wer ein Freund der Entwickelungslehre ist, der kann an diesen Gesetzen Hammurabis erkennen, daß die Entwickelung der Rechtsbildung keineswegs immer vorwärts geht. Und wer da meint, die Geschichte der Menschheit habe einen dunkeln Anfang ohne Sinn und Verstand gehabt, der beachte diese Gesetze, die bis zu den sintflutlichen Menschen, also über die Steinzeit hinausreichen. Bereits vor über 4000 Jahren war in Babylonien für die Arbeiter gesorgt, was bei uns erst vor zwanzig Jahren zu stande gekommen ist.

Besonders auffällig ist Satz 108: „Wenn eine Schänkwirtin als Preis für Getränke nicht Getreide nach großem Gewicht, sondern Gold [3]) annimmt, und der Preis des Getränkes im Verhältnis zu dem des Getreides geringer ist, so soll man sie dessen überführen und ins Wasser werfen."

Satz 127—177 beziehen sich auf Eheschluß und Ehebruch, auf das Erbrecht und was mit dem Familienleben zusammenhängt.

Nach 128. Satz besteht eine Ehe nur dann zu recht, wenn ein Vertrag und Urkunde über den Eheschluß schriftlich aufgesetzt worden ist. Also hat in diesem Stück die französische Gesetzgebung unter Napoleon I. und das gegenwärtige deutsche Eherecht seinen Vorgänger in Babylon.

---

1) Matth. 18, 28.
2) Luk. 19, 12 ꝛc.
3) Früher hatte H. Winckler „Silber" übersetzt.

Das ist sehr bezeichnend für Ursprung und Wert solcher und ähnlicher Rechtsbestimmungen.

Satz 145—6 scheinen aus der Geschichte von Abraham, Sarah und Hagar ausgeschrieben zu sein, davon sogleich mehr zu sagen ist.

Satz 146 lautet:

„Wenn jemand eine Frau nimmt und diese ihrem Mann eine Magd zur Gattin gibt und sie (die Magd) ihm Kinder gebiert, dann aber diese Magd sich ihrer Herrin gleichstellt, weil sie Kinder geboren hat, so soll ihr Herr (oder ihre Herrin) sie nicht für Geld verkaufen. Die Sklavenmarke (Mal) soll sie ihr einritzen, sie unter die Mägde rechnen."

Die hl. Schrift [1]) berichtet uns, daß Abraham fest und sicher in der hier zum Gesetz ausgeprägten Rechtsgewohnheit stand, als er betr. der Hagar seiner Beschwerde erhebenden Ehefrau antwortete: „Deine Magd ist in deiner Hand." Nun verstehen wir auch das „Demütigen", dem Hagar sich durch die Flucht entzog. Es ist das Einritzen des Sklavenzeichens gemeint, das die Strafe der Hagar für die Beleidigung ihrer Herrin sein sollte. Zu gleicher Zeit haben wir hier einen augenscheinlichen Beweis für die Mitwirkung semitischer Rechtsgewohnheit bei Aufstellung dieser babylonischen Gesetze. Nur eins ist in der Erzählung selbst dunkel: Hagar war schon vorher Magd oder Sklavin; aber vielleicht trug sie noch nicht das Sklavenzeichen?

Satz 153 lautet:

„Wenn jemandes Ehefrau wegen eines andern ihren Gatten hat ermorden lassen, so soll man sie auf den Pfahl stecken."

Dieser Satz zeigt an, daß man zur Zeit Hammurabis von Vielmännerei nichts wußte.

Nach Satz 165 erben die Söhne der Hauptfrau, die rabitu oder assatu heißt, zu gleichen Teilen, was das bewegliche Vermögen betrifft, während das unbewegliche Vermögen durch Schenkung dem Lieblingssohn mar sa ensu, d. i. dem Augapfel, zufallen kann.

Satz 178—182 geben Bestimmungen über die erbrechtlichen Verhältnisse der Tempel- und Buhldirnen. Von ihnen war schon in Nr. 110 und 127 als „Geweihten", babyl. „Gottesschwestern", gehandelt worden. Daß ein so unsauberes und volksvergiftendes Gewerbe in den Dienst der Götter gestellt und das allergemeinste mit einer Art von Heiligenschein geschmückt werden konnte, wie hier neben der Praxis geschieht, das zeigt nach einer Seite die tiefe Finsternis und Schande an, die Götzendienst und Priestertrug über ein Volk bringen kann. Aber es wird auch glaublich, was Herodot I, 199 von den Babyloniern berichtet, daß jedes weibliche Wesen sich wenigstens ein Mal in seinem Leben den Tempelbesuchern preisgeben mußte. Also wurden noch in späteren Jahrhunderten alle Frauen und Mädchen den Gottesschwestern gleich erniedrigt.

---

1) Gen. 16.

Auf einem Cylinder von Karneol liest man die Inschrift:

„Kiftihadad, die Tochter des Tabniiftar, die Magd des Hadad."

Satz 183—194 handeln von Ziehkindern und Adoptierten.

Satz 195—227 geben strafrechtliche Bestimmungen für die Verbrechen gegen der Menschen Leib und Leben. Satz 196 lautet:

„Wenn jemand einem andern das Auge zerstört, so soll man ihm sein Auge zerstören."

Satz 199:

Wenn jemand das Auge von jemandes Sklaven zerstört oder den Knochen von jemandes Sklaven zerbricht, so soll er die Hälfte seines Preises zahlen."

Satz 202:

„Wenn jemand die Backe (?) eines andern, der höher als er steht, schlägt, so soll man ihm öffentlich mit der Peitsche aus Ochsenhaut sechzig aufhauen."

Satz 218:

„Wenn ein Arzt jemandem mit dem Operationsmesser eine schwere Wunde macht und ihn tötet, oder jemandem eine Geschwulst mit dem Operationsmesser öffnet und sein Auge zerstört, so soll man ihm die Hände abhauen."

Das ist mehr als drakonische Strenge, zumal gar nicht die Rede davon ist, ob Fahrlässigkeit den Schaden herbeiführte oder nicht. Außerdem aber liegt hier eine ungleiche Behandlung betr. der „inneren Medizin"-Aerzte vor, die von jeher in der Diagnose wie Therapie viel unsicherer waren als die Chirurgen, hier aber frei ausgehen.

Tut der Arzt denselben Schaden einem Sklaven an, so hat er seinem Herrn den Sklaven zu ersetzen. Der Blinde aber wird ihm vermutlich zufallen.

Satz 225 lautet:

„Wenn der Arzt der Rinder oder Esel einem Rind oder Esel eine schwere Wunde macht und es tötet, so soll er ¼ seines Preises dem Eigentümer geben."

Satz 226 und 227 verordnen die Strafe für den Scherer, der einem unverkäuflichen Sklaven das Sklavenzeichen einprägt.

Satz 228—233 bestimmen die Haftpflicht eines Baumeisters für die bei seinem Bau beschäftigten Arbeiter.

Satz 234—240 regeln die Haftpflicht der Schiffer, 241—277 die der Tiermieter und Hirten, nämlich der Hirten von Beruf; denn Hirtenvölker waren, wie wir bereits gesehn haben, in Babylonien nur noch hier und da zu finden. Diese Bestimmungen konnten ohne große Schwierigkeit auf andre Gewerbe und Betriebe angewendet werden.

Satz 278—282 bestimmen die Aufhebung eines Kaufvertrags, wenn sich die schlechte Beschaffenheit der verkauften Ware herausgestellt hat.

Zum Schlusse heißt es:

„Rechtsbestimmungen, die Hammurabi, der weise König, festgesetzt, dem Lande gerechtes Gesetz und fromme Satzung gelehrt hat."

womit aber keineswegs gesagt ist, daß der König diese Bestimmungen selbst erfunden hätte. Er fährt fort:

„Hammurabi, der schützende König bin ich. Den Menschen, die mir Bel geschenkt, deren Regierung Marduk mir gegeben hat, entzog ich mich nicht, war nicht säumig; eine Wohnstätte des Friedens verschaffte ich ihnen. Steile Engen erschloß ich, Licht ließ ich über sie erstrahlen.“

Wenn wir den Schreibern des Königs betreff dieser Angabe Glauben schenken dürfen, so war Hammurabi auch in gebirgigen Ländern wie Assyrien ein Förderer der Kultur durch Anlegung von Straßen. Er fährt fort:

„Mit der mächtigen Waffe, welche Zamama und Istar mir verliehen, mit dem Scharfblick, den Ea mir bestimmt, mit der Weisheit, die Marduk mir gegeben, habe ich die Feinde oben und unten [1]) ausgerottet, die Kämpfe beendet, dem Lande Wohlbefinden geschafft, die Einwohner in Sicherheit ruhen lassen, einen Unruhestifter unter ihnen nicht geduldet. Die großen Götter haben mich berufen; ich bin der Heil bringende Hirte, dessen Stab grad ist, guter Schatten ist über meine Stadt gebreitet; an meiner Brust hege ich die Einwohner des Landes [2]) Sumer und Akkad, in meinem Schutz habe ich sie ihre Tätigkeit in Frieden ausüben lassen, in meiner Weisheit sie geborgen. Daß der Starke dem Schwachen nicht schade, um Waisen und Witwen zu sichern, in Babylon, der Stadt Anus und Bels ihr Haupt zu erheben, in Sagil [3]), dem Tempel, dessen Fundamente feststehn wie Himmel und Erde, um das Recht des Landes zu sprechen, die Streitfragen zu entscheiden, die Schäden zu heilen, habe ich meine kostbaren Worte auf meinen Denkstein geschrieben, vor meinem Bildnis als des Königs der Gerechtigkeit aufgestellt.“

Hat sich Hammurabi wirklich also der Unterdrückten und Schwachen angenommen, wie er hier schreiben läßt, hat er keinen andern Ruhm als den der Gerechtigkeit gesucht, so war er gewiß ein seltener Fürst. Er fährt fort:

„Für später, ewig und immerdar. Der König, der im Lande ist [4]), soll die Worte der Gerechtigkeit, die ich auf meinen Gedenkstein [5]) geschrieben habe, beobachten; das Gesetz des Landes, das ich gegeben, die Entscheidungen, die ich verfügt, soll er nicht ändern, mein Denkmal nicht beschädigen [6]). Wenn dieser Fürst Weisheit hat und sein Land in Ordnung zu halten vermag, so soll er die Worte, die ich in der Inschrift geschrieben habe, beobachten; die Richtschnur, Satzung und Gesetz des Landes, das ich gegeben, die Entscheidungen, die ich getroffen, soll die Inschrift ihm zeigen. Seine Untertanen soll er (danach) regieren, ihnen Recht sprechen, Entscheidungen geben, aus seinem Lande Böse und Frevler ausrotten, seinen Untertanen Wohlbefinden schaffen.“

Dem Fürst aber, der des Königs Worte nicht hochhält, seine Flüche verachtet, den Fluch Gottes [7]) nicht fürchtet, das Gesetz austilgt, des

---

1) Nicht in Nord und Süd, wie die heute herrschende Unart in geographischen Bezeichnungen will, sondern auf Bergen und in der Ebene.
2) Wie ein guter Hirte die schwachen Lämmer hegt und trägt.
3) Esagila in Babel.
4) Der dann regieren wird.
5) Ursprünglich nur e i n Stein, hernach wurden Abschriften genommen.
6) Ein Frevel, der in späterer Zeit öfter vorkam.
7) Eine leise Erinnerung an frühere Erkenntnis.

Königs Namen auslöscht und s e i n e n Namen an die Stelle setzt, dem wird gewünscht, daß der Vater der Götter [1]) sein Szepter zerbrechen, sein Geschick verfluchen möge. Dem aber, der das Gesetz nicht beschädigt, des Königs Worte nicht vertauscht, sein Denkmal nicht ändert, dessen Herrschaft soll Samas ebenso lang machen wie ihm, dem König der Gerechtigkeit. Aber auch hiermit ist die Steininschrift noch nicht am Ende, sondern es folgt noch eine Beschwörung aller Götter, gegen einen frevelnden König einzuschreiten.

Dies ist die einzige wie erste Gesetzsammlung, die uns in historischer Zeit aus Babylonien und Assyrien bekannt geworden ist, während uns die Abfassungszeit des noch älteren sumero-akkadischen Familienrechtes nicht bekannt ist.

Hammurabi hinterließ nach einer langen Regierung den babylonischen Königsthron seinem Sohne Samsiiluna, das Reich nach außen frei, nach innen gefestigt und friedlich.

Samsiiluna

begann seine Regierung in Babylonien um das Jahr 2200 v. Chr. Wann er seinen Thron einem andern lassen mußte, wissen wir nicht. Ueberhaupt ist uns nur wenig aus seiner Zeit bekannt geworden.

Den Kanal Arachtu, den sein Vater zur Verbindung der Stadt Babel mit dem Tigris angefangen, aber nicht vollendet hatte, baute er weiter [2]).

Wir finden den Namen dieses Königs in mehreren Verträgen. Eine Steintafel, die sich im Berliner Museum befindet, trägt die in zwei Sprachen abgefaßte Inschrift:

„Als Bel, der König Himmels und der Erde, Marduk, den erstgeborenen Sohn Eas, freundlich anblickte [3]), die Herrschaft über die vier Weltgegenden ihm verlieh, ihn unter den Anunaki mit einem hehren Namen nannte, seine Stadt Babel als Wohnort gründete ... damals verlieh Marduk, der Herr des Landes .. mit Weisheit mir, Samsiiluna, dem König seiner Gunst, die Länder zu regieren und die vier aburri (?) zu besiedeln. Die zahlreichen Untertanen in Frieden für ewige Dauer in Majestät vertraute er mir an."

Eine andere Inschrift lautet:

„Samsiiluna, der mächtige König, König von Babylon, der König, der die vier Weltgegenden gehorchen macht, bin ich. Mit meiner eignen Kraft, in meiner großen Herrschermacht baute ich die Mauern von Dimatbel der Göttin Ninharsag, der Mutter, die mich erzeugt; Durpadda dem Ramman, meinem Helfer; Durlagab dem Sin, dem Gott, der mich erzeugt; die Mauer von Tabnschum dem Gott Sarbu [4]), der mein Königtum großgemacht hat; die Mauer von Gulat und die Mauer von Usiamatara dem Nergal, der .... sechs große .... Mauern, die Samulailu, mein Ahn, der fünfte Vater meines Vaters, erbaut hatte, die in ihrem (Alter) von selbst

1) Dieser Beinamen wird nach Belieben verschiedenen Göttern zuerkannt.
2) Fr. Hemmel, Grundriß, S. 283.
3) Dieser Ausdruck wird sonst nur von Menschen gebraucht.
4) Der Gott Bel.

verfallen waren. Im zweiten Monat verfertigte ich ihre Backsteine, ich baute sie großartig. Ihre Spitzen machte ich hoch wie Berge, fest legte ich ihren Grund. Babels Gebiet vergrößerte ich, nach den vier Weltgegenden machte ich es groß. Die Furcht vor meinem Königtum bedeckte die Fläche Himmels und der Erde. Deshalb blickten die großen Götter mit ihrem strahlenden Angesicht auf mich. Ein Leben, das wie Sin monatlich erneuert wird; die Herrschaft über die Weltgegenden in Frieden für ewig auszuüben, den Wunsch meines Herzens wie ein Gott zu erlangen, täglich mit erhobenem Haupt in Jubel und Herzensfreude zu wandeln, das verliehen sie mir als Geschenk."

Diese Großsprecherei ist weniger den Königen als ihren schmeichlerischen Hofleuten und Schreibern zur Last zu legen. Auch diese Unsitte nahm ihren Weg von Babel nach Assur.

Noch wird erwähnt, daß Samsiiluna der Ninmach oder Beltis ein Badanzakar erbaute, ein Wort, das noch nicht enträtselt ist. Hommel vermutet darunter eine Phallussäule.

Auf Samsiiluna folgte Ibisum, von dem wir nichts als den Namen kennen, dann Amiditana, Amisadugga, aus dessen Zeit uns eine Erzählung der Sintflut erhalten ist, und Samsuditana. In den Jahren dieser vier Herrscher müssen sehr schwere Stürme über Babylonien gegangen sein, da bis jetzt gar keine Urkunden aus dieser Zeit gefunden sind. Dazu kam eine andre Dynastie zur Herrschaft, von deren zwei ersten Königen, Isammi und Kudurbel, wir auch nur die Namen wissen. Auf Kudurbel folgte sein Sohn

Sagaraktias,

ein Name, der auch Sagasaltias und Sagasaltiburias gelesen wird [1]). Er regierte um 2050 vor Chr.. Er nennt sich König von Babel, König der Stadt Kis, König von Sumer und Akkad, König des Westlandes. Von ihm fand Nabunaid, der Altertumsforscher und letzter König von Babel, eine alte Inschrift, deren Inhalt er also wiedergibt:

„Sagaraktias, der wahre Hirte, der große, der erhabene, König von Babylon, bin ich. Als Samas und Anunit meinen Namen zur Herrschaft über die Länder beriefen, mich mit der Hoheit über alle Völker belehnten, zu jener Zeit tat ich folgendes: Ebabbar, der Tempel des Samas, meines Herrn, zu Sippar, und Eulbar [2]), der Tempel der Anunit, meiner Herrin, deren Mauer seit der Regierung Zabus im Lauf der Zeit eingefallen war ... ihre Mauer riß ich nieder, ihr Fundament legte ich blos, ihren Schutt räumte ich fort; nur ihr Allerheiligstes beließ ich, ihre Wände vollendete ich, ließ ihr Fundament ausfüllen, ihren .... brachte ich wieder an ihren Ort zurück, seinen .... machte ich mehr denn zuvor. Auf Jahre hinaus mögen Samas und Anunit, möge ihr Herz sich freuen ob meiner frommen Taten; und sie mögen meine Tage verlängern, mein Leben in Jubel und Wonne erneuern, Jahre des Ueberflusses als Geschenk (mir) schenken, Recht und Gerechtigkeit, Gehorsam und Zucht mögen sie walten lassen im Lande."

Diesem Ausdruck einer achtungswerten Gesinnung fügte der König Nabunaid als Nachschrift hinzu:

---

1) K. B. III, 87 u. 107.
2) Andere lesen Eulmas.

„Diese Tafel des Sagaraktias, Königs von Babel, eines alten Königs, der Eulbar von Sippar der Anunit als Wohnung gebaut, den Grundstein gelegt hatte, fand ich.“

Weiter wissen wir nichts von Sagaraktias, nichts von seinem Ende, nichts von seinen Nachfolgern. Unter Umwälzungen kam wieder ein neues Geschlecht auf den Thron von Babylon um das Jahr 2000 vor Chr. und dieses Mal ein semitisches Geschlecht mit

Sargani sarali.

Der Name wird verschieden gedeutet, entweder „der König ist wahrhaftig“ oder „mein Schmuck ist der König der Stadt“; der Name wird oft abgekürzt in Scharrugina oder Sargon I. Mehrere Gelehrte setzten ihn vor alle Patesi, wie Hommel [1]) und Jensen [2]), aber, wie wir sehen werden, mit Unrecht.

Sargon war ein Sohn Ittibels; und die Erzählungen, die uns über seine Geburt und Erziehung überliefert sind, werden von einigen Forschern [3]) mit dem Bericht über Mosehs Geburt verglichen. Sie reden von Sonnenmythen und dergleichen, obwohl diese Erzählungen gar nichts mythisches berichten, sondern echt menschliche Widerfahrnisse. Er selbst hat sie also aufzeichnen lassen:

„Sargon, der mächtige König, König von Agade, bin ich. Meine Mutter war eine Herrin [4]); meinen Vater kenne ich nicht, während meines Vaters Bruder das Gebirg bewohnte. Meine Stadt ist Azupiram, die am Euphrat gelegen ist. Meine Mutter ward mit mir schwanger, heimlich gebar sie mich, legte mich in einen Korb von Schilfrohr, verschloß mit Erdpech seine Türe und legte mich in den Strom, der sich nicht über mich ergoß. Der Strom brachte mich zu Akki (Kiakki) [5]), dem Wasserträger. Akki, der Wasserträger, zog mich auf als sein eignes Kind. Akki, der Wasserträger, machte mich zum Gärtner“ ....

Von hier an ist die Platte sehr beschädigt und schwer lesbar; doch hat A. Jeremias [6]) noch diesen Schluß:

„Während meiner Tätigkeit als Gärtner gewann Istar mich lieb .... Jahre übte ich die Herrschaft aus .... Jahre beherrschte ich die Schwarzköpfigen und regierte sie.“

Zur Zeit dieses Königs brauchte man Werkzeuge und Waffen, die aus Bronce gefertigt waren, ein großer Fortschritt in der Kultur und zugleich ein Beweis, daß Sargon nicht vor die Patesi zu setzen ist.

Unter günstigen Vorzeichen zog Sargon, der anfangs nur über das Land Akkad gebot, gegen das Westland Amurru zu Feld sowie gegen den aufrührerischen Kastubilla von Kasalla und besiegte ihn.

---

1) Grundriß, S. 132.
2) Kosmol., S. 320.
3) So Tiele a. a. O. S. 112.
4) Andre übersetzen Vestalin; aber die gab es in Babel nicht, wohl jedoch „Gottesschwestern“.
5) Nach H. Winckler, B. u. A., S. 50 vielleicht gleich Priester.
6) A. T. O., S. 27.

Auch unterwarf er Suri, die Hauptstadt des Landes Suchi [1]) und stellte seine Bildsäule im Westen auf, ein Zeichen der Herrschaft, das nach ihm noch viele babylonische und assyrische Könige gebraucht haben.

Unter diesem König soll schon ein großes astrologisches Werk vollendet worden sein. Dahin deuten Aufzeichnungen wie diese:

„Wenn am 16. Tag des Monats Ab eine Eklipse [2]) stattfindet, dann stirbt der König von Akkad. Der Gott Nergal [3]) frißt im Lande."

„Wenn am 20. Tag des Monats Ab eine Eklipse stattfindet, dann stürmt der König des Landes Khatti heran und bemächtigt sich des Thrones."

Durch diese Deutung werden wir des gewiß, daß Sargon in der Zeit gelebt haben muß, da das hethitische Reich in voller Kraft dastand und in Babylon gefürchtet wurde.

Dieser alte Held, wie Sargon I. von Sayce genannt wird, gründete in seiner Hauptstadt Agade oder Agane, einem Teil von Babel, eine ansehnliche Büchersammlung mit fester Ordnung. Ihre Vorsteher gaben jeder Tafel ihre Zahl, und ein Katalog machte es den Lesern leicht zu finden, was sie zu lesen wünschten. Das konnte auch nicht vor den Patesi geschehn.

H. Winckler meint, Sargon habe die Stadt Babel gegründet, und gründet seine Meinung auf folgende Tafelinschrift:

„Sargon, der unter den angeführten Vorzeichen die Machtfülle von (Kadingir)aki ausübte, die Erdmassen der Ruinen von Katuna wegräumte (und in der Nachbarschaft von Agade eine Stadt baute und (Kadingir)aki ihren Namen nannte [4])."

Die Trümmer deuten jedenfalls darauf hin, daß hier schon eine Stadt gestanden war, also nur von einem Wiederaufbau die Rede sein kann.

Als die Vornehmen des Landes sich gegen ihren König in Aufruhr erhoben, warum, wissen wir nicht, warf er sie nieder. In späterer Zeit ward seine Gestalt als Liebling und Stolz des Volkes mit Sagen umwoben, ja, auch wie andre vor ihm, göttlicher Ehre gewürdigt.

Zu Zeiten dieses Herrschers hörte die sumerisch-akkadische Sprache auf, eine lebende Sprache zu sein. Das Semitische hatte sie unterdrückt. Nun mußten, um die alten Schriften zu verstehn, Uebersetzungen, Wörterbücher und Erklärungen angefertigt werden, die noch heute den Sprachforschern zugute kommen. Die sumero-akkadische Sprache wurde fortan nur von den Gelehrten gesprochen und geschrieben, sowie auch von einigen Geschäftsleuten.

Auf Sargon I. folgte um 1950 v. Chr. sein Sohn Naramsin d. i. Liebling des Sin, als König der vier Weltgegenden sar kibratim

---

1) Nördl. von Babylonien gelegen.
2) Sonnen- oder Mondfinsternis.
3) Der Gott des Krieges und der Pest.
4) Vergl. F. Hommel, Grundriß, S. 336.

arbaim oder König der Welt sar kischati, wie das südbabylonische Gebiet, das Land der Chaldäer [1]), genannt wurde. Auf Inschriften heißt Naramsin auch Eroberer von Apirak, dessen König Risramman er gefangen nahm. Dieser wird, dem Namen nach zu schließen, Haupt eines semitischen Stammes gewesen sein.

Auch das Land der Minäer, Magon oder Maganna, das sämtliche Forscher in Arabien suchen und einige als die Stätte des Paradieses erkennen, besiegte und eroberte er.

Der Bau am Tempel Eulbar wurde unter seiner Regierung fortgesetzt und in der Stadt Marada baute er dem Marduk oder Lugalmarada einen Tempel. Auch Naramsins Ende liegt im Dunkeln.

---

4. Assyrische und kassitische Herrscher.

In den folgenden Zeiten, gegen 200 Jahre lang, gingen schwere Erschütterungen über Babylonien und Assyrien; denn der Pharao Thutmes III. unterwarf sich in dieser Zeit nicht nur Palästina und Syrien, von den Aegyptern Rutanu genannt, sondern auch Mesopotamien, das sie Naharina oder Singara nannten, und das Reich der Hethiter oder Cheta. Assyrien mußte an Aegypten Tribut zahlen, Babylon schickte Chesbat oder lapis lazuli, ohne in dieser Abgabe ein Zeichen der Unterwerfung zu sehen.

Einige Inschriften aus dieser Zeit sind aus Assyrien vorhanden, so eine von Samsiramman I., dem Sohn des Ismidagan, Patesi von Assur, der um das Jahr 1816 v. Chr. regierte. Er nennt sich König des Alls, Erbauer des Asurtempels, muusteimki (?) des Landes zwischen Euphrat und Tigris. Anu und Bel haben ihn unter den Königen, die vor ihm waren, zu großen Dingen berufen. In der Tat war der assyrische Name wieder geachtet, so lange Samsiramman herrschte. Er empfing Tribut von den unterworfenen Fürsten von Tugris und von dem König des oberen Landes. Seinen großen Namen und Steindenkmäler errichtete er im Gebirg Labanki (?) am Gestade des großen Meeres, und scheint hiernach Samsiramman die assyrische Macht bis zum Libanon vorgerückt zu haben [2]); aber nur für kurze Zeit.

Eine große Billigkeit herrschte zu seiner Zeit in Assyrien. 2 Gur Getreide galten nur 1 Silbersekel; ebenso wenig kosteten 15 Minen Wolle oder 20 Ka Oel.

---

1) F. Hommel, Sem. V. Spr. I, 431.
2) Mitteil. von 1904, Nr. 21.

Dem Gott Bel baute er in der Stadt Assur einen Tempel, genannt Eamkurkura d. i. Haus des Wildochsen der Länder; auch stellte er den Tempel der Istar zu Ninive wieder her, 701 Jahre vor Tiglatpilesar I.

Die für kurze Zeit zurückgedrängte Macht der Aegypter flutete wieder höher, sodaß der Pharao Amenophis seine Kriegszüge bis zum Euphrat ausdehnte, ohne zu einem ernsten Kampf genötigt zu werden. Von nun an liegt Jahrhunderte hindurch tiefe volle Dunkelheit auf der Geschichte von Babylonien und Assyrien. Nur ägyptische Denkmäler geben uns einige spärliche Nachrichten. Dieser Zustand dauert bis zu der Zeit, da das Volk Israel Aegypten, das Land seiner Dienstbarkeit, verließ.

Erst vom 15. Jahrhundert an machen uns wieder keilschriftliche Denkmäler mit den Ereignissen in beiden Reichen bekannt.

Könige der Kassiten, in K. S. Kaschu genannt, hatten mehrere Gebiete des babylonischen Reiches unterworfen, nachdem sie vorher auch Elam besetzt hatten. Diese Könige nennt Berosus die arabische Dynastie, aber ihre Namen sind nicht semitisch, sondern hamitisch wie auch ihr Volk. Eine Menge Aexte und Hämmer aus ächtem und unächtem Lapis lazuli, die man in Nippur fand, stammen aus dieser Zeit. Sie waren Weihegeschenke dieser Könige an die Gottheiten. Auf einem großen Stück befindet sich die Inschrift:

„Dem Bel von Nippur, dem Vater der Götter, dem Herrn der Igigi, dem Herrn der Länder, seinem Herrn, hat Kadasmanturgu, König von Babylon, ... uknustein 25 Minen an Gewicht für sein Leben und für das des Madanakadas geschenkt."

Diese kassitischen Könige standen, wie die Briefe aus dem Tell el Amarna bezeugen, in lebhaftem Verkehr mit den ägyptischen Königen der 18. Dynastie, insbesondere mit Amenophis III., der eines mesopotanischen Königs Tochter zur Frau nahm, und mit Amenophis IV.

Zu dieser Zeit drang unter babylonischem Einfluß viel semitisches Wesen in Aegypten ein, sodaß die ägyptische Sprache mit semitischen Wörtern bereichert, auch die babylonische Schrift [1]) von Aegyptern gebraucht wurde. Andererseits entnahmen auch die Semiten nicht wenige Wörter der ägyptischen Sprache. Der zweite kassitische König von Babylonien war um 1460 v. Chr.

Karaindasch

Herr von Elam und Kardunias, König von Babel, von Sumer und Akkad, auch König der Kaschu. In den Briefen aus dem Tell el Amarna heißt er Kallimasin. Sein Sohn war mit Zucharti, der Tochter des Pharao Nimmurias d. i. Amenophis III. verheiratet. Von ihm ist ein Brief erhalten, den er auf eine Tafel aus Nilschlamm an Kadasmanbel, den König von Kardunias, in babylonischer Schrift und

1) Fr. Hommel, S. V. S. I, 97.

Sprache schreiben ließ. Er fand sich unter den Tonbriefen aus dem Tell el Amarna, indem er als Original vermutlich nicht zur Absendung gelangte. Zu seiner Zeit herrschte in Assyrien

Asurbelnisesu,

der mit Karaindasch Verträge schloß, wie inschriftlich bezeugt ist:

„Karaindasch, König von Kardunias und Asurbelnisesu, König des Landes Assur, haben unter einander Verträge geschlossen und einen Eid betreff des beiderseitigen Gebietes gegenseitig geleistet."

Als Nachfolger von Asurbelnisesu werden von einigen Gelehrten die schwachen Könige Irbaramman und Asurnadinachi angesehen, die wir erst später bringen werden.

Karaindasch aber baute der Nana, der Herrin von Eanna, einen Tempel. Ihm folgte in Babylonien entweder Karaindasch II., wie Delitzsch will, oder

Kurigalzu I.

um 1440 v. Chr. Dieser König holte die nach Khani verschleppte Bildsäule des Marduk wieder zurück und stellte sie in Uruk auf. Er baute auch die feste Sadt Dur-Kurigalgu, heute Akerkuf, 3 Meilen westl. von Bagdad, und in ihr einen Tempel des Bel. Demnach hatten sich die Kassiten, wenn sie nicht schon vorher denselben Götterdienst wie die Sumero-Akkadier, ihre Stammverwandten hatten, dem babylonischen Götterdienst in kluger Toleranz gefügt; und das konnten sie, wie später ein Cyrus, mit gutem Gewissen tun; denn wenn es sich um Götter handelt, die von Menschen erdacht und gemacht sind, dann ist in Wirklichkeit einer meist so gut wie der andre.

Mit Kurigalgu wollten die abtrünnigen Kananäer ein Bündnis gegen Aegypten schließen, dem sie tributpflichtig waren; aber der König wies sie zum Gehorsam [1]). Ihm folgte wahrscheinlich

Burnaburias I.

um 1420 v. Chr., während in Assyrien Puzurasur und Asuruballit regierten. Burnaburias [2]) heiratete des letztgenannten Tochter Muballitatserua, die ihn mit zwei Söhnen beschenkte, Karacharbas und Kurigalzu. Der erstgeborene wurde von dem Aufrührer Nazibugas getötet, aber Asuruballit kam seinem Schwäher zu Hilfe, schlug und tötete den Mörder und setzte seinen zweiten Enkel als Kurigalzu II. auf den Thron von Babylon.

Asuruballit

aber war ein kräftiger Herrscher, der die Macht Assyriens bedeutend hob, wie denn von ihm gesagt wird, daß die Macht und Wohlfahrt seines Königtums weit hinaus glänzte [3]). In Ninive baute er Tempel. Sein

1) K. B. III, 1, 17.
2) Nach andern Karacharbas.
3) Vergl. Tiele a. a. O. S. 141.

Oberschreiber war Mardufnadinachi, von dem eine Hausinschrift vorhanden ist.

Von Burnaburias I. sind mehrere Inschriften erhalten. Die erste lautet:

„Dem Samas, dem großen Herrn des Himmels und der Erde, dem erhabenen Richter der Anunaki, der Larsa belebt, seinem König, hat Burnaburias, der mächtige König, König von Babel, König von Sumer und Akkad, Ebarra, den Tempel des Samas, der seit lange verfallen war, erbaut und wieder hergestellt."

Die andre Inschrift lautet [1]):

„Vom Ufer des Flusses Kal des Gottes Latarak (d. i. „nicht nachlassend") bis zum Ufer des Mondgottflusses, vom Ufer des Mondgottflusses bis zur Mauer von Nippur am Ufer des Kanals Kismarbiti (d. i. Geschenk des Unterweltgottes) bei der Grenze des Gartens von Nippur (es bringend) hat er ein Gefäß aus Kalkstein (Diorit) für den Tempel Charsagkalamma (in der Stadt Kis) den Tempel seiner Liebe, um damit für die Uferlandschaft des Flusses Kal des Gottes Latarak reine Wasser auszugießen (d. i. Trankopfer zu spenden) diese Schale angefertigt."

Die Karawanen, die des Königs Geschenke an den König von Aegypten bringen sollten, wurden in dem Land Kinahhi, das den Aegyptern untertan war, häufig angehalten und beraubt, daher Burnaburias von dort Entschädigung und Bestrafung der Räuber verlangte [2]). Es ist kein Grund vorhanden, warum unter Kinahhi nicht Kanaan verstanden werden sollte, wo die Macht der Habiri, d. i. der Hebräer, immer mehr zunahm. Ihm folgte um 1400 v. Chr.

Kurigalzu II.

Er war, wie wir hörten, von seinem Großvater, dem König von Assyrien, zum König von Babylonien eingesetzt worden. Er baute in Durkurigalzu dem Belmatati den Tempel Ugal und stellte Galmah, einen zweiten Tempel desselben Gottes, wieder her. Auch Sidlalmah, den Tempel des Gottes Nannar, baute er wieder auf. Dem Marduk stiftete er eine Bildsäule, deren Augen von Onyx gefertigt waren. Ihm folgte

Burnaburias II.

um 1380 v. Chr. Er regierte 22 Jahre, aber wir erfahren nichts von seinen Taten. Es folgte um 1360 v. Chr.

Kurigalzu III.

der 26 Jahre regierte. Er war in die Lage versetzt, sich für Krieg mit Assyrien oder mit den Unzufriedenen im eignen Land entscheiden zu müssen. Er wählte den Krieg mit Assyrien und wurde bei Sugaga von Belnirari, dem König von Assyrien, besiegt. Dieser war der Nachfolger von Asuruballit.

Als König von Assyrien folgte auf Belnirari

Pudulu.

Er besiegte die Kutu, Sutu und andre Völker, die an der Grenze von

---

1) Hilprecht bei Hommel, A. u. A., S. 332.
2) Vergl. die Briefe aus dem Tell el Amarna.

Elam wohnten. Am Tigris baute er einen Kai oder Ufermauer, Nisirtu gen. In Babylonien suchten zu seiner Zeit eingeborene Fürsten wie Amilmarduk und Mardukbaliddin sich mit assyrischer Hilfe von der Oberherrschaft der Kassiten frei zu machen. Der kassitische König Nazideuz, Sohn des Nazimarattas, des Sohnes von Kurigalzu, wurde von

Rammannirari I.

von Assyrien um 1320 v. Chr. zweimal geschlagen bei Karistar und Akarhallu. Im Friedenschluß trat Nazideuz das Gebiet von Pilaski auf dem linken Tigrisufer bis zum Gebiet der Lulumi ab; demnach war seine Niederlage keine entscheidende. Eine Inschrift lautet: „Nusku, seinem Herrn, hat Nazimarattas, Sohn des Kurigalzu, eine Scheibe von Lapislazuli geschenkt.“ Rammannirari kämpfte siegreich auch gegen die Turuki und Nigimti, Völker des benachbarten Mediens und nach einem Krieg mit dem syrischen Volk der Schubari erweiterte er auch in dieser Richtung das Gebiet von Assyrien. Ein Bronceschwert, das uns von diesem König erhalten ist, trägt eine Inschrift, in der er sich sar kissati und Herr des Landes Assur nennt. Ihm folgte um 1300 v. Chr. sein Sohn

Salmanassar I.

assyr. Schalmanu-ascharid. Er verlegte seine Residenz von Assur nach Ninive, wo er sich einen Palast baute. Auch gründete er in der fruchtbaren Ebene des mittleren Tigris vielleicht gegen die kriegerischen Kassiten die Stadt Kalah, die in den langen Kriegen zerstört war [1]). Hier ließ der König die erste assyrische Schriftsammlung in Stein und Ton aufstellen, nachdem die erste babylonische von Sargon I. schon 700 Jahre bestanden hatte.

In Babylonien herrschten, nachdem eine zeitweise Niederwerfung der Kassiten, wie wir oben sahen, mit assyrischer Hilfe vollbracht war, einheimische Fürsten, die mit Assyrien Frieden hielten. So konnte Salmanassar dem Dienst der Götter seine Aufmerksamkeit und Kräfte widmen. Er baute in Ninive den Tempel der Istar und den Tempel Eharsagkalamma, das große Nationalheiligtum der Assyrer. In seinen Resten wurde eine Votivschale mit Inschrift gefunden. Eine große Steintafelinschrift dieses Königs fand sich 1904 auf der Trümmerstätte des alten Assur. Ihm folgte sein Sohn

Tiglatadar

assyr. Tukultininib 1290—1250 v. Chr. Unter ihm versuchten die kassitischen Könige von Babylonien Kadasmanturgu oder Kadasmanharbe und Kudurbel sich von der Oberherrschaft Assyriens frei zu machen. Aber der von ihnen begonnene Krieg fiel zu ihren Ungunsten aus. Eine Inschrift dieses Kassiten ist bereits mitgeteilt worden. Eine zweite lautet:

1) Vergl. Tiele a. a. O., S. 142.

„Nusku, dem erhabenen Boten, seinem Herrn, hat Kadasmanturgu eine Scheibe von glänzendem Lapislazuli fertigen lassen und für sein Leben geschenkt."

In dieser Zeit wurde die große Mauer zerstört, die Sumulaila 1000 Jahre vorher erbaut hatte. Wie sein Vater drang Tukultininib in Babel selbst ein, plünderte Esagila, den reichen Tempel des Marduk, und brachte des Gottes Bildsäule nach Assur. Seit dieser Zeit nannte er sich Eroberer von Kardunias und sar kissati.

Ebenso siegreich kämpfte der Großkönig gegen die 40 Könige des Berglandes Nairi, das, wie eine Inschrift Tiglatpilesars I. sagt, an der See lag. So kann man entweder das Land zwischen schwarzem und kaspischem Meer, also Kaukasien, darunter verstehen oder das heutige Armenien und Kurdistan zwischen dem Vansee und Urmiasee, nördlich von Assyrien.

Den König Bitilesu von Babylonien führte er gefangen nach Ninive. Auf einem Siegelcylinder von lapis lazuli liest man:

„Tukultininib, König der Heerscharen, Sohn Salmanassars, des Königs von Assyrien, Beutestück aus Kardunias. Wer immer meine Unterschrift, meinen Namen ändern wird, dessen Namen und Land mögen Asur und Ramman vernichten."

Dieses Siegel kam später als gestohlenes, nach andern als geschenktes Gut nach Babel; aber 600 Jahre später brachte Sanherib dasselbe nach Ninive zurück. Mehrere Backsteininschriften sind von diesem König erhalten, der in einem Aufruhr starb. Ihm folgte sein Sohn, Asurnarara I., auf diesen Nabudan, unter dessen Herrschaft Assyrien ganz darniederlag. Aber sehr wahrscheinlich ist Nabudan gar kein Assyrer, sondern ein babylonischer Unterkönig gewesen, der dem schwachen assyrischen König zur Seite gestellt war; denn kein assyrischer Königsname ist mit Nebo oder Marduk zusammengesetzt. Nicht besser stand es mit Babylonien, wo um diese Zeit die Könige Binpaliddin, Ramman (Adad) summasir und Belnadinsum herrschten, und zwar mit solch einem Bewußtsein von ihrer zweifelhaften Uebermacht, daß der zweite von ihnen den Königen von Assyrien schrieb, es wäre eine Torheit, wenn sie gegen ihn im Kampf auftreten wollten. Auf Nabudan folgte Belkuduruzur um 1220, der mit Rammansumiddin und Rammansumuzur, dem Anfänger der dritten babylonischen Dynastie, unglücklich kämpfte. Die Babylonier siegten, und er fiel in der Schlacht.

Eine Inschrift aus seiner Zeit berichtet von der Schlichtung eines Streites zwischen seinen Beamten über Eigentumsansprüche an Feld und Haus. Glücklicher als sein Vorgänger kämpfte

Ninibpalekur.

der um 1200 v. Chr. den Thron von Assyrien bestieg. Er war ein kräftiger Herrscher, der die Heere Assyriens mit fester Hand zum Siege führte.

Inschriftlich nennt er sich „Ninibapilekur, den mächtigen König .. dessen Fangnetz sich wie ein Hirtenstab über das Land ausbreitete [1])". Wenn das heißen soll, daß er das von ihm eroberte Land gütig behandelte, wie ein Hirt seine Schafe, so ist die Uebersetzung doch nicht wohl geraten, da zwei Bilder darin vorkommen, die nicht zu einander passen.

In Babel folgte auf Rammansumuzur dessen Sohn Milisihu, auf diesen Mardukapaliddin. Die K. S. enthalten eine Urkunde, worin Milisihu das Haus des Tarimanailisu versiegelt und es auf ewige Zeiten an Mardukkuduruzur übergibt. Wie die Namen anzeigen, war Milisihu wieder ein Kassite, Mardukapaliddin aber von semitischer Abkunft.

Auf Ninibpalekur folgte als König von Assyrien

Asurdan I.

1190—1170 v. Chr., der nach dem Zeugnis seines Urenkels, Tiglatpilesars I., ein König „mit glänzendem Szepter war, der die Menschheit Bels regierte, dessen Händewerk und Opferspende den großen Göttern wohlgefiel, der auch in das höchste Greisenalter gelangte." Damit bezeugt zu gleicher Zeit Tiglatpilesar die merkwürdige, weil in Assyrien äußerst seltene Tatsache, daß ein König an Altersschwäche starb. Da er aber nur 20 Jahre herrschte, wird er erst in höherem Mannesalter zur Regierung gelangt sein. Er kämpfte mit den babylonischen Königen Zamamazidiriddin, der drei Jahre regierte, und Belsumuzur, der nur ein Jahr König war; gewann die Städte Zaban, Irria und Akarsallu nebst großer Beute. Die Tempel des Asur und des Ramman ließ er als baufällig niederlegen. Erst sein Urenkel baute sie wieder auf. Auf Asurdan I. folgte sein Sohn

Mutakkilnusku

1170—1150 v. Chr. König von Assyrien. Er erneuerte den Palast Salmanassars I., und sein Enkel Tiglatpilesar bezeugt ihm, daß „Asur, der große Herr, in Berufung seines treuen Herzens seiner begehrte, den er zur Herrschaft über Assyrien in Treue berief. Zu seiner Zeit herrschte Frieden zwischen Babylonien und Assyrien, vermutlich weil des letzteren Oberhoheit von Babylonien willig anerkannt wurde. Das änderte sich unter seinem Nachfolger

Asurresisi

der 1150—1130 v. Chr. Assyrien beherrschte. Ihm stand in Babylonien Nabukuduruzur I. aus der Dynastie der Paschi oder Pase gegenüber, der nur 2 Jahre regierte. Ob er von Assyrien besiegt wurde, ist fraglich; aber er demütigte die Elamiter, Aharri und Kassi und brachte die geraubte Bildsäule des Marduk nach Babel zurück. Aus dieser Zeit ist eine Inschrift erhalten:

„Samua und Samma, sein Sohn, die Nachkommen des Eriapriesters Nurlisir aus der Stadt Dinsarri, waren vor dem König von Elam zum König Nabukuduruzur

---

1) M. Strack, Z. f. A. 1904, S. 170.

5*

nach Kardunias geflohen. Der König Nabukuduruzur ließ ihnen Gnade zu teil werden, und mit ihm veranstalteten sie einen Zug gegen Elam; und er plünderte Elam und brachte Bel und Eria nach Babel; und es ließ Nabukuduruzur, König des Alls, 120 Acker Landes urkundlich bestimmen, und hat es für ewige Zeiten an Samua und Samma, seinen Sohn, den Eriapriester aus der Stadt Dinharri geschenkt, nämlich 30 Acker Sumpfland (?) in der Stadt Opis, 30 Acker in der Stadt Dursarrukin am Ufer des Kanals Mangatirabiti .... nach der Großelle .... bestätigte schriftlich der König Nabukuduruzur, ließ sie vermessen und stellte sie dem Samua und Samma, den Söhnen des Nurlisir, des Eriapriesters, zur Verfügung. Wer unter den künftigen Menschen betr. dieser Ländereien Widerspruch erhebt und das Verbot mißachtet, daß kein Beamter .... nach der Stadt gehn soll und ihre Bewohner, ihre Rinder, ihre Esel nicht binden, ihr Zugvieh nicht nehmen, die Wagen nicht anschirren soll, der soll wissen: Alles was in der Stadt sich befindet, habe ich für frei erklärt, dem Eria geschenkt und sie mit den Feldern belehnt. Diese Tafel ist nach der des Originals aus Ton gemacht."

Das Original aber wird auf den Grenzsteinen des überwiesenen Lehngutes zu suchen sein.

Seinem Feldherrn Retimarduk aus dem Geschlecht der Karzijabku, der sich im Krieg gegen Elam bewährt hatte, gab er ebenfalls Besitz im Land Namar, der von allen Lasten befreit war.

In der Zeit dieses Königs erschien ein Komet, der auch beobachtet und beschrieben wurde. Auf Nebukadnezar I. folgte auf Babels Thron Belnadinaplu und Mardukadinachi, auf Asurresisi sein Sohn

Tiglatpilesar I.

assyr. Tukultipalesara, um 1130—1110 v. Chr. König von Assyrien.

Von Belnadinaplu von Babylonien ist eine Urkunde erhalten worden. Nach ihr hatte in alter Zeit Gulkisar, ein König des Meerlandes, bei einer Stadt (La)iri am Ufer des Tigris für Nina, seine Herrin, ein Stück Land abgegrenzt. Das hatte man 696 Jahre so gelassen. Aber im 4. Jahr Belnadinaplus hatte Ikarraikisa, Sohn des Jaiddina, Statthalter von Bitsimagir, sich Uebergriffe nach dem Meerland hin erlaubt und einen Teil dieses Tempellandes genommen. Infolgedessen wurde Nabusumiddina, Priester der Gur und der Nina, unter Seufzen und Flehen bei dem König vorstellig, der darauf beide Statthalter zu sich beschied und nach dem Verhör bestimmte, daß das betreffende Land den Göttern zurückgegeben werden solle.

Inschriftlich rühmt Tiglatpilesar I.:

„Unter dem Beistand Asurs, Samas, Rammans, der großen Götter, meiner Herrn, bin ich Tiglatpilesar, König von Assyrien, Sohn des Asurresisi, des Königs von Assyrien, Sohnes des Mutakkilnusku, des Königs von Assyrien, herrschend von der großen See des Westlandes bis zur See des Landes Nairi, dahin ich dreimal gezogen bin."

Tiglatpilesar war ein streitlustiger Herr, der auch viele Aufzeichnungen seiner Taten hinterlassen hat. So berichtet er auf einem Prisma, das im alten Assur gefunden wurde, von den großen Göttern, die ihm den Sieg über seine Feinde verliehen haben, durch den Griffel seiner des Kothurns gewohnten Schriftgelehrten:

„Asur, der große Herr, der die Schar der Götter regiert, der Szepter und Krone verleiht, der das Königtum bestellt; Bel, der Herr, der König aller Annaki, der Vater der Götter, der Herr der Länder; Sin, der weise, der Herr der Krone, der hohe, der Glanz ausgießt; Samas, der Richter Himmels und der Erde, der die Frevel der Bösen bestraft, der die Frommen an das Ziel führt; Ramman, der machtvolle, der die Landschaften der Feinde, Länder und Häuser überflutet; Ninib, der starke, der Böse und Feinde verstört, der finden läßt, was immer das Herz begehrt; Istar, der erste der Götter, die Herrin des tesu [1]), die die Schlachten gewaltig macht; die großen Götter, die ihr Himmel und Erde regiert; ihr deren Angriff Verderben und Zerstörung ist; die ihr ausgedehnt habt die Herrschaft von Tiglatpilesar, dem mächtigen, dem geliebten, dem ihr euer Herz zugeneigt habt, dem erhabenen Hirten, den ihr erwählt habt nach dem Wohlgefallen eures Herzens, den ihr gekrönt habt mit einer erhabenen Krone; dem ihr die Herrschaft über das Land des Bel in Herablassung verliehen habt mit der Gewalt, der Würde, der Macht, die ihr ihm gewährt habt zum Sitz Eharsagkurkura; Asur (und) die großen Götter, die mein Königtum erhöht, die Stärke und Macht mir zum Besitz geschenkt haben, befehlen das Gebiet ihres Landes zu vergrößern."

Es ist dem Leser hier wohl zu mute, als müsse er einmal Atem holen bei diesen langatmigen Schmeichelreden der königlichen Schriftgelehrten, durch deren priesterliches Orakel der Wille und Gebot der Götter kund wurde. Sie sind Schreiber und Verfasser dieser Prunkinschriften, bei denen für diese alte Zeit ein Zweifel, ob sie überhaupt von den Königen gelesen wurden, sehr berechtigt ist; denn erst Asurbanihabal kann sich rühmen, die Tafelschreibekunst und damit auch das Lesen vollständig gelernt zu haben.

Die Inschrift fährt fort:

„Ihre Waffen, die gewaltigen, den Sturmwind der Schlacht, gaben sie in meine Hand. Länder, Gebirge, Städte und Fürsten, die Feinde Asurs, unterjochte ich und unterwarf ihre Gebiete. Mit 60 Königen kämpfte ich gleich einem Wildstier, Sieg und Triumph trug ich über sie davon. Keinen Nebenbuhler hatte ich im Kampf und keinen gleichen in der Schlacht. Zum Land Assyrien fügte ich Land, zu seinen Leuten Leute hinzu. Das Gebiet meines Landes erweiterte ich, alle ihre Länder unterjochte ich."

Dann läßt der König von seinen Feldzügen gegen die Moschier berichten, die Bewohner des Landes Musku, im A. T. Mesech genannt, die unter ihren 5 Königen in das Land Kummuch, das spätere Kommagene, eine Landschaft zwischen Kilikien und dem Euphrat, eingedrungen waren.

Die Inschrift fährt fort:

„Die Leichen ihrer Krieger türmte ich in niederschmetternder Schlacht auf wie der Platzregen. Ihre Leichname breitete ich über Schluchten und Höhen des Gebirges, ihre Köpfe schnitt ich ab; ihre Beute, ihre Habe, ihr Eigentum ohne Zahl führte ich fort. 6000, der Rest ihrer Leute, die vor meinen Waffen geflohen waren, umfaßten meine Knie. Ich führte sie fort und rechnete sie zu den Bewohnern meines Landes."

Hier verrät der Berichterstatter, daß nicht der viel spätere König Phul, sondern bereits Tiglatpilesar I. der Erfinder jener grausamen und zweischneidigen Maßregel ist, die Völker zu verpflanzen. Dann wurde

1) Ein verderblicher Geist.

das Reich der Hethiter, das damals seine Blütezeit bereits überschritten hatte, nach Besiegung des Königs Tesup mit Plünderung seines Gebietes für frühere Einfälle in Assyrien bestraft. Die Inschrift berichtet weiter:

„Das ganze Land der Suchi habe ich erobert, 25 seiner Götter, seine Gefangenen, seine Besitztümer und seine Güter habe ich weggeführt. Die 25 Götter jener Länder, meine Beute, die ich mit mir führte, habe ich als ein Opfer für den Tempel der Belit, der erhabenen Gemahlin, der von Asur, meinem Herrn, geliebten, für den des Anu, des Hamman[1]), der Istar, des Asur, der Götter meiner Stadt Assur und den Göttinnen meines Landes dargebracht."

Wie heute die im Krieg erbeuteten Fahnen selbst in christlichen Kirchen zum glorreichen Andenken aufgehängt werden, so wurden in jener alten Zeit die geraubten Götter, ohne Priester und ohne Opfer, nicht der Anbetung, sondern dem Spott ausgesetzt.

Sodann wird von dem Feldzug gegen die Länder Nairi am oberen Euphrat und Tigris und ihre 23 Könige d. i. Stadt- und Stammeshäupter erzählt. Sie wurden in ihren Bergen überfallen, geschlagen, die Städte verbrannt, die überlebenden Menschen samt Pferden und Vieh weggeschleppt.

In einer andrn Inschrift werden statt 23 Königen deren 30 genannt. Zwei Feldzüge gegen die Nairi unternahm der König nach seinem fünften Regierungsjahr, mit welchem die ganze Prismainschrift abbricht. Auf dieser läßt er berichten, wie er nach den Ländern ferner Könige am Gestade des oberen Meeres gezogen sei, wie er unwegsame Pfade und beschwerliche Pässe, die vordem kein König gescheut, verschlossene Straßen, ungebahnte Wege seine Krieger ziehen ließ. Dann hatten sie 16 hohe Gebirge zu bewältigen, wo das undurchdringliche Dickicht durch broncene Hacken für die nachfolgenden Streitwagen geöffnet werden mußte. Stellten sich dann wilde und reißende Bergwasser dem Heere entgegen, so schlug man Brücken aus Urumibäumen[2]). Aus Murattas raubte er Götter und Hausrat, 60 rukke Bronce, 30 Talente Bronce, sabarta (?) den Besitz, die tatur (?) ihres Palastes fort.

Die erste Inschrift fährt fort:

„Diesen Königen (der Nairi) bewilligte ich Gnade und schonte ihres Lebens. Gefangen und gebunden ließ ich sie vor Samas, meinem Herrn, los und den Eid meiner großen Götter ließ ich sie für die Zukunft der Tage, für die Ewigkeit, zur Untertänigkeit schwören. Die Kinder, die Sprößlinge ihres Hauses, nahm ich zu Geißeln. 1200 Rosse, 2000 Stiere legte ich ihnen als Tribut auf, in ihre Länder entließ ich sie."

Aber nicht nur Rosse und Stiere brachte der König mit, sondern auch die kostbaren (?) Steine Ka, Halta und Sadana, die er in den alten Tempelkammern Anus und Rammans niederlegte. Strack vermutet in dem Kastein unsern Basalt, aber alle drei Steinarten sind uns unbekannt.

---

1) Ramman.
2) Vielleicht die Platane, der morgenländische Ahorn.

Auch die Aramäer am obern Euphrat, die Bewohner des Landes Musri oder Misri d. i. Kurdistan und andre wurden unterworfen und tributpflichtig.

„Im ganzen, heißt es weiter, 42 Länder und ihre Fürsten von jenseit des untern Zab, den Grenzbezirken ferner Wälder, bis jenseit des Euphrat zum Lande Chatti und das obere Meer[1]) gegen Sonnenuntergang hat meine Hand von Beginn meiner Herrschaft bis zu meinem 5. Regierungsjahr erobert. Einerlei Rede ließ ich sie führen, empfing ihre Geißeln, Tribut und Abgabe legte ich ihnen auf."

Diese neue Zwangsmaßregel betr. der Sprache zeigt die ganze Macht und Rücksichtslosigkeit des absoluten assyrischen Regiments. Die Absicht, die man dabei verfolgt, war nicht das Wohl der Untertanen, sondern die Stärkung der Reichseinheit und die Bequemlichkeit der königlichen Beamten. Daher begegnet man dieser Maßregel noch heute, wo die Macht zu ihrer Ausführung vorhanden ist, aber auch den Klagen der gezwungenen Völker.

Des Königs Unternehmungen gegen Babel fallen in die letzten Jahre seiner Regierung. Da unternahm er den lange aufgeschobenen Feldzug gegen Mardukmadinachi, den König von Babylonien. Er eroberte Babel, Sippara und andre Städte, erlitt aber zuletzt eine Niederlage; denn der König von Babel konnte sich rühmen, Assur besiegt zu haben, und brach raubend und verheerend in Assyrien selbst ein. Dieser Sieg wird durch eine Kuduru-Inschrift bestätigt, die später mitgeteilt werden soll, sowie durch den Raub zweier Götterbilder, Ramman und Sala. Davon schrieb Sanherib, der große König von Assyrien auf den Felsen von Bawian, er habe die Götterbilder, die Mardukmadinachi, der König von Akkad, zur Zeit Tiglatpilesars I. aus der Stadt Ekallate geraubt, nach 418 Jahren aus Babel geholt und nach Ekallate zurückgebracht. Als Tiglatpilesar einst die babylonische Festung Hanusa zerstört hatte, ließ er auf den Trümmern einen „ehernen Blitz" errichten und auf ihn eine Verherrlichung seines Sieges und Warnung vor dem Wiederaufbau der Stadt schreiben: „Ein Haus von Ziegelsteinen errichtete ich darauf und stellte einen Blitz aus Kupfer darin auf" [2]). Zum Schreiben wäre vermutlich eine Tafel aus Stein oder Ton geeigneter gewesen; aber es mag richtig sein, was Thureau-Dandin meint, daß mit dem Bild ein Fluch über jeden ausgesprochen sei, der diese Stelle zu besiedeln unternehme; wie auch anderswo berichtet wird, daß er Salz auf die Trümmer streuen ließ, eine symbolische Handlung von derselben Bedeutung.

Dieser große Krieger war auch ein gewaltiger Jäger, ein zweiter Nimrod. Inschriftlich läßt er verkündigen, wie er „in den Tagen des Föhnwinds, des Regens und des Sonnenbrandes, in den Tagen, wo der Kaksidistern aufgeht, der weiß wie Kupfer glüht", auf den armenischen

1) Das Mittelmeer.
2) A. Jeremias, A. T. O., S. 116.

Bergen Steinböcke gefangen habe. So übersetzt Fr. Hommel, Jensen aber übersetzt „in den Tagen der Kälte, des Hagels und Schnees". Unter dem Kakkidistern verstehen die Einen den Antares oder kakkab misri, die Andern den Sirius oder den Orion oder einen Stern des südlichen Kreuzes.

In einer andern Inschrift rühmt er sich, daß er im Land Mitanni vier mächtige Wildochsen, am Chaboras 10 Elephanten, dazu 920 Löwen getötet habe. 4 Elephanten fing er lebendig und legte ihnen Hörner und Häute der erlegten Jagdtiere auf, alles „durch die Hilfe der Götter Nergal und Ninib", die Schutzpatrone der Jäger. Dieser Nimrod verstand aber noch mehr als Krieg und Jagd, er versuchte auf mancherlei Weise die Lage seiner Untertanen zu heben und zu verbessern. Er baute Kornhäuser, um Vorrat für Zeiten der Not zu sammeln. Er legte neue Kanäle an, um Sümpfe zu entwässern und trocknen Landstrichen Wasser zuzuführen. Er führte fremdes Vieh ein, auch neue Nutzpflanzen und Fruchtbäume und sorgte für die Erhaltung der Wälder. Solche Maßnahmen einer Regierung am Ende des 12. vorchristlichen Jahrhunderts, hundert Jahre vor dem Krieg um Troja, 400 Jahre vor der Gründung Roms, nötigen uns Bewunderung ab und erheben den Namen dieses Königs mehr als die Unterwerfung der vielen umliegenden Völker und Länder, unter denen selbst Aegypten nicht fehlte, indem es Tribut an den Großkönig sandte.

Daneben baute er Paläste für sich und sein Haus, dazu Festungen zum Schutz der Grenzen. Einen Tempel des Asur zu Assur stellte er wieder her, ebenso einen Tempel der Istar zu Ninive und einen zu Assur, einen Tempel des Anu und einen des Ramman oder Adad, einen Tempel des Marduk und einen der Gula.

Von dem Ende dieses großen Königs ist uns nichts bekannt, nichts über die Art und Weise seines Abschiedes, nichts über den Regierungsantritt seines Nachfolgers. Dieser nennt sich Samsiramman II. Er regierte nur wenige Jahre 1100—1098 v. Chr. In Babylonien herrschten um diese Zeit semitische und kassitische Könige neben einander, insbesondere hatte das Meerland oder Kardunias seine selbständige Herrn. Es werden uns genannt Mardukſapikzirmati und Rammanhabaliddina, Simmasichu und Kassunadinachi, Inasulbarsakinsum, Nambarsichu und Eulbarsharokiizkur [1]), wozu Fr. Hommel [2]) noch Rammansumiddin, Rammannadinachi und Melisipak hinzufügt.

Auf Samsiramman II. folgte ein Sohn des Königs Tiglatpilesars I.

Asurbilkala.

um 1098—1090 König von Assyrien. Er nahm die Tochter Marduksapikzirmatis von Babylonien zu seiner Gemahlin und führte sie, mit

1) K. B. III, S. 177.
2) A. u. A., S. 244.

vielen Geschenken ausgestattet, nach Assyrien und zwar nach Ninive, das auch Salmanassar I. zur Residenz gehabt hatte. Die synchronistische Tafel, die dies berichtet, weiß nur die Freundschaft zwischen Assyrien und Kardunias zu rühmen. Ihm folgte sein Bruder,

Samsiramman III

1090—1070 v. Chr. Von ihm weiß man bis heute nur das eine, daß er einen Tempel zu Ninive wieder herstellen ließ. Auf diesen König folgt ein Zeitraum von 70 Jahren, aus dem wir überhaupt von Assyrien nichts erfahren, als daß es den Einfällen aramäischer Nomaden unterlag, die aus dem östlichen Arabien gegen Norden vorgedrungen waren. Auch der nun folgende König, A s u r i r b a um 1000 v. Chr. hatte mit den Aramäern zu kämpfen. Sie entrissen ihm die Festung Pitru oder Pethor, das er Asurutirasbat genannt hatte, jenseits des Euphrat und Mutkinu nahe bei Karkemisch, die beide erst Salmanassar II. wieder zurückgewann. Auf andern Kriegszügen drang Asurirba bis zum Mittelmeer vor und ließ seine Großtaten durch eine auf dem Berg Amanus aufgerichtete Tafel verkündigen; aber den Verfall des Reiches konnte er nicht aufhalten. Noch weniger vermochte dies sein Nachfolger

Irbaramman,

dessen Regierungszeit nicht näher bestimmt werden kann. Unter diesem schwachen Herrscher sank das Ansehn von Assyrien immer tiefer, während zu gleicher Zeit auch die Macht und Bedeutung Babyloniens zurückging. Hierdurch wird erklärlich, daß das immerhin kleine Volk Israel unter seinem kriegstüchtigen König David seine Herrschaft bis zum Euphrat ausdehnen konnte, während sich in Vorderasien das kilikische Reich erhob [1]).

In dieser Zeit des Verfalls rührte sich auch Elam. Seine Könige Schutruknachunte und dessen Sohn Kudurnachunte plünderten die Städte von Babylonien. Namentlich Sippara hatte zu leiden. Von hier wurde eine Bildsäule Marduks und vermutlich auch der große Stein, auf dem die Gesetze Hammurabis eingegraben waren, geraubt und nach Susa gebracht.

Unter den folgenden Königen dauerte die Schwäche des assyrischen Reiches an wie unter Asurnadinachi und dessen Sohn Tiglatpilesar II. Auf diesen folgte A s u r d a n II. oder A s u r a c h i i d d i n, der von 930—911 v. Chr. König von Assyrien war. Eine Tafel aus seiner Zeit trägt die Inschrift:

„Von dem 3. Tag dieses Monats Ijjar bis zum 15. Tag des Monats Ab dieses Jahres, für diese 100 Tage und 100 Nächte haben die Propheten (?) (Bitten) und Fasten ausgerufen."

1) Vergl. Tiele a. a. O., S. 167.

Ein Prisma aus Terrakotta, das in des Königs Palast zu Ninive gefunden ward, verkündigt:

„Die Tore von Tannenholz mit fester Füllung habe ich gebunden mit Bändern von Silber und von Erz; auch habe ich die Torwege mit Genien und Steinkolossen versehen, die gleich den Wesen, die sie darstellen, die Brust der Gottlosen überwältigen, die Schritte des Königs, der sie machte, beschützen und zur Vollendung führen. Zur rechten und zur linken habe ich ihre Riegel machen lassen. Möge in diesem Palast der gnädige Genius, der gnädige Koloß, Hüter der Schritte meiner königlichen Person, über den meine Majestät sich freut, immer hier gegenwärtig sein, so werden ihre Waffen niemals ihre Kraft verlieren."

Obwohl der Schreiber in des Königs Namen sich Mühe gibt, das Bild von dem, was es darstellt, zu unterscheiden, will ihm dieses Unternehmen doch nicht gelingen; und haben wir in dieser Inschrift neben dem Zeugnis krassen Aberglaubens auch den vollen Ausdruck eines erbärmlichen Schwächegefühls erhalten. Diesem unfähigen Herrscher, der sich, wie es scheint, nur mit Bauten beschäftigte, folgte als der erste, der im Eponymenkanon genannt ist,

Ramman-nirari II.

König von Assyrien 911—890 vor Chr. Er kämpfte mit zwei Königen von Babylonien, Samasmudammik und Nabusumiskun. Aber der Krieg blieb unentschieden; denn die Könige beider Reiche schlossen ein Bündnis mit einander und befestigten dasselbe durch wechselseitige Heiraten. Zu seiner Zeit bekriegten sich Israel und Juda, Syrien, Edom und Moab noch unter einander, wie Ahab und Joram von Israel (896—884) mit Benhadad und Hasael von Damaskus kämpften ¹).

Eine nur kurze Regierung war seinem Sohn beschieden

Tukultininib II.

der 890—884 v. Chr. Assyrien beherrschte. Er zog gegen die Völker am obern Tigris und richtete an der Quelle des Subnat sein Bildnis auf. Ihm folgte sein Sohn

Asurnasirpal I.

884—858 v. Chr. König von Assyrien, nach langer Zeit wieder einmal ein kräftiger Herrscher. Er war „der Liebling (eigentlich Augapfel nisit d. i. Männlein hebr. ischon) von Bel und Adar, Anu und Dagon, der große König, der mächtige König, der König der Völker, König von Assyrien, Sohn des Tukultininib, der von den Ufern des Tigris herrscht bis zum Libanon und zum großen Meer. Alle Länder vom Aufgang bis zum Niedergang der Sonne hat er seinen Füßen unterworfen".

So lautet die von seinen Bewunderern verfaßte Inschrift auf der Brust seines Standbildes. Er selbst läßt im Eponymenkanon über seine Thronbesteigung also schreiben:

---

1) 2. Kön. 6 und 9.

„Ich wurde geboren in Bergen, die niemand kennt. Nicht war ich deiner Herrschaft eingedenk, betete nicht beständig zu dir, die Leute in Assyrien wußten nichts von deiner Gottheit, flehten nicht zu ihr.. da hast du, Istar, furchtbare Herrscherin unter den Göttern, mich mit dem Blick deiner Augen auserseh'n, nach meiner Herrschaft Verlangen getragen, hast mich hervorgeholt aus den Bergen, zum Hirten der Menschen mich berufen, hast mir ein gerechtes Szepter verliehen."

Daneben verkündigt eine andre Inschrift:

„Der Gott Samas machte eine Sonnenfinsternis mir günstig, und mächtig saß ich auf dem Thron."

Jedenfalls sagt hier der König, der Tod seines Vaters sei mit einer Sonnenfinsternis zusammengetroffen. Nun lautete etwa ein altes Orakel:

Wenn an dem und dem Tage eine Eklipse der Sonne stattfindet, dann stirbt der König von Assyrien";

und die Orakelgeber verstanden es trefflich, für die Erfüllung ihrer Orakel Sorge zu tragen, zumal wenn ein alter König schwach war und ein aufstrebender Sohn sich ihrer Gunst erfreute.

In der Tat hob Asurnasirpal das assyrische Reich aus tiefem Verfall zu hohem Ansehn und neuer Blüte empor. Er kämpfte siegreich gegen die benachbarten Nairi, Babylonier, Aramäer und Kassiten.

In seinem 2. Regierungsjahr emwfing er in Tusche den Tribut des Ammabala, Fürsten von Bitzamani, der hernach ermordet wurde. Hier wohnten Aramäer, die ansehnlichen Tribut an Geschirren und Kriegsrüstung, an Wagenpferden, Silber, Gold, Blei, Kupfer, Eisen, Kleider von verschiedenen Stoffen, auch kitu (?)-Stoffen, hölzernen Schüsseln, elfenbeinernen Bettgestellen, Rindern, Schafen, Frauen und Töchtern nebst Mitgift liefern mußten.

Es scheint, daß die Aramäer, vorher Nomaden, sich schnell der Kultur bemächtigt und Reichtümer erworben hatten.

Um diese Zeit herrschte in Babylonien der Semite Nabuaplaiddin 883—852 v. Chr. Dieser hatte einen Einfall des aramäischen Sutuvolkes in das Land Akkad siegreich abgewiesen und stellte den uralten, schon zu Zeiten des Königs Simmasichu verfallenen Tempel des Samas zu Sippara wieder her, nachdem „der große Herr seit langen Tagen mit Akkad gezürnt und sein Antlitz abgewendet hatte; aber er wandte sein Antlitz und ward wieder gnädig" [1]), nämlich als man sein Bild in einer Furt des Euphrat gefunden und aufgenommen hatte. Sicher hatte der Feind, der das Bild geraubt, der Furt zu sehr vertraut und hatte, in tieferes Wasser geraten, das Bild im Stich lassen müssen. Wie der Krieg zwischen Assyrien und Babylonien dieses mal ausfiel, können wir, da nähere Nachrichten fehlen, nur aus der Tatsache schließen, daß Nabuaplaiddin auf dem Thron von Babylonien belassen wurde, nachdem er vermutlich Assyriens Oberhoheit anerkannt hatte.

Dasselbe tat Lubarna, der König des Patinäerstaates am Orontes. Seit Asurnasirpal auch Phönikien und den Hethiterkönig Sangara

1) K. B. III, S. 177.

tributpflichtig gemacht hatte, reichten die Grenzen Assyriens und seiner Vasallen wie unter Tiglatpilesar I. vom Meerland am persischen Meerbusen bis zum Mittelmeer, in dessen heilige Flut der König seine Waffen getaucht. Inschriftlich:

„Im großen Meere reinigte ich meine Waffen und brachte den Göttern Opfer dar. Ich empfing den Tribut der Könige am Ufer des Meeres, von Tyrus, von Sidon, Byblus und von Arwad, das mitten im Meere gelegen ist, Silber, Gold, Blei, Kupfer, kupferne Gefäße, buntgewirkte und leinene Gewande, große und kleine dort heimische Tiere, kostbare Hölzer und Zähne des Nasentieres, des Meergeschöpfes."

Was unter dem Nasentier zu verstehen ist, läßt sich nur vermuten. Ich bin der Ansicht, daß so gut, wie der Walfisch früher ein Bewohner des Mittelmeeres war, auch das Walroß dort gehaust hat, dessen Zähne gleichsam aus der Nase hervorstehen.

Auch Jehu, der Sohn Omris, der 884—856 v. Chr. über das Volk Israel herrschte, entrichtete mehrere male dem Großkönig Tribut. So zeigt der berühmte Obelisk aus schwarzem Marmor einen Fürsten, der vor dem Großkönig kniet; und die Inschrift sagt:

„Ich habe empfangen den Tribut von Jehu, dem Sohn Omris, Silber, Gold, goldne Schalen, Kelche von Gold, Becher von Gold, Eimer von Gold, Blei, Szepter für die Hand des Königs und Speerschäfte."

Andere Inschriften berichten im einzelnen von den Feldzügen dieses Königs, wie die Standard-Inschrift und eine Alabastertafel aus dem Tempel des Gottes Adar zu Balawat, dazu ein Monolith und ein Obelisk, der zu Kurkh nahe den Quellen des Subnat gefunden wurde. Auch hier zeigt ein Bild, wie der Großkönig den Tribut der unterworfeenen Völker empfängt. Der Monolith enthält in 360 Zeilen den Bericht über die Feldzüge gegen die Nairi im Lande Nimma und Kirruri, beides Teile von Armenien, wo Sarduri, König der Nairi, herrschte. Diese Feldzüge scheinen für die Assyrer nicht glücklich gewesen zu sein, da sämtliche Stämme der Nairi unter Sarduri vereinigt waren. Der Großkönig zog auch gegen die Städte am Gebirg Nipur, gegen das Land Kummuch und die Stadt Suru; im Jahr darauf an die Quellen des Subnat und das Kasiergebirge, wo eine assyrische Kolonie bei den Städten Damdamma und Amadi sich empört hatte. Inschriftlich:

„Mitten im gewaltigen Gebirg Kasiari, einem beschwerlichen Land, das zum Vorwärtskommen der Wagen und Krieger nicht geeignet war, hieb ich mit eisernen Aexten den Berg ab und riß ihn mit kupfernen Hacken nieder; dann ließ ich Wagen und Krieger daher ziehn. Die Spitzen des Gebirges überwältigte ich, mitten in den mächtigen Bergen tötete ich ihre Krieger; mit ihrem Blut färbte ich den Berg wie rotfarbige Wolle. Den Rest von ihnen verschlang die Gebirgsschlucht."

Während unter Tiglatpilesar I. noch broncene Werkzeuge gebraucht wurden [1]), finden wir hier zum ersten Mal eiserne Aexte erwähnt.

Nach der Beruhigung von Damdamma und Amadi zog der Großkönig gegen Kinabu. Tela und Tuscha, wo er sich einen Palast erbauen

1) Vergl. S. 70.

ließ. Später zog er auch gegen das Land Zamua am oberen Radanu, überschritt auf seinem Marsch den Zab und den Paß von Babite und strafte abgefallene Untertanen auf das grausamste. 250 Städte der Nairi verwandelte er in Schutthaufen, die Gefangenen ließ er pfählen oder schinden, kreuzigen, blenden oder sonst verstümmeln. Auch Kudur, den Fürsten von Suchi, besiegte er trotz der Hilfstruppen, die Babel dorthin gesandt hatte, und eroberte seine Hauptstadt Suri.

In seinem 18. Regierungsjahr mußte der Großkönig von neuem gegen die Nairi zu Feld ziehen, ein Beweis, daß die assyrischen Hofgeschichtsschreiber viele und große Erfolge zu Ehren ihres Herrn — erdichtet hatten, wie solche hohe aber hohle Redensarten selbst den Schluß der Annalen verunzieren: „Ueber die Herren der Länder Nairi, Kirhi, Subarra und Nirtu brüllte ich wie Ramman der Regengott" [1]).

Wie in seinen Raub- und Feldzügen ging Asurnasirpal auch im Privatleben die Wege seines Ahnherrn Tiglatpilesars I. Wie dieser war er ein eifriger, furchtloser Jäger. Am Euphrat tötete er 50 Wildochsen oder Büffel und schickte 8 Stück, die er lebendig gefangen hatte, in seinen Wildpark oder zoologischen Garten, eine neue Einrichtung, deren Urheber m. W. noch nicht bekannt geworden ist.

In Kalah, der von Nimrod in grauer Vorzeit gegründeten, von Salmanassar I. wieder hergestellten Stadt, die heute in dem Trümmerhügel Balawat als ein Teil des großen Ninive wieder gefunden ist, erbaute sich Asurnasirpal einen Palast, zu dem er das nötige Holz von dem Berg Amanus herbeischaffen ließ, wie schon der alte Priesterkönig Gudea vor ihm getan hatte. Der königliche Jäger wollte mitten in seinem Wildpark wohnen. Hier opferte er seinen Göttern, hier mußten die Steindenkmäler seine Siege verkündigen. In diesem Palast befand sich auch die neu begründete Bibliothek und ein großes Werk über Astronomie. Als ein Freund der Wissenschaft und Förderer der Künste ließ der Großkönig die vorhandenen Schriftwerke fleißig abschreiben. Sein Oberbibliothekar war Nabuzukupsina, der Sohn des Astronomen Mardukmubusa.

Von dem Ende dieses großen Königs vernehmen wir gar nichts. Ihm folgte wiederum sein Sohn,

Salmanassar II.

assyr. Schulmanascharid, 858—824 v. Chr. König von Assyrien, der seinem Vater ähnlich ein kräftiges Szepter führte. Er kriegte mit Armenien und Syrien, Israel und Phönikien, Babel und Elam. Ein Monolith, der in Kurkh gefunden wurde (s. S. 76), und ein schwarzer Obelisk und mehrere Steinkolosse berichten durch ihre Inschriften von den Taten des Großkönigs.

---

1) Vergl. Strack in Z. f. A. 1898, S. 60.

„Im Anfang seines Priestertums, d. i. im ersten Jahre seiner Regierung“ (palu), so berichtet er auf dem schwarzen Obelisken, überschritt er den Euphrat und zog über das Gebirg Lalar, also nach Westen hin; dann zog er in das Bergland Uruatri oder Urardi d. i. Armenien, eroberte Hinane, Luha und sechs andre Länder, überstieg unzugängliche Berge, die wie ein eiserner Dolch sich gen Himmel streckten“, zerstörte die feste Stadt Arinnu und zog nach den Bergen von Bahlirasi, die an das Meer stoßen. Die Fürsten Nikdima und Nikdiara flohen auf urbate-Schiffen auf das Meer, nämlich den Urmiasee in Armenien. Aber Salmanassar hatte bald Flöße aus Hammelhautschläuchen zur Hand, die noch heute in jener Gegend gebrauchten Kalaks, und lieferte ihnen eine Seeschlacht, in der er Sieger blieb: „Das Meer färbte ich mit ihrem Blut wie rotfarbige Wolle“ ist der stehende Ausdruck der königlichen Tafelschreiber. Die urbate-Schiffe der Armenier, die sich nicht bewährten, waren vermutlich aus Schilfgeflecht hergestellt, das mit Asphalt gedichtet war. Diese kleinen leicht durchbohrten Fahrzeuge konnten sich unmöglich gegen die sicheren Flöße der Assyrier halten, zumal diese nach Belieben vergrößert werden konnten. Im Tempel der Landeshauptstadt Kirzan stellte er sein königliches Bild auf und empfing den Tribut von Tyrus und Sidon und von Jehu, dem Sohn Omris, wie auch sein Vater Assurnarsirpal ihn empfangen hatte. Dies geschah in den letzten Jahren von Jehus Regierung, als dieser, durch Hasael von Damaskus bedrängt, den Beistand des assyrischen Herrschers zu erkaufen suchte. Da aber nach den Inschriften Salmanassars anzunehmen ist, daß Hasael nicht eher als zwischen dem 14. bis 18. Jahre der Regierung Salmanassars Herr von Syrien wurde, so wird es wahrscheinlich, daß Hasael schon zu Lebzeiten Benhadads als Prätendent und Usurpator aufgetreten war.

Seinen zweiten Feldzug unternahm der Großkönig gegen das Land Hanigalbat d. i. ein Teil von Armenien und Kurdistan, dessen König Mattuara, dessen Hauptstadt Milidia später Melitene genannt wird. Mattuara hatte sich mit den Königen der Khatti und Achlami, seinen Nachbarn, verbündet; aber sie alle wurden besiegt und ihre Gebiete bis Karkemisch am Euphrat erobert [1]).

So lange Nabubaliddin in Babel regierte, war Frieden zwischen Babylonien und Assyrien; aber als er „sein Land verlassen hatte“, d. h. gestorben oder zu seinen Vätern versammelt war, und sein Sohn Mardukšumizkur oder Marduk nadinšum den Thron des Vaters eingenommen hatte, empörte sich der andre Sohn Mardukbelusati, auf die Chaldäer gestützt, gegen seinen Bruder. Salmanassar unterstützte den rechtmäßigen Erben, „um empfangene Wohltaten zu vergelten“, die Aufrührer aber besiegte und tötete er. So war mit der Eroberung von Meturnat und Gananati der Krieg beendet, und der Großkönig brachte als

1) Mitteil. v. 1904, 20. S. 50.

sar kissati „Herr der Welt" in Babel, Borsippa und Kutha Stieropfer dar, um sich öffentlich als Oberherr von Babylonien zu erweisen; und dies war der Lohn für seine Hilfe, daß er von allen Fürsten Babyloniens, auch dem des Meerlandes als Oberherr anerkannt wurde. Dies geschah um 854 v. Chr.

In demselben Jahre unternahm Salmanassar einen Feldzug gegen Biridri oder Benhadad von Damaskus, der auch Rammanidri, Adadidri und Hadadeser genannt wird. Mit ihm hatten sich 12 Könige, unter ihnen Irkallini oder Jechulene, Jochulini von Hamath, König der Hethiter, auch die von Musri, Arabien, Ammon und andre vereinigt; aber in der großen Schlacht von Karkar wurden sie besiegt. Doch behielt Damaskus noch seine Selbständigkeit. Der König läßt berichten:

„Während des Eponymats des Dajan-Asur verließ ich am 14. Ijjar Ninive, überschritt den Tigris und zog gegen die Städte Giammus am Flusse Kassata. In die Stadt Kitlal und die Stadt Tulsahabalachis[1]) rückte ich ein, meine Götter stellte ich in seinen Palästen auf, tasiltu (?) machte ich in seinen Palästen, seine Schätze führte ich als Beute nach meiner Stadt Assur ab. Von Kitlal brach ich auf nach Karsalmanassar und überschritt zum zweiten Mal auf Hammelhautschiffen den Euphrat während seines Hochwassers. Den Tribut der Könige vom jenseitigen Ufer des Euphrat, des Sangar von Karkemisch, Kudaspi von Kommagene, Arami Sohnes des Gusi, Lalli von Lallid, Chajan Sohnes des Geber, Girparud von Patin, Girparud von Gamgum, Silber, Gold, Blei, Kupfer ... nahm ich für die Stadt Assur. Am jenseitigen Ufer des Euphrat oberhalb des Flusses Sagur, was die syrischen Einwohner die Stadt Pathor nennen, nahm ich den Tribut ein ... Von Halman brach ich auf und zog gegen zwei Städte des Irkallini von Hamath, Adimu und Barga. Seine Königsstadt Argana eroberte ich, seine Gefangenen, seine Habe, die Schätze seiner Paläste führte ich fort. Karkar verbrannte ich mit Feuer. 1200 Wagen, 1200 Reiter, 20000 Mann Dadidris von Damaskus; 700 Wagen 700 Reiter 1000 Mann Irkallinis von Hamath; 2000 Wagen 10000 Mann des Ahab von Mat Sirlani; 500 Mann des Guäars; 1000 Mann von Land Musri; 10 Wagen, 10000 Mann von Mat Irkanat; 200 Mann des Matinubaal von Aradus; 2000 Mann vom Land Usanat; 30 Wagen 10000 Mann des Adunubaal von Sizan; 1000 Kamele des Gintibu von Arba; und 100 Mann des Bahsa, Sohnes des Ruhub, von Ammon; diese 12 Fürsten kamen zu seiner Hilfe herbei und zogen kampfbereit wider mich heran. Mit der erhabenen Macht, die Asur mir verliehen, mit den gewaltigen Waffen, die mein Vorkämpfer, der Gott Nergal, mir gewährt, kämpfte ich mit ihnen. Von Karkar bis Gilzan brachte ich ihnen eine Niederlage bei. 14000 ihrer Krieger überwältigte ich mit Waffen, gleich dem Sturmgott ließ ich Unwetter über sie regnen, ich streckte sie zu Boden und breitete ihre Leichname massenhaft über die Ruinen, mit der Waffe verspritzte ich ihr Blut."

Einige Forscher[2]) wollen in dem Ahab von Sirlaai den König Ahab von Israel erkennen, der 918—897 v. Chr. regierte, also zur Zeit Asurdans II. und Rammanniraris II., unter denen Assyrien ganz darniederlag, sodaß Ahab und sein Land von Assyrien nichts zu leiden hatte.n. Hat er aber in der Schlacht von Karkar mitgekämpft, so hat er

---

1) Tulsahabalachi nehme ich gegen E. Schrader als Königsname an, weil sogleich die Beziehung auf den König folgt.

2) Selbst Hommel hat sich auf diesen Weg begeben K. A. T., S. 247, nachdem er die ersten richtigen Eindrücke überwunden.

noch 854 v. Chr. gelebt, und die biblische Zeitangabe ist falsch. Aber dagegen stehn mehrere gewichtige Gründe: 1. Israel und Damaskus waren bis auf eine ganz kurze Spanne Zeit die bittersten Gegner. 2. Israel wird in assyrischen Berichten stets Bit Omri oder Mat Omri genannt; der hier genannte Ahab ist aber ein König von mat sirlaai. Kennen wir dieses Land noch nicht, so muß es darum nicht grade Israel sein. Wir kennen auch andre Länder nicht, die hier erwähnt werden. 3. Die hebräischen Namen, die mit J anfangen, werden im Assyrischen ebenso wiedergegeben. Es würde Israel assyrisch etwa Jesar-ilu lauten, sicherlich nicht sirlaai. Inschriftlich läßt der König weiter berichten:

„In meinem 10. Jahr ging ich zum 8. mal über den Euphrat."

Es galt die Verbündeten vom Jahr 854 von neuem zu demütigen; demnach war die Niederlage der Verbündeten nicht so schwer gewesen, wie der Bericht der königlichen Schreiber sie darstellte. Sie wurden abermal besiegt und retteten ihr Leben nur durch die Flucht.

„In meinem 11. Jahr zog ich von Ninive weg und zog zum 9. Mal über den Euphrat zur Zeit der Ueberschwemmung."

Benhadad oder Biridri von Damaskus wurde geschlagen, aber nach 3 Jahren mußte Salamanassar mit demselben Gegner und seinen Verbündeten zum 3. Mal kämpfen, und die biblischen Berichte sollten alle diese Waffengänge Ahabs gegen Assyrien verschwiegen haben? Das ist nicht gut denkbar. Der Großkönig zog gegen sie mit 120 000 Mann und gewann den Sieg, wenn man den Inschriften glauben darf; in Wirklichkeit hatte er so schwere Verluste erlitten, daß er umkehrte.

In meinem 18. Jahr zog ich zum 16. Mal über den Euphrat. Hazailu von Damaskus, der den Thron Benhadads an sich gerissen hatte, vertraute auf die Macht seiner Krieger und versammelte sie in ihrer Menge. Saniru (d. i. der Berg Hermon), den Berggipfel am Eingang zum Libanon, machte er zu einer Festung. Ich kämpfte gegen ihn, seine Niederlage vollzog ich. 16 000 Mann seines Heeres mit ihren Waffen vernichtete ich, 1121 seiner Wagen, 470 seiner Reiter und seine Vorräte nahm ich ihm. Um sein Leben zu retten floh er. Ich verfolgte ihn. In Damaskus, seiner königlichen Burg, schloß ich ihn ein. Seinen Park hieb ich nieder. Nach den Bergen von Hauran ging ich (warum, wird wieder verschwiegen), unzählige Städte plünderte ich, zerstörte sie, steckte sie in Brand und führte ihre zahllosen Gefangenen hinweg. Bis zu den Bergen des Bahlrasi, eines Vorgebirges, zog ich und stellte mein Königsbild dort auf. Damals empfing ich den Tribut der Tyrer, der Sidonier und des Jana, des Sohnes Omris."

Von Jehu von Israel hatte schon Asurnasirpal Tribut empfangen, nun wieder Salmanassar; und eines Ahab wird gar nicht gedacht!

In seinem 13. Regierungsjahr kämpfte der Großkönig in der babylonischen Landschaft Namri, deren König Mardukſumudamik genannt wird. Er floh, und Salmanassar setzte einen Jauzu an seine Stelle, aber die mannigfaltige Beute nahm er mit sich.

---

1) Sonst Gebal, das spätere Byblus. S. Pal. u. Syr., S. 62.

„In meinem 21. Jahre ging ich zum 20. Mal über den Euphrat. Ich zog gegen die Städte Hasaels von Damaskus. Ich nahm 4 seiner Städte ein. Den Tribut von Tyrus, von Sidon und von Gubal[1]) empfing ich."

Der Großkönig mußte selbst kommen und die Abgaben eintreiben; sonst hatte er das Nachsehen.

In meinem 22. Regierungsjahr überschritt ich den Euphrat zum 21. Mal, stieg nach dem Land Tabal hinab. In jenen Tagen geschah es, daß ich die Geschenke von 24 Königen des Landes Tabal in Empfang nahm."

Diese bestanden hauptsächlich in großen Pferden, wie sie zum Kriegsdienst gebraucht wurden. Einer der Könige wird Mugallu genannt.

Im 24. Jahr seiner Herrschaft zog Salmanassar wieder gegen das Land Namri, nahm den von ihm eingesetzten König Jauzu gefangen und brachte ihn nach Assur. Von dem Silberberg Tunni und dem Alabasterberg Muli gewann er die Schätze der Erde. Auch in die Länder Kue und Tabal südlich und nördlich vom Taurus, sonst Hilakki genannt, d. i. Kilikien und Kataonien, zog der unermüdliche Krieger; aber nur Geschenke konnte er einziehen, wie die mitgeteilte Inschrift uns kundgibt.

Wahrscheinlich geschah es zu dieser Zeit, daß eine Feuersbrunst den Tempel des Asur mit all seinen kostbaren Schätzen verzehrte.

Vier Jahre vor dem Tode Salmanassars erhob sich sein ältester Sohn Asurdanninpal im Aufruhr gegen den Vater, der dem Sohn zu lange lebte. Er war in den letzten Jahren nicht mehr mit den Heeren in den Krieg gezogen, sondern hatte seinem Tartan Danasur den Oberbefehl anvertraut. Ein Teil des Heeres und 27 Städte schlossen sich dem aufrührerischen Sohn an, unter ihnen die alte Hauptstadt Assur. Es erhob sich ein Bürgerkrieg, der wenigstens 6 Jahre dauerte. In ihm führte ein jüngerer Sohn des Königs, Samsiramman, den Oberbefehl über das königliche Heer mit gutem Erfolg. Während dieses Krieges starb der alte König und bald danach auch sein ältester Sohn; wir wissen nicht auf welche Weise.

Das Standbild Salmanassars, aus Basalt gehauen, 2½ Meter hoch, wurde am 13. Dezember 1903 bei der Ziggurat von Assur gefunden. Um den Hals hing des Königs Horoskop. Dieses bestand aus einem Henkel, einer Sonnenscheibe mit 8 Strahlen, einem Hörnerhut und einem achtstrahligen Stern. Das 5. Symbol ist abgebrochen[1]). Die auf dem Standbild befindliche Inschrift berichtet noch aus dem 24. Regierungsjahr des Königs:

„Eben damals baute ich die Mauern meiner Stadt Assur vom Grundstein bis zu ihrer Bekleidung und stellte ein Bild meiner Hoheit im Tor der Metallarbeiter auf."

---

1) Mitteil. v. 1904, 21, S. 42 u. 53.

Ihm folgte sein Sohn

Samsiramman IV.

824—811 v. Chr. König von Assyrien. Ein Monolith mit dem lebensgroßen Bild des Königs erzählt von vier Feldzügen, die er unternommen. Zuerst zog er gegen die Nairi im Norden von Assyrien, die von seinen Vorgängern trotz aller prahlerischen Inschriften keineswegs unterworfen waren. Auch er läßt von sich rühmen: „Damals warf ich ganz Nairi wie ein Netz nieder", während er in Wirklichkeit so gut wie keinen Erfolg gehabt hatte [1]). Erst auf seinem dritten Feldzug erreichte er die Demütigung der 27 Könige der Nairi, die ihren Tribut in Wagenpferden ablieferten. Nun kann der König rühmen: „Damals brüllte ich wie Ramman der Donnerer über sie vom mächtigen Silargebirg bis zum Meer des Sonnenuntergangs." In der Feste Sibar ließ er seine Bildsäule aufstellen.

Von diesem dritten Feldzug gegen die Stadt Masu läßt der König berichten:

„Ein unzugängliches Gebirge besetzten sie, drei Bergspitzen, die gleich einem Gewölk am Himmel schwebten, deren Ort kein beschwingter Vogel erreicht, wandelten sie zu einer Festung um. Ich zog hinter ihnen her und schloß jene Bergspitzen ein. An einem Tage kam ich wie ein Adler über sie und tötete ihre zahlreichen Kämpfer. Ihre Leute, ihren Besitz, ihre Habe, ihre Kinder, ihre Esel, ihr Kleinvieh, ihre Wagenrosse, zweihökrige Dromedare ohne Zahl führte ich vom Gebirg herab. 500 Städte ihrer Umgebung zerstörte ich und ließ sie in Feuer aufgehn [2])."

Den zweiten Feldzug übertrug er dem Rabsag Mutarrisasur. Auf dem dritten ging der König gegen Medien, auf dem vierten gegen Babylonien vor. Um diese Zeit waren die Meder noch wenig gefährliche Nachbarn, weil ihre vielen Stämme noch nicht geeinigt waren. Sobald ein assyrisches Heer an ihren Grenzen erschien, kamen ihre hazanati, d. i. Häuptlinge, und zahlten ihren Tribut.

Der König von Babylon, Mardukbalatsuikbi, hatte sich mit Elam und Aram verbündet, auch Kaldi- und Namri-Söldner gemietet, um die Oberhoheit Assyriens abzuschütteln. Aber als die Verbündeten bei der Stadt Durpapsukal am Kanal Daban mit dem assyrischen Heere zusammenstießen, erlitten sie, wenn der assyrische Bericht Glauben verdient, eine Niederlage. 5000 Mann waren tot, 2000 wurden gefangen, 100 Wagen samt dem Zelt und Feldbett des Königs von Babel wurden erbeutet; doch war dieser Sieg so wenig entscheidend, daß Samsiramman noch zweimal 813 und 812 gegen Babylonien zu Feld ziehn mußte.

Den Tempel der Istar von Ninive verschönte er; aber seine Lieblingsbeschäftigung bildete die Jagd, der er auch auf seinen Feldzügen oblag. So tötete er auf einem Zug gegen Babylonien drei Löwen. Es

---

1) Z. f. A. 1898, S. 61.
2) Vergl. Strack, Z. f. A. 1900, S. 297, der sie Samsiramman II zuschreibt.

schien aber den Leitern der assyrischen Macht nicht vorteilhaft, daß dieser Jäger lange regiere. Er starb und verschwand. Es folgte sein Sohn

Rammannirari III.

811—782 v. Chr. König von Assyrien, der das Reich wieder zu der Machtstellung erhob, die es unter Asurnasirapal und Salmanassar II. eingenommen hatte. Als seine Gemahlin oder Mutter, Herrin oder Frau des Palastes, wird auf einer Bildsäule des Nebo Sammuramat, d. i. nach Fr. Delitzsch „Liebhaberin von Wohlgerüchen", genannt, die Semiramis der Griechen. Die Widmung der Inschrift lautet:

„Nebo, dem hohen Schirmherrn, dem hehren und allgewaltigen, dem barmherzigen, gnädigen, dem großen Herrn, und zur Verewigung der Sammuramat, der Frau des Palastes, seiner Herrin, hat Beltarziiluna, der Statthalter von Kalah, aufdaß er selbst lebe, lange Tage und Jahre sehe, Friede habe für sein Haus und seine Bewohner, frei bleibe von Leid, (diese Bildsäule) machen lassen und als Geschenk dargebracht."

Am Fuß der Bildsäule steht die einzigartige Mahnung geschrieben:

„Mensch zukünftiger Zeiten, auf Nebo vertraue! Auf einen andern Gott vertraue nicht."

Eine Erklärung dieses seltsamen Wortes wird später versucht werden.

Mehrere Forscher nehmen an, Sammuramat sei eine babylonische Königstochter gewesen, die Rammannirari geheiratet, um die Babylonier zu gewinnen. Für diese Ansicht spricht die Tatsache, daß wir im Laufe der längeren Regierung dieses Königs nur von e i n e m Aufstand der Babylonier hören. Er geschah unter Bauachiiddin, der gefangen gesetzt wurde.

Als König des Meerlandes nannte sich Rammannirari Samasiva. Mit ihm schließen die synchronistischen Tafeln oder Annalen von Babylonien und Assyrien, die bis heute eine beide Reiche zusammenfassende Darstellung ihrer Geschichte rechtfertigen.

Auf einer in Kalah gefundenen Tafel zählt der König seine Großtaten auf:

„Palast Rammaniraris, des großen Königs, des mächtigen Königs ... den Asur, der König der Götter, zu seinem Sohn rechnete, dessen Hand sie mit der Herrschaft ohne gleichen füllten, dessen Herrschaft sie für die Bewohner von Assyrien segensreich machten, welchem sie seinen Thron feststellten, des Oberpriesters, des Erhalters von Esarra, der die Vorderseite von Ekura aufführte, der in der Verehrung Asurs, seines Herrn, wandelt und die Fürsten der 4 Himmelsgegenden seinem Joch unterwarf."

„Vom Berg Siluna im Osten, vom Euphrat, dem Land Khatti, dem Land Amurri bis zu seiner ganzen Ausdehnung, dem Land Tyrus, dem Land Sidon, dem Land Hhumri (d. i. Omri), dem Land Edom, dem Land Palastu [1]) bis zu dem großen Meer des Sonnenuntergangs warf ich sie alle mir zu Füßen, legte ihnen Steuern

---

1) Nicht Palästina, sondern Philistäa; vergl. H. Winckler, B. u. B., S. 204.

6*

und Tribut auf. Ich ging nach dem Land Saimerisu[1]). Mariu[2]), den König von Saimerisu, schloß ich in Damaskus, seiner königlichen Stadt, ein. Die Furcht und der Schrecken Asurs, meines Herrn, kam über ihn, und er nahm meine Füße und brachte mir Huldigung dar. 2300 Talente Silber, 20 Talente Gold, 3000 Talente Bronze, 5000 Talente Eisen, Tuch, bunte Stoffe, Leinen, ein Lager von Elfenbein, eine Sänfte von Elfenbein, Kissen, seine Güter, sein Eigentum in zahlloser Menge empfing ich in Damaskus, seiner königlichen Stadt, in seinem Palast."

Daß das babylonische Reich nicht lange in seiner Einigung der ursprünglichen Kleinstaaten verharren könne, war wohl vorauszusehen, und haben wir bereits bei den letzten Königen von diesen neuen Einzelstaaten vernommen, die der Großkönig begünstigte, da er von ihrer gegenseitigen Eifersüchtelei nur Vorteil zog.

„Alle Könige des Landes Kaldu (Chaldäa) huldigten mir. Steuern und Tribut für künftige Tage legte ich ihnen auf. Babylon, Borsippa, Kutha brachten den Ueberschuß von Bel, Nebo, Nergal, reine Gaben."

Hiermit ist ziemlich unverblümt ausgesprochen, daß Rammannirari verstand, das Geld zu nehmen, wo er es fand; entweder, daß sich die Babylonier eine richtige Tempelsteuer gefallen lassen mußten, oder daß der Großkönig die Darbringung von wertvollen Tempelkleinodien in Original gradezu anordnete, während er den beraubten Göttern Opfer brachte, um seine Oberherrschaft über ganz Babylonien kundzutun, wie auch Salmanassar getan.

Am meisten Mühe machten ihm die Meder, gegen die er acht Feldzüge unternahm. Sie drohten schon damals, was sie 200 Jahre später ausführten.

Der Schluß der großen Inschrift ist noch nicht gefunden. Wir wissen auch nicht das Jahr, in dem Damaskus erobert wurde. Einige nahmen 803 an. Im Jahre 806 war Rammannirari gegen Arpad gezogen, 805 war er in Haza, 804 kämpfte er gegen Baeli, 803 am Mittelmeer, während die Pest verheerend durch Assyrien zog. Das Reich der Syrer konnte sich nicht mehr halten; denn von der einen Seite drängte Assyrien, von der Andern Israel unter seinem König Joas, der die Syrer dreimal schlug und also der „Heiland Israels" wurde[3]). Es liegt hier nämlich gar kein zwingender Grund vor, weshalb man unter diesem Heiland Rammannirari verstehn soll, wie A. Jeremias[4]) tut und meint als guter Kritiker, die späteren Herausgeber hätten diesen Namen ausgemerzt! Andere verstehen Jerobeam II. Doch berichtet die Geschichte: „Dreimal schlug ihn (den Syrer) Joas und brachte die Städte Israels wieder", während Jerobeam II. sogar Damaskus und Hamath in seine Gewalt bekam[5]).

---

1) Syrien, das sonst Suri heißt.
2) Benhadad III.
3) 2. Kön. 13, 5—25.
4) A. T. O., S. 298.
5) 2. Kön. 14, 28.

War Syrien zerbrochen, dann sollte die Reihe an Israel, dann an Assyrien selbst kommen, daß seine Macht nicht allein vermindert, sondern gänzlich aufgelöst werde; doch gewann Assyrien noch eine Frist und das auf eine Weise, von der die Steinschriften uns nichts berichten als nur Andeutungen, wohl aber das alte Testament. Es geschah um diese Zeit, daß Jona, ein Prophet des kleinen Israel, in der Hauptstadt des assyrischen Reiches auftrat und auf Befehl des unsichtbaren lebendigen Gottes Stadt und Volk den nahen Untergang verkündigte. Da tat der Großkönig mit seinem ganzen Volke Buße, und das Verderben wurde um 200 Jahre aufgehalten [1]).

An diesen merkwürdigen Vorgang erinnert nicht allein der heutige Name des Trümmerhügels Nebi Junus, d. i. Prophet Jona, sondern auch die vorerwähnte Bildsäule des Nebo, die des Königs Verordnung trägt, daß von nun an nur ein Gott anzubeten sei. Daß sich dabei die Assyrer den Einen Gott als Nebo vorstellten, der bis zu jener Zeit in Assyrien noch nicht verehrt worden war, das zeigt nur, wie auch die Predigt eines Boten des wahrhaftigen Gottes verkehrt und verketzert werden kann.

In Birs Nimrud, wo der Großkönig sich einen neuen Palast gebaut, fand sich die Inschrift:

„Palast Rammamiraris, des großen Königs, des mächtigen Königs, des Königs der Völker, des Königs von Assyrien, des Königs, den Asur, der König der Engel, in seiner Kindheit berief und mit einem Fürstentum ohne gleichen belehnte, dessen Herrschaft er wohlgefällig machte den Bewohnern Assyriens und dessen Namen er fest gründete.“

In andrer Uebersetzung steht diese Inschrift drei Seiten zuvor.

Es wird nicht zufällig sein, daß wir auch von dem Ende dieses Königs gar nichts vernehmen. Er verschwand wie die andern sang- und klanglos. Wer dazu geholfen, können wir nur vermuten. Es folgte sein Sohn

Salmanassar III.

782—772 v. Chr. König von Assyrien, ein schwacher Herr; doch soll er nach dem Eponymenkanon fünf Feldzüge gegen Urartu, d. i. Armenien, unternommen haben. In dieser Zeit warfen Syrien, Israel und Juda das Joch Assurs ab, zahlten keinen Tribut mehr und vergrößerten sogar ihr Gebiet auf Kosten von Assyrien [2]). Zwar nannte sich der Großkönig noch König von Babylonien und als solcher Ivalusch IV. [3]), aber Babylonien wird nicht hinter den andern Vasallenstaaten zurückgestanden sein, sondern die günstige Gelegenheit benützt, seine Unab-

1) Jona 3.
2) 2. Kön. 14, 25.
3) Nach Rawlinson.

hängigkeit wieder gewonnen und bis auf weiteres behauptet haben. Auf Salmanassar, der stillen Abschied nahm, folgte

Asurdajan oder Asurdan III.

772—754 König von Assyrien, seinem schwachen Vorgänger ähnlich. Dazu wurde das Land zweimal, 766 und 760, von der Pest heimgesucht. Um so weniger konnten die abgefallenen Länder zurückgewonnen werden.

Im 9. Jahr seiner Regierung wurde das ganze assyrische Reich von dem Geist des Aufruhrs bewegt, und im Monat Siwan desselben Jahres wurde eine für Assyrien vollständige Sonnenfinsternis beobachtet, die nach den Berechnungen verschiedener Astronomen entweder am 15. oder 26. Juni 763 v. Chr. stattgefunden hat. Von diesem Fixpunkt aus wird die assyrische Zeitrechnung rückwärts und vorwärts bestimmt.

Inschriftlich:

„Unter dem Eponymat des Purilsagali*), des Statthalters der Stadt Guzana. Aufstand in der Stadt Assur. Im Monat Siwan stellte sich eine Verfinsterung der Sonne ein."

Es hat aber 121 Jahre zuvor unter Asurnasirpal, und zwar im ersten Jahr seiner Regierung, auch eine Sonnenfinsternis stattgefunden, über die m. W. noch kein Spruch der Astronomen ergangen ist. Es folgte

Asurnirari II.

754—745 v. Chr. König von Assyrien, von dem der Eponymankanon sagt, er sei im Land geblieben. Doch unternahm er im letzten Jahr seiner Regierung einen Feldzug gegen Aleppo und Arpad. Während seiner Abwesenheit erhob sich in der Heimat ein Aufruhr, der ohne Zweifel von langer Hand her vorbereitet war. Und als der König vom Feldzug heimkehrte verschwand er in Kalah. In demselben Jahr starb auch Jerobeam II., der in Israel 40 Jahre, 785—745 v. Chr., kräftig regiert hatte. Wie lange dieser Aufstand und politische Umwälzung in Assyrien dauerte, wer ihn angezettelt und genährt, darüber gibt keine Inschrift Auskunft. Vielmehr wird solches wie jedes Königs Ende mit Stillschweigen zugedeckt. Es steht nur zu vermuten, daß die obersten Heerführer sich zu einem Anschlag gegen den schwachen König vereinigten und ihn ins Feld lockten, um zu Hause bei ihrer Arbeit ungestört zu sein; daß sie ihn bei seiner Rückkehr ermordeten, um einen aus ihrer Mitte zum König zu wählen. Dieser eine war Pulu oder Phul, von Geburt wahrscheinlich ein Babylonier, der sich als König von Assyrien Tiglatpilesar nannte. In dieser Zeit des Umsturzes legte sich mancher, dem das nicht zukam, königliche Ehren bei, wie eine Inschrift von dem Meister des Palastes Belharranbelusur berichtet, er habe eine Stadt ge-

1) Andere lesen Barsagali.

gründet und einen Tempel darin gebaut, die Stadt aber auch nach seinem, nicht nach des Königs Namen, Durbelharranbelusur genannt.

Tiglatpilesar III.

745—727 v. Chr. König von Assyrien und Babylonien. Ptolemäus, dessen Kanon mit dieser Zeit beginnt, nennt ihn, wie auch Berosus tut, Por, eine andre Aussprache von Pul. Mit ihm beginnt, wie die Art und Umstände seiner Thronbesteigung genugsam beweisen, eine neue Dynastie und eine Regierung nach neuen Grundsätzen, indem die Priester, deren Tempel den größten Teil des Grundbesitzes inne hatten, mehr und mehr beschränkt, die erwerbenden Volksklassen aber von dem Drucke der Priester befreit wurden, die auch Verwalter der Tempelschätze waren und als Wechsler den Metallmarkt beherrscht hatten.

Nach dem Eponymenkanon bestieg Phul den Thron von Assyrien am 13. Aaru und schon im Tisritu unternahm er, der seine Leute nur zu gut kannte, einen Beutezug gegen Nabunasir von Babylonien, der 747—733 v. Chr. regierte. In diesem Jahre stellten die Sternkundigen von Babylonien fest, daß der Frühlingsanfang nicht mehr im Zeichen des Stiers, sondern in dem des Widders liege.

Dieser Feldzug scheint keinen glänzenden Verlauf gehabt zu haben, da durch die Einstellung der kriegstüchtigen Chaldäer das babylonische Heer dem assyrischen gleichwertig geworden war. Doch läßt Tiglatpilesar berichten:

„Von Beginn meiner Herrschaft. Von der Stadt Dur-Kurigalzu, der Sonnenstadt Sippara, der Stadt der Dubäer Pasitau bis hin nach Nippur, die Jtuh, Kubuh, das Gebiet der Aramäer insgesamt, die in den Niederungen des Tigris und des Surapi bis zum Fluß Ukni, der am Gestade des untern Meeres ... nahm ich in Besitz. Zu Tellkamri, das man die Stadt Humut nennt, baute ich eine Stadt. Karasur nannte ich ihren Namen. Die Bewohner der Länder, die Beute meiner Hand, siedelte ich dort an. Meinen Statthalter setzte ich darüber. Das Land Bitsilani nach seinem Umfang zermalmte ich wie ...., die Stadt Sarrabani, ihre große Hauptstadt, verwüstete ich gleich einer Windsbraut, ihre Beute führte ich fort. Nabunsabsa, ihren König, ließ ich vor den Toren seiner Stadt pfählen[1]), seine Gefangenen, sein Weib, seine Söhne, seine Töchter, seine Habe, die Schätze seines Palastes führte ich als Beute fort. Das Land Bitammukani zertrat ich wie bei dem Dreschen, die Gesamtheit seiner Bewohner ... schleppte ich nach Assyrien. Ich, der ich Pukud, Ruhue, Lihtau schlug, aus ihren Wohnsitzen fortführte, die Aramäer, so viele ihrer waren, meinem Joche unterwarf und ihren Königen die Herrschaft nahm."

Die Fortsetzung dieser Inschrift wird später mitgeteilt werden. Erst nach Jahren wurde Tiglatpilesar durch Ukinzir von Bitamukkani als Oberherr anerkannt.

Auf Nabunasir war sein Sohn Nabunadinziri, bei Ptolemäus Nabios gen. gefolgt; aber er starb schon nach zweijähriger Regierung in

1) Andre übersetzen „kreuzigen"; aber auf assyrischen Bildwerken sieht man kein Kreuzigen, wohl aber das Pfählen häufig dargestellt.

einem Aufstand, an dem Assyrien vermutlich nicht unbeteiligt war, getötet von dem Statthalter Nabusumukin. Nachdem dieser 2 Monate und 12 Tage König gespielt hatte, stürzte ihn Ukinzir II., bei den Griechen Chinziros genannt. Er huldigte dem Großkönig in der Stadt Sapia, mit ihm Mardukbaliddina von Bitjakin. Die babylonische Chronik berichtet darüber:

„Als Tiglatpilesar in das Land Akkad hinabgezogen war, wurde Bitammukan der Garaus gemacht und Ukinzir gefangen genommen. 3 Jahre übte Ukinzir die Herrschaft über Babel aus. Tiglatpilesar bestieg in Babel den Thron [1])."

Das herrliche Land am untern Euphrat und Tigris war durch die andauernden Kriege weit und breit verwüstet, die Städte verbrannt, die Palmenhaine abgehauen, die Kanäle vernachlässigt; aber die assyrischen Hofschreiber fragen nichts danach und singen des Königs Loblied in der alten Weise:

„Palast Tiglatpilesars, des großen Königs, des Königs der Völker, des Königs von Assyrien, des Königs von Sumer und Akkad, des Königs der vier Weltgegenden, des starken Helden, der unter dem Beistand Asurs, seines Herrn, die Wohnstätten derer, die ihm nicht zu willen waren, gleich Töpfen zerschmiß, sintflutgleich überwältigte und den Winden preisgab; des Königs, der im Namen Asurs, Samas und Marduks, der großen Götter, umherzog und vom Meer Bitjakins [2]) bis zum Berg Bikni [3]) im Osten und vom Weltmeer [4]) bis nach Musri [5]), von Nord bis Süd die Länder unterwarf und beherrschte."

„Den Ukinzir, den Sohn des Amukkan, schloß ich in der Stadt Sapia, seiner Königsstadt, ein; viele seiner Mannschaften tötete ich vor seinen Toren. Die Palmenhaine vor seiner Burg hieb ich ab und ließ auch nicht e i n e Palme übrig, alle seine Städte zerstörte ich, verbrannte sie mit Feuer. Das Land Bitsilan, das Land Bitammukan und das Land Bitsahalli verwüstete ich gleich einem Sturmfluthügel. Den Tribut des Belesys, Sohnes des Dakkuri, des Nadin von Tantamak, Silber, Gold, Edelsteine empfing ich. Merodachbaladan, Sohn des Jakin, der König des Meeres (Meerlandes), der zur Zeit meiner königlichen Vorfahren vor keinem derselben erschienen war noch ihre Füße geküßt hatte, der Schrecken der Majestät Asurs, meines Herrn, warf ihn darnieder; er erschien in der Stadt Sapia vor mir und küßte meine Füße. Gold, der Staub seines Landes, in großen Mengen, ein goldnes Trinkgefäß, in Gold gefaßte Steine, Edelsteine, das Erzeugnis des Meeres [6]), Gewänder von Berom, viele Spezereien von allerlei Art, Ochsen und Schafe empfing ich als seinen Tribut."

Bei dem ersten Einfall Tiglatpilesars in Syrien regierte noch Menahem als Israels König zu Samaria. Er erkaufte von Phul Schonung für Thron und Leben für 1000 Zentner Silber [7]); denn dieser war mit Babylonien beschäftigt und mit den Aramäern „vom Ufer des

1) E. Schrader, A. d. W. 1887, S. 592.
2) Persischer Meerbusen.
3) Viell. Damawand, der höchste Berg im pers. Elburus-Gebirg.
4) Mittelmeer.
5) Nicht Aegypten, sondern ein Teil von Arabien.
6) Die Vermutung E. Schraders, damit seien Perlen gemeint, liegt sehr nahe, da noch heute der persische Meerbusen, an den das Meerland stößt, reich an Lagern von Perlenmuscheln ist.
7) 2. Kön. 15, 19.

Tigris und des Surapi bis zum Uknifluß, der am Gestade des untern Meeres ist", die er fortführte und andre Völker in ihr Land verpflanzte.

Im Jahre 740 oder 739 v. Chr. unterwarf Tiglatpilesar den nördlichen Teil von Syrien und Phönikien, die sich „in Treulosigkeit zu Azriau gehalten" hatten, wie die Annalen berichten. Sie hatten sich nämlich mit Asarja oder Usija, dem König der Juden, verbunden, der nicht zu den unterworfenen und tributpflichtigen Vasallen des Westlandes gehörte. Sonst hätten ihn die Annalen gewiß als solchen gekennzeichnet, der seine Treue gebrochen habe.

Auch hier irren sich die assyrischen Hofschreiber; denn Asarja lebte gar nicht mehr zu dieser Zeit, da er bereits 758 v. Chr. zu seinen Vätern versammelt war [1]). Auch berichtet die Schrift nichts davon, daß Asarja oder sein Sohn Jotham mit den Assyrern gekriegt hätten. Wohl aber berichtet sie von Ahas, daß er bei Tiglatpilesar Hilfe gegen Damaskus suchte. Jedenfalls kann der Urikki von Kui, der unter den tributpflichtigen Vasallen Assyriens genannt wird, nicht Usija von Juda sein. Das Land Kui, später Kilikien genannt, war schon von Salmanassar II. unterworfen worden. Die Inschrift fährt fort:

19 Bezirke der Stadt Hamath samt den umliegenden Städten, die am Meer des Sonnenuntergangs belegen sind, die in ihrer Treulosigkeit zum Azriau abgefallen waren, schlug ich zum Gebiet von Assyrien; meine Statthalter setzte ich über sie [2])."

Eine andre Inschrift berichtet:

„19 Bezirke von Hamath, 19 feste Städte, darunter Ninive und Siannu, fügte der König dem Gebiet von Assyrien zu, nachdem er 30 000 ihrer Einwohner weggeführt hatte."

Hamath h. Hama wurde im J. 743 tributpflichtig. Sein Hauptgötze hieß Amisa [3]).

Auch von der Königin Zabibe von Saba empfing Phul Tribut, setzte in Aribi seinen kapu, eine Art ständigen Gesandten ein, unternahm dann einen Feldzug in das Land Dimeska, d. i. Damaskus, und gegen Resuunnu vom Land der Imerisuiten, d. i. Rezin von Syrien, und gegen Menihimme vom Land der Samarianer, d. i. Menachem von Israel. Ansehnlich war der Ertrag dieses Beutezuges:

„Gold, Silber, Blei, Eisen, Elephantenfelle, Elfenbein, buntes Tuch, Terebinthenholz, viele Kostbarkeiten, den Schatz eines Königreiches, fette Lämmer, deren Wolle karmoisinrot war; Pferde, Maultiere und Kamele empfing ich."

Ein König von Assyrien konnte alles gebrauchen für sich und seine beutehungrigen Krieger.

734 v. Chr. unternahm Tiglatpilesar einen zweiten Feldzug gegen Israel, dessen König Pekahja durch Pekah ermordet worden war Der

1) 2. Kön. 15, 7.
2) So E. Schrader.
3) 2. Kön. 17, 30.

Königsmörder aber wurde von Hosea erschlagen. Die Inschriften berichten über diese Vorfälle in Samaria nicht in gleicher Weise. Die eine sagt:

„Sie stürzten Pekaha, ihren König, und setzten Ausia ... über sich."

Aber anderes las E. Schrader aus einer arg beschädigten Tafel:

„Das Land Bitomri, das ferne ... die Gesamtheit[1]) seiner Bewohner samt ihrer Habe führte ich nach Assyrien ab; Pekah, ihren König, tötete ... den Hosea bestellte ich ... über sie. 10 Talente Gold, 1000 Talente Silber samt ihren ... nahm ich von ihnen in Empfang."

Ist hier, wie der Zusammenhang an die Hand gibt, zu „tötete" „ich" zu ergänzen, so wäre die Ermordung des Pekah auf Veranlassung Tiglatpilesars geschehen, es sei denn daß Pekahja und Pekah hier verwechselt sind. Den Hosea erkannte der Großkönig als Herrn von Israel an oder bestellte ihn selbst zum Unterkönig, nachdem er Ijon, Abelbethmaacha, Janoah, Kades, Hazor, Gilead, Galiläa und das Land Naphthali[2]) entvölkert hatte, indem er die Mehrzahl seiner Einwohner wie auch die von Syrien in die inneren Provinzen seines Reiches wie Bäume verpflanzte. Phul ist zwar, wie wir oben sahen, nicht der Erfinder dieser ebenso grausamen und, was den Erfolg betrifft, sehr zweifelhaften, ja zweischneidigen Maßregel, nach der bei einer Reihe von Völkern zu der allseitigen Plünderung der Wohnstätten und Verheerung des Landes die gezwungene Auswanderung hinzutrat; aber er hat sie häufig gebraucht. Es ist gar nicht zu verstehen, wie durch diese Maßregel, wie Tiele[3]) meint, und auch H. Winckler, die Einheit des Reiches gefördert oder wirtschaftliche Schädigung vermieden werden könnte; denn mit dieser Maßregel, die ebenso unklug wie frevelhaft war, wurden ja nicht nur die unruhigen fremden Völker gestraft, die das assyrische Joch unwillig trugen, sondern, was sehr bedenklich war, auch die eignen Untertanen, die oft, ohne irgend Ursache dazu gegeben zu haben, in die eroberten, entvölkerten, verwüsteten Gebiete gewaltsam versetzt wurden. Auf diese Weise wurde in mehreren Landstrichen eine Mischung der Bevölkerung erzielt, da von keinem der betroffenen Gebiete anzunehmen ist, daß es bis auf den letzten Mann entvölkert worden sei. Nur in einer Hinsicht bewährte sich die recht barbarische Maßregel, sofern es sich darum handelte, in einem bestimmten Land weitere Empörungen zu verhindern. Sie mag auch dazu geholfen haben, nützliche Handwerke und Künste zu verbreiten, wie man seit der Verpflanzung der Syrer und Israeliten in das Innere von Assyrien syrische und phönikische, d. i. hebräische Schrift auf assyrischen Verträgen und Gewichten findet; aber viel schwerer wiegen die Nachteile und Schäden, die diese Maßregel für

---

1) Man muß diese Inschriften nicht wörtlich nehmen.
2) 2. Kön. 15, 29.
3) Gesch. v. B. u. A., S. 249. B. u. B., S. 295.

Assyrien selbst hervorgebracht hat. Denn mit der gewaltsamen Fortführung eines Volkes aus seiner Heimat schwindet die Heimatliebe, indem die alte wohl ausgerissen, aber keine neue erzwungen werden kann. Es stirbt das Nationalbewußtsein, die Einheit des Volkes, die Anhänglichkeit an das Fürstenhaus, die Treue gegen die Religion; und ich wage die Behauptung: Wie durch diese Völkermischung die 10 Stämme von Israel spurlos verschwunden sind, so ist in derselben Maßregel ein Hauptgrund für den späteren schnellen Verfall des assyrischen Reiches zu suchen.

Während wir oben sahen, daß es mit der Unterwerfung von Babylonien nur langsam vorwärts ging, läßt Tiglatpilesar inschriftlich verkündigen (Fortsetzung einer früheren Inschrift):

„Kardunias brachte ich in Botmäßigkeit, dem Nasani vom Lande Kaldu legte ich die Leistung von Tribut auf. Dem Asur, der Serua, dem Bal, der Zirbanit, dem Nebo, der Tasmit, der Nana, der Herrin von Babylonien, dem Nergal und der Laz brachte ich glänzende Lammopfer in Harsagkalama dar. Das Land Bithamban [1]), das Land Sumurru, das Land Bitbarena, das Land Bitznalkas, das Land Bitmatti, die Stadt Niku vom Land Umlias, das Land Bitzaranzai, das Land Parsua, das Land Bitkapsi bis hin zur Stadt Zakruti von den dunkeln Medern [2]) brachte ich unter Botmäßigkeit. Meine Statthalter setzte ich als Bezirksverwalter über sie, den Tribut des Stadtpräfekten von Medien bis zum Biknigebirg nahm ich in Empfang."

Weiter läßt der Großkönig rühmen, wie er die Götter des unterjochten Philistäas gleich Vögeln in Menge erbeutet habe; und welche Großtaten er gegen Sarduari, den Sohn des Lutipris, König von Urartu, der sich auch sar kissati nannte, ausgerichtet habe, den er in seiner Stadt Turuspa einschloß. Mit vielen andern Städten wurde auch diese Stadt zu Assyrien geschlagen und von einem Tartan [3]) verwaltet.

Um die festen Städte des Landes zu beherrschen, wurde im Lande Ulluba die assyrische Festung Asurikisa gebaut und unter den Statthalter Rabbilul gestellt, ein andrer Teil wurde unter einen Tartan gestellt und der assyrischen Provinz Nairi einverleibt. Eine Tontafel aus Birs Nimrud berichtet ähnlich wie früher schon mitgeteilt ist:

„Die Pukudu [4]) warf ich wie mit einem Netz nieder, ihre Krieger tötete ich, ihre reiche Beute führte ich fort. Diese Pukudu, die Stadt Lahiru, die an der seite der birina der Stadt Hilimmu, die Stadt Pillutu, die an der Grenze des Landes Elam liegt, schlug ich zum Gebiet von Assyrien; unter die Botmäßigkeit meines Beamten des Statthalters von Arrapha, stellte ich sie. Das Land (Volk) Labdudu, so viel seiner war, führte ich fort; inmitten von Assyrien siedelte ich sie an. Das Land Kaldu warf ich einem Netze gleich nieder, die Krieger des Nabuusabsi, Sohn des Silani, tötete ich in der Umgebung von Sarrabani [5]), seiner Stadt. Ihn selbst ließ ich vor dem Haupttor seiner Städte pfählen und zeigte ihn seinem Lande. Die Stadt Sarrabani eroberte ich mittels eines Walles und mit Belagerungswerkzeug.

1) Westmedien.
2) Die hellen Medier waren arischen, die dunkeln hamitischen Stammes.
3) K. B. II, 2, 7.
4) Aramäer, die in Südbabylonien eingedrungen waren.
5) Hauptstadt von Bitsilani.

55 000 Einwohner samt ihrem Besitz, seine Gefangenen, sein Hab und Gut, sein Weib, seine Tochter und seine Götter führte ich fort. Jene Stadt samt den Städten in ihrer Umgebung zerstörte, verwüstete und verbrannte ich mit Feuer, verwandelte ich in Hügel (von Schutt) und in Ackerland. Die Stadt Tarbasu, Irballu nahm ich ein. 30 000 Menschen samt ihrem Besitz, Hab und Gut und ihren Göttern schleppte ich fort. Die Städte alle richtete ich zu grunde, machte sie Sturmfluthügeln gleich."

Ebenso erging es Zakiru, dem Sohn des Saalli, der den „Eid der großen Götter" brach, dafür in Ketten gelegt und samt seinen Großen nach Assyrien gebracht wurde, dazu noch 50 000 Einwohner und ihre Götterbilder. Das Land aber wurde zu Assyrien geschlagen.

Indessen hatte die Nachricht von einem Bündnis zwischen Israel und Syrien, die beide unter assyrischer Botmäßigkeit standen und, nach dieser Seite hin sicher, nun gemeinsam über Juda herfallen wollten, den König Ahas von Juda, in K. S. Jachuhazi von Jahudaa genannt, veranlaßt, durch Geschenke Assyriens Freundschaft zu suchen [1]). Tiglatpilesar, für solche Freundschaftsbeweise nicht unempfänglich, zog hierauf, da seine Mahnungen zum Frieden nicht beachtet wurden, gegen den unbotmäßigen König von Syrien, der bald in die Flucht geschlagen war. Die Inschrift berichtet:

„Wie eine Maus ging er in das große Tor seiner Stadt [2]) ein. Seine Obersten (fing ich) lebendig mit meinen Händen, ließ sie emporheben und sein Land (auf) Pfählen ansehen. 45 Lager [3]) von Kriegern sammelte ich (vor) seiner Stadt und schloß ihn ein wie einen Vogel im Käfig. Seine Anpflanzungen, Felder, Obstgärten und Wälder, die ohne Zahl waren, hieb ich nieder und ließ nicht einen übrig. Hadara [4]), das Haus des Rasunnu von dem Haus der Saimerisuiten, (wo) er geboren war, belagerte ich. 800 Leute mit ihrem Besitz nahm ich gefangen, ihre Ochsen, ihre Schafe führte ich hinweg. 700 Gefangene der Stadt Kurussa, der Stadt der Irmaiten, 550 Gefangene der Stadt Metuna führte ich hinweg. 591 Städte von 16 Gauen des Landes Saimerisu zerstörte ich wie Fluthügel."

Nach solchen Blut- und Schandtaten, deren sich dieser Herrscher gar noch mit Wohlgefallen rühmt, wurde Damaskus, die Hauptstadt von Syrien assyr. Saimerisu, 733 oder 732 v. Chr. erobert und dem Erdboden gleich gemacht; die Einwohner, so viele oder wenige noch übrig waren, wurden nach Kir, einer Stadt Assyriens, verpflanzt.

Auch den Tod Rezins von Syrien fand Rawlinson auf einer Tafel berichtet, aber diese Tafel blieb aus Versehn in Asien zurück und ist bis heute nicht wieder gefunden worden.

Auf der großen Triumphinschrift von Birs Nimrud werden unter andern als überwundene Feinde genannt: Sanibu von Bitamman, d. i. Sanib von Ammon, Salamanu von Maab, d. i. Salman von Moab, der mit Israel kämpfte [5]), Mitimki von Askalon, Jauhazi, d. i. Joas

---

1) 2. Kön. 16, 5—10.
2) Damaskus.
3) Eine Abteilung von Soldaten.
4) Sonst in K. S. Hadarakka, in Sach. 9, 1 Hadrach. Vergl. d. Verf. Pal. u. Syr., S. 70.
5) Hos. 10, 14.

von Juda, Kosmalak von Edom, Hannanu, d. i. Hanno von Gaza. Unermeßliche Beute wurde von diesen allen eingezogen. Allein Mitinna von Tyrus zahlte 150 Talente Gold und erkaufte sich hiermit vom Rabsak des Großkönigs Frieden.

In die Zeit dieses Königs wird die aramäische Inschrift gehören, die Hoffmann [1]) mitgeteilt hat:

„Ich bin Barrakab, Sohn des Panammu, König von Samal, Knecht des Tiglatpilesar, des Herrn der Erdviertel. Wegen der Gerechtigkeit meines Vaters und meiner Gerechtigkeit hat mich mein Herr Rakibel und mein Herr Tiglatpilesar auf den Thron meines Vaters gesetzt. Und das Haus meines Vaters arbeitete mit allem Eifer an dem Schöpfrade mehr als irgend jemand, und ich lief mit den Kriegswagen meines Herrn, des Königs von Assyrien, in dem Rang großer Silberbesitzer und Goldbesitzer und hielt das Haus meines Vaters aufrecht und machte es glücklicher als irgend ein Haus großer Könige; und es wünschten sich meine Brüder, die Könige, jedwedes Glück meines Vaterhauses. Kein schönes Haus besaßen meine Väter, die Könige von Samal, das ihnen ein Haus des steten Wohnens gewesen wäre, nämlich ein Haus für sie für den Winter und zugleich ein Haus für den Sommer; und so baute ich dieses Haus."

Die großartigen Bauten, die Tiglatpilesar ausführen ließ, Paläste, die mit vielem künstlerischen Schmuck ausgestattet waren, wurden später durch Asarhaddon arg verwüstet, vielleicht weil jener ein Emporkömmling war.

Tiglatpilesar starb in demselben Jahr, wie Ahas von Juda 727 v. Chr. Ob er durch Gift oder Dolch oder Altersschwäche sein Ende gefunden, wissen wir wie gewöhnlich nicht; aber das erste ist zu vermuten, weil ihm dann vergolten wurde, was er seinem Vorgänger angetan hatte, um sich an seine Stelle zu setzen. Es folgte ihm auf dem assyrischen Thron ein vorher ganz unbekannter Mann als

Salmanassar IV.

727—722 v. Chr., dessen Namen in der Eponymenliste für zwei Jahre, 727 und 723, aufgezeichnet steht. Auch fand man ein Gewicht in der Gestalt eines Löwen mit der Aufschrift: „Palast von Salmana-assaridu, König von Assyrien, zwei menu [2]) des Königs." Als König von Babel hieß er Ululai, im Kanon des Ptolemäus Eluläus. Sehr unsicher ist die Bemerkung der babylonischen Chronik: „Als im Monat Tebet am 15. Tag Salmanassar in Assyrien den Thron bestiegen hatte, wurde Samarain zerstört." Dieser Ort kann nicht gleich Samaria, der Hauptstadt von Israel, sein; denn diese heißt assyrisch Samirima und wurde erst unter Sargon erobert und zerstört. Außerdem hatte der babylonische Chronist schwerlich ein Interesse für das ferne Israel. Halévy will Sabarain lesen und hält dies für das hebr. Sibrajim [3]).

---

1) Z. f. A. 1896, S. 318.
2) Mine.
3) Vergl. Pal. u. Syr.

725 v. Chr. zog Salmanassar gegen Hosea von Israel zu Feld. Er unterwarf sich bald. Als aber ein Angriff des assyrischen Heeres auf Tyrus zurückgeschlagen war, fiel der Großkönig selbst am 12. Tebet 722 in einem Aufstand seiner Heerführer. Deren Haupt war Sarrukin, aber wir wissen wieder nicht, ob er oder ein andrer zum Mörder seines Königs wurde. Auch ist hier wieder die Beobachtung zu machen, daß bei jeder politischen Umwälzung die assyrische Zeitrechnung an besonderer Unsicherheit leidet. Das ist verständlich; denn geht aus der Umwälzung eine neue Dynastie hervor, so bedarf sie der Zeit, um sich erst festzusetzen und die Zügel der Herrschaft in die Hand zu bekommen. Auch hat sie weder Ehre noch Vorteil von der Festlegung ihrer Taten durch Inschriften und andre Denkmäler. Wenn Sargon aber prahlt, ihm seien 350 Fürsten auf Assyriens Thron vorhergegangen, so will er mit dieser Zahl der Tage eines Mondjahres vielleicht anzeigen, daß mit seiner Regierung eine neue Weltepoche beginne. Aber A. Jeremias [1]) hätte mit dieser Ansicht doch nur in dem Fall gewiß recht, wenn seit Sargon die Assyrer nach Sonnenjahren gerechnet hätten.

Sargon II.

722—705 v. Chr. König von Assyrien, assyr. Sargani oder Scharrugina genannt. Er wurde zehn Tage nach seines Vorgängers Tod unter dem Eponymat des Ninibmalik zum König berufen. Vielleicht war er ein Sohn Assurniraris II., etwa 750 geboren [2]). Bei Ptolemäus heißt er Arkeanos. Sicher redt Sargon wie von seinem Vater, auch nicht in der folgenden Inschrift:

„Palast Sargons, des Stellvertreters Bels, des Oberpriesters von Asur, des mächtigen Königs, des Königs der Völker, des Königs von Assyrien."

Aber von sich selbst redet er wie andre Könige vor ihm und nennt sich auch nisit ini anu u dakan, d. i. Männlein der Augen Anus und Dagons. Er begünstigte die alte Stadt Assur, verlieh ihr wieder ihre alte Verfassung und will von einer ihrer alten Herrscherfamilien abstammen. Da er von den Priestern berufen war, schlug er den Weg der Reaktion ein im Gegensatz zu der von Tiglatpilesar befolgten Regierungsweise. Er begünstigte seine Freunde und Helfer, die Priester, die ihre Felder durch Sklaven bestellen, ihre Fabriken und ihren Handel durch Sklaven betreiben ließen, während der freien Bürger, die zum Heeresdienst geeignet und verpflichtet waren, immer weniger wurden. So kam es, daß die assyrischen Heere von dieser Zeit an mehr und mehr aus Söldnern bestanden; doch brachte Sargon in wenigen Jahren sein Reich auf die höchste Stufe seiner Machtentwicklung, wie er am Anfang seiner Prunkpalastinschrift verkündigen läßt:

---

1) Bab. im A. T., S. 27.
2) Vergl. Tiele a. a. O., S. 256.

„Asur, Nebo und Marduk, die Götter, meine Helfer, haben mich mit einer Königsherrschaft ohne gleichen betraut und den segensvollen Ruf meines Namens bis an der Welt Ende ausgehen lassen. Durch die Macht und Stärke der großen Götter, meiner Herrn, welche meine Truppen ausziehn hießen und meinen Feinden den Todesstoß gaben, beherrschte ich von Yatnana[1]) das mitten im Meer liegt, bis an die Grenze Aegyptens und des Landes Musku das weit ausgedehnte Phönikien, Syrien in seiner Gesamtheit, das ganze Land Kutu[2]), das ferne Medien bis an die Grenze Elams" u. s. w.

Die Nimrud-Inschrift beginnt also:

„Palast Sargons, des Statthalters Bels, des Oberpriesters Asurs, des auserwählten Anus und Bels, des mächtigen Königs, des Königs der Völker, Königs von Assyrien, Königs der vier Weltgegenden, des Geliebten der großen Götter, des rechtmäßigen Fürsten, den Asur und Marduk berufen haben" u. s. w.

Sonst läßt er sich auch riu kinu den „treuen Hirten" nennen.

Auch die sog. Cylinderinschrift gibt ein Beispiel der Schmeichelkunst der assyrischen Hofschreiber:

Der König, für den es seit den Tagen seiner Herrschaft einen ihm gewachsenen Fürsten nicht gab, der in Kampf und Schlacht keinen Ueberwinder fand, der die Länder alle wie Töpfe zerbrach und den vier Weltgegenden Zügel anlegte" u. s.w.

In den Annalen sind des Königs Taten Jahr für Jahr aufgezeichnet:

722 Thronbesteigung Sargons, Einnahme Samarias.
721 Krieg mit Humbanigas von Elam und Merodachbaladan von Babylonien sowie Unterwerfung der Tumuna - Leute. Babylonier müssen in das Land Khatti übersiedeln.
720 Jlubidi (Jaubidi) von Hamath wird gefangen, Hamath zerstört. Krieg mit Hanno von Gaza und Sibu (So) von Aegypten[3]).
719 Suandahul und Durdukka[4]) werden zerstört, Mitatti von Zikirtu besiegt, die Einwohner von Sukia, Bala und Abitikna werden nach Syrien verpflanzt.
718 Simahtu von Tabal wird zum Gehorsam gebracht.
717 Pisiris von Gargamis wird abgesetzt und nach Assyrien gebracht; Gargamis wird assyrische Provinz, Papa und Latukua gedemütigt; Humbanigas stirbt, Suturnachunte wird König von Elam.
716 Bagdatti wird geschunden, Ulusumu begnadigt, Jtti von Allabra nach Hamath gebracht, Asurli von Karalla[5]) geschunden, Westmedien und Harhar werden assyrische Provinzen.
715 Ulusumu wird gegen Rusa von Urartu unterstützt, arabische Stämmewerden in Samaria angesiedelt. Aegypten (?), Aribi[6]) und Saba zahlen Tribut.
714 Niederlage Mitattis und Rusas, der sich selbst tötet, weil ihm seine Götzen Haldis und Bagbartum geraubt sind.

Zusatz. Man kennt aus den Inschriften der Weiheschilde von Toprakaleh zwei Rusas oder Ursas. Der eine war ein Sohn des Erimanas, der andre ein Sohn des Argisti.

---

1) Kypern, auch Alasia gen.
2) Kurdistan.
3) Fr. Hommel und H. Winckler verstehen unter Sibu und Piru Könige von Musur oder Midian, d. i. des nordwestlichen Arabiens.
4) Städte am Urmiasee im Wangebiet.
5) Ein Teil von Medien.
6) Ein Teil von Arabien.

713 Das aufständische Karalla wird besiegt, Ambaris von Bitburutas [1]) wird nach Assyrien gebracht.
712 Tarhunazi von Milidia wird aus seiner Heimat verwiesen, das Land zu Assyrien gelegt.
711 Gamgum wird unterworfen, Mutalla weggebracht, Asdod und andre philistäische Städte erobert.
710 Krieg mit Merodachbaladan. Durathar wird erobert, Gambul unterworfen, Bitdakuri erobert, Merodachbaladan flieht nach Jatburi und Ikbibel. Babylon und Sippara werden erobert.
709 Merodachbaladan bei Ikbibel besiegt, flieht. Bitjakin wird assyrisch. Upiri von Dilmun sendet Geschenke, Mita von Muski wird unterworfen, 7 Könige von Kypern zahlen Tribut.
708 Mutalla von Kummuch wird vertrieben, in Illipi wird Ispabara auf den Thron erhoben, während Elam dessen Bruder begünstigt [2]).

Nach den Annalen war Samaria im ersten Jahr der Regierung Sargons erobert worden, nachdem das Heer der Assyrer drei Jahre lang die Stadt belagert hatte. Ein großer Teil seiner Einwohner wurde in Halah und am Chabor, am Wasser Gosan und in den Städten der Meder angesiedelt, und an ihre Stelle traten Leute aus Babel, von Kutha und Sipara, von Awwa und Hamath [3]). Die Zylinderinschrift erwähnt daneben noch Tamudi, Ibabidi oder Ibaadidi, Marsimani und Hajapa, vier arabische Stämme [4]), von denen ein Teil auch nach Bithumri wandern mußte. Aber die Zahl dieser Gefangenen war eine kleine.

Die Inschrift lautet:

„Ferne Stämme aus Arabien, die die Wüste bewohnten, von der die Weisen und Schriftgelehrten keine Kenntnis hatten, und die keinem König Tribut gezahlt hatten, vertilgte ich unter dem Schirm Asurs, meines Herrn; und die, welche übrig blieben führte ich hinweg und setzte sie in die Städte Samarias."

Daher wird auch in der hl. Schrift [5]) ein Araber namens Gesem erwähnt.

Wenn Fr. Delitzsch in seinem dritten Vortrag die Entdeckung kundgibt, die Samaritaner seien eigentlich Babylonier, und die babylonische Ethik habe die allgemeine Nächstenliebe bis nach Galiläa verbreitet, so konnte er mit demselben Recht behaupten, die Samaritaner seien Araber oder Hethiter. Was aber die „babylonische Ethik und Nächstenliebe" betrifft, so vergleiche der geneigte Leser die Einleitung und die Gesetze Hammurabis.

Aus Samaria allein wurden mehr als 20 000 Menschen hinweggeschleppt. Die Inschrift berichtet darüber:

„Im Anfang meiner Regierung mit Hilfe des Gottes Samas, der mir den Sieg über meine Feinde gibt, belagerte und gewann ich die Stadt Samaria. 27 290

1) Eine Landschaft in Tabal.
2) K. B. II, b, 37.
3) 2. Kön. 17, 24.
4) Vergl. Sachau, Z. f. A. 1897, S. 42.
5) Neh. 2, 19. 6, 1.

Leute, die darin wohnten, führte ich hinweg. 50 Wagen nahm ich von ihnen und erlaubte ihnen, ihre übrigen Güter zu behalten. Meine Oberfeldherrn setzte ich über sie und legte ihnen den Tribut des vorigen Königs auf."

Das wird heißen sollen, daß sie dieselben Abgaben an den Großkönig zahlten, die sie vorher an ihren König gezahlt hatten. Zu vermuten ist, daß ein Teil der Bewohner Samarias auch nach Armenien geschickt wurde, wo das israelitische Geschlecht der Bagratunier in späterer Zeit zu königlicher Macht und Ansehn gelangte.

Die Zeit der Eroberung Samarias steht sowohl für die biblische wie für die profanhistorische Rechnung mit 722 v. Chr. fest. Sonst ist für die Jahre 747—538 der ptolemäische Kanon maßgebend. Wenn aber einmal die Rechnungen auf beiden Seiten nicht bei der ersten Probe übereinstimmen wollen, so ist es geraten, nicht ohne weiteres dem alten Testament die Schuld zuzumessen, sondern lieber daran zu denken, daß die verworfenen Angaben des A. T. mehr als einmal nachträglich sich als die richtigen erwiesen haben; und daß die Keilschriften, wenn man an die Weise und Stellung der Hofliteraten denkt, eine oft recht fragwürdige Zuverlässigkeit zeigen — müssen.

Nachdem Samaria gefallen war, kämpfte Sargon gegen die Hethiter in Hamath und Gargamis. Ihr König heißt auf den assyrischen Tafeln bald Jaubidi, bald Jlubidi, d. i. Diener Jahves oder Diener Gottes. Er hatte Karkar befestigt und sich mit dem wieder erstandenen Damaskus und andern Städten verbündet; aber Sargon besiegte die Verbündeten, nahm Jlubidi gefangen, ließ ihn schinden und seine Haut wie Wolle färben [1]).

Gegen Asdod, wo der von Sargon eingesetzte König Akhimit vielleicht auf Zureden Hiskijas, des Königs von Juda, durch den Empörer Jaman gestürzt war, schickte Sargon seinen Tartan. Inschriftlich:

„Azuri, König von Asdudu, plante in seinem Herzen, keinen Tribut zu senden, und sandte den Königen umher feindliche Worte [2]) über Assur; und wegen das, das er getan, änderte ich die Herrschaft über das Volk seines Landes. Akhimiti, seinen Bruder, ernannte ich zum König über dasselbe. Aber Männer von Hatti, die auf Verrat sannen, haßten seine Herrschaft und machten Jaman, einen Aufrührer, zum König über sich, der wie sie selbst keine Ehrfurcht vor der Herrschaft hatte. Im Zorn meines Herzens ging ich mit den Wagen, meinem Fußvolk und meiner Reiterei, die der Sicherheit wegen meine Seite nicht verließ, gegen die Stadt Asdudu, die Stadt Gimtu [3]) und die Stadt Asdudninu, belagerte und gewann sie [4]). Die Götter, die in ihrer Mitte wohnten, ihn selbst mit dem Volk seines Landes, Gold, Silber und dem Eigentum seines Palastes rechnete ich als Beute. Ihre Städte baute ich wieder auf und ließ darin die Völker der mit meiner Hand eroberten Länder wohnen. Ich setzte meine Befehlshaber als Statthalter über sie und rechnete sie zum Volk meines Landes, und sie trugen mein Joch."

---

1) K. B. II, b, 43.
2) In Briefen.
3) Gimso südöstl. von Lydda.
4) Jes. 20, 1.

Das geschah 721 v. Chr. Den Jaman, der nach Aethiopien geflohen war, lieferte der König dieses Landes aus, als die Assyrer nahten. Sargon war anfangs nicht bei seinem Heer vor Asdod, wie auch die assyrischen Inschriften bezeugen; denn er hatte mit Hanno von Gaza zu kämpfen, der mit Sibu [1]), dem Siltan von Aegypten (?), verbündet war. Sie wurden bei Rapihu [2]) geschlagen, 720 v. Chr. Inschriftlich:

„Mit der Hilfe Asurs nahm Sargon Hanunu eigenhändig gefangen und ließ ihn in Ketten nach Ninive bringen, während Sibu mit seinen Hirten nach Ägypten (?) floh. Große Beute und 9033 Gefangene führte Sargon aus den Städten Hanunus nach Assyrien."

Die Prunkinschrift gibt diesen Bericht:

„Hanno, der König von Gaza, zog mit Seveh, dem Sultan von Aegypten (?) bei der Stadt Raphia mir entgegen, mir Schlacht und Treffen zu liefern. Ich schlug sie in die Flucht. Seveh fürchtete sich vor dem Anprall meiner Waffen. Er floh, und keine Spur von ihm ward gesehn. Hanno, den König von Gaza, nahm ich mit meiner Hand gefangen. Ich empfing den Tribut des Pharao, Königs von Aegypten (?), der Samsieh, Königin von Arabien, des Itamar, des Sabäers, Gold, Kräuter des Ostens, Pferde, Kamele."

Die wichtigste Aufgabe Sargons war, das verlorene Babylonien wieder zu gewinnen. In der Zeit der Verwirrung, da Sargon König geworden, hatte Nabuappluiddin oder Mardukappluiddin, im A. T. Merodachbaladan, im ptolem. Kanon Mardokompados, ein Sohn Jakins, die Herrschaft von Bitjakin, dann von ganz Südbabylonien an sich gebracht und herrschte 13 Jahre, 722—710 v. Chr., ohne von Assyrien bedrängt zu werden, da Sargon von Ummanigas, dem König von Elam, besiegt und hernach anderweit beschäftigt war. Aber aus dem Schoß der eignen Herrschaft erhoben sich Schwierigkeiten, als chaldäische, aramäische und elamitische Söldner ihren Anteil an der Beute beanspruchten, namentlich aber Anweisung von Grundstücken zur Ansiedlung forderten. Hierdurch geriet der Herrscher von Babylonien in große Not, Sargon aber erhielt durch die Unzufriedenen einen erwünschten Anlaß zur Einmischung in die babylonischen Wirren und überzog um 712 v. Chr. „den König wider den Willen der Götter" mit Krieg, eroberte Babel und schickte einen Teil seiner Einwohner, wie oben erwähnt, nach Samaria, wie es in der Inschrift heißt:

„. . . . 7 Bewohner samt ihrer Habe . . . siedelte ich (im Lande) Khatti an."

Bald aber erhob sich Babel von neuem, um abermals gedemütigt zu werden. Merodachbaladan hatte an Hiskija von Juda [3]) Gesandte mit Briefen und Geschenken geschickte und war sehr guter Zuversicht, wie er auf einen Grenzstein, der jetzt in Berlin aufbewahrt wird, schreiben ließ:

---

1) Vergl. S. 188, Anm.
2) Raphia.
3) 2. Kön. 20, 12 rc.

„Marduk faßte Zuneigung zum Lande Akkad, von dem er sich im Grimm abgewendet hatte. Er hielt Umschau unter allen Leuten, musterte die Menschheit ... den Merodachbaladan, König von Babel, sah er freudig an und verkündigte durch einen Ausspruch, dieser sei der Hirte, der die Versprengten zusammenbringt."

Also bekennt sich Merodachbaladan zum alten Götterglauben und ist kein Neuerer, der die alten Götter vernachlässigt oder verlassen hätte [1]). Diese Stellung zur Religion entspricht der Tatsache, daß Merodachbaladan ein Emporkömmling war, der mit dem ersten Herrscher dieses Namens nicht mehr als den Namen gemein hat. Inschriftlich sagt er:

„Der Herrin Nana, der Herrin der Länder, seiner Herrin, hat Merodachbaladan von dem Geschlecht Irbamarduks, König von Sumer und Akkad, Eanna, ihren Lieblingstempel, erbaut."

Er regierte 721—710 v. Chr.

Obwohl dieser König viele Freunde und Verbündete gefunden hatte, konnten sie alle doch dem Ansturm des assyrischen Heeres nicht widerstehn. Zuerst wurden Babylonier und Gambuläer, das ein Mischvolk von Aramäern und Kaldileuten gewesen zu sein scheint [2]), bei Duratchara geschlagen, wobei sie mehr als 18 000 Gefangene verloren. Dann wandte sich Sargon gegen Elam und besiegte dessen Könige Humbanija und Shutruknachunte, Babels Verbündete. Doch fiel erst 709 v. Chr. die letzte babylonische Festung Durjakin, wohin sich Merodachbaladan zurückgezogen hatte, in Sargons Hände. Nur durch schleunige Flucht nach Elam entging der besiegte König der Gefangenschaft. Stadt und Paläste wurden verbrannt, eine unermeßliche Beute mit mehr als 80 000 Gefangenen wurde fortgeschleppt, Sargon aber als Shakanak von Babel öffentlich ausgerufen.

Die Inschriften berichten darüber:

„Merodachbaladan, Sohn des Jakin (?), König von Chaldäa, der Trügerische, in der Feindschaft beharrliche, achtete nicht den Namen des Herrn der Herrn; er vertraute auf das Meer und auf den Rückweg in die Sümpfe. Er umging die Gebote der großen Götter und weigerte sich, seinen Tribut zu zahlen. Er hatte alle Nomadenstämme der Wüste gegen mich aufgeregt, bereitete sich zur Schlacht und rückte vor. 12 Jahre hatte er wider den Willen der Götter Babylons, der Stadt des Bel, der die Götter richtet, die Bewohner von Sumer und Akkad aufgeregt und Gesandte dorthin (?) geschickt. Auf Geheiß Asurs, des Vaters der Götter, und Marduks, des großen Herrn, rüstete ich mein Gespann, bot meine Lager auf und befahl, wider die trotzigen feindlichen Chaldäer zu ziehen. Er aber, Merodachbaladan, hörte meinen Kriegszug, Schrecken befiel ihn, und von Babel floh er nach Ikbibel wie ein Sutinnuvogel, von da nach Durjakin, dessen Befestigungen verstärkt wurden. Aber trotz aller Befestigungen wurde Durjakin erobert, seine Wälle geschleift."

Nach der großen Prunkinschrift aber wurde Merodachbaladan mit seiner Familie gefangen genommen und weggeführt, während er nach den Annalen entkam. Hier liegt wieder ein eklatanter Beweis vor, daß

1) Gegen Tiele a. a. O. S. 246.
2) Vergl. H. Winckler, B. u. A., S. 263.

7*

die babylonisch-assyrischen Urkunden durchaus nicht unfehlbar sind, durchaus nicht verdienen, der heiligen Schrift gleich oder gar übergeordnet zu werden, wie das mehrere Forscher beliebt haben. Eine andre Inschrift sagt:

„Ich Sargon, der rechte König, wurde unter allen Königen von Marduk erwählt, und er erhöhte mein Haupt über das Land Sumer und Akkad. Aber die Chaldäer, das rebellische und verkehrte Volk, zu unterwerfen, vermehrte er meine Kraft."

In der Tat war Merodachbaladan entkommen; denn noch einmal wurde er nach der von Mardukzakirsum geleiteten Empörung König von Sumer und Akkad, 702 v. Chr. Aber nach 9 Monaten mußte er abermals vor Sanherib fliehen.

Auch Gargamis, die andre Hauptstadt der Hethiter, fiel in Sargons Hände. Auch Kypern und Kommagene, Jatamara oder Ithamar, der König von Saba, der Piru von Aegypten (?) und Samsia, Königin von Arabien, zahlten wie früher ihren Tribut an den gefürchteten Kriegsmann in Gold, Spezerei, Hunden, Pferden und Kamelen. Inschriftlich: „Ich eroberte 34 Gaue von Medien und fügte sie dem assyrischen Reiche zu. Das Land Agazi (Agusi) verwüstete ich." Bald wird dieses Land in Nordsyrien gesucht, bald gesteht man zu, daß man seine Lage nicht kennt. In Haran regierte ein assyrischer Vizekönig Nabupasir. Von ihm ist ein Bericht an Sargon vorhanden, in dem das Fest beschrieben wird, an dem Sin aus- und einzieht, an dem besondere Opfer gebracht werden, wo Sin dem König seinen Gruß schickt, er der Bestimmer der Geschicke, was in Babel dem Marduk zugeschrieben wird.

Sargons Herrschaft erstreckte sich auch über Tabal, im A. T. Thubal gen., und über die Muski, deren König Mita seine Unterwerfung durch Geschenke bekräftigte. In dieser Zeit hatte Assyrien seine größte Ausdehnung erreicht, seine Macht war auf die höchste Stufe gestiegen: aber der gewaltige Kriegsmann an der Spitze des Reiches, der groß auch in Werken des Friedens war, hätte wie Scipio auf den Trümmern Karthagos sehn können, daß der Wanderer, der die Höhe des Berges erklommen hat, nicht mehr höher kommen kann, sondern ans Herabsteigen denken muß. So geht es auch mit den Reichen dieser Welt.

„Nach Gottes Geheiß und auf Antrieb seines eignen Herzens" baute Sargon nö. von Ninive 711 v. Chr. die Stadt Durscharrugina. Vorher stand hier die Stadt Magganubba, heute die Trümmerstätte Khorsabad. In dieser seiner neuen Residenz bewohnte Sargon einen prächtigen Palast, dessen Friese mit Reliefs und Inschriften bedeckt waren. Sie wurden von Botta und Viktor Place ausgegraben und in den Louvre nach Paris gebracht. Die Mauern dieser Stadt waren meist quadratisch nach den vier Himmelsgegenden gerichtet. Die weitere Beschreibung wird der 11. Abschnitt bringen. Fünf Jahre wurde an der

Stadt gebaut, und im J. 706 v. Chr. wurden Tempel, Palast und Stadt feierlich eingeweiht, wie der König inschriftlich bezeugen läßt:

„In einem günstigen Monat, an einem Glück verheißenden Tag rief ich Asur, den Vater der Götter, den großen Herrn der Götter und Göttinnen, die in Assyrien wohnen, in den neugebauten Palästen an und brachte ihnen Gaben, kostbare Metalle und anderes, ein wertvolles Geschenk, großartig dar und machte ihr Herz frohlocken. Fette große Rinder, gemästetes Kleinvieh, Paspasuvögel und Fische, den Ueberfluß der Meerestiefen, bis dahin unbekannt, Wein und Honig, die Erzeugnisse glänzender Berge, das beste der Länder, die Beute meiner Hand, die zum Besitz meiner Hand Asur, der Vater der Göter, hinzugefügt hatte, nebst reinen Opfern und Spenden mannigfacher Art opferte ich vor ihnen. Um Wohlergehn, Gewährung ferner Tage und Befestigung meiner Herrschaft fiel ich feierlich nieder und flehte vor ihm. Mit den Fürsten der Länder, den Statthaltern meines Landes, den Weisen, Schriftgelehrten, Großen, den Obersten und Statthaltern Assyriens ließ ich mich in meinem Palast nieder und hielt ein Freudenfest. Gold, Silber, goldnes und silbernes Gerät, Edelgestein, Bronce, Eisen, das Erzeugnis des Gebirges, allerlei Spezerei, feines Oel, buntgewirkte und leinene Stoffe, purpurblaue und purpurrote Gewänder, Elephantenhäute und Zähne, kostbare Hölzer, große ägyptische Pferde, Farren, Esel, Kamele, Rinder .... ihren schweren Tribut, brachte ich den Göttern dar und machte ihr Herz frohlocken."

„Asur, der Vater der Götter, möge diesen Palästen in Heiterkeit seiner reinen Züge traulich gnädig sein, und bis in ferne Tage möge ihr Ausgang gerühmt und in seinem reinen Mund gefunden werden. Der Stiergott, welcher schirmt, der Gott, welcher bewahrt, möge bei Tag und bei Nacht volles Genüge in ihnen haben und nicht von ihrer Seite weichen. Auf sein Geheiß möge ihr fürstlicher Erbauer in's Greisenalter gelangen, Nachkommenschaft finden, bis in lang dauernde Tage hinein altern. Er, der sie geschaffen, möge von seiner reinen Lippe genannt werden; und wer sie immer bewohnt, dem wolle er durch leibliches Wohlbefinden, Friede des Herzens und Heiterkeit des Gemütes darin frohlocken machen. Er sättige sich mit Wonne."

Dieser König, der auch andern Gutes gönnte, wenn die letzten Worte nach seinem Sinn geschrieben sind, hat sich wie andre vor ihm vergeblich gewünscht ins Greisenalter zu gelangen, obwohl er seine Bitte nicht nur an Asur, sondern auch an Ninib richtete, daß er ihm langes Leben schenke und seine Herrschaft befestige, wie es inschriftlich heißt:

„Die Streitrosse lenke, segne sein Gespann, verleihe ihm Streitkräfte ohne gleichen, Macht und Heldentum. Seine Waffen lasse ausziehn, damit er seine Feinde bezwinge."

Eine Säule mit Sargons Bild, die 1845 zu Kition, heute Barnaka, gefunden wurde, verkündigt über das Erscheinen einer Gesandtschaft aus der Insel Kypern:

„Von den 7 Königen des Landes Ya, eines Bezirkes des Landes Yatnana, das 7 Tagereisen weit im Weltmeer liegt, deren Wohnsitz entfernt ist, und deren Landesname kein assyrischer oder babylonischer König vordem vernommen hatte, brachten sie Geschenke, Gold, Silber und allerlei Geräte aus kostbarem Holz ihres Landes und küßten meine Füße."

Das geschah bei dem großen Freudenfest in Dursarrukin.

Unter den Friedenswerken, die Sargon verrichtet, steht oben an der Bau eines Kanals zwischen Babel und Borsippa, der diesen Städten großen Nutzen brachte. Weiter erwähnt die Keilinschrift:

„Der tätige König, der Verkünder segensreicher Rede, richtete seinen Sinn auf Besiedelung geeigneter Trümmerstätten, die Aufschließung des Bodens und Anpflanzung von Rohr.“

Ob diese Uebersetzung richtig ist, was „Aufschließung“ des Bodens betrifft, muß recht zweifelhaft bleiben, da erst die ziemlich neue Wissenschaft der Agrikulturchemie uns Kenntnis davon und Anleitung dazu gegeben hat. Das Rohr oder Schilf wurde mit Recht als Nutzpflanze behandelt; denn es lieferte das beste Material zum Eindecken der Dächer und wurde in dem ganz holzarmen Land Babylonien neben dem Naphtha als Brennmaterial gebraucht. Die Inschrift fährt fort:

„Hohe Felsen, wo nie ein grünes Kraut gesproßt, Ertrag bringen zu lassen plante sein Geist. In wüster Oede, wo man unter den früheren Königen keinen Bewässerungsgraben gekannt hatte, Garben aufstellen und Erntejauchzen ertönen zu lassen trieb ihn sein Herz. Er beschloß den Wasserlauf zu ordnen, die Dämme zu öffnen und gleich dem Schwall der Meeresflut die Wasser der Fülle [1]) überallhin strömen zu lassen.“

„Das weite Land Assur war mit Nahrungs- und Lebensmitteln versehen, meiner Herrschaft entsprechend waren ihre Speicher mit den Erstlingsgaben gefüllt, die in der Bedrängnis der Hungersnot retten, bei dem Mißraten des Weines den Kranken nicht umkommen und des Getreides und des Weihrauchs, der Freude des Herzens, kein Ende werden lassen.“

Damit „das Oel, der Freund der Menschen, das Geschwüre heilt“, in seinem Land nicht teuer werde, damit Sesam- und Kornpreise geregelt würden, daß „die Mahlzeiten wohl geordnet seien gemäß der Schüsseln der Götter und des Königs“, ließ Sargon Tarife mit den festgesetzten Preisen der Lebensmittel an den Landesgrenzen aufstellen [2]).

Auch rühmt sich Sargon, daß er ein Wiederhersteller der Ordnung gewesen sei und daß er die seit fernen Tagen der Vergessenheit anheimgefallenen Satzungen der alten Residenz und Harans und die abgeschafften Freiheiten wieder erneuert habe [3]).

Dieser große Herrscher, der sich lange Tage gewünscht hatte, wurde schon nach 17jähriger Regierung von einem Unbekannten in Feindes Land ermordet; aber wir haben früher gesehen, daß auch bei dem Tod des Königs in seiner Heimat die Mörder unbekannt blieben. Eine Inschrift sagt: „Er wurde nicht in seinem Hause begraben“, starb also in der Fremde.

Sogleich nach dem Kundwerden seines Todes erhob sich Babylonien, wie auch Berosus berichtet, unter einem gewissen Hagises, der aber bald auf Befehl des Merodachbaladan hingerichtet wurde.

Auf Sargon II. folgte als König von Assyrien und Babylonien sein Sohn Sinachiirba oder Sinakhiirib, im A. T. Sanherib genannt. Seine Schwester hieß Achatabiacha, d. i. Schwester der Vatersschwester.

1) Das befruchtende Wasser der Kanäle.
2) K. B. II, b, 45.
3) Tiele a. a. O. S. 255.

Sanherib

705—681 v. Chr. König von Assyrien und Babylonien. Auf einem Stierkoloß findet sich diese Inschrift:

„Die Göttin, die Herrin der Götter, die Herrin der Leibesfrucht, hat mich im Schoße der Mutter, meiner Gebärerin, sorglich bereitet."

Von seinen Kriegstaten gibt der sog. Taylorcylinder, ein sechsseitiges Tonprisma, bis 690 v. Chr. Nachricht.

Alsbald nach seiner Thronbesteigung unternahm der Großkönig einen Feldzug gegen Merodachbaladan, der sich, wie sein Vorgänger auch getan, mit Elam verbündet hatte. Auch an Hiskija von Juda [1]) und andre syrische und phönikische Machthaber schickte er Gesandtschaften, um weitere Verbündete zu gewinnen. Eine Inschrift berichtet darüber:

„Am Anfang meiner Herrschaft geschah es, daß ich Merodachbaladan, dem König von Kardunias, samt den Truppen Elams angesichts der Stadt Kis eine Niederlage beibrachte. Inmitten des Kampfes ließ jener sein Gepäck im Stich und floh allein. Er rettete sich in das Land Guzumman, trat in Sümpfe und Schilfrohr und brachte so sein Leben in Sicherheit. Die Wagen, is sumbi, Rosse, Maultiere, Esel, Kamele und Dromedare, die er auf dem Schlachtfeld gelassen hatte, erbeuteten meine Hände. Seinen Palast in Babel betrat ich voller Freude und öffnete seine Schatzkammern. Gold, Silber.. kostbare Steine aller Art ... reiche Schätze, seine Palastfrauen, seine Großen, die mansaspani .... bestimmte ich zur Sklaverei. Meine Krieger sandte ich hinter ihm her in das Land Guzumman mitten in die Sümpfe und Moräste. 5 Tage vergingen, von ihm ward keine Spur gesehn. In der Kraft Asurs, meines Herrn, nahm ich 89 befestigte Städte und Burgen Chaldäas sowie 820 kleinere Städte in ihrem Gebiet und führte ihre Gefangenen fort. Darauf kehrte ich um und nahm den Weg nach dem Land Bitjakin. Jener Merodachbaladan, dem ich bei meinem ersten Kriegszug eine Niederlage beigebracht, dessen Truppenmacht ich zerschmettert hatte, schaute den Anprall meiner gewaltigen Waffen und den Stoß meiner mächtigen Schlachtordnung. Die Schutzgötter seines Landes brachte er in ihren Schreinen zusammen, lud sie auf Schiffe und machte sich gleich einem Vogel auf und davon nach der Stadt Nagitirakki, die mitten im Meere liegt. Seine Brüder ... die er am Ufer des Meeres zurückgelassen hatte, samt den übrigen Bewohnern seines Landes, führte ich aus dem Land Bitjakin mitten aus den Sümpfen und Schilfrohr fort und machte sie zu Gefangenen. Seine Städte zerstörte ich ... und verwandelte sie in Ackerland. Seinem Bundesgenossen, dem Elamiten, flößte ich Furcht ein."

Genauer berichtet eine andre Inschrift über die Teilnahme der Elamiter an der Schlacht bei Kis:

„Chambanndasa, der Oberbefehlshaber des Königs von Elam, war ein umsichtiger Feldherr, der seine Truppen und ihe Anführer leitete. Sie trugen goldne Dolche in ihrem Gürtel und goldne Ringe an ihren Händen; aber Sanherib vernichtete sie wie fette Stiere, die in Ketten gelegt sind, schnitt ihre Hälse wie die von Lämmern ab. Das Blut floß wie eine dichte Regenflut und breitete sich über das weite Blachfeld aus. Mit den Leichnamen füllte sich das Feld, aber der König schnitt den Gefallenen die Hoden ab und riß ihnen das männliche Glied aus, schnitt ihnen die Hände ab, die Ringe von Gold und Silber zu erlangen und nahm ihre

1) 2. Kön. 20, 12.

silbernen und goldnen Gürteldolche ab. Den Nabusumiskun, den Sohn Merodachbaladans, ergriff Sanherib mit eigner Hand, während die andern Könige flohen."

Diese Schlacht geschah nach des Siegers Bericht bei Kis in der Nähe von Babel. Die Handlungen des Siegers zeigen sehr deutlich, wie mit äußerlicher Kultur und literarischer Bildung doch unmenschliche Grausamkeit, wilder Blutdurst, finsterer Aberglaube und gemeine Habsucht unter e i n e m Dache wohnen können.

Nach andern Angaben wurden in diesem Feldzug 75 große und 420 kleinere Ortschaften Babyloniens erobert und größtenteils zerstört. Nebenbei wurden auch die nomadisierenden Aramäer gestraft und aus ihrem Land 208 000 Gefangene, Pferde, Ochsen, Kamele und Schafe schier ohne Zahl nach Assyrien gebracht.

Der Statthalterposten von Babylonien wurde dem in Assyrien erzogenen Bilibni oder Belibus anvertraut, 704—700 v. Chr. Inschriftlich:

„Belibus, den Sohn eines Weisheitskundigen in der Nähe der Stadt Suanna, den man wie einen kleinen Hund in meinem Palast erzogen hatte, bestellte ich über sie zur Beherrschung von Sumer und Akkad."

Derselbe Bilibni und seine Beamten wurden nach drei Jahren nach Assyrien gebracht und damit unschädlich gemacht [1]).

Ihm folgte Asurnadinsum, „der erleuchtete Sohn des Königs, die Frucht seiner Lenden auf dem Thron seiner Herrschaft. Das weite Land Sumer und Akkad machte ich ihm untertan", 699—693 v. Chr. Ptolemäus nennt ihn Aparanadios oder Asornadios. Auch dieser verschwand vom Schauplatz der Geschichte plötzlich, doch nicht durch seinen Vater; vielmehr hatte Challusu, der König von Elam, ihn gefangen genommen und setzte an seine Stelle den Babylonier Nergaluschizib, während Sanherib nach Ptolemäus noch einen Rakibel und Mesesimarduk zu Statthaltern von Babylonien bestellte. die bei Ptolemäus Regebelos und Mesesimordakos heißen; Nergaluschizib aber war nach 1½jähriger Regierung in die Gefangenschaft geführt worden.

Nach der Schlacht bei Kis war Merodachbaladan zunächst in die Sümpfe geflohen, dann mit seinem Verbündeten, dem König von Elam, in dessen Land gezogen; aber Sanherib ließ auf dem Tigris, der zu jener Zeit vom Euphrat getrennt seine Wasser dem persischen Meerbusen zuführte, eine Flotte bauen, die er mit phönikischen und griechischen Seeleuten bemannte. Sie sollte seine Truppen auf dem Seeweg nach Elam bringen. Ehe sie die Anker lichtete, warf der fromme Großkönig goldne Schiffchen und einen goldnen Fisch in den Ozean, um Ea, den Gott des Meeres, durch diese kostbaren Gaben günstig zu stimmen. Wirklich kamen seine Truppen nach Elam und gewannen den Sieg von Chalulen, 691 v. Chr.

---

1) Vergl. Babyl. Chronik v. H. Winckler, K. A. II, S. 154.

Die Verbündeten wurden besiegt. Der Großkönig läßt darüber berichten:

„Die Feinde waren zahlreich wie die Heuschrecken. Mit dem Staub ihrer Füße verfinsterten sie den Himmel gleich einer schweren Gewitterwolke.“

Wenn man dem assyrischen Bericht glauben darf, so war das Blutbad gräßlich:

„Die Rosse an meinem Streitwagen schwammen in dem massenhaften Blut der Feinde gleich dem Flußgott.“

So läßt der König schreiben, aber auch die Verbündeten schrieben sich den Sieg zu, obwohl der babylonische Heerführer Suzub gefangen war; doch entkam er wieder. Kudurnachunte von Elam aber starb bald in den Bergen, in die er sich geflüchtet hatte; auch Merodachbaladan starb um diese Zeit, und sein Sohn Nabusumiskun oder Samassumiskun, bei Ptolemäus Saosduchinos genannt, verbündete sich mit dem Chaldäer Suzub und mit Ummaninanu, dem Stiefbruder Kudurnachuntes von Elam, dem er mit den Schätzen des geplünderten Bel-Marduktempels die Augen blendete und das Herz zum Beistand willig machte. Die Prismainschrift erzählt:

„Es empörte sich Suzub, und die Einwohner von Babel, die bösen Teufel, verschlossen ihre Stadttore. Um Suzub, den Chaldäer, der keinen Stammbaum hatte, den blutgierigen Frevler, scharten sie sich und vertrauten ihm die Herrschaft von Sumer und Akkad an. Er öffnete das Schatzhaus von Bitsaggil[1]), und sie gaben das Gold und Silber Bels und der Zirbanit an Ummanminanu, den König von Elam, mit den Worten: „Sammle deine Truppen, biete deine Heeresmacht auf[2]).“

Ein neuer Sieg der Assyrer brachte Nabusumiskun in Gefangenschaft. Es war alles vergebens, der Weg nach Babel stand dem Großkönig offen, und am 1. Kislev 689 wurde mit der Zerstörung Babels, der vielgehaßten Nebenbuhlerin, begonnen; und scheint dieses Mal die Zerstörungsarbeit von Grund aus geschehen zu sein. Der Großkönig läßt darüber berichten:

„Stadt und Häuser zerstörte ich vom Grundstein bis zum Dach und verbrannte sie mit Feuer. Die Mauer, den Wall, die Tempel und Türme riß ich samt und sonders ein und warf sie in den Kanal Arachtu. Durch die Stadt hin grub ich Gräben und begrub ihre Stätte unter Wasser. Größer als die Sintflut machte ich ihre Zerstörung[3]).“

Auch die Gebeine der Könige von Babel wurden aus ihren Gräbern geraubt und in die Flammen geworfen, ein Beweis der assyrischen Barbarei, zugleich auch ein Beweis für die Sitte der Babylonier, die Leichname ihrer Könige in der Erde beizusetzen.

Eine unermeßliche Beute fiel in des Siegers Hände, obgleich die Tempelschätze Bel-Marduks schon einmal geplündert waren, wie wir

---

1) Sonst Esagila.
2) K. B. II, b, 105.
3) Nach Fr. Delitzsch.

oben vernahmen. Man führte aus der Stadt den Harem des Königs, die Kämmerer, alles Hofgesinde und viele Einwohner. Zu verwundern bleibt, daß bei der oben geschilderten gründlichen Zerstörung der Stadt sich noch Weihgeschenke und zahllose Tonschriften erhalten haben. Gewiß hatten die Magier ihre sichern Kammern, geheime Verstecke, wohin kein Feind, kein Wasser noch Feuer dringen konnte.

Ein folgender Feldzug des Großkönigs richtete sich gegen die Kilikier und Kassiter, andere Züge gegen Syrien und Phönikien, gegen Aegypten und Arabien. Aus Arabien wurden Götterbilder geraubt, die sich später Hasael, König von Arabien, von Asarhaddon zurückerbat und auch zurückerhielt, nachdem sie mit assyrischem Stempel versehn und also geeicht waren. In Kilikien soll Sanherib damals die Stadt Tarsus gegründet haben.

Als nun Nabusumiskun in der Gefangenschaft saß und ein zweiter Sohn Merodachbaladans vor den assyrischen Truppen „wie ein Fuchs" nach Elam floh, ging ein dritter Sohn Naidmarduk nach Ninive und erkannte den Sohn Sanheribs als Herrn an. Der setzte ihn zum Vizekönig des Meerlandes ein.

Ueber den dritten Feldzug, den Sanherib 701 v. Chr. in das Land Khatti, d. i. Syrien und Palästina, Phönikien und Philistäa unternahm, läßt der Großkönig auf einem sechsseitigen Toncylinder und auf den Stierbildern zu Kujundschik berichten:

„Den Luli, König der Stadt Sidunnu, überwältigte die Furcht vor der Majestät meiner Herrschaft, und er floh von Tyrus nach Yatnana, das mitten im Meer liegt, und ich unterwarf sein Land. Das große Sidunnu, das kleine Sidunnu, Bitzitti, Sareptu, Machaliba, Usu, Akzibi, Akku, starke Städte, Festungen, wo Speise und Trank war, seine Burgen ... der Schrecken der Waffen Asurs, meines Herrn, ergriff sie, und sie unterwarfen sich meinen Füßen. Tubalu setzte ich auf den Thron der Herrschaft über sie und die Steuern und den Tribut meiner Herrschaft legte ich ihnen auf, jährlich ohne Fehl zu zahlen."

Diese Inschrift redet von Eluläus von Sidon und seinem Nachfolger Ethobaal, von den Städten Ozah, Achsib, Akko.

Im Jahr 700 unternahm Sanherib einen Raubzug in die Landschaft Nipur an der Grenze von Kummuch, ein Gebirgsland, von dem der König berichten läßt:

„Die Mannen der Städte, deren Wohnsitz wie das Nest des Adlers, des Königs der Vögel, auf der Spitze des unzugänglichen Gebirges Nipur gelegen war, hatten sich meinem Joch nicht unterworfen. Am Fuß des Gebirges ließ ich mein Lager aufschlagen. Mit meinem erlesenen Fußvolk und schonungslosem Kriegsheer zog ich gegen sie los wie ein mächtiger Wildochse. Die Gebirgsschluchten, die Sturzbäche und steile Bergwände legte ich auf dem Sessel sitzend zurück. Das Gebirg, das für den Sessel zu schwierig war, erklomm ich zu Fuß. Wie ein armu[1]) stieg ich auf die hochragenden Spitzen. Wo meine Kniee eine Ruhebank fanden, ließ ich mich auf das Felsgestein nieder. Kaltes Schlauchwasser trank ich gegen meinen Durst. Auf die Bergspitzen verfolgte ich sie und bereitete ihnen eine Niederlage."

---

1) Wahrscheinlich ist die Gemse gemeint.

Eine andre Inschrift berichtet von den Ereignissen im Khattiland:

„Minhimmi von der Stadt Samsimuruma [1]), Tabaalu von der Stadt der Sidunna, Abdiliti von der Stadt der Arudaa, Urumilki von der Stadt Gublaa, Mitinti von der Stadt der Asdudaa, Buduilu, von der Stadt der Bitammanaa Kammusanabdi von dem Land der Moabaa, Malikrammu von dem Land der Udumanaa, alle Könige von dem Land Amoria brachten ihre wertvollen Geschenke als Gaben vor mein Angesicht und küßten meine Füße. Und Sidka, König der Stadt Iskalluna, der meinem Joche nicht unterworfen war.... die Götter vom Hause seines Vaters, ihn selbst, sein Weib, seine Söhne, seine Töchter, seine Brüder, den Samen von seines Vaters Haus führte ich fort nach Assur. Den Sarruladari [2]), den Sohn des Rubiktu, ihres früheren Königs, setzte ich über das Volk des Landes Iskalluna und legte ihm die Zahlung des Tributes als Preis für meine Oberhoheit auf; und er trug mein Joch. Im Laufe meines Feldzuges belagerte ich die Stadt Bitdagana, Yappu, Banaabarka, Azuru [3]), Städte von Sidka, die sich später meinem Joche unterworfen, nahm sie ein und führte ihre Beute fort."

„Die Obersten [4]), die Fürsten und das Volk der Stadt Amkarruna, die ihren König Padi, der dem Eid und Vertrag mit dem Land Assur treu war, mit eisernen Ketten gebunden und dem Hazikiau vom Land Yaudaa übergeben hatten, handelten im geheimen feindlich und fürchteten sich in ihrem Herzen. Die Könige des Landes Musra [5]) versammelten um sich die Krieger des Bogens, die Wagen und Pferde des Königs vom Land Milluhi, eine zahllose Streitmacht, und kamen ihnen zu Hilfe. Mir gegenüber im Angesicht von Altaku ward ihre Schlachtlinie aufgestellt, sie griffen zu ihren Waffen. Im Vertrauen auf Asur, meinen Herrn, stritt ich mit ihnen und schlug sie. Die Obersten der Wagen des Königs vom Land Milluhi fingen meine Hände lebendig inmitten der Stadt. Das Stadt Altaku [6]), die Stadt Tamna belagerte ich, nahm sie ein und führte ihre Beute fort. Dann nahte ich mich der Stadt Amkarruna, und die Obersten und Fürsten, die an dem Unrecht schuld waren, tötete ich und hing ihre Leichname an Pfählen um die Stadt herum. Die Bewohner der Stadt, die das Verbrechen begangen hatten, rechnete ich als Beute; die übrigen, die keine Sünde und Missetat begangen hatten, befahl ich freizugeben. Ich ließ Padi, ihren ursprünglichen König, aus Ursalimmu kommen und den Thron der Herrschaft über sie einnehmen; und den Tribut meiner Oberhoheit legte ich ihnen auf."

„Hazikiau vom Land der Yaudaa hatte sich nicht meinem Joch unterworfen; 46 seiner starken Städte, die Festungen und kleinen Städte um sie herum, die unzählig waren, belagerte ich. Durch Sturmböcke, Belagerungstürme, Angriffe des Fußvolks, Breschen, Gräben und Erdwälle nahm ich sie ein. 208 150 Menschen, große und kleine, Männer und Weiber, Pferde, Maultiere, Esel, Kamele, Ochsen und Schafe ohne Zahl ließ ich aus ihnen herausbringen und nahm sie zur Beute. Ihn selbst schloß ich wie einen Vogel im Käfig in Ursalimmu, der Stadt seiner Herrschaft, ein. Schreckschanzen warf ich gegen ihn auf, und den Ausgang aus dem großen Tor der Stadt bedeckte ich völlig."

Der letzte Satz wird auch anders übersetzt: „Jeden, der aus dem Stadttor herauskam, nahm ich in Strafe", oder: „Jeden, der aus dem Stadttor herauskam, ließ ich zurückwandern."

---

1) Vergl. Schemron meron Jos. 12, 20.
2) Auch Sarludari gelesen.
3) Bethdagon, Joppa, Ban Barka, Azor, Ekron.
4) Priester.
5) Nicht Aegypten, sondern Nordarabien.
6) Eltheka in Juda, dem Thimna, Jerusalem.

Auf diese erste Wegführung des jüdischen Volkes, die, wenn nicht nach Assyrien, so doch in die Sklaverei führte, deutet vermutlich Jes. 37, 31, wo von den „Erretteten" aus dem Hause Juda geredet wird. Ist in der wiedergegebenen Inschrift keine Lücke, so läßt der Großkönig doch mehreres verschweigen. Warum nahm er denn Jerusalem nicht ein, da er die Stadt doch hart belagert hatte? Die Inschrift fährt fort:

„Seine Städte, die ich geplündert hatte, riß ich von seinen Landen los und gab sie dem Mitinti, dem König von Asdudu, dem Padi, König von Amkaruna, und Sillibel, dem König der Stadt Hazitu [1]) und verkleinerte so sein Reich [2]). Zu den früheren Abgaben fügte ich noch eine Zahlung hinzu als Gebühr für die Oberhoheit und legte sie ihm auf."

„Den Hazikiau ergriff Furcht vor der Majestät meiner Herrschaft, und die urbu [3]) und seine auserwählten Krieger, die er zur Verteidigung von Ursalimmu, der Stadt seines Reiches, hereingeführt hatte, und als seine Wachen .... [4]). Mit 30 Talenten Goldes, 800 Talenten Silbers, kostbaren ... gutli, Daggasi, großen Karfunkeln, elfenbeinernen Ruhebetten, Usu- und Urkarinnuholz allerlei kostbaren Dingen und seinen Töchtern, seinen Palastfrauen, Sängern und Sängerinnen ließ er mir nach Ninive, der Stadt meiner Herrschaft, bringen; und er sandte seinen Boten, mir die Gaben darzubringen und mir zu huldigen."

In 2. Kön. 18, 14 werden nur 300 Zentner Silber erwähnt; aber der jüdische Zentner verhält sich zum assyrischen wie 8 zu 3, also sind 300 jüdische gleich 800 assyrische Zentner.

Nachdem alle seine Festungen von Sanherib eingenommen waren, hatte der König Hiskija um Frieden gebeten und Tribut versprochen, zu dessen Zahlung er den Tempelschatz heranziehen mußte. Aber Sanherib traute ihm nicht und wollte sich der Hauptstadt versichern; auch erhob er gegen Hiskija den Vorwurf, er habe Befehl gegeben, die Bollwerke des großen Stadttores zu erneuern. Demgemäß sandte er seinen Tartan mit großen Streitkräften gegen Jerusalem, indem er zur Entschuldigung seines Ueberfalles Hiskija anklagte, er sei von ihm abgefallen und habe ein Bündnis mit Aegypten, „dem zerstoßenen Rohrstab", geschlossen [5]).

Als aber Sanherib die Kunde erhielt, Thirhaka, der König von Aethiopien, ziehe heran, versuchte er noch einmal, Hiskija durch gute Worte zur Unterwerfung zu bringen und von dem Vertrauen auf seinen Gott, der ihn betrügen werde, abzuwenden [6]). Dies geschah um 701 v. Chr., da Sanherib vor Libna lag. Die Belagerung von Lachis aber hatte er aufgeben müssen, weil sein Herr bereits empfindliche Verluste erlitten hatte. Auf einem Relief zu Ninive las Layard:

---

1) Gaza.
2) 2. Kön. 18, 13.
3) E. Schrader übersetzt „Arabien".
4) Diese Stelle wird verschieden übersetzt: „meuterten", „streckten die Waffen", ergriffen die Flucht", denen er Soldzahlung bewilligt hatte".
5) 2. Kön. 18, 21.
6) 2. Kön. 19, 10.

„Sanherib, der König des Alls, König von Assur, setzte sich auf seinen Thron und musterte die Beute von Lakisch.“

Das zugehörige Stadtbild zeigt 24 Türme. In der rechten Hand hält der König zwei Pfeile, die linke stützt sich auf den Bogen. In den Seitenlehnen des Thrones stehen die Bilder von 2 mal 12 Gefangenen. Das Antlitz des Königs trägt den Ausdruck der strengen Unerbittlichkeit, des kalten erbarmungslosen Kriegsmannes.

In der biblischen Erzählung von diesem neuen Zug gegen Jerusalem werden Tartan, Erzkämmerer und Erzschenke als die Diener des Königs genannt, die von Lachis her die assyrischen Truppen heranführten, um dem neuen Unterwerfungsvertrag schnellere Annahme zu verschaffen. Das assyrische turtanu bezeichnet den Oberbefehlshaber, Rabsarasu oder Rabsarish ist der Oberste der Hauptleute, wie es in einem Kaufvertrag heißt: „in dem Eponymat des Rabsarish Nabusarusur.“ Rabsaka ist kein assyrisches, sondern ein sumerisches Wort, das noch in einer Inschrift Tiglatpilesars II. gebraucht wird. So heißt der Vertreter des Großkönigs in allen Verhandlungen, und nicht anders tritt er 2. Kön. 18 auf, wo er in seines Herrn Namen zu dem jüdischen Volk hebräisch redet. Aber warum bitten die Diener Hiskijas, der Erzschenk möge syrisch, d. i. aramäisch, mit ihnen reden, da sie doch auch hebräisch und assyrisch verstanden, das drei nahe mit einander verwandte Dialekte der semitischen Sprache sind? Ich bin der Meinung, daß bereits damals die hebräische Sprache für eine heilige Sprache galt, die wohl im Heiligtum bei dem Gebet und Lob Gottes gebraucht wird und werden darf, aber nicht in dieser weltlichen Sache. Umgekehrt aber redet Paulus mit Recht zu seinem Volk nicht auf griechisch und nicht aramäisch, sondern auf hebräisch; denn er hat zu ihm von heiligen Dingen zu reden [1]).

Als dann Thirhaka das Heer der Aegypter gegen Sanherib geführt, aber durch diesen „mit der Hilfe Asurs, seines Herrn“ eine vollständige Niederlage erlitten hatte, schritt Sanherib, obwohl er nun freie Hand hatte, doch nicht zur ernstlichen Bestürmung Jerusalems, sondern ließ die Stadt nur durch das Heer des Rabsaka belagern. Dieses wurde aber von einem furchtbaren Schlag getroffen, über den Josephus nach Berosus (?) also berichtet [2]):

„Als Sanherib von dem ägyptischen Krieg nach Jerusalem zurückkehrte, fand er sein Heer unter Rabsaka in großer Gefahr; denn Gott hatte eine großartige Krankheit unter das Heer gesandt, und in der ersten Nacht der Belagerung starben 185 000 Mann mit ihren Hauptleuten und Führern. Der König hatte große Schrecken und entsetzliche Angst bei diesem Unglück; und da er sehr für sein eignes Heer fürchtete, floh er mit den noch übrigen Streitkräften in sein Reich und nach seiner Stadt Ninive. Und als er dort eine kleine Weile [3]) gewohnt hatte, ward er

1) Apostelgesch. 21, 40.
2) Jüd. Altert. 1, 5.
3) In Wirklichkeit waren es mehrere Jahre.

verräterisch angegriffen und starb durch die Hand seiner älteren Söhne Adrammelech und Sareser und wurde in seinem eigenen Tempel erschlagen, der Araska heißt. Diese seine Söhne wurden wegen des Mordes ihres Vaters von den Bürgern vertrieben und flohen nach Armenien, während Assarachaddas das Reich Sanheribs einnahm."

So erzählt Josephus weniger nach Berosus als nach der Bibel, die diese Begebenheiten mit wenig Worten abtut [1]); nur las Josephus anstatt Nisroch Araska vermutlich aus einer fehlerhaften Abschrift der Septuaginta, und daß er aus einem Gott einen Tempel gemacht hat. Andre vergleichen für Nisroch den Gott Nusku, Wellhausen denkt an ein Verschreiben für Asur. G. Nagel urteilt in seiner Monographie [2]) über den assyrischen Bericht der Ereignisse, daß ihm Glaubwürdigkeit nicht im allgemeinen abzusprechen sei: „Nur am Schluß ist offenbar ein für den Gang der Ereignisse sehr bedeutsames, für die Assyrer aber wenig ehrenvolles Moment mit Stillschweigen übergangen worden." Und später urteilt er über den biblischen Bericht: „Dieser bringt ja nicht wie der eines assyrischen Hofhistoriographen eine parteiische Veränderung der Tatsachen mit sich. Wohl ist nach ihm Jahve der Urheber alles Geschehens. Aber dieser Gott verleiht seinem Volk nicht blos Sieg, sondern er läßt auch Not und Bedrängnis über dasselbe kommen. Somit darf der biblische Bericht als eine durchaus zuverlässige historische Quelle angesehen werden."

H. Winckler erinnert betr. Sareser an einen König Saratirassur, der zu den Sargoniden gehört, aber sonst nicht bekannt ist, und meint, der Königsmord sei zu Babel in Esagila, dem Tempel Marduks, aus Rache dafür geschehen, daß Sanherib diesen Tempel zerstört hatte. Aber wie kamen des Königs Söhne dazu, für die beleidigten Babylonier einzutreten, und was suchte Sanherib in einem zerstörten Tempel? Dazu deutet kein Bericht an, daß Sanherib nach Babel gezogen sei. Doch wir werden hierauf noch einmal zurückkommen.

Herodot, der auch diesen Feldzug Sanheribs erzählt, hat sich dabei von der Ueberlieferung täuschen lassen; denn er flicht in seine Erzählung das bekannte Märchen von den Mäusen ein, das sich auf eine Begebenheit aus dem Jahr 1350 v. Chr. bezieht [3]). Doch bleibt auch bei ihm der Kern der Wahrheit unversehrt, daß Sanherib, durch ein schweres Unglück getroffen, von der Belagerung Jerusalems plötzlich abstand und mit den noch übrigen Truppen in die Heimat zurückkehrte. Nur ein so harter Schlag, wie ihn die hl. Schrift berichtet, kann die weitere Folge erklären, daß Babylonien und Elam sich sofort gegen Sanherib erhoben.

1) 2. Kön. 19, 35—37.
2) Zug des Sanherib S. 38 und 79.
3) Tiele a. a. O. S. 292.

Ehe aber das Ende dieses großen Königs nach assyrisch-babylonischen Berichten dargelegt wird, verdient seine Wirksamkeit im Innern des Reiches beleuchtet zu werden. Mehr als seine Vorgänger tat er namentlich für die Reichshauptstadt. Auf einem Toncylinder läßt der König sie hoch erheben:

„Die erhabene Stadt, die Lieblingsstadt Istars, die bleibende Stätte, den Grundstein der Ewigkeit, den kunstreichen Ort, worin jegliches Kunstwerk, alles schätzbare und schöne zusammengebracht ist, worin von der Urzeit her die Könige, die Vorfahren meiner Väter, die Herrschaft über Assyrien ausgeübt und den Tribut der Fürsten der vier Himmelsgegenden empfangen haben [1]."

Dieser Priestergesang leidet nicht nur an Uebertreibungen, die man dem Orientalen verzeihen muß, sondern er verfehlt sich auch mehrere Male gegen historische Tatsachen. „Der Grundstein der Ewigkeit" brach hernach überraschend schnell in sich zusammen. Die Vorfahren Sanheribs haben bekanntlich von Assur aus regiert, das jedenfalls älter als Ninive ist.

Die große Stadt Ninive aber litt häufig an Wassermangel. Diesem Uebelstand abzuhelfen, führte Sanherib das Quellwasser von 18 Bergstädten in 18 Kanälen nach der Stadt Kisiri und von da in einer Leitung nach Ninive. Um die Stadt herum baute er berghohe Mauern und Wälle. Seinen kostbaren Königspalast umgab er mit einem Park, darin auserwählte Pflanzen und seltene Tiere gehalten wurden; denn er wollte keinem seiner Vorgänger nachstehn. Die Prismainschrift berichtet:

„In jenen Tagen, nachdem ich die Mauer Ninives beendet und es zum Erstaunen aller Völker geschmückt hatte, riß ich einen Palast ganz nieder, dessen Grundlage schwach geworden und dessen oberer Teil zertrümmert war. Eine große Menge Baumaterial nahm ich aus der Grundlage. Den Teil der Stadt, der um ihn her lag, fügte ich ihm hinzu. Den Platz des alten Palastes füllte ich mit Erde aus dem Flußbett auf. Den untern Grund erhob ich 200 tipsi über die Oberfläche."

„Weil der Tibilti bei seinem Anschwellen die alten Grabhügel der Stadt zerstört und ihre verborgenen Grabkammern [3]) dem Sonnenlicht ausgesetzt hatte, auch seit langer Zeit bis an den Palast herangekommen war und bei hohem Wasserstand in dessen Grundstein eine Bresche gerissen und seinen Grundstein zerstört hatte, habe ich jenen kleinen Palast in seiner ganzen Ausdehnung niedergerissen, den Lauf des Tibilti geändert, die Verwüstung hergestellt und den Wasserabfluß geregelt. Sein Strombett füllte ich unten mit Rohr, oben mit mächtigen Steinblöcken aus, die mit Erdpech verbunden wurden, und ließ ein Stück Land 454 Ellen lang und 289 Ellen breit aus dem Wasser hervortreten und austrocknen."

Zu dem auf diese Weise gewonnenen Terrain wurde noch ein Platz von 240 mal 288 Ellen hinzugenommen.

Ob Sanherib auch die Palastschule von Ninive gegründet hat, ist zweifelhaft. Sie wird inschriftlich erwähnt [4]):

---

1) Nach Fr. Delitzsch.
2) Arm oder Nebenfluß des Choser.
3) Auch die Assyrer pflegten ihre Toten in der Erde beizusetzen.
4) Dieselbe Inschrift in andrer Uebersetzung s. S. 104.

„Belibsi, den Sohn des gelehrten Mannes in der Nähe Suanna[1]), der als ein junges Kind in meinem Palast[2]) erzogen worden war, setzte ich über das Reich von Sumer und Akkad."

Sanheribs Palast in Ninive übertraf alle früheren Palastbauten durch die weite Ausdehnung seiner Hallen, Säle und Höfe. Die Bildwerke auf den Wänden zeigen den bedeutenden Kunstfortschritt, daß man jetzt den Bildwerken einen Hintergrund gibt.

Ninive wurde häufig, wie wir schon aus einer Inschrift Sanheribs vernahmen, von einer Wassersnot bedroht und betroffen, indem der Tigris mit seinen Nebenflüssen über seine Ufer trat und die Stadt teilweise unter Wasser setzte. Dies zu verhindern, wurde der Strom eingedeicht.

Die Prismainschrift erzählt auch von dem Bau eines Arsenales, das im Khattistil ausgeführt wurde, wahrscheinlich durch phönikische Bauleiter und Handwerker. Die Zedern dazu wurden aus dem Khamanugebirg genommen und die Balken mit Bronze überzogen, ebenso die Türflügel. Die Stierkolosse an den Türen wurden aus weißem Marmor des Baladnigebirges gefertigt. In das Zeughaus kamen Rosse, Maultiere, Kälber, ibili, Wagen, Karren, Köcher, Bogen, Pfeile und anderes Gerät, dazu Geschirre für Rosse und Maultiere. Am Schluß der Inschrift heißt es:

„Wer meinen Schriftzug und Namen verändert, den möge Asur, der große Herr, der Vater der Götter, feindlich heimsuchen, Szepter und Thron ihm nehmen und seine Regierung verderben. Am 20. Adar des Archontats von Belimurani, dem Statthalter von Gargamis."

Dieser Fluch richtet sich gegen gekrönte Häupter; denn Sanherib weiß, daß die Feinde der orientalischen Herrscher nicht in Hütten, sondern in Palästen wohnen. Ueber sein Ende berichtet die babylonische Chronik:

„Am 20. Tebet wurde Sanherib von seinem Sohn in einer Empörung erschlagen. Er regierte 23 Jahre über Assyrien. Vom 20. Tebet bis zum 2. Adar dauerte der Aufruhr in Assyrien. Am 18. Siwan bestieg sein Sohn Asarhaddon den Thron von Assyrien."

Es wagt die babylonische Chronik nicht, Sanherib oder seinen Sohn Asarhaddon als König von Babylonien anzuerkennen, obwohl diese Reichshälfte aufs tiefste gedemütigt und die Hauptstadt zerstört war.

Uebersehen wir die verschiedenen Berichte über das Ende des Großkönigs, so weiß die Bibel nebst ihren Uebersetzungen und Josephus von zwei Mördern, die babylonische Chronik und Abydenus reden von e i n e m. Abydenus behauptet, Sanherib sei von seinem Sohn Adramalus, d. i. Adramelech, erschlagen worden, und nach ihm habe sein Sohn Nergilus regiert, der von Axardis, d. i. Asarhaddon, getötet wor-

1) Sumerischer Name von Babel.
2) Vergl. Daniel 1, 3—5.

den sei. Nergilus aber oder Nergal ist ebenso wie Sarezer nur ein halber Name. Der volle Name, auf den diese beiden zurückzuführen sind, lautet Nergalsarusur. Uebrigens deutet auch Abydenus mit der Nachricht, daß Nergilus von Axardis, seinem Bruder getötet worden sei, darauf hin, daß auch dieser ein Mitschuldiger bei der Ermordung des Vaters gewesen ist. Auf einem Cylinder Asarhaddons liest man:

„Von Herzen tat ich ein Gelübde [1]). Wie ein Löwe ergrimmte ich, und mein Gemüt tobte. Sofort schrieb ich Briefe, daß ich die Herrschaft von meines Vaters Haus übernahm [2]). Darauf erhob ich meine Hände zu Asar, Sin und Samas, Bel Nebo, Nergal, Istar von Ninive und Istar von Arbela, und sie nahmen mein Gebet an. In ihrer gnädigen Gunst sandten sie mir [3]) ein ermutigendes Orakel: „Gehe hin, fürchte dich nicht. Wir gehen dir zur Seite, wir helfen dir im Feldzug." Einen oder zwei Tage blieb ich in meiner Wohnung [4]), setzte nicht den Vortrab meines Heeres in Bewegung und setzte auch nicht den Nachtrab in Bewegung. Die Weidestricke meiner Pferde nahm ich nicht ab. Ich brach mein Lager nicht ab, aber ich beeilte mich, das nötige für den Feldzug herbeizuschaffen. Ein großer Schneesturm im Wintermonat verdunkelte den Himmel, aber ich wich nicht zurück. Denn wie ein Zirinvogel [5]) die Schwingen ausbreitet, entfaltete ich meine Fahnen als ein Zeichen für meine Verbündeten [6]); und mit vieler Mühe und großer Eile schlug ich die Straße nach Ninive ein. Aber s i e [7]) gewannen den Vorsprung vor meinem Truppen, und in dem Hügelland von Hanigalbat griffen alle ihre Krieger die Front meines Heeres an und schossen ihre Pfeile ab. Jedoch die Schrecken der großen Götter, meiner Herrn, überwältigten sie. Als sie die Tapferkeit meines großen Heeres sahen, zogen sie sich zurück. Istar, die Königin des Krieges und der Schlachten, die meine Frömmigkeit liebte, stand mir zur seite. Sie zerbrach ihre Bogen, ihre Schlachtlinie zerstörte sie in ihrem Zorn. Zu ihrem Heer sprach sie: „Eine schonungslose Göttin bin ich." Auf ihren hohen Befehl pflanzte ich meine Fahnen auf, wo ich es beabsichtigt hatte .... in ihren Reihen erscholl der Ruf: „Dieser (ist) unser König."

Der ganze Bericht macht den Eindruck, als habe der Verfasser desselben m e h r e r e Aufrührer im Sinn; auch wird nicht undeutlich zu verstehn gegeben, daß nach dem ersten Rückzug des feindlichen Heeres Verhandlungen stattgefunden haben, nicht etwa aus Menschenfreundlichkeit, um das unnötige Blutvergießen zu vermeiden, sondern vielmehr darzutun, daß auf Asarhaddons Seite die Priester, d. i. die Götter, standen, daß er die Mehrzahl habe und dergleichen; worauf die Vatermörder von ihren Leuten verlassen wurden. Diese gingen ungesäumt zu Asarhaddon über, die feindlichen Brüder aber flohen nach Armenien, woher vermutlich Asarhaddon gekommen war, um bei Assyriens

1) Als er vernommen, daß sein Vater erschlagen sei.
2) Ein sicherer Fingerzeig, daß Asarhaddon unter den älteren Söhnen allein auf des Vaters Seite stand.
3) Durch die Priester.
4) Gegen wen A. vorher im Felde stand, wissen wir nicht; nun zog er gegen die Königsmörder.
5) Ich vergleiche das hebr. anscher, Adler.
6) An die er vorher Briefe gesandt hatte; daher der längere Aufenthalt, damit sie Zeit zur Rüstung und Sammlung genommen.
7) Die andern Brüder.

8

Feinden Schutz zu suchen. Man hat nie gehört, was aus ihnen geworden ist.

Daß Asarhaddon, der Sohn der Niika, schon vor der Empörung seiner beiden älteren Halbbrüder, des Vaters Liebling war, ersieht man sowohl aus dem ihm anvertrauten Befehl eines Heeres, wie auch aus dem Testament Sanheribs, worin es heißt: „Ich Sanherib, König der Völker, König von Assyrien, habe goldne Ketten, Vorräte von Elfenbein, einen goldnen Becher, Kronen und Ketten, außerdem alle Reichtümer, von denen Haufen dasind, Kristall und andre köstliche Steine und Vogelstein ein und ein halb moneh, zwei und ein halb abi je nach ihrem Gewicht dem Asarhaddon, meinem Sohn, gegeben."

Hier werden andre Söhne gar nicht erwähnt; dagegen wird eines jüngeren Bruders auf einem in Assur gefundenen Steinblock gedacht:

„Ich bin Sanherib, König von Assyrien, der das Bild Asurs und der großen Götter gemacht hat. Ein Haus machte ich und schenkte es dem Asurilumubalitsu, meinem jüngeren Sohn. Seinen Grundstein legte ich mit Bergquadern fest [1])"

Ein weiterer Sohn wird auf einem Ziegelstein genannt:

„Sanherib, König von Assyrien, baute in den Gärten von Ninive ein Haus und schenkte es seinem Sohn Asursumusabsi."

Scheil, der diese Inschrift mitteilt [2]), ist nicht abgeneigt, in diesem Sohn den Vatermörder zu erkennen.

Man hat auch auf dem Platz, wo Sanherib ermordet wurde, einen Altar gefunden mit einer Inschrift über seine Bedeutung.

Dem neuen König gaben die Priester der Istar das Orakel [3]): „Traue nicht auf Menschenarm! Richte deine Augen auf mich, laß mich dein Stab sein." Das will sagen: Verdirb es mit diesen Priestern nicht, die dich zum Königsthron erhoben haben.

Asarhaddon

assyr. Asurachiddin, 681—667 v. Chr. König von Assyrien, war der dritte Sohn Sanheribs, nach Maspero einer der originellsten und anziehendsten Herrscher des assyrischen Reiches. Tätig und entschlossen wie Asurnasirbal und Tiglatpilesar zeigte er nicht immer deren Strenge gegenüber Untertanen noch deren Grausamkeit gegen besiegte Feinde. Wenn ein andrer Forscher ihn einen wütenden Löwen gegen alle äußern Feinde nennt, so denkt er vermutlich an des Großkönigs Bluttat an dem gefangenen Abdimilkati und ähnliche Untaten, besonders aus Dursarrukin, zum Teil aufgezählt bei E. Schrader [4]); aber viele sind noch später aufgedeckt worden, wie die zahlreichen Orakel des Sonnengottes, dessen Verehrung zu seiner Zeit besonders lebhaft war.

---

1) Nach Fr. Delitzsch.
2) Z. f. A. 1896, S. 425.
3) Tiele a. a. O. S. 345, Anm. u. S. 107.
4) K. A. T.[2], S. 394 2c.

Sehr merkwürdig ist die Stellung, die dieser König sogleich nach seinem Regierungsantritt gegenüber Babylonien und Elam einnahm. Er ließ Babel wieder aufbauen und mit Einwohnern besetzen. Einen Sohn Merodachbaladans II. Nabusirapistilisir vertrieb er zwar, aber dessen Bruder Nabimarduk setzte er als Statthalter des Meerlandes ein, nachdem er ihm in Ninive gehuldigt hatte. Auch gab er Ländereien, die der Stadt früher genommen und an Söldner aus verschiedenen Stämmen gegeben waren, an Babel zurück.

Ueber das Schicksal Babels vor seiner Zeit berichtet die Inschrift auf einem schwarzen Stein:

„Asarhaddon, der König der Völker, König von Assyrien, Machthaber von Babel, König von Sumer und Akkad, der große, der erhabene, der Verehrer Nebos und Marduks. Einer vor mir hat unter der Regierung eines früheren Königs an Esagila, den Tempel Marduks in Babylon, Hand angelegt und alle seine Schätze als Kaufpreis hingegeben. Darüber ergrimmte Marduk, der Herr der Götter. Eilends beschloß er das Land heimzusuchen und seine Bewohner zu vernichten .... er ließ den Kanal Arachtu über seine Ufer treten, er führte eine zweite Sintflut über Babel herauf, er vernichtete die Stadt."

Danach hatte Sanherib, der Zerstörer Babels, einen mächtigen Bundesgenossen zur Seite, das ist Bel-Marduk, zwei Gottheiten ,die nun nicht mehr unterschieden werden, der erzürnte Gott, der dem Großkönig, in dessen Hand Feuer und Schwert zum Zerstören bereit ist, noch das Wasser zu Hilfe schickt. Aber nach elf Jahren wird Asarhaddon „aus dem Kreise seiner Brüder", deren wir vier kennen (Adramalach, Nergalserusur, Asarhaddon und Asurilunabalitsu von e i n e m Vater, aber nicht von e i n e r Mutter), ersehen, die Stadt wieder aufzubauen. Sogleich im ersten Jahre seiner Regierung beruft er alle seine Untertanen in Kardunias, gibt ihnen Oel und Honig und Wein die Fülle, setzt sich selbst die geflochtene Mütze, den Hut der Ziegelmacher und Tonarbeiter, den kuduru, aufs Haupt und kann bald berichten:

„Esagila, den großen Göttertempel, und seine übrigen Tempel, Babel die ewige Stadt, Imgurbel seine Mauer, Nimittibel seinen Wall, ließ ich von ihrem Fundament bis zur Spitze neu aufbauen, groß, hoch und gewaltig aufführen. Die Bilder der großen Götter erneuerte ich, in ihrem allerheiligsten ließ ich sie ihre Wohnung nehmen auf ewig."

Wegen dieser Wiederherstellung Babels meint Fr. Delitzsch, Asarhaddon verdiene es, der erste Protektor Babels und seines großen Tempels Esagila genannt zu werden; und einen zweiten wird er auch wissen.

Nach den andern Grenzen des weiten Reiches zog Asarhaddon als Kriegsmann mit seinen Heeren aus und kämpfte gegen Araber und Elamiter, gegen Phönikien und Aegypten. Die Stadt Sidon ließ er zerstören, ihren König Abdimilkati „angelte er wie einen Fisch aus dem Wasser" und ließ ihn enthaupten. Zehn Könige von Yatnana waren ihm untertan, dazu Baal König von Tyrus, Manasieh König von Juda, Kausgabri König von Edom, Muzuri König von Moab, Dil-

8*

bal König von Gaza, Metinti König von Askalon u. a. m. Auf einer Tafel läßt der Großkönig über diesen Feldzug also berichten:

„Ich der Eroberer der Stadt Sidon, die im Meer liegt, und Vertilger aller ihrer Dörfer, ihre Burg und ihren Palast zerstörte ich und warf sie in's Meer. Die Stätten der Gerechtigkeit vernichtete ich. Abdimilkati, ihren König, der vor meinen Waffen mitten in's Meer geflohen war, fing ich wie einen Fisch aus der See und hieb ihm den Kopf ab. Männer und Frauen ohne Zahl, Ochsen und Schafe und Maultiere führte ich alle hinweg nach Assyrien."

Demnach mußte der Großkönig für andre Einwohner Sorge tragen; aber Sidon hatte mit dem Tode seines Königs und der Zertrümmerung seiner Richthäuser seine politische Selbständigkeit an Assur verloren.

Unter der Beute aus Sidon befand sich auch ein kostbares Gefäß aus Alabaster, das 1903 in Assur gefunden wurde und diese Aufschrift trug: „Unter dem Beistand von Asur, Sin, Samas, Bel, Nebo, Istar von Ninive und Istar von Arbela" . . . habe ich dies und das verrichtet. Hier hat der Steinschneider den achten Gott, Nergal, vergessen; denn acht Götter hat Asarhaddon am Anfang seiner Regierung angerufen. Ueber seinen Feldzug in Phönikien läßt er weiter berichten:

„Ich versammelte die Könige von Syrien und von der Meeresküste; sie alle — die Städte die ich zerstört — baute ich neu und nannte —Sidon — die Stadt Asarhaddons. Männer, die von meinen Waffen gefangen genommen waren, solche die in den Ländern des Ostens geboren waren, brachte ich dorthin, um da zu wohnen; und ich setzte meine Beamte über sie."

Wie dem König von Sidon erging es auch Sanduarri, dem König von Kundi und Sizu, zweier noch unbekannter Städte. Von Phönikien zog Asarhaddon gegen Aegypten und besiegte Tarku von Kusch, d. i. Thirhaka, König von Aethiopien, eroberte Memphis und das ganze Land bis Ni, d. i. No oder Theben, und setzte über die einzelnen Gaue teils assyrische, tiels einheimische Statthalter. Unter diesen war Necho, der Vater Psammetichs. Auf seiner Rückkehr aus Aegypten ließ Asarhaddon am Nahr el Kelb bei Beirut eine mächtige Steintafel aufrichten, auf der seine Großtaten aufgezeichnet waren. Seit dieser Zeit nannte Asarhaddon sich König der Könige von Muzur, Paturisi und Kusi, d. i. Mizraim, Pethor und Kusch oder Aegypten, Oberägypten und Aethiopien.

Noch einen Feldzug unternahm der Großkönig in das ferne Land Bazu, das auch die Schrift [1]) neben Haso und andern in Syrien bez. Nordarabien kennt. Er zog nach der bezüglichen Inschrift

„Durch 140 Meilen Sümpfe und Steine und 20 Meilen Schlangen und Skorpione, von denen der Boden wimmelte wie von Heuschrecken, wohin seit Ewigkeit noch keiner meiner Vorfahren gelangt war."

Die Länder Bazu und Hasu verloren ihre acht Könige, ihre Götter und Schätze. Die Könige wurden umgebracht, die Götter und Schätze

1) Gen. 22, 21 rc. und Jer. 25, 23.

nach Ninive geführt. Ein neunter König des Landes, Laila, hatte sich durch die Flucht gerettet, kam nach Ninive, küßte des Königs Füße, ward begnadigt und erhielt als zinspflichtiger Vasall seine Götter und sein Land zurück.

Dem Bartatua, König der Aschkuza, in der Schrift [1]) Aschkenas, bei Herodot Protothyos, König der Skythen, genannt, gab Asarhaddon eine seiner Töchter zur Gemahlin, nachdem er bei Samas angefragt, ob diese Hingabe jenen auch in der Treue erhalten werde? Er bedurfte aber der Skythen Hilfe in der Abwehr indogermanischer Völker, der Meder und Kimmerier, die von Norden her immer heftiger drängten. Die Städte von Assyrien und Babylonien, die in den andauernden Kriegszeiten unter seinen Vorgängern zerstört worden waren, stellte Asarhaddon mit Hilfe seiner Krieger wieder her, „schmückte sie mit Gold und Silber aus und machte sie taghell glänzend", wie eine Inschrift rühmt.

Seit dieser Zeit kommen neben den geflügelten Löwen und Stierkolossen auch Sphinxe als Bauzierrat vor, die man in Aegypten kennen gelernt hatte. Wenn sie, wie ein Gelehrter meint, aus Phönikien gekommen wären, so wäre es zu verwundern, daß sie nicht schon vor Jahrhunderten nachgebildet wurden, da Phönikien den Assyrern so lange schon bekannt war. Viele beschriebene Platten ließ der Großkönig aus dem Palast Tiglatpilesars entfernen, um dieselben in seinem eignen Palast zu verwenden. Bei diesem Raubzug wurden viele Tafeln zerbrochen, viele Schriften verdorben und der Fluch mißachtet, den die Erbauer der Paläste gegen alle Verderber und Räuber ihrer Werke auszusprechen pflegten. Es ließ sich nämlich Asarhaddon in Kalah einen neuen herrlichen Palast, der später leider durch Feuer sehr gelitten hat, in einem weiten Park erbauen. Dazu lieferten die Könige der Khatti „an und im Meere" Holz und Steine. Tausende von Gefangenen mußten die Ziegel streichen. Als der Palast fertig geworden war, und man baute in Assyrien wie in Babylonien sehr schnell, hielt Asarhaddon eine große Versammlung der tributpflichtigen Fürsten ab, von der er berichten läßt:

„Ich versammelte 22 Könige [2]) des Landes Syrien und der Meeresküsten und Inseln, sie alle, und ich ließ sie an mir vorüberziehn. Große Balken und Flöße von Abimiholz, Zedern und Zypressen von den Bergen Sirar und Libanon, göttliche Bilder, Basreliefs ..... von den Steinbrüchen der Berge, dem Ort ihres Ursprungs, brachten sie zur Ausschmückung meines Palastes mit Mühe und Schwierigkeiten nach Ninive mit sich."

Unter diesen Königen war auch Manasse von Juda; doch ist noch nicht entschieden, w a n n Asarhaddon oder seine Feldhauptleute den in

---

1) Gen. 10, 3. H. Winckler vermutet ohne Not hier einen Schreibfehler.
2) Die Namen siehe bei E. Schrader, K. A. T., S. 356.

der Schrift [1]) erwähnten Zug gegen Jerusalem unternommen haben. Damals wurde Manasse gefangen genommen und in Ketten nach Babel gebracht, wo sich der Großkönig gerade aufhielt, bald aber wieder freigelassen.

Das Zeughaus, das Sanherib gebaut hatte, erweiterte Asarhaddon und führte ihm Wasser für die Rosse und andre Tiere zu. Er nannte es Isgalsidrurua, d. i. Palast, der alles aufbewahrt, wobei zu bemerken, daß der Bauherr hier wieder die sumerische Sprache braucht. Nach Vollendung dieses Baues und seines eignen Palastes „rief der König den Gott Asur, Istar von Ninive und alle Götter Assyriens an und brachte ihnen reine Opfer dar. Und diese Götter naheten sich in ihrer Großherzigkeit meiner Herrschaft". Sie nahmen an dem königlichen Fest etwa in der Weise teil, daß ihre Bilder von den Priestern in dem königlichen Palast aufgestellt und Speise und Trank für sie angenommen wurden.

„Aber die Edeln und Bürger meines Volkes sie alle ließ ich auf Sesseln und Polstern dort an den Festtafeln Platz nehmen und ließ sie frohlocken. Mit Wein und Most befriedigte ich ihr Herz. Vorzügliches Oel, Gulaöl, goß ich über sie. Nach dem Gebot Asurs, des Königs der Götter Assyriens, ihrer aller, sollte ich im Wohlbefinden des Fleisches, in Freude des Herzens, im Glanze des Gemüts, Reichtum der Nachkommenschaft für immer [2]) in ihm Wohnsitz nehmen und mich an seiner Fülle sättigen; sollte bei dem Zagmuk, dem ersten Monat, sämtliche Rosse, Maultiere, Esel, Kamele, Speere, das Schlachtgerät von sämtlichen Truppen, die Beute der Feinde jährlich und unaufhörlich darin aufbewahren. In jenem Palast möge der gnädige Stier- und Löwengott [3]), schirmend den Pfand meiner Herrschaft, erfreuend mein Gemüt, immerdar walten."

So geschehen im achten Jahr der Regierung Asarhaddons 673 v. Chr. im Eponymenjahr des Atarilu, des Statthalters von Lahiri.

Für seinen Sohn Asurbanipal erbaute Asarhaddon einen Palast in Tarbisi. Darüber läßt der Großkönig inschriftlich berichten:

„Ich Asarhaddon, der mächtige König, der König der Völker, der König des Landes Assur, Statthalter von Babel, Herr von Sumer und Akkad, König der Könige von Musur, Paturusi und Kusi, erbaute den Palast in Tarbisi zum Wohnsitz des Asurbanipal, des großfürstlichen Sohnes meines bit riduti, des Sohnes, des Sprosses meines Leibes, und vollendete ihn."

Häufig war der Großkönig von Krankheit heimgesucht und ward durch solches Leiden offenbar mehr zu Friedenswerken als zu Kriegszügen geneigt. Darum legte er auch nach einem Aufstand der assyrischen Großen schon bei Lebzeiten — ein in Assyrien wie in Babylonien unerhörtes Ereignis — sein Szepter nieder und und ernannte am 12. Ijjar 668 v. Chr. seinen Sohn Asurbanipal in Gegenwart der Großen seines Reiches zum Mitregenten und Nachfolger, dessen Zwillingsbruder Samassumukin aber zum Statthalter in Babylonien. Nach assyrischen Gewohnheiten zu urteilen, war der Großkönig nicht zufällig krank gewesen

1) 2. Chron. 33, 11.
2) Vergl. Dan. 2, 4. 6, 6. 6, 21.
3) Nergal.

und, wie die Gebete an Samas, die später mitgeteilt werden, beweisen, auch nicht ganz freiwillig von der Regierung zurückgetreten. Andere setzen den 12. Airu 670 v. Chr. als den Tag der feierlichen Einsetzung des neuen Königs an, das ist der Tag der Gula. Dieser selbst berichtet darüber inschriftlich:

„Assarhaddon, König von Assyrien, der Vater, mein Erzeuger, hielt in Ehren das Gebot Asurs und der Beltis, der Götter seines Vertrauens, welche ihn geheißen hatten, mich zum König zu erheben. Im Monat Ijjar, dem Monat Eas, des Herrn der Menschheit, am 12. Tage, einem Tage des Heils, dem Feste Gulas, erließ er in Ausführung des erhabenen Gebotes Asurs, der Beltis, des Sin, Samas, Adar, Bal, Nebo, der Istar von Ninive, der himmlischen Gebieterin des Alls, der Istar von Arbela, des Nergal, Nusku einen Befehl und versammelte die Assyrer, jung und alt, die der oberen und die der unteren See, um mein Königtum anzuerkennen; und darnach übernahm ich die Herrschaft über Assyrien."

Vor dem Drängen des schönrednerischen ältesten Sohnes zog sich Asarhaddon nach Babel zu dem jüngeren Sohn zurück, in die Stadt, die von ihm die größten Wohltaten empfangen hatte. Hier starb er nach kurzer Ruhe; nach Bezold [1]) auf einem Feldzug gegen Aegypten.

Er war, wie Fr. Delitzsch urteilt, seinen Untertanen ein milder, treu fürsorgender Hirte, ein Schirmherr aller Künste, der den auf den assyrischen Schulen gebildeten Bauhandwerkern, Bildhauern, Steinschneidern und Goldarbeitern immer neue Aufgaben zur Betätigung ihrer Kunst stellte.

Asurbanipal

668—626 v. Chr. König von Assyrien, heißt vollständig Asurbanihabal oder Siniddinapal, bei den Griechen Sardanapal, bei den Hebräern [2]) Osnappar, im ptolemäischen Kanon Kinilanadaros, als König von Babel Chiniladan oder Kandalanu genannt. So lange wie er regierte keiner seiner Vorgänger. Er war nach G. Smith der größte und berühmteste König von Assyrien, nach Maspero fast der letzte seines Geschlechts, aber hervorragend durch seine Tüchtigkeit und Grausamkeit. Jedenfalls war er der gebildetste von allen assyrischen Königen. Er dehnte auch die Grenzen des assyrischen Reiches, wenige Jahre vor seinem plötzlichen Verfall, am weitesten aus.

Von seiner Kindheit läßt er auf einem Prisma erzählen:

„Ich Asurbanipal empfing im bitriduti [3]) die Weisheit Nebos, das ganze der Tafelschreibung. Nach aller Völker Besitz schaute ich aus. Ich lernte mit Bogen schießen, reiten, Wagen bespannen. Auf Befehl der großen Götter, deren Namen ich anrief, deren Ruhm ich verkündige, befahlen sie mir, die Königsherrschaft auszuüben und übergaben mir die Fürsorge für ihre Tempel, indem sie, so oft ich zu

---

1) A. u. B., S. 59.

2) Vielleicht ist „der große und berühmte" eine Uebersetzung von Osnappar.

3) Frauenhaus oder Harem. Wenn Br. Meisner darunter „Regierungspalast" versteht, so ist das abendländisch, aber nicht morgenländisch gedacht. Freilich war das Frauenhaus auch Sitz der Regierung.

ihnen sende, meine Widersacher unterwerfen, meine Feinde besiegen. Ein Mann, ein Held, der Liebling Asurs und Istars, von königlichem Geblüt bin ich."

Daß Asurbanipal die Kunst des Tafelschreibens gelernt hat, läßt mit ziemlicher Sicherheit schließen, daß seine Vorgänger diese Kunst den Gelehrten überließen. Man weiß nicht, wo in dieser Inschrift die Götter aufhören und die Priester anfangen. Er hält es aber sonderlich mit den Priestern Asurs und Istars; doch wendet er sich in schwierigen Fragen auch an Samas mit Gaben und Gebeten: „O Sonnengott, großer Herr, den ich frage, antworte mir mit wahrer Gnade."

Asurbanipal tritt auf als „der große König, der mächtige König, der König der Völker, der König von Assyrien, der König der vier Weltgegenden, der rechtmäßige Hirte, der Wohltäter, der König des Rechtes, der Gerechtigkeit liebt, der seine Untertanen gedeihen läßt, der sich zu seinen Oberbeamten, seinem Hofstaat mit Gnadenerweisen herabläßt, der dem, der ihn verehrt, sein königliches Wort bewahrt und Huld erweist [1]).

Als Asurbanipal noch ein Kind war, sagte Nebo durch den Mund seiner Priester von ihm:

„Klein warst du, Asurbanipal, als du auf dem Schoße der Göttin, der Königin von Ninive, saßest. Du hast von den vier Brüsten, die dir in den Mund gegeben waren, nur zwei gesogen, in die zwei andern das Gesicht vergraben."

Istar, die Königin von Ninive, mag mit vier oder mehr Brüsten abgebildet werden, aber daß die keine Milch geben, wußten auch die Heiden. So wird die Gemahlin Asarhaddons noch eine Amme angenommen haben, die ihr helfen sollte, den Königssohn und seinen Zwillingsbruder zu nähren; denn Ammen, Musaniktu genannt, werden auch sonst erwähnt. Aber dieser Königssohn verstand sich schon früh darauf, eine Auswahl zu treffen.

Wen nun dieses Priesterhistörchen an die Geschichte des Heilandes aller Welt erinnert, der ist durch seine sogenannte Wissenschaft entweder ein schwachsinniger Spötter oder ein dreister Lästerer des Heiligen geworden, ob er gleich den Namen eines Christen trägt.

Schon im ersten Jahr seiner Regierung ging Asurbanipal in politischer Klugheit gegenüber Babel auf dem Weg seines Vaters und ließ durch seinen Bruder den dortigen Tempel des Bel-Marduk wieder herstellen, damit dieser Gott wieder in sein Haus zurückkehren könnte. In dieser Zeit wurde das Dach des Tempels aus Zedern und Zypressen hergestellt, Türflügel aus kostbarem Herz eingesetzt, namentlich aber die Cella des Gottes, Ekua genannt, mit Gold und Silber und edeln Steinen geschmückt. Zu Bel-Marduk betete der König:

„Gedenke Babels, das du im Zorne deines Herzens zerstörtest. Zu Esagila, zu dem Hause deiner Herrlichkeit, wende dein Antlitz. Lange genug verließest du deine Stadt, nahmst Wohnung an einem (andern) Ort, der dir nicht zukam. Du

1) Nach K. B. II, b, 143.

Herr der Götter, Marduk, befiehl nach Babel zu ziehen; aus deinem reinen unabänderlichen Mund ergehe der Einzug in Esagila."

Es war sein Zwillingsbruder Samassumukin, auch Saulmaginu, Soasduchin, Samuges genannt, der nach des Vaters Vorbestimmung zum Statthalter von Babylonien oder König von Amnanu eingesetzt war. Er galt als ahia talime und regierte 668—648 v. Chr. Die andern Brüder, Asurmukinpalea, der ahia kudinni, und Asuratil same u irsiti balasu, der ahi sihra, diese andern wurden mit der Großbruderschaft bedacht, d. h. sie wurden Statthalter oder Vizekönige in assyrischen Provinzen, indem der eine die Hand Sins, des Gottes von Haran, ergriff. Samassumukin aber faßte die Hand Bel-Marduks und führte den Zug der Priester und Sänger an, die das Bild des Gottes von Ninive, wo es gleichsam in Gefangenschaft geschmachtet hatte, nach Babel zurückbrachten. Auf dem ganzen weiten Weg wurden große Mengen Vieh geschlachtet, Weihrauch angezündet und während der Nacht der Weg mit Fackeln erleuchtet. Schon unterwegs, noch mehr bei dem Einzug in Babel, standen die Bilder der andern Götter und Göttinnen zum Empfang bereit und begrüßten den zurückkehrenden Gott „frohlockend wie winselnde junge Hunde". Unter ihnen war Nana aus Babel, Nergal aus Kutha, Nebo aus Borsippa und Samas aus Sipara. Ea aber erwartete seinen Sohn vor dem eignen in Esagila gelegenen Heiligtum, Ekarsagina genannt. Es war am 12. Ijjar 668 v. Chr., daß Marduks Bild unter Gegenwart des Königs in seinen Tempel zurückgebracht wurde; und bei dieser Gelegenheit soll, wie Fr. Delitzsch meint, die Litanei gesungen sein, die später mitgeteilt werden wird.

Aus der Zeit von Samassumukin, nämlich den Jahren 664, 662 und 653 v. Chr. sind drei Mondfinsternisse bekannt, von deren eine, der ersten, der König also berichten läßt: „Ich Samassumukin, der König, der Sohn seines Gottes, dessen Gott Marduk, dessen Göttin Zirbanit ist, angesichts der verhängnisvollen Mondfinsternis, die sich am 15. Sebat zugetragen hat, angesichts des Unglücks, der bösen und ungünstigen Vorzeichen, die in meinem Palast und in meinem Land zu beobachten sind, bin ich in Furcht und Schrecken, bin ganz entsetzt."

Eine andree Inschrift ist erhalten:

„Der Sipparenser X hat seinem König Samassumukin, dem Herrn von Babylonien, dem König von Sumer und Akkad, für sein Leben und für das Leben von Asurbanipal, des Königs von Assyrien, seines .... Bruders, den Tempel Bitsamas mit Backsteinen von neuem erbaut."

Asurbanipals erster Feldzug richtete sich 664 v. Chr. gegen Thirhaka, den König von Aethiopien, und Nutamman, in K. S. Urdumanna oder Tandamanni von Aegypten, Sohn des Sabaku. Denn die von seinem Vater eingesetzten Statthalter wurden als Verräter erkannt und nach Ninive geschickt; nur Necho, Niku sar al Mimpi u al Saai, d. i. Herr von Memphis und Sais, hatte Gnade vor dem Großkönig gefunden, der seinen Sohn Nabusazibami zum Herrn von Athribis machte. Als Thirhaka in Aegypten eingefallen war, ließ der Großkönig das Folgende aufzeichnen:

„Wegen dieser Sache war mein Herz bitter und sehr betrübt. Auf Befehl Asurs und der Istar Assuritu versammelte ich die gewaltigen Streitkräfte, die Asur und Istar in meine Hand gegeben hatten. Nach Aegypten und Aethiopien richtete ich meinen Marsch. Bei dem Fortgang meines Feldzuges kamen 22 Könige von der Küste und Mitte des Meeres und vom Festland, alle tributpflichtig und von mir abhängig, vor mich und küßten meine Füße."

Unter diesen Königen, die dem Großkönig Hilfstruppen stellen mußten, befand sich auch Baal, König von Tyrus, und Manasse, König von Juda, wie inschriftlich bezeugt ist. Als der Großkönig mit seinen Unterkönigen nach Karbaniti gekommen war, kann er weiter berichten lassen:

„Urdumane hörte von dem Fortschritt meiner Unternehmung, und daß ich die Grenze von Aegypten überschritten hatte. Er verließ Memphis und floh nach Theben, sein Leben zu retten. Die Königin, die Obersten und die Statthalter, die ich in Aegypten eingesetzt hatte, kamen vor mich und umfaßten meine Füße. Ich folgte dem Weg, den Urdumane genommen hatte; ich ging nach Theben, der starken Stadt. Er sah das Nahen meines mächtigen Heeres, er verließ Theben und floh nach Kikkip. Diese Stadt nahmen meine Hände ganz für den Dienst von Asur und Istar, das Silber, das Gold, die Edelsteine, die Ausstattung des Palastes, alles was er enthielt, die Sklaven und Sklavinnen, zwei hohe Obelisken, mit schönen Bildhauereien bedeckt, 2500 Talente war ihr Gewicht, vor dem Tor des Tempels errichtet, erhob ich von ihrem Platz und schaffte sie nach Assyrien. Eine große und unzählbare Beute führte ich aus Theben hinweg."

Ob die Obelisken in Assyrien angekommen sind und was aus ihnen geworden ist, wissen wir nicht. Dasselbe gilt von den vorausgeschickten Statthaltern.

Da Asurbanipal auf seinem ersten Feldzug wenig ausgerichtet hatte, mußte er bald nach dem Tode Thirhakas einen zweiten unternehmen, über den er also berichten läßt:

„Urdumane, Sohn seiner Gemahlin, setzte sich auf seinen Thron und entbot das Land. No Theben richtete er zur Verteidigung her, versammelte seine Macht, ließ um Schlacht und Treffen zu liefern, seine Truppen gegen mein Heer ausziehn, machte sich auf den Marsch."

Danach hätten wir mit zwei Urdammanas zu tun, einem Sohn von Thirhaka und einem Sohn von Sabaku, der erste König von Assyrien, der andre Herr von Aegypten; wenn hier die assyrischen Hofschreiber keine Verwechslung begangen haben. Die Inschrift fährt fort:

„Im Vertrauen auf Asur, Sin und die großen Götter, meine Herrn, brachten sie [1]) ihm in der Schlacht in einer weiten Ebene eine Niederlage bei und schlugen seine Truppenmacht. Urdammana floh allein und warf sich nach No, seiner Königsstadt. In einem Marsch von einem Monat und 10 Tagen zogen sie [1]) auf unwegsamen Pfaden hinter ihm her, nahmen jene Stadt in ihrem ganzen Umkreise ein und warfen sie gleich dem Sturmwind nieder. Gold, Silber, den Staub ihres

1) Die assyrischen Truppen.

Landes, gegossenes, Kostbarkeiten, den Schatz seines Palastes, Gewänder von Berom und Kum, große Pferde, Männer und Weiber, pagi und ukupi, das Erzeugnis ihrer Berge, in zahlloser Menge, führten sie aus ihr fort, bestimmten sie zur Gefangenschaft. Gen Ninive, meinem Herrschersitz, brachten sie sie wohlbehalten und küßten meine Füße."

Diese ist die einzige Zerstörung Thebens, die aus der alten Geschichte bekannt ist; aber Asurbanipal kehrte „mit vollen Händen und wohlbehalten" in seine Hauptstadt zurück, mit Beute beladen, aber ohne Kriegsruhm; denn er hatte Aegypten nicht unterworfen. Trotzdem nennt er sich von dieser Zeit an König der Könige von Aegypten, Oberägypten, wie sein Vater auch getan, aber mit mehr Recht.

Dem Gyges, der die Herrschaft von Lydien an sich gerissen hatte, stand der Großkönig gegen die von Norden her einbrechenden Kimmerier oder Gimiräer bei, die selbst wieder von den Skythen gedrängt wurden. Asurbanipal läßt inschriftlich berichten, Gyges habe einen Traum gehabt, in dem er ein Gesicht gesehn und die Worte vernommen habe: „Umfasse die Füße Asurbanipals, in seinem Namen besiege deine Feinde." Diesen Traum hatte der Gott Asur ihm gesendet, und Gyges schickte mit einer huldigenden Gesandtschaft einige gefangene Kimmerier an den Großkönig, dessen Hofleute die Fremden bewunderten, aber nicht einmal ein Dolmetsch konnte ihre Sprache verstehen.

Später wurde der Großkönig sehr erzürnt auf Gyges, weil er dem ägyptischen König Tusamilki, d. i. Psammetich, Hilfstruppen gesandt hatte, und er bat von seinen Göttern: „Vor seine Feinde werde seine Leiche geworfen, sie mögen seine Gebeine wegschleppen." So geschah es. Gyges fiel im Kampf gegen die Kimmerier, und sein Sohn Ardys söhnte sich mit Assyrien aus.

Asurbanipal ließ darüber inschriftlich berichten:

„Nach ihm (Gypes) kam sein Sohn zur Regierung. Ein Werk böser Dämonen, das auf mein Gebet hin die Götter, meine Beschützer, vor dem Vater, der ihn gezeugt, hatten niederblitzen lassen, sandte er mir durch die Hand seines Boten, (ließ ihn) meine Füße umfassen und also (reden): „Du bist der König, den Gott anerkennt. Meinem Vater fluchtest du. Da ließ unheilvolles sich vor ihm nieder. Mich den Sklaven, der dich fürchtet, segne, wenn ich auch dein Joch nicht getragen habe."

Es ist wohl möglich, daß Lehmann Recht hat, wenn er unter dem von Ardys eingesandten Gegenstand, der Gyges erschreckt hatte, einen Sirgal oder Meteorstein versteht, weil er blitzartig von oben herabgefallen sei.

Während um diese Zeit Haufen von Skythen ganz Assyrien durchbrachen und weiter durch Syrien und Palästina, wie Herodot erzählt, bis nach Aegypten zogen, kämpfte Asurbanipal im Osten des Reiches gegen Maräer und Elamiter, deren Hauptstadt Susa er 658 v. Chr. in seine Gewalt brachte. Den König Teumman, den „Rebellen", enthauptete er und setzte Ummanigas, den Sohn des Urtaki, und dessen

Bruder Tammaritu als Herren von Elam in Hidalu ein. Inschriftlich wird berichtet:

„Dem Teumman, ihrem König, schlug ich den Kopf ab, ihm der sich so stark gedünkt und auf Feindschaft gesonnen hatte. Seine Krieger erschlug ich ohne Zahl, mit eigner Hand fing ich seine Streiter lebendig. Mit ihren Leichen erfüllte ich gleichwie mit Dornen und Disteln die Umgebung von Susa. Ihr Blut ließ ich in den Fluß Ulai strömen, sein Wasser färbte ich wie Wolle."

Eine andre Inschrift verkündigt:

„Asur und Istar haben mich über meine Feinde erhoben. Ich habe die große Stadt Susa genommen, den Sitz ihrer großen Gottheiten, das Heiligtum ihrer Orakel."

Aus Elam nahm der Großkönig 20 Bilder von Göttern und Göttinnen samt Tempelschätzen, Priestern und Dienern mit, auch 32 Bildsäulen von elamitischen Königen, die aus Silber oder Gold, Kupfer oder Marmor hergestellt waren. Selbst ihre Grabstätten entleerte der goldgierige „gebildete" Barbar aus Assyrien und nahm die Gebeine derselben nach Ninive mit [1]). Alle lebende Menschen wurden als Gefangene fortgeführt, das ganze Land zur Wüste gemacht. Törichter Weise aber stellte jetzt der siegreiche Großkönig elamitische Bogenschützen in sein Heer ein [2]).

Das gute Einvernehmen der beiden Zwillingsbrüder, der Herren von Assyrien und Babylonien, dauerte nur kurze Zeit. Bald erwachten in Samassumukin die Gedanken, sich und sein Reich von Assyrien unabhängig zu machen, wozu er bereits 662 v. Chr. die Hilfe von Elam, Aram, Arabien und Aethiopien angerufen hatte, während auch Manasse von Juda dem Großkönig untreu wurde.

Dieser wurde ermutigt durch den Traum eines Priesters, der auf dem Fußboden (kigallu) eines Tempels des Mondgottes diese Worte las:

„Allen, die gegen Asurbanipal böses vornehmen und Kampf erregen, will ich einen schrecklichen Tod geben. Durch den schnellen Dolch von Eisen, durch Niederwerfen in das Feuer, durch Hunger und Pest werde ich ihre Seelen verderben [3])."

Es kam zum offnen Krieg zwischen beiden Brüdern, und Asurbanipal drängte seinen Zwillingsbruder so hart, daß eine babylonische Stadt nach der andern fiel, bis Babel selbst erobert wurde. Im letzten Kampf fand Samassumukin seinen Tod im Feuer, ein Ende, das die Griechen willkürlich auf Asurbanipal übertragen haben. Der Meinung [4]), das Volk von Babel habe den König und seine Trabanten ins Feuer geworfen, steht entgegen, daß der Großkönig gar keine Ursache hatte, solchen Beistand des babylonischen Volkes in seinen Berichten zu

1) Auch die Elamiter begruben die Leichname ihrer Könige in die Erde.
2) K. B. II, b, 211.
3) Nach Tiele a. a. O. S. 379.
4) Gegen Tiele a. a. O. S. 382.

verschweigen. Er aber weist das schreckliche Ende des Bruders den Göttern zu und ließ auf Anraten der Priesterschaft sämtliche Altäre der Götter in Babel einer Reinigung unterwerfen; denn die Götter waren darüber billig erzürnt, daß die Tempelschätze schon mehrere Male zu Kriegszwecken geplündert worden waren.

Ueber das Ende des Bruders läßt Asurbanipal inschriftlich berichten:

„Die großen Götter warfen ihn in die brennende Flamme des Feuers, vernichteten sein Leben. Aber die Leute, die Samassumukin, meinen feindlichen Bruder, zu solchen Taten .... verleitet hatten, die fürchteten sich vor dem Sterben. Ihr Leben war ihnen zu lieb, und so stürzten sie sich nicht mit Samassumukin, ihrem Herrn, in das Feuer. Sie zerstoben vor dem Gemetzel des eisernen Dolches, vor Mangel, Hungersnot und flammender Lohe und ergriffen einen Zufluchtsort. Das Netz der großen Götter, meiner Herrn, aus dem kein Entrinnen möglich ist, warf sie nieder. Kein einziger entkam, keiner der Uebeltäter entrann; durch meine Hände wurden sie mein. Diesen Kriegern, die meinen Herrn Asur gehöhnt und gegen mit ... böses geplant hatten, riß ich die Zunge aus und schlug sie nieder. Ihr zerhacktes Fleisch ließ ich Hunde, Schweine und Geier, Adler, die Vögel des Himmels und die Seefische fressen."

Durch Tat und Wort hat so der Großkönig selbst der unmenschlichen assyrischen Grausamkeit ein weiteres Denkmal gestiftet, und während das Schwert unter den unglücklichen Bewohnern der großen Stadt wütete, wetteiferten mit ihm zwei andre Würgengel, der Hunger und die Pest, wie die Inschrift meldet:

„Von den Leichen der an Hunger und Pest Gestorbenen waren die Straßen gesperrt, wimmelten die Plätze."

In Elam standen nach Teumman zuerst Indabigas, hernach Pae oder Umbahabua [1]) gegen den assyrischen Statthalter auf. Daher sandte Asurbanipal an Indabigas mehrere Gesandte und mit ihnen diese Botschaft:

„Wenn du diese Männer nicht zurücksendest, dann werde ich kommen, deine Städte verwüsten, das Volk von Susa, Mataktu und Hidalu wegführen, dich von deinem königlichen Thron stoßen und einen andern an deine Stelle setzen. Wie ich ehedem Teumman vertilgte, so werde ich dich auch vertilgen [2]).

Hatte er doch von seinen Magiern das günstige Orakel erhalten, nämlich Istars Erbieten:

„Die Bogen Elams werde ich zerbrechen, aber deinen Bogen werde ich stark machen; über alle deine Feinde werde ich deinen Waffen Macht verleihen."

Auf Pae folgte Ummanaldas, der seinen Nebenbuhler Tammaritu in andauernden Kriegen unterwarf. Dabei wurde Susa gänzlich zerstört, auf seine Trümmer Salz gestreut, das fruchtbare Elam zur Wüste gemacht, die weiten Wälder niedergebrannt, die Cisternen ausgetrocknet, alles mit Zerstörung, Sklaverei und Hungersnot bedeckt. Keine mensch-

1) Tiele a. a. O. S. 391.
2) Tiele a. a. O. S. 390.

liche Stimme, kein Tritt von Rindern und Schafen, kein fröhlicher Freudenruf erscholl mehr auf Elams Auen. Sie dienten nur Wildeseln und Gazellen und allerlei Wild zum Lagerplatz ...

„Den Staub der Stadt Susa, der Stadt Madaktu, der Stadt Huldama und der übrigen Städte habe ich hinweggeführt nach dem Land Assyrien." „Die Grabstätten ihrer Könige zerstörte ich, ihre Gebeine nahm ich mit nach Assyrien, ihren Totengeistern legte ich Ruhelosigkeit auf und schloß sie von der Totenfeier der Trankspende aus."

Demnach benutzte Asurbanipal die inneren Streitigkeiten der Herren von Elam, einen neuen Raubzug anzutreten, wenn das überhaupt noch möglich war; oder der vorige Bericht hat das Geschehene übertrieben [1]). Wann dieser letzte Krieg mit Elam stattfand ,ist nicht sicher zu bestimmen. Von Susa nahm der Großkönig das Bild der Göttin Nana mit, das 1635 Jahre zuvor aus Erech geraubt und nach Susa gebracht war, nun aber der Stadt Erech zurückgegeben wurde. Er läßt darüber berichten:

„Die Königin Nana, die seit 1635 Jahren vergewaltigt und gezwungen war, im Lande Elam zu wohnen, einem Ort, der ihr nicht zukam; diese Göttin, die im Verein mit den Göttern, ihren Vätern, meinen Namen zur Herrschaft über die Länder berufen hatte, befahl mir auch, ihre Gottheit wieder an ihren Ort zurückzubringen. „Asurbanipal," sagte sie [2]), „wird mich aus dem feindlichen Elam herausführen und mich in Eanna einziehn lassen." Ich ergriff die Hände ihrer hehren Gottheit, den graden Weg schlug sie frohlockenden Herzens nach Eanna ein. Am ersten Tag des Monats Kislew ließ ich sie Einzug in die Stadt Erech halten, das sie so lieb hat. Ein Allerheiligstes ließ ich sie bewohnen für ewige Zeiten."

Nana heißt die Istar von Erech. Warum er nicht auch den Stein Hammurabis zurückbrachte? Vermutlich lag er schon von Schutt bedeckt und war vergessen.

Den Triumphwagen des Großkönigs zogen vier Könige, einer von Arabien und drei von Elam, Tammaritu, Ummanaldas und Pae, von denen die zwei ersten von Asurbanipal selbst eingesetzt waren. Er läßt berichten:

„Unter (Istars) hohem Beistand nahm meine Hand (die Könige von Elam) gefangen, an meinen königlichen Wagen ließ ich sie spannen. In ihrem hehren Namen bin ich durch alle Länder hingezogen, ohne meines gleichen zu haben."

In der Tat fand dieser Großkönig von Assyrien selbst in jener Zeit nicht seines gleichen, was wahnwitzigen Hochmut, Prahlerei, Unzuverlässigkeit und Grausamkeit betrifft, wie auch die jetzt zu erzählende Handlung beweisen wird. Nach der Zerstörung von Susa hatte sich ein Enkel Merodachbaladans II., Nabubalzikra, bei Ummanaldas, dem König von Elam, in dessen Stadt Madaktu aufgehalten. Als Asurbanipal dessen Auslieferung verlangte, töteten sich der verbannte Fürst und sein Diener gegenseitig, aber dem Leichnam, den Ummanaldas ausliefern

1) S. S. 124.
2) Durch ihre Priester.

mußte, ließ der unversöhnliche Großkönig den Kopf abschlagen oder er tat dies schnöde Werk der Feigheit gar selbst, wie eine Inschrift auf dem Rassamcylinder sagt:

„Seinen Leichnam übergab ich nicht dem Grab, ich tötete ihn noch einmal. Ich schlug der Leiche den Kopf ab und band ihn an den Nacken des Nabukatisahab, eines Dieners des Samasumukin."

In die Empörung dieses unglücklichen Königs war auch das Westland oder mat martu, d. i. Phönikien und Palästina, das Land Guti und Millukikusch verwickelt wie die Inschrift sagt:

„Das Volk von Akkad, Chaldäa, Aram und der Meeresküste von Agade bis Babsalimitu, die mir zinspflichtig waren, bewog er zur Empörung wider mich; und die Könige von Goim, Syrien und Aethiopien ... alle diese bewog er zur Empörung."

Sie wurden besiegt und ihre gefangenen Einwohner wieder in den Osten des Reiches gebracht, aber an ihre Stelle, also auch in Samaria [1]), kamen Leute aus verschiedenen Teilen des assyrischen Reiches. Den König Manasse von Juda ließ er in Ketten nach Babel bringen, wo Asurbanipal die letzten 20 Jahre seines Königtums residierte [2]). Bald aber entließ er ihn nach seines Vaters Beispiel, und Manasse starb zwei Jahre darauf zu Jerusalem 643 v. Chr.

Von einem andern Feldzug läßt der Großkönig berichten:

„In Hukurussuh, den rauhen Bergen, nahm ich die Knechte von Abyate [3]), dem Sohn des Tehari, lebendig gefangen; auf Befehl von Asur und Istar, meinen Herrn, nahm ich sie mitten in der Schlacht gefangen. Hände und Füße schloß ich in eiserne Bande. Uaite und die Araber flohen und entkamen .... Uaite hörte davon und fürchtete sich; und aus Nabatäa brachte ich ihn heraus — auf Befehl von Asur und Beltis erschlug ich vor seinen Augen das Fleisch, das aus ihm gekommen war, seinen Sohn."

Die grausamen Götter haben an Priestern und Königen auch grausame Diener; aber es kommt noch Schlimmeres:

„Dunanu und Nabuusalli, die über Gambulu gesetzt waren, die gegen meine Götter einen großen Hohn ausgesprochen hatten, riß ich in Arbela die Zunge aus und zog ihre Haut ab."

Nach anderm Bericht warf man in Ninive den Dunanu auf ein Schindebrett und schlachtete ihn wie ein Lamm [4]).

Aime, ein Verbündeter von Abyate, wurde lebendig geschunden, Abyate selbst verstümmelt und wie ein Hund an die Kette gelegt. Ihre gefangenen Krieger starben in Babel vor Hunger oder an der Pest.

Noch schlimmer erging es Maiti, dem König von Arabien, der gefangen von dem Großkönig nach Ninive gebracht war. An ihm vollführte dieser Unmensch die Greueltaten, deren er sich inschriftlich rühmt:

---

1) Esra 4, 10.
2) 2. Chron. 33, 11.
3) Sachau nennt ihn einen Kriegsobersten des Königs Urita.
4) K. B. II, b, S. 257.

„Mit dem Messer, womit ich Fleisch zu schneiden pflegte, machte ich ein Loch in seinen Backen; ich zog einen Strick durch seine Oberlippe und befestigte daran eine Kette, mit der man die Hunde koppelt, und ließ ihn im Osttor von Ninive den Käfig hüten."

Ein bekanntes Relief zeigt einen assyrischen König, der mit der linken Hand den Strick hält, der durch die Lippe des Gefangenen gezogen ist, mit der rechten Hand aber die Spitze seines Speeres auf das Auge des Gefangenen richtet, um es zu durchbohren — eine dem Asurbanipal ganz angemessene, vermutlich oft geübte Grausamkeit. Dabei rühmt sich dieser grausamste aller assyrischen Könige, eine Zeit des Segens über sein Land gebracht zu haben. Entweder war er ein schwaches Werkzeug seiner Schreiber und Schriftgelehrten, oder diese Menschen schmeicheln dem König mit ihren Lügen aus Furcht, er könne sie wie den König von Arabien an die Kette legen. Sie schreiben:

„Tage des Rechts, Jahre der Gerechtigkeit, reichliche Regengüsse, gewaltige Hochwasser, guter Kaufpreis. Die Götter sind wohlgeneigt, Gottesfurcht ist reichlich vorhanden, die Tempel sind gut versorgt. Die Greise hüpfen, die Kinder singen, die Frauen und Mädchen heiraten, geben Knaben und Mädchen das Leben. Das Werfen verläuft richtig. Wen seine Sünden dem Tod überantwortet hatten, den hat mein Herr König am Leben gelassen [1]). Die viele Jahre gefangen saßen, hast du freigelassen. Die viele Tage krank waren, sind genesen. Die Hungrigen sind gesättigt, die Ausgemergelten sind fett geworden, die Nackten sind mit Kleidern bedeckt worden."

In Wirklichkeit war Assyrien gänzlich erschöpft, wie sich bald zeigen wird. Die großen Tonprismen berichten auch von den Werken des Königs im Innern, wo er ein Pfleger des Götzendienstes, der Künste und Wissenschaften war; diese Berichte reichen bis 647 v. Chr., da Samasdanninanni Statthalter von Babylonien war. Dem Gott Asur und seiner Gattin erbaute er je einen Tempel zu Ninive, andern Göttern in Babel und Borsippa. Der Tempel des Asur hieß auf assyrisch Sadirabumati, auf sumerisch ekurgalkurra, das Haus „der Herrin der Welt" war masmasu genannt. In Haran ließ er die Tempel des Sin und Nusku, melammesami und hiduti genannt, wieder herstellen und ausschmücken. Aber den Stufenturm von Esagila hat weder Asarhaddon noch Samassumukin noch Asurbanipal aufgerichtet. Diesen gewaltigen Bau vollendete erst der Chaldäer Nabopolassar und sein noch größerer Sohn.

Eine große königliche Bibliothek und ein Archiv errichtete Asurbanipal in Kujundschik, einem Trümmerort des weiten Ninive, daneben noch mehrere kleine Bibliotheken. Alte Tafeln aus den Büchersammlungen zu Akkad, Assur, Babel, Kutha, Nippur und Ur ließ er fleißig abschreiben, Uebersetzungen aus dem sumero-akkadischen in das assyrische anfertigen, auch Grammatiken und Wörterbücher der ausgestorbenen

1) Solcher Gnade, wie sie Manasse von Juda erfuhr, hatten sich nur wenige zu erfreuen.

Sprache und Silbenbücher der keilförmigen Schriftzeichen für die Fremden aus Lydien, Kypern, Aegypten und andern Ländern wurden angelegt; und über alle die vielen tausende von Tontafeln gab ein Katalog Anleitung zum Auffinden des Gewünschten. Auch Schildchen in der Größe eines kleinen Fingers waren den Tafeln angehängt, die einen gemeinsamen Serientitel trugen.

Es kamen damals viele Fremde an den Hof dieses Königs, „dem Nebo, der weissagende Gott, und seine Gemahlin, die hörende Tasmit, die Ohren geöffnet und den Augen das Gesicht gegeben, daß er die Schriften, um die sich keiner der vorigen Könige gekümmert, die Geheimnisse des Nebo auf Tafeln habe eingraben, erklären und aufstellen lassen, mitten in seinem Palast zum Durchsehn für seine Untertanen".

Auch viele Tafeln mit medizinischen Anweisungen oder Rezepten wurden unter diesem König geschrieben, wie folgende Inschrift bezeugt:

„Palast Asurbanipals, des Königs von Assur, dem Nebo und Tasmitu weite Ohren verliehen, der helle Augen zu eigen bekam, das Auserlesene der Tafelschreibekunst, einer Verrichtung, wie dergleichen keiner unter den Königen, meinen Vorgängern, gelernt hatte, Heilungen und Verrichtungen des Meisters des Ritzmessers, Anweisung der Beschwörer, kunstvolle Lehre, Arzneikunde von Ninib und Gula, soviel davon im Gebrauch ist, schrieb ich auf Tafeln, prüfte ich und stellte ich zu leisem und lauten Lesen in meinem Palast auf [1])."

In Ninive hatte sich Asurbanipal einen großen Palast erbauen lassen mit Flügeln, Höfen und Hallen. In diesem Gebäude fand Rassam ein Löwenzimmer, ein babylonisches, ein susianisches und ein arabisches Zimmer, mit vielen Reliefs geschmückt, auf denen Jagden oder Feldzüge mit ihren Kämpfen dargestellt waren. Selbst die Wände der Gänge waren mit Alabastertafeln belegt, auf denen man Basreliefs von großer Feinheit sah.

Des Königs bitriduti oder Frauenhaus mußten die gefangenen Könige von Arabien eigenhändig bauen. In diesem wohlgefüllten Haus brachte der König die meiste Zeit zu und ließ, wie auch Ktesias berichtet hat, seine Heere allein in den Krieg ziehen; aber die Siege schrieb er s i c h zu, wie auch die Berichte meist so abgefaßt sind, als ob er selbst in höchsteigener Person alles geleitet und ausgeführt hätte. Einer dieser Heerführer war Nabusarussur, dem ein ansehnlicher Landbesitz für seine Dienste zum Lohn überwiesen wurde [2]). Es wird aber die Tatsache, daß der König nicht bei dem Heere war, doch einige Male inschriftlich bestätigt:

„Vauteh, Sohn des Hasael, Königs von Kedar [3]), sündigte gegen meinen Vertrag, er hörte auf, Gaben zu bringen. Er veranlaßte das Volk von Arabien, sich mit ihm zu empören und führte die Beute Syriens hinweg. Mein Heer, das an der Grenze lag, sandte ich gegen ihn. Sie brachten ihm eine Niederlage bei. Alles

---

1) Nach Küchler a. a. O. S. 41.
2) K. B. II, b, S. 145.
3) Das nördliche Arabien.

Volk von Arabien ... töteten sie mit dem Schwert. Ochsen, Schafe, Esel, Kamele und Menschen ohne Zahl führten sie hinweg."

So taten die Fürsten des Heeres oder die Oberbefehlshaber [1]). Eine andre Inschrift bestätigt dies:

„Alle Könige [2]) sündigten wider mich, sie machten eine gottlose Verschwörung. Meine Heeresführer hörten von dieser Verschwörung, ergriffen ihre Boten und Botschafter und sahen ihr aufrührerisches Werk. Sie nahmen diese Könige gefangen."

Das Ende dieses Königs ist uns ebenso wenig bekannt wie das seiner Vorgänger. Noch bei seinen Lebzeiten erhoben sich die Meder, die Phraortes zu e i n e m Reiche vereinigt hatte. Cyaxares, dessen Nachfolger, fühlte sich schon 633 v. Chr. stark genug, einen Zug gegen Ninive zu unternehmen, wo seit 648 v. Chr. ein Statthalter residierte, und schlug die Söldnerheere des Großkönigs, der sich in Babel sicherer fühlte als in der den Medern zu nahen nördlichen Hauptstadt. Da brach von neuem das wilde Reitervolk der Skythen über Medien und Assyrien herein; aber im Kampf mit den Skythen erstarkten die Meder mehr und mehr, bis sie diese Feinde über den Kaukasus zurücktrieben, woher sie gekommen waren. Hätte Asurbanipal sich dieses Kampfes angenommen und den Medern Hilfe geleistet, anstatt Assyrien sich selbst zu überlassen, so konnte die Auflösung dieses Reiches noch aufgehalten werden; aber der wollüstige Großkönig vertrieb seine Zeit im Harem oder ging auf Jagdabenteuer aus, die er als ein Münchhausen der Vorzeit einer staunenden Nachwelt überliefert hat, wie dieses Stückchen:

„Ich Asurbanipal, König der Völker, König von Assyrien, habe in meiner Tapferkeit zu Fuß einen mächtigen Wüstenlöwen bei den Ohren gepackt; unter dem Beistand Asurs und Istars, der Herrin der Schlacht, habe ich mit dem Speer meiner Hand seinen Leib durchbohrt."

Er will auch einen Löwen bei dem Schwanze ergriffen und getötet haben; aber man braucht dem üppigen Haremskönig, der sich um seines Reiches Not mit dem zunehmenden Alter immer weniger kümmerte, solche Prahlereien nicht zu glauben, zumal wenn man sich dieser Art der Tapferkeit erinnert, die einem toten Feind das Haupt abschlagen konnte. Oder wir dürfen daran denken, daß in Ninive, Kalah und Dursarrukin neben den Wildparken auch Löwenzwinger angelegt waren, aus denen auf Befehl etliche Tiere freigelassen wurden, um von dem Großkönig getötet zu werden.

Wir hörten oben bereits, wie die Schriftgelehrten von dem Segen der Regierung dieses Königs hoch zu rühmen wissen, ohne eine Ahnung davon zu haben, daß nur 20 Jahre nach seinem Ende kein Assyrien mehr sein werde. So verkündet auch der Rassamcylinder:

„Seit Asur, Sin, Samas, Ramman, Bel (Marduk), Nebo, Istar von Ninive, die Königin von Kidmuru, Istar von Arbela, Ninib, Nergal und Nusku mich in

1) 2. Chron. 33, 11.
2) Die assyrischen Statthalter in Aegypten.

Güte auf den Thron meines Vaters, meines Erzeugers, gesetzt haben, ließ Ramman seinen Regen los, öffnete Ea[1]) seine Wasserhöhlen; und das Getreide ward 5 Ellen hoch in seinen Aehren, die Aehre aber 5/6 Elle lang. Es gelang die Ernte, es wucherte das Korn, es schoß das Rohr beständig empor. Die Baumpflanzungen ließen üppige Früchte reifen, das Vieh hatte bei dem Werfen Gelingen. Während meiner Regierungszeit kam der Ueberfluß in Massen daher, während meiner Jahre strömte reicher Segen hernieder[2])."

Dieser Schilderung mag man in mehreren Stücken Glauben beimessen und wird um so besser verstehen, wie das Volk seinem üppigen Gebieter bei der Fülle der Lebensmittel in Ueppigkeit des Genusses nachfolgte und verweichlichte. Man pflegte zu dieser Zeit auch der Musik. Zwar finden wir auf Denkmälern der ältesten Zeit bereits die siebensaitige Harfe abgebildet, die von dem Griechen Terpander erfunden sein soll; aber jetzt kamen noch verschiedene andre Instrumente hinzu, und bei religiösen Festen und andern öffentlichen Feierlichkeiten konnte eine Art Orchester wirken, wie wir es aus der Versammlung im Tale Dura kennen lernen[3]).

Auch Asurbanipal starb nach langer Regierung; und auf seinen Tod folgte eine Zeit der Wirren, die von innen und außen das große Reich bis in seine Wurzeln erschütterten und eine neue Zeit einleiteten. Aus diesen zwei Jahrzehnten 626—606 v. Chr. wissen wir recht wenig, weil uns nur wenige Inschriften erhalten sind, die Berichte der griechischen Schriftsteller aber keinen Glauben verdienen. Dem Namen nach folgte auf Asurbanipal sein Sohn

Asuritililaninkini.

626—622 v. Chr. König von Assyrien und Babylonien, noch üppiger und noch weichlicher wie sein Vater. Sein langer Name wird in Asuritililani oder Asuritilukini oder Asurukini, bei Ptolemäus in Sarakos abgekürzt.

Wie morgenländische Fürsten noch heute nicht in des Vorgängers Haus wohnen mögen, so baute auch er sich einen neuen, aber geringeren Palast und seinen Göttern Tempel, wobei wir nicht anzunehmen brauchen, daß Tempel und Paläste von den Skythen zerstört worden seien. Eine Inschrift sagt:

„Ich Asuritililani, König der Völker, König von Assyrien, Sohn des Asurbanipal . . . habe lufttrockene Ziegel aus Ton anfertigen lassen und sie zur Erbauung des Tempels Ezida gestiftet, aufdaß ich leben möge."

Im Jahre 625 schickte der kampfunfähige König von Babel aus seinen Feldherrn, den Chaldäer Nabopolassar, mit einem Heere aus, um die hereinbrechenden Skythen wenigstens von Babylonien abzuwehren. Dieser verständigte sich mit dem Mederkönig Cyaxares, Sohn des Phra-

1) Ea aber ist am Anfang der Götteraufzählung vergessen worden.
2) K. B. II, b, 153. Ein ähnlicher Bericht wurde schon früher mitgeteilt.
3) Dan. 3.

ortes, der auch, wie schon früher erwähnt, mit den Skythen zu kämpfen hatte, so weit, daß er für seinen Sohn Nebukadnezar die Tochter des Cyaxares zur Frau erhielt.

Aus der Zeit dieses schwachen Königs sind einige Verträge aus der Stadt Nippur erhalten. Einer ist datiert vom 20. Sebatu des 2. Jahres des Asuritililani, Königs von Assyrien, ein anderer vom 1. Arachsamna des 4. Jahres dieses Königs.

Auf Asuritililani folgte Belzikiriskun oder Sinsariskun, ein Sohn Aiis, der auch der Sarakos des Ptolemäus sein kann, wie denn H. Winckler [1]) ihn dem Asuritililani vorhergehn läßt. Während die Meder, nun nicht mehr willig, dem vorher gefürchteten Großkönig Tribut zu zahlen, die assyrische Hälfte des Reiches mehr und mehr den Skythen abgewannen, versuchte der König Babylonien zu halten und hatte noch im 7. Jahr seiner Regierung 615 v. Chr. Erech in seiner Gewalt. Die Not des Reiches war groß, aber aus den Inschriften erklingt noch der alte hochfahrende Ton, den man dem mächtigen Vorfahren verzeihen kann; er rühmt, „daß die Götter seine Feinde niedergeworfen, ihn aber zur Herrschaft über die Menschen berufen und mit der Krone bedeckt haben". Hier ist der Cylinder leider abgebrochen; aber einige Kaufurkunden sind noch aus dieser Zeit vorhanden.

Das von seinen Königen, unter denen noch ein Asurachiiddin II. genannt wird, verlassene Assyrien konnte sich der kriegstüchtigen Meder immer weniger erwehren, obwohl es jetzt die Aschkuzas zu Verbündeten hatte, die nach Herodot 28 Jahre hier herrschten. Daher sind mehrere Forscher [2]) der Ansicht, die Skythen hätten den Meder Cyaxares nicht nur zurückgedrängt, sondern seiner Herrschaft beraubt; und Astyages oder Istuwigu sei kein Meder, sondern ein Skythe oder Gothe gewesen. Dagegen wurde Nabopolassar von Erech aus so in die Enge getrieben, daß er nur durch Eingreifen des Skythenfürsten Iriba gerettet werden konnte. Es erscheinen die Skythen demnach bald als Freunde der Assyrer, bald auf seiten der Babylonier. Jetzt strafte sich die trügerische Maßregel, nach der weite Gebiete mit fremden gezwungenen Ansiedlern besetzt worden waren. Diese Leute konnten, ja mußten in den Medern ihre Befreier erblicken und ihnen die Hand reichen. Dazu kam das feige Verhalten des assyrischen Großkönigs, sowie das bald zweifelhafte, bald offen verräterische Handeln des Chaldäers Nabopolassar, der wahrscheinlich in stillem Vertrag ganz Assyrien seinem Freund Cyaxares überlassen hatte, indem er selbst gegen Aegypten zog, um das ganze Westland für Babylonien zurückzugewinnen. Derselbe Pharao Necho, Sohn Psammetichs, den Asurbanipal begnadigt hatte, zog mit einem großen Heere heran [3]), den drohenden Feind von Aegyptens Grenzen fern

1) B. u. A., S. 743.
2) Vergl. E. Müller, Z. f. A. 1898, S. 326.
3) 2. Kön. 23, 29.

zu halten. Ihm begegnete als treuer Unterkönig von Assyrien der König Josia von Juda bei Megiddo 608 v. Chr., wurde geschlagen und verlor sein Leben. Es ist auch möglich, daß die Schlacht bei Migdal Aschtaroth, dem spätern Cäsarea, statthatte, indem Necho dort sein Heer, das er auf einer Flotte den Seeweg geführt haben konnte, landen ließ.

Als dann Nabopolassar gegen ihn heranzog, wich Necho nach Aegypten zurück, nahm aber Joahas, einen Sohn Josias, gefangen und setzte dessen älteren Bruder Eljakim, den er Jojakim nannte, als König von Juda ein. Aber es ist nicht sicher, ob dieser Wechsel nicht erst nach der Niederlage bei Karkemisch eintrat.

Der Widerstand der großen und festen Stadt Ninive gegenüber den Medern wird uns in keiner Inschrift beschrieben, und wie sollte das auch geschehen sein? Hatte doch der Prophet [1]) des unsichtbaren Gottes verkündigt, daß Assur, der Stecken in der Hand des zürnenden Richters, zerbrochen und der Hochmut des Königs zu Assyrien gebeugt werden solle. Dann werde Assur erschrecken vor der Stimme des Herrn, wenn es selbst mit der Rute geschlagen werde: „Eine Grube ist von gestern her zugerichtet, ja dieselbe ist auch dem Könige bereitet, tief und weit genug. Der Scheiterhaufen darinnen hat Feuer und Holz die Menge, der Odem des Herrn wird ihn anzünden wie einen Schwefelstrom."

Derselbe Prophet hat auch die andre Weissagung ausgesprochen [2]), daß Assur fallen solle, aber nicht durch eines Mannes Schwert und verzehrt werden solle nicht durch Menschen-Schwert; aber es werde vor dem Schwerte fliehen und seine junge Mannschaft zinsbar werden. So fehlen denn auch jegliche Nachrichten von irgend einem Kampf um Ninive; und wir dürfen vermuten, daß eine schwere Seuche, die Einwohner und Heer ergriff, oder eine gewaltige Ueberschwemmung die große Stadt wehrlos machte und ihre Tore den Medern öffnete. Auf ein solches Ereignis weist eine Tempelurkunde hin, in der Nabopolassar mit Bezug auf Ninives Ende von Nergal und dem Pestgott redet [3]). Also wurde Ninive wie einst das viel gehaßte Babel durch Wasser und Feuer [4]) zerstört, aber bis auf den heutigen Tag nicht wieder aufgebaut; doch sind seine Trümmer weniger zerbrochen und geben eine größere und bessere Ausbeute für den Altertumsforscher als die babylonischen Städte. Der uns unbekannte König soll auch in den Flammen umgekommen sein [5]).

Mehrere Geschichtsforscher nehmen an, Nabopolassar habe sich schon ein Jahr nach dem Tode Asurbanipals zum König von Babylonien aufgeschwungen, und setzen seine Regierungszeit in die Jahre 625—605 v. Chr. Aber wir haben oben gesehen, daß er noch nach 625

---

1) Jes. 10, 5—19. 30, 27—33.
2) Jes. 31, 8.
3) Mitteil. v. 1901, 10, S. 17.
4) Nahum 2, 3.
5) Fr. Hommel, B. u. A., S. 743.

nur Oberbefehlshaber des babylonischen Heeres war. Sehr wahrscheinlich hat er diese 20 Jahre eine zweideutige Rolle gespielt, um für seinen Sohn einmal die Königskrone von Babylon zu erwerben.

5. Die neubabylonischen Könige.

Nabupalusur,

bei den Griechen Nabopolassar oder Nabonassar, bei Abydenus Bussalossoror, nennt sich inschriftlich „Statthalter von Babylon, König von Sumer und Akkad, der erhabene Fürst“ oder „Nabupalusur, der untertänige, demütige, der Verehrer der großen Götter“, wodurch das oben ausgesprochene Urteil über seinen Charakter und mehr als diplomatische Handlungsweise urkundlich bestätigt ist. Daß er die Stadt Babel begünstigte und den Götterdienst pflegte, wird aus seiner bekannten Vorsicht und Eigennutz erklärlich. Er durfte es mit seinen Freunden und Standesgenossen, den Magiern und Chaldäern nicht verderben. Aber er mußte auch einen festen Stand in Babylonien gewonnen haben, ehe er die Maske des demütigen Dieners abwarf und mit Medien ein offenes Bündnis gegen Assyrien schließen konnte. Das geschah aber erst kurz vor der Eroberung Ninives; und mit Recht setzt man 606 v. Chr., das Jahr dieses Ereignisses, als den Anfang des neubabylonischen Reiches, neben dem Assyrien zu einer medischen Provinz herabgesunken ist.

Die Anführung seines Heeres übergab Nabopolassar, wann wissen wir nicht, seinem Sohn Nebukadnezar, der den Pharao Necho II. 605 bei Karkemisch aufs Haupt schlug. Er floh nach Aegypten und hat vielleicht erst in dieser Zeit Joahas von Juda mit sich geführt. Aber Nebukadnezar, der ihn verfolgte, konnte eine so bedeutende und feste Stadt wie Jerusalem nicht in seinem Rücken lassen, wenn er gegen Aegypten zog [1]). Also besetzte er diese Stadt ohne große Mühe und schickte den König Jojakim in Ketten nach Babel, dazu auch einige Bürger und Gefäße aus dem Hause des Herrn. Demnach ist 605 v. Chr. als der Anfang der babylonischen Gefangenschaft des Hauses Juda festzuhalten.

Seine Freunde in Medien unterstützte Nabopolassar auch im Kampf mit den Lydern. Und als am 30. Sept. 610 eine Sonnenfinsternis die Kämpfenden erschreckte, benutzte er dieses Ereignis um Frieden zu stiften.

Herodot erzählt von ihm, er habe die Aegypterin Nitokris zur Gemahlin gehabt, die in Babel eine Brücke bauen ließ. Er selbst unternahm es nach der Cylinderinschrift, Etemenanki, den Stufenturm von

---

1) 2. Chron. 36, 6—7.

Esagila, wieder aufzurichten und legte seinen Grundstein an „die Brust der Unterwelt", damit die Spitze „bis in den Himmel" ragen könne. 10 000 Arbeiter mußten Ziegelsteine verschiedener Art anfertigen. Der Statthalter selbst und sein Sohn Nebukadnezar trugen den Zieglerhut kuduru. Er verschönerte Babel und ließ Kanäle zur Bewässerung des Landes bauen, nachdem der Euphrat sich ein neues Bett gesucht, das von Sippar entfernt war. Die Uferböschungen der Kanäle wurden mit Ziegeln gemauert, die in Asphalt gelegt waren [1]). Ein 1901 gefundener Text lautet:

„Nabupalusur, der König der Gerechtigkeit, der Hirte, den Marduk berufen hat, der Sproß der Göttin „Herrin der Krone", der erhabenen hohen Königin der Königinnen, den Nebo und Tasmitum an der Hand faßten, der erhabene Liebling des Gottes „Herr des glänzenden Auges" [2]): Als ich vor meinem Königtum Sohn eines niemandes war, aber die Heiligtümer Nabus und Marduks, meiner Herrn, beständig in Ehren hielt, auf das Bestehenbleiben ihrer Satzungen und den Vollzug ihrer Gebote im Gemüt bedacht war, mein Sinn auf Recht und Gerechtigkeit stand, sah der Gott „Herzenskündiger" [3]), der die Herzen der Götter des Himmels und der Erde kennt, der die Pfade der Völker beständig sieht, mein Herz an und stellte mich, den kleinen, der unter den Völkern nicht beachtet wurde, in dem Land, da ich geboren war, an die Spitze. Zur Herrschaft über Land und Meer berief er mich. In allem, was ich tat, ließ er mein Werk gelingen. Nergal, den allgewaltigen unter den Göttern, ließ er an meiner Seite gehn, unterjochte meine Widersacher, schlug meine Feinde."

„Der Assyrer, der seit fernen Tagen alle Völker beherrscht und in sein schweres Joch die Leute des Landes gespannt hatte, ich der schwache, der demütige, der den Herrn der Herrn verehrt, durch die wuchtigen Streitkräfte Nabus und Marduks, meiner Herrn, hielt ich ihren Fuß vom Land Akkad fern und ließ ihr Joch abwerfen."

„Damals Epatutila, der Tempel des Ninib, der in Suanna steht, den vor mir ein früherer König hatte bauen lassen, aber sein Werk nicht vollendet hatte, auf die Erneuerung dieses Tempels stand mein Sinn. Ich berief die Mannen der Götter Bel, Samas und Marduk [4]), ließ (sie) das Mörtelfaß tragen, legte ihnen den Ziegelkorb auf — ohne abzulassen vollendete ich den Bau des Tempels. Starke Balken ließ ich zu seiner Bedachung hinlegen, hohe Türen setzte ich in seine Tore ein. Diesen Tempel machte ich sonnengleich glänzen und für Ninib, meinen Herrn, wie den Tag erstrahlen. Wer auch immer in Zukunft König sein wird, sei es Sohn, sei es Enkel, der nach mir wandelt, dessen Name Marduk zur Herrschaft des Landes beruft, was Sache der Kraft und Stärke ist, ziehe nicht in Betracht. Die Heiligtümer Nabus und Marduks halte in Ehren, daß sie deine Feinde unterjochen. Marduk, der Herr, prüft den Mund, sieht das Herz. Wer sich fromm zu Bel hält, dessen Herrschaft hat festen Bestand. Wer sich fromm zu Bels Sohn hält, der wird in Ewigkeit dauern. Wenn dieser Tempel zerfällt, und du seinen Schaden ausbesserst, dann lies meine Urkunde und lege sie neben die deine. Auf Geheiß Marduks, des großen Herrn, dessen Geheiß unabänderlich ist, möge die Nennung deines Namens bestehen bleiben für ewige Zeiten [5])."

---

1) K. B. III, b, S. 9.
2) Ea.
3) Marduk.
4) Die Einwohner von Babel, Sippara und Nippur.
5) Mitteil. 1901, 10, S. 14.

Ueber den Bau eines Kanals nach der Stadt Sippara läßt er berichten:

„Nabopolassar, der König von Babylon, den Nebos und Marduks Hand geleitet, bin ich. Marduk, der große Herr, vertraute mir seinen schweren Auftrag an, die Städte herzustellen, die Tempelstätten zu erneuern, also: Sippar, die hehre Stadt, von Samas und Malkatu geliebt, der Euphrat hatte sich von ihr entfernt. Ich, der Günstling ihrer Hoheit ... demütig, unterwürfig, die Götter fürchtend, ließ den Kanal Udkibnun graben, kunstvolle Wasserbecken für Samas, meinen Herrn, richtete ich ein. Die Ufer des Kanals baute ich mit Asphalt und Ziegelsteinen. Dem Samas, meinem Herrn, weihte ich ein Wasserbehältnis."

Samas bezeichnet hier zugleich die eine Hälfte von Sippar, die den Tempel des Samas enthielt. Ihr wurde durch den Kanal das Wasser des Euphrat wieder zugeführt [1]).

Auch von Nabopolassar wissen wir nicht, wie er sein Leben beschlossen hat. Er war Chaldäer, und nach seinem Tode trat der Oberste der Magier oder Chaldäer so lange an die Spitze der Reichsverwaltung, bis Nebukadnezar, des Königs Sohn, von seinem Feldzug gegen Aegypten zurückgekehrt war.

Nebukadnezar II.

babyl. Nabukudurusur, d. i. Nebo schütze den Hut oder Nebo schütze die Arbeit, im A. T. Nebukadnezar oder Nebukadrezar, bei den 70 Nabuchodonosoror, herrschte 605—562 v. Chr. über das neubabylonische Reich. Bei dem Tode seines Vaters weilte er in Palästina und zog mehrere Male gegen Jerusalem [2]). Das erste Mal hatte er den König Jojakim, wie oben erwähnt, gefangen genommen und nach Babel geschickt. Das zweite mal nahm er die heiligen Gefäße aus dem Tempel des lebendigen Gottes und ließ sie zusammenschlagen. Das dritte Mal führte er den König Jojachin und die Edeln des Volkes, Zimmerleute (?) und Schmiede mit sich; es war um das Jahr 599 v. Chr. das vierte Mal zerstörte er die wieder abtrünnige Stadt, nachdem sein Feldhauptmann dieselbe zwei Jahre lang belagert hatte, 588 v. Chr. Der König Zedekia, den Nebukadnezar eingesetzt hatte, blieb 8 Jahre ihm untertänig, bis Pharao Hophra ihm Hilfe gegen Babel zusagte; aber das Heer der Aegypter wurde geschlagen und Jerusalem erobert. Auf der Flucht wurde Zedekia ergriffen und vor den König nach Ribla gebracht. Dort wurden seine Kinder mit assyrischer Grausamkeit vor den Augen des Vaters abgeschlachtet, er selbst in Ketten nach Babel gebracht und geblendet. Die Stadt Jerusalem verbrannte der oberste Scharfrichter oder Rab-tabachim samt dem Tempel, nachdem er alle goldnen, silbernen und ehernen Gefäße und Zierate als Beute mit sich genommen. Vom jüdischen Volke wurde wiederum ein Teil in die Gefangenschaft nach Babel geführt, über die Zurückgebliebenen setzte der

---

1) Vergl. S. 135. Aehnliche Arbeiten ließ schon Hammurabi ausführen.
2) 2. Kön. 24. 2. Chron. 36. Jer. 25.

König den Gedalja als Statthalter und gab ihm eine babylonische Leibwache. Trotzdem war er nach kurzer Zeit von den Juden ermordet. Wieder wurde ein Teil des Volkes nach Babel gebracht, ein andrer Teil floh vor der Rache des Königs nach Aegypten. Zwei Aufrührer, Ahab und Zedekia [1]), wurden in Babel verbrannt.

Die folgenden Ereignisse beschreiben babylonische Aufzeichnungen. Ein schwarzer Basaltblock trägt 620 Zeilen, ein Toncylinder aus Senkereh 51. Auf einer großen Steinplatte liest man:

„Nebukadnezar, König von Babylon, der erhabene Fürst, der Liebling Marduks, der hehre Oberpriester, der Liebling Nebos, der besonnene, der sich Weisheit aneignete, der auf den Wandel ihrer Gottheit bedacht ist, ihre Herrschaft fürchtet, der unermüdliche Statthalter, der an die Ausstattung von Esagila und Ezida täglich denkt, auf Huld für Babel und Borsippa beständig bedacht ist, der Weise, der Beter, der erstgeborene Sohn von Nabopolassar bin ich [2])."

Unzählige Tonziegel aus den Ruinen von Babel und andern Städten tragen den Stempel:

„Ich bin Nebukadnezar, König von Babylon, Wiedererbauer der Tempel Esagila und Ezida, erstgeborener Sohn des Nabopolassar, Königs von Babylonien."

Auf einem Feldzug gegen Aegypten, dem zweiten oder dritten, den er unternahm, wurden die phönikischen Städte meist rasch unterworfen; nur Tyrus widerstand den Angriffen des babylonischen Heeres 13 Jahre lang, 587—575 v. Chr. Dann ergab sich die Stadt und gestand dem König von Babel das Recht zu, ihren König einzusetzen.

572 v. Chr. zog Nebukadnezar wieder gegen Aegypten, besiegte den Pharao Hophra oder Apries von neuem, drang bis Aethiopien [3]) vor und setzte seinen Feldherrn Amasis als Statthalter von Unterägypten ein; doch bald erkannte er ihn als treulos und bekriegte ihn nach wenigen Jahren, weil er seine Herrschaft auch über Syrien und Palästina auszudehnen bestrebt war. Nebukadnezar kam ihm zuvor, verwüstete ganz Unterägypten, insbesondere die Gegen von On, Zoan, Noph und No, und kehrte nach Babel zurück, ohne Amasis zu seiner Pflicht zurückgeführt zu haben.

Einen Feldzug gegen Elam unternahm Nebukadnezar im Sommer 569 und bezwang als „Träger des mächtigen Bogens" dieses Volk der Bogenschützen, obwohl die Zeichen nicht günstig waren. Auf einem Grenzstein wird berichtet:

„Im Monat Tammuz unternahm er den Zug, die Macht der Hitze sengte wie Feuer, und die Glut der Wege züngelte wie Flammen. Wasser war nicht vorhanden, abgeschnitten [4]) waren die Brunnen, die Kraft der großen Rosse nahm ab,

---

1) Jer. 29, 21 ꝛc.
2) K. B. III, b, 11.
3) Hesek. 29, 10 ꝛc.
4) Diese Uebersetzung scheint mir nicht richtig; man sollte erwarten „ausgetrocknet", „versiecht".

des tapfern Mannes Mut wich zurück. Da zog hin der mächtige König, die Götter trugen ihn. Es rückt aus Nebukadnezar, der keinen Nebenbuhler hat[1]."

Von seiner Tätigkeit im Innern des Reiches läßt der König auf der Steininschrift berichten:

„In seinem[2]) erhabenen Dienst habe ich ferne Länder und Gebirge vom obern Meer bis zum untern Meer, steile Wege, verschlossene Pfade, wo der Schritt gehemmt wurde, wo man nicht Fuß fassen konnte, unwegsame Straßen, quellenlose Wege durchzogen, das Land regiert, die Einwohner gedeihen lassen, die schlechten und Bösen unter den Einwohnern in die Ferne geführt, Silber, Gold, kostbare geschnittene Steine, Bronze, Musukannuholz, Zedernholz, allerlei Kostbarkeiten brachte ich nach meiner Stadt Babel vor ihn[3])."

Für sich ließ Nebukadnezar drei Paläste erbauen. Einen von ihnen umgaben die berühmten hängenden Gärten. Im zweiten, h. el kasr gen., läßt die Deutsche Orientgesellschaft nachgraben. Der dritte stand im Norden der Stadt und trug die Aufschrift: „Nabukudurriusur liblut lubabbir senin esagila, d. i. es lebe Nebukadnezar, es lebe lang der Schirmherr von Esagila." Viele Inschriften berichten von diesen und andern Bauten des Königs, auch von dem gewaltigen Stufenturm, den sein Vater zu bauen begonnen hatte. Ihn besuchte und beschrieb fast 1000 Jahre später der Grieche Harpokration. Eine Inschrift aus Birs Nimrud aber bezeugt, daß dieser Turm bereits 42 Menschenalter vor Nebukadnezar, also schon vor Hammurabi, erbaut war. Er blieb Kultusstätte bis in das 4. Jahrhundert nach Chr. Von Ktesiphon, der Hauptstadt des neupersischen Reiches, war er 94 Kilometer entfernt. Sein Unterbau bedeckte eine Fläche von ca. 40 000 Quadratmeter, die Seitenmauern des Unterbaues waren gegen 22 Meter hoch. Auf diesem gewaltigen Unterbau erhob sich der viereckige Turm in 6 Absätzen, deren jeder 6 Meter hoch war. Auf dem obersten aber stand das Heiligtum des Bel-Marduk 4 Meter hoch, sodaß die ganze Höhe etwa 72 Meter betrug. 365 Stufen führten bis zum Heiligtum, 305 silberne und 60 goldne, ein Abbild des Jahres nach seinen wechselnden Tagen. Die 7 Stockwerke leuchteten in 7 Farben: schwarz, orange, rot, gold, weiß, blau, silber, gedeutet auf die Gestirne Jupiter, Mars, Sonne, Venus, Merkur und Mond. Davon sagt die Inschrift:

„Der Tempel der 7 Sphären Himmels und der Erde, Eur VII anki, Haus der 7 Orakelverkünder, . die Ziggurat von Borsippa, die ein früherer König gebaut, 42 Ellen hoch aufgeführt, aber nicht bis zur höchsten Spitze vollendet hatte, war seit fernen Tagen eingestürzt, durch Regen und Unwetter zum Schutthaufen geworden."

Ihn wiederherzustellen befahl der große Gott Marduk. So benutzte der König die alten noch erhaltenen Grundmauern und an einem günstigen Tage im Monat des Heiles ließ er das Mauerwerk des Aufbaues

1) Nach Fr. Hommel, A. a. A., S. 365.
2) Der Marduk.
3) In Marduks Schatzkammern.

verbinden und seinen Namen auf den Kranz des Mauerwerks schreiben. Wie in den fernen Tagen errichtete er die Spitze des Stufenturmes.

Ein anderer Tempel hieß der „große Tempel Himmels und der Erden", die Wohnung Bels, Eas und Marduks. Von diesem sagt der König in einer Inschrift:

„Gleichwie ich die Furcht deiner Gottheit lieb habe, auf deine Herrschaft achte, so nimm das Aufheben meiner Hände gnädig an, erhöre meine Gebete. Ich bin ja der König, der fürsorgende, der dein Herz erfreut, der tätige Machthaber, der für alle deine Städte sorgt. Möge auf dein Geheiß, barmherziger Marduk, das Haus, das ich gebaut, in Ewigkeit dauern und ich mich mit seiner Fülle sättigen. Möge ich darin ins Greisenalter gelangen, von den Königen der Himmelsgegenden, von allen Menschenkindern möge ich schwere Abgaben darin empfangen."

Wie bei andern Inschriften wissen wir auch hier nicht, was auf Rechnung der Schriftgelehrten kommt, und was des Königs eigne Worte sind; im letzten Fall streift der Schluß der Inschrift an Größenwahn.

Am Tempel Esagila ließ Nebukadnezar alle unterworfenen Völker arbeiten, und der Bau ward vollendet, sodaß „auf der aus azurblauen Ziegeln hergestellten obersten Etage des Turmes der dem Gott Marduk erbaute azurblaue Tempel hineinragte in des Himmels azurfarbenen Aether", wie der von und für Babylon begeisterte Fr. Delitzsch schildert [1]). In diesem Heiligtum des Gottes stand ein goldnes Ruhebett, auf dem eine Frau die Nacht zubrachte [2]).

Ueber einen Traum des Königs, seinen Größenwahn, seine Demütigung und Erhebung berichtet das Buch Daniel, in dem nach Meinung einiger Gelehrten eine babylonische Sage frei umgestaltet sein soll, sodaß sie diesem Buch des jüdischen Propheten wieder weniger Glaubwürdigkeit zubilligen wie dem Griechen Abydenus. Ein gerechtes Urteil wird darin auslaufen, daß Daniel und Abydenus so gut wie gar nichts mit einander zu tun haben; denn die babylonische Sage macht den König zu einem Propheten, der von irgend einem Gott ergriffen weissagt [3]), nämlich den Untergang seines eignen Reiches durch das persische Maultier vorhersagt und meint, „weder Bel noch Beltis vermögen etwas gegen die Schicksalsgöttinnen". Sodann wünscht der König diesem persischen Maultier alles Elend, das ein Leben in der Einöde mit sich bringt, „wo weder Städte noch die Fußspuren eines Menschen angetroffen werden, wo die wilden Tiere weiden und Vögel umherschweifen, während er (der Feind) in Felsklüften und Schluchten umherirrt".

Megasthenes aber, der erste Beamte des Königs Seleukus von Syrien, gibt um 300 v. Chr. dies als Wortlaut der königlichen Weissagung [4]): „Kommen wird ein Perser, ein Maultier, der eure eignen Götter zu Verbündeten haben und euch Knechtschaft bringen wird, nicht

1) Mitteil. v. 1901, 7, S. 8.
2) Vergl. Tiele a. a. O. S. 444 nach Herodot.
3) Euseb. praep. evangel. 9, 41.
4) Fr. Hommel, Grundriß, S. 237.

ohne Mitschuld des Sohnes einer Mederin, des Stolzes der Assyrer. Daß ihn doch eine Charybdis [1]) oder ein Meer gänzlich vernichten möchte, ehe seine Volksgenossen verderben; oder daß er sich wegbegebe und in der Wüste umhergetrieben würde, wo keine Städte sind und keine Menschen hinkommen, wo die wilden Tiere ihre Nahrung suchen und Vögel umherfliegen. Daß er doch in Felsen und Klüften einsam umherschweifen möchte, und daß ich, ehe dies Unglück mein Volk trifft, meine Tage beschließen könnte."

Nach dem Buch Daniel hatte der König im Traum sein eigenes Bild gesehen in einem mächtigen Baum, der seine Aeste weit ausbreitete und Früchte trug, davon alles zu essen hatte; aber ein heiliger Wächter fuhr vom Himmel herab, der sprach: „Hauet den Baum um; doch laßt den Stock mit seinen Wurzeln in der Erde bleiben." „Das menschliche Herz soll von ihm genommen und ein viehisches Herz soll ihm gegeben werden, bis daß sieben Zeiten über ihm um sind." Den Traum aber konnte niemand deuten, als Daniel, der Oberste unter den Magiern, in dem der König den Geist der heiligen Götter erkennt. Also stellt die griechisch-babylonische Sage den König als einen gottbegeisterten Propheten dar, der über den Feind seines Volkes und Reiches weissagt, ihn verflucht und wünscht, daß er es nicht erleben möge; Daniel dagegen läßt den König einen Traum erzählen und legt ihn dann aus. Wo ist eine Aehnlichkeit zwischen diesen beiden Berichten festzustellen? Nur dogmatische Befangenheit wird das Buch Daniel verwerfen und die Fabeln der Griechen vorziehen. Aber selbst ein Gelehrter wie A. Jeremias [2]) meint, Nabunaid sei während der Regierung Belsazars in Temâ gefangen gehalten worden, und auf ihn als Gefangenen sei die Erzählung vom Wahnsinn Nebukadnezars zu beziehen, in der die Melancholie der Gefangenschaft drastisch geschildert werden solle, während das Buch Daniel weder von Gefangenschaft noch von Melancholie etwas weiß, sondern vom richtigen Größenwahn berichtet, der bei Nabunaid gar nicht paßt, wohl aber bei Nebukadnezar, der in seinem Palast wandelte und sprach: „Das ist die große Babel, die ich erbaut habe zum königlichen Hause durch meine große Macht zu Ehren meiner Herrlichkeit"; und er sprach dies Wort des Größenwahns zu einer Zeit, da das Volk Gottes mit seinen Propheten in Stadt und Land des Königs weilten und nicht stumm waren. Auf andere Spuren des Wahnsinns wird noch hingewiesen werden. Was aber die angekündigte Strafe des Königs betrifft, daß sein Königreich von ihm genommen, daß er von den Leuten verstoßen werden und bei den Tieren bleiben solle, wo man ihn Gras essen lassen werde wie die Ochsen [3]); so ist dazu ein Zitat bei H. Winckler zu vergleichen:

---

1) Zeigt das griechische Gewand der Sage an.
2) A. T. O., S. 362.
3) Dan. 4, 28—29.

„Welches sind meine Vergehen, so (frage ich). Welches ist meine Sünde, so (klage ich). Ein Ochse bin ich, Kraut fresse ich. Ein Schaf bin ich, Gras (rupfe ich ab).“

Ueber die Träume eines Königs zu lachen ist ein billiges Vergnügen einiger Bibelkritiker. Trotzdem spielen Träume keine geringe Rolle in der Menschengeschichte. Der Pharao zur Zeit Josephs achtete auf seine Träume und deren Auslegung, und sein Land und Volk hatte großen Nutzen davon. Ein andrer Pharao Mernephta I. sah im Traum eine Bildsäule des Phta, der ihn abmahnte, gegen die Feinde ins Feld zu ziehen. Der große Imperator Augustus gab das Gesetz, daß alle Privatpersonen in gewissen Ländern, die von der römischen Republik geträumt hatten, dies öffentlich durch Anzeige oder Ausrufer verkündigen mußten.

Auch im Verlauf der babylonisch-assyrischen Geschichte ist uns die Werthaltung der Träume mehrfach begegnet. Daß aber der Traum Nebukadnezars kein leeres Hirngespinst war, zeigt sein Inhalt und dessen Erfüllung an, wobei dieser König tief erniedrigt wurde, aber hernach wieder zu seinen königlichen Ehren und großer Herrlichkeit und Erkenntnis des Höchsten kam.

Auf einer mächtigen Bronzeschwelle sagt eine Inschrift, daß Nebukadnezar den Tempel Ezida zu Borsippa zu Ehren des Gottes Nebo neu erbaut habe, als der die Tage seines Lebens verlängert habe. Der König starb nämlich in hohem Alter, nachdem er 43 Jahre über das babylonische Reich geherrscht hatte.

Eine Kamee, die von mehreren Forschern für falsch gehalten wird, zeigt des Königs Bild in Profil mit der Unterschrift: Ana Marduk bilsu Nabukudurusur far babilu ana balatisu ibus, d. i. dem Marduk, seinem Herrn, hat Nebukadnezar, König von Babel, dies gemacht für sein Leben.

Seit der Zeit dieses Königs betrieb das Bankhaus Egibi und Sohn in Babel die Geldgeschäfte des Hofes wie der Staatsverwaltung und der Privatleute. Seine Rechnungen, Listen u. a. wurden, auf Tontafeln geschrieben, in dem Ruinenhügel Ghumghuma in Babel aufgefunden.

In seiner Weise war Nebukadnezar ein sehr religiöser Mann. Er baute viele Tempel aus, andre ganz neu:

„Nebukadnezar, König von Babylonien, Sohn des Nabuapilusurs, des Königs von Babylonien, bin ich. Den Tempel der Ninmag in Babel habe ich der hehren erhabenen Göttin neu erbaut. Ihre feste Wohnung, aus Erdpech und Ziegelstein errichtete ich sie. Staub, von glänzenden Steinen füllte ich darein. O Ninmag, Mutter der Gnaden, freudig blicke (auf mich) und Gnade werde für mich auf deinen hehren Lippen, deinem erhabenen Antlitz erfunden. Die mächtige Hand ihrer Gottheit leitet mich auf meinem Pfade wohlbehalten.“

Die glänzenden Steine, die der König zerstoßen und dem Mörtel beimischen ließ, damit die Fugen zwischen den Steinen glänzen sollten, sind im Glimmer oder Gypsspat zu erkennen. Von sich selbst läßt Nebukadnezar die große Steininschrift verkündigen:

„Als mich der Gott Erua[1]) schuf, bereitete Marduk meine Geburt im Mutterleib. Als ich geboren und geschaffen war, suchte ich die Stätten der Götter auf und wandelte den Weg der Götter. Die kunstvollen Werke[2]) Marduks, des großen Herrn, des Gottes, der mich geschaffen, halte ich hoch in Ehren. Nebos, seines rechtmäßigen Sohnes, des Gönners meines Königtums, erhabenen göttlichen Weg halte ich mit allem Fleiß hoch. Aus meinem ganzen dem Gesetz gemäßen Herzen liebe ich die Furcht ihrer Gottheit, fürchte ich ihre Herrschaft. Zu Marduk, meinem Herrn, flehte ich, Gebete richtete ich an ihn, er beachtete die Gedanken meines Herzens. Ich sprach zu ihm: Ewiger Fürst, Herr alles dessen das ist, dem König, den du liebst, dessen Namen du nanntest, wie er vor dir gut ist, lasse seinen Namen gedeihen, bringe ihn auf den rechten Weg. Ich bin der Fürst, der dir gehorcht, das Geschöpf deiner Hände. Du hast mich geschaffen, die Herrschaft über die Scharen der Menschen mir übertragen. Nach deiner Gnade, o Herr, die du über sie alle walten lässest, laß mich deine erhabene Herrschaft lieben, laß die Furcht vor deiner Gottheit in meinem Herzen sein, schenke mir, was vor dir gut ist."

Aus mehreren Wendungen, die hier der Schreiber gebraucht, insbesondere vom „Beachten der Gedanken des Herzens", die früher nicht gebraucht wurden, scheint mir hervorzugehen, daß einige der königlichen Diener sich dem Einfluß der jüdischen Religion nicht verschlossen haben; doch ist hier nicht der Ort, darauf einzugehen.

Hommel[3]) nennt Nebukadnezar einen „wahrhaft großen Herrscher". Ich kann diesem Urteil nicht unbedingt beipflichten. Er war gewiß, namentlich in seinen jungen Jahren, ein tüchtiger Kriegsmann, aber zu Hause ein gefügiges Werkzeug seiner Magier und Chaldäer, woraus allein zu erklären ist, daß er so lange wie kein andrer König in Babel geherrscht hat; und daß er fast der einzige dieser Herrscher ist, von dem man annehmen darf, daß er eines natürlichen Todes gestorben ist. Ihm folgte auf den Thron von Neubabylonien sein Sohn

Amil-marduk II.

im A. T. Evilmerodach, bei Ptolemäus Illoarusamas genannt. Er regierte nur 2 Jahre, 561—559 v. Chr. Er entließ den König Jojachin von Juda aus 37jähriger Gefangenschaft[4]) und zog ihn sogar an den Hof. Berosus sagt, dieser König habe ein willkürliches, unverständiges Regiment geführt; bald fiel er als Opfer einer Verschwörung der Magier, nach deren Gefallen er nicht getan. Sie setzten seinen Schwager auf den Thron, der als Rabmag Jerusalem belagert und zerstört hatte[5]). Nach H. Winckler[6]) hat Amilmarduk den freigelassenen

1) Der Gott, der das Schicksal bestimmt.
2) Es ist nicht klar, was der Schreiber darunter verstanden hat.
3) Bab. u. Ass., S. 771.
4) 2. Kön. 25, 27.
5) Jer. 39, 3 ꝛc.
6) K. A. T., S. 284/5.

Jojachin zum Fürsten von Juda bestätigt und als Belsazar die Tempelgefäße entweiht.

Neriglissar II.

babylon. Nergalsarusur, war ein Schwiegersohn Nebukadnezars, der auch nur 3 Jahre, 559—556 v. Chr., an der Spitze des neubabylonischen Reiches stehn durfte. Aus dieser Zeit berichten die Annalen von Kanal- und Tempelbauten in Babel, Haran, Sippar und Ur. Eine Inschrift sagt von seinen Bauten:

„Nergalsarusur, König von Babylon, Erhalter der Tempel Esagila und Ezida, hat diese herrlichen Werke ausgeführt."

Ein Toncylinder nennt ihn „Sohn des Belsumiskun, Königs von Babel, den Marduk, der erste unter den Göttern, zur Herrschaft berufen habe, der die Tempel wiederhergestellt, auch bronzene Schlangen und silberne Stiere an ihren Toren angebracht habe". Sie hießen Osttor, Tor des Stiergottes Arabi, Tor des Ueberflusses und Tor der Bewunderung. Die Schlangen- und Tierbilder sollen Bösewicht und Feind mit tödlichem Gift erfüllen und sie von den Toren und Palästen fernhalten!

Nergalsarusur mußte nach 3 Jahren seinem Sohn Labasimarduk, bei Ptolemäus Labosoarchad, Platz machen. Aber ihn ließen die Magier nur 9 Monate lang eine Scheinherrschaft führen. Dann nahmen sie ihm Thron und Leben und beriefen einen andern Schwiegersohn Nebukadnezars zum König, nachdem dieser, wie man vermutet, die Witwe Nergalusurs geheiratet hatte.

Nabunaid,

bei den Griechen Nabonedus, war der Sohn Nabubalatsuikbis, eines reichen Fürsten[1]), 555—538 v. Chr. König des neubabylonischen Reiches. Er herrschte von Anfang an zugleich mit seinem erstgeborenen Sohn Belsarusur, im A. T. Belsazar genannt. Genauer wird dieser Name im Buch Daniel bald Beltsazar bald Belsazar geschrieben. Im ersten Fall heißt er babylonisch Balatsuusur, im andern Fall Belsarusur, d. i. Bel schirme den König. Er war von seinem Vater zum Mitregent und Heerführer berufen worden, wie wir ihn schon 549 kennen lernen. Auch Nabunaid hatte wie Neriglissar vorher das Amt eines Rabmag bekleidet, das zu einer Vorstufe des Königtums und zu einer Schwelle des Todes geworden war. Inschriftlich:

„Nabunaid, König von Babylon, der treue Herr, der auf den Befehl der Götter acht hat, der demütige, unterwürfige, der Verehrer der großen Götter, der hehre, der weise, in allem Einsichtige, der erhabene Priester, der Erneuerer aller Städte, der tätige Fürst, der Vollender der Tempel, der überreiche Opfergaben spendet, der Hirte zahlreicher Völker, der da Gerechtigkeit liebt, das Recht befestigt, der glanzvolle Führer, der Herr der Könige, das Geschöpf der Hand Nebos und Marduks, der fest fügt die Umfassungsmauern der Tempel, der Ringmauern fest

1) K. B. III, b, 97.

gründet, der rasche Bote der großen Götter, der jede Sendung ausrichtet, der ihr Herz erfreut, Sohn des Nabubalatsuikbi, des starken Machthabers, des Verehrers der Götter, und der Istar bin ich ... Zu Samas, dem Herrn dessen, das droben und drunten, dem großen Richter Himmels und der Erden, dem erhabenen Richter der großen Götter, der die Entscheidungen trifft, der das Herz der Menschen siehet, klaren Sinnes, der mein Königtum lieb hat, der mein Leben behütet, meine Feinde besiegt, meine Widersacher vernichtet, der Ebabbara zu Sippar bewohnt, zu dem großen Herrn, meinem Herrn, im Gehorsam meines treuen Herzens, richtete ich ehrfurchtsvoll ein inbrünstiges Gebet und forschte nach den Stätten seiner hehren Gottheit. Ebabbara, sein in Sippar gelegenes Haus, das erhabene Bauwerk, die Zier seiner Gottheit, das glänzende Heiligtum, der Sitz der Ruhe, die Wohnstätte seiner Herrschaft, dessen Grundstein lange Zeit verloren war, dessen Ringmauern verfallen waren; ein früherer König hatte den alten Grundstein gesucht, aber nicht gefunden, hatte auf eigne Hand ein neues Haus für Samas bauen lassen, das nicht geschickt war für die Auszeichnung seiner Gottheit; vor der Zeit hatte sich die Spitze dieses Hauses geneigt, und seine Zinnen waren zu Schutt geworden. Ich sah es und fürchtete mich sehr und wurde von Bestürzung übermannt. Um Festgründung des Grundsteins, Wiederherstellung der Mauern seines Hauses, Erbauung des Heiligtums und der Kammer zur Auszeichnung seiner Gottheit, flehte ich ihn täglich an; für ein Jahr brachte ich ihm Opfer dar und fällte für ihn die Entscheidung. Samas, der erhabene Herr, hatte seit fernen Tagen meiner geharrt; Gnade zur Vollendung, festen Entschluß, daß mein Werk vollendet werde und die Tempel gegründet, legten Samas und Ramman in meinen Sinn. Auf ihre feste Entscheidung, die nicht gebeugt wird, vertraute ich fest und faßte die Hand Samas, meines Herrn."

Dessen Haus war unter Nebukadnezar mit Staub und Erde bedeckt worden. Es war König Burnaburias gewesen, der den Grundstein gesehn in grauer Vorzeit; aber dem Nabunaid trug Samas auf, den Wohnsitz seiner Herzensfreunde auf seiner Stelle wieder zu erbauen und so zu richten, wie er in alten Tagen gewesen war. Da kamen auf Befehl Marduks, des großen Herrn, die vier Winde mit Macht und bliesen das Erdreich, das über Stadt und Tempel lagerte, hinweg. Der König läßt weiter berichten [1]):

„Rechts und links, vor und hinter dem Heiligtum stellte ich Forschungen an [2]) und versammelte die Aeltesten der Stadt, die Babylonier, die Baumeister [3]), die Weisen, die in bitmummu wohnen und die Entscheidungen der großen Götter bewahren und das Antlitz des Königtums bestimmen. Zur Beratung entbot ich sie und sprach zu ihnen also: „Den alten Grundstein suchet und schauet nach dem Heiligtum Samas des Richters, aufdaß ich einen ewigen Tempel für Samas und Ai (Istar) unsere Herrn, errichte." Unter Flehen zu Samas, meinem Herrn, mit ihren Gebeten zu den großen Göttern schaute die Menge der Gelehrten nach dem alten Grundstein und durchforschte das Gemach und die Kammern, und er ward entdeckt. Sie kamen und sagten mir: „Ich habe geschaut den alten Grundstein des Naramsin, des uralten Königs, das ewige Heiligtum des Samas, den Wohnsitz seiner Gottheit." Da freute sich mein Herz, und es erglänzte mein Antlitz. Das Heiligtum seiner Herrschaft und die Kammern schaute ich und in Freude und Frohlocken legte ich über den alten Grundstein sein Fundament."

Inschriftlich berichtet er auch über den Untergang von Ninive, den er selbst nicht erlebt hatte, daß Nabopolassar von Babylonien den König

1) K. B. III, b, 85.
2) Andere übersetzen: „Grub ich Gräben".
3) A. ü.: „Tafelschreiber"

der Meder oder Skythen kommen ließ: „Den König der Manda, der seines gleichen nicht hatte, unterwarf er seinem Gebot, ließ ihn kommen zu seiner Hilfe."

Auch einen Traum, den er gehabt, läßt Nabunaid inschriftlich erzählen:

„Im Anfang meiner immerwährenden Herrschaft ließen mich die Götter einen Traum sehen. Marduk, der große Herr, und Sin, das Licht des Himmels und der Erde, standen zu beiden Seiten. Marduk sprach zu mir: „Nabunaid, mit dem Pferde deines Wagens bringe Ziegel, erbaue Ehulhul und lasse Sin, den großen Herrn, darin seinen Wohnsitz nehmen." Ehrfurchtsvoll sprach ich zu Marduk, dem Herrn der Götter: „Den Tempel, den du zu bauen befohlen, umringt der Ummanmanda [1]), und ausgedehnt sind seine Streitkräfte." Marduk aber sprach zu mir: „Der Ummanmanda, dessen du erwähnst, er und sein Land und die Könige, seine Helfer, sind nicht mehr. Im 3. Jahre ließen sie ihn (?) im Kriegszug aufbrechen, und Cyrus, König von Anzan, sein geringer Knecht, zerstreute mit seinen geringen Truppen die ausgedehnten Ummanmandas. Astyages, den König der Ummanmandas, nahm er gefangen und brachte ihn in sein Land." Das war der Befehl des großen Herrn Marduk und Sins, des Lichtes von Himmel und Erde, deren Geheiß nicht ungiltig gemacht wird [2])."

Hier erfahren wir die wichtige Tatsache, daß die Niederlage der Meder und das Emporkommen der Perser bereits in die ersten Jahre der Regierung Nabunaids fällt. Auch verraten hier die priesterlichen Schriftsteller, daß ihre Götter oder besser sie selbst politische Nachrichten eher erhielten als die Herrscher. Der Traum ist dann eine beliebte Einkleidung ihrer Wissenschaft.

Dieser König suchte mit großem Fleiß nach alten Urkunden, richtete auch, wie wir oben hörten, baufällige Tempel auf und verstärkte die Befestigungen der Städte. Inschriften, die in Uru gefunden wurden, bezeugen, daß Nabunaid den dortigen Tempel des Mondgottes, den Urbagas und sein Sohn Dungi vor uralten Zeiten errichtet hatten, wiederhergestellt habe; ferner daß Nabunaid, der Wiederhersteller von Esagila und Ezida, bitsirgal, die Ziggurat in Uru, die Urbagas, der alte König, begonnen und sein Sohn Dungi vollendet hatte, wieder aufrichtete. In diesen Inschriften fand sich auch ein Gebet, daß der Mondgott Sin dem ältesten Sohn des Königs, Belsazar, gnädig sein wolle:

„O Sin, Herr der Götter, König der Götter Himmels und der Erde und aller Götter Götter, so da im großen Himmel wohnen, wenn du in diesen Tempel einziehst, so mögen die Guttaten an Esagila, Ezida, Esirgal, Ebarra, Eanna, Eulbar, den Tempeln deiner hehren Gottheit, auf deiner Lippe erfunden werden. Und die Furcht deiner hehren Gottheit laß im Herzen der Bewohner der Stadt wohnen, daß sie nicht wider deine hehre Gottheit sündigen. Gleich den Himmeln stehe ihr Grund fest. Mich aber, Nabunaid, den König von Babylon, befreie von Sünden wider deine hehre Gottheit und schenke mir Leben ferner Tage zum Geschenk. Und was Belsarusur, meinen ersten Sohn, den Sproß meines Herzens, betrifft, so laß die Furcht deiner hehren Gottheit in seinem Herzen wohnen, daß er nicht in Sünden willige. Mit Ueberfluß an Leben werde er gesättigt."

---

1) Nach Lehmann, andere haben „Skythe".
2) K. B. III, b, 99.

Aus diesem Gebet ist zu schließen, daß der junge Belsazar ein Leben führte, das sein Vater als ein verständiger und frommer Mann nicht gutheißen konnte. Mancher Forscher hat sich daran gestoßen, daß im A. T.[1]) der Vater dieses Belsazar nicht Nabunaid, sondern Nebukadnezar genannt wird; selbst ein Kliefoth setzt demzufolge für Belsazar Evilmerodach ein. Aber das hebr. „ab" bedeutet nicht nur Vater, sondern auch Großvater, Ahnherr, Vorfahr[2]). Also konnte Belsazar mit vollem Recht Nebukadnezar „abi" „mein Vorfahr" nennen, ohne damit seinen Vater Nabunaid zu verleugnen.

Während der Regierung dieser beiden babylonischen Könige machten die Perser unter ihrem Koresch, den wir aus dem Traum des Nabunaid bereits kennen gelernt haben, immer weitere Fortschritte, nachdem dieser den Ischtumya oder Astyages bereits 559 v. Chr. bei Pasargadä geschlagen hatte. Zehn Jahre später besiegte er auch Krösus, den König der Lyder, bei Pteria und nahm ihn gefangen; seine Feldherren aber besetzten die griechischen Städte Kleinasiens. Wieder zehn Jahre später steht er mit den vorher bekriegten Medern im Bund gegen Babylonien, das er bereits von Osten, Norden und Westen umklammert hält. Hierüber läßt er selbst auf einem Toncylinder berichten:

„Marduk, der große Herr, der taru seines Volkes, blickte auf die segensvollen Taten und auf seine[3]) gerechte Hand und befahl einen Zug gegen Babylon. Gleich einem Freund und Helfer zog er einher an seiner Seite. Seine weit ausgedehnten Heere, deren Zahl gleich den Wassern des Stromes nicht festgestellt werden kann, breiteten sich an seiner Seite aus. Ohne Schlacht und Treffen ließ er ihn in Suannaki[4]) einziehn. Er schonte Babel. Mit Nabunaid, der ihn nicht fürchtete, füllte er seine Hand[5]). Die Bewohner von Tintirki[4]) insgesamt, ganz Sumer und Akkad, die Großen und sakkanakkas beugten sich vor ihm. Sie küßten seine Füße, sie freuten sich seines Königtums, es glänzte ihr Antlitz."

Demnach wurde der gottesfürchtige und verständige König Nabunaid von seinen Magiern und Chaldäern verleugnet. Sie drehten die Fahne nach dem Winde und fielen dem zu, der die Macht in Händen hatte. Der heißt dann, auch wenn er ein Fremder ist, der „Gerechte und Fromme", der andre aber „der Uebeltäter, der Gott nicht fürchtet" oder der „König wider den Willen der Götter". Dieser Zug der Charakterlosigkeit wirft ein beachtenswertes Licht auf den Wert mancher Schriftstücke, die aus der Hand der Priester hervorgingen.

Nabunaid befehligte bei dem Anmarsch der Perser die babylonischen Truppen **vor** der Stadt; und da er geschlagen war, gingen die noch übrigen Abteilungen zu Cyrus über. Belsazar war Befehlshaber **in** der Stadt, die vermöge ihrer hohen Mauern und ihres Vor-

1) Dan. 5, 2.
2) Gen. 16, 21. 28, 13 u. a. a.
3) Des Cyrus.
4) Alter Name von Babel oder ein Teil davon.
5) Soll wohl heißen „nahm ihn gefangen".

rates an Lebensmitteln jedem Angriff lange Zeit widerstehen konnte. Aber Cyrus ließ sich nicht auf eine Belagerung ein, sondern ließ Kanäle graben, die das Wasser des Euphrat so verminderten, daß seine Krieger, im Strombett watend, in die Stadt eindringen konnten. Als die Hauptplätze der Stadt von den Medern und Persern besetzt waren, sahen die Obersten der Stadt die Nutzlosigkeit jedes weiteren Widerstandes ein und schafften den König-Mitregent nach alter Gewohnheit aus dem Wege. Nabunaid aber erhielt, wie Abydenus berichtet, von Cyrus die Statthalterschaft von Karamanien, einer Landschaft nördlich vom Taurus, bei den Griechen Lykaonien genannt.

Das Buch Daniel weiß von diesem Verhängnis des Königshauses und seiner Hauptstadt mehr als die Steinschriften zu erzählen. Belsazar gab, obwohl die Feinde vor den Toren der Stadt standen, seinen tausend Gewaltigen ein festliches Gelage und ließ im Uebermut der Trunkenheit die goldnen und silbernen Gefäße bringen, die einst aus dem Tempel zu Jerusalem geraubt worden waren. Die Trunkenen tranken aus den heiligen Gefäßen und lobten die Götter, die Menschenwitz erdacht und Menschenhand gemacht hat; aber eine unsichtbare Hand schrieb an des Palastsaales Wand die wenigen Worte „mene mene tekel upharsin", eine Mine, eine Mine, ein Sekel und halbe Minen", von G. Hofmann [1]) treffend also gedeutet: „Eine Mine, Gott hat dein Reich voll ausgezählt. Sekel, gewogen bist du auf der Wagschale und mangelhaft befunden. Halbminen, zerbrochen ist dein Reich worden und dem Meder und Perser gegeben [2]).

Wir wissen nicht, in welcher Schrift diese Worte geschrieben waren; aber ich vermute, daß es babylonische Keilschrift war, die Daniel als Magier wohl verstand. Die andern Magier waren des Königs Gegner, und Belsazar ward in derselben Nacht von seinen Knechten umgebracht.

Andre Quellen berichten, Nabunaid und Belsazar seien beide im Kampfe gegen Cyrus gefallen, nachdem dieser ihren Feldherrn, der auch Belsazar genannt wird, geschlagen hatte. Das neubabylonische Reich aber wurde, welches auch das Schicksal seiner letzten Könige gewesen sein mag, zwischen den Siegern, dem Perser Cyrus und dem Meder Darius geteilt, der ein Sohn von Xerxes heißt [3]). Aber hierbei ist zu erinnern, daß Koresch, Dara, Charscha keine Personennamen, sondern Amtsnamen sind. Koresch bedeutet den Hirten [4]), Dara und Charscha bezeichnen den Herrscher.

Einige Forscher sind der Meinung, der Meder Darius sei derselbe Fürst wie Cyaxares II., der ein Sohn des Astyages war. Andre denken an Ugbaru oder Gobrias, einen griechischen Feldherrn, der von Cyrus

1) Z. f. A. 1887, S. 45.
2) Dan. 5, 25—28.
3) Dan. 9, 1.
4) Jes. 44, 28. Vergl. Fr. Hommel, B. u. A., S. 789.

10*

zum Statthalter von Babylonien bestellt wurde. Auch die Keilinschriften stimmen nicht überein betr. des Weges, auf dem Cyrus zur Herrschaft in Babylonien gelangte; denn nach den einen Berichten, die wir kennen lernten, ist Cyrus ohne Blutvergießen in Babel eingedrungen, und Belsazar fiel unter den Dolchen der Magier, während sein Vater in die Gefangenschaft wanderte. Nach andern Inschriften[1]) kämpfte Cyrus im Monat Tammuz bei Upi oder Opis am Flusse Nisallat mit dem babylonischen Heer, Nabunaid floh und wurde in Babel gefangen gesetzt, da Gobrias bereits am 13. Oktober an der Spitze der Kutäer in der Hauptstadt eingezogen war und die ganze Stadt besetzt hielt; aber kein Krieger durfte einen Tempel betreten. Erst am 3. Marcheswan oder 27. Oktober zog nach diesen Berichten Cyrus in die große Stadt ein.

Aber alle Berichte stimmen darin überein: es weht jetzt in Babylonien eine andre Luft; nichts hört man von Metzeleien und Folterqualen und Austreibung des Volkes, nichts von Zerstörung der Wohnstätten und der Tempel. Es ist, als ob eine neue Zeit ihren Einzug gehalten hätte, von Osten her.

6. Die Perser-Könige.

Kurusch.

babyl. Kurasch, hebr. Koresch, griech. Kyros, war ein Sohn des Persers Kambudschija, griech. Kambyses, ein Enkel des Kurusch, Urenkel des Sispis oder Teispis, Ururenkel des Hakhamanis oder Achämenes, von dem das Fürstengeschlecht seinen Namen erhalten hat. Nach Strabo war Agradates sein Personenname. Nachdem er schon Jahrzehnte über Anschan (Anzan) oder Persien geherrscht und viele Kriegstaten vollbracht hatte, ward er auch Herr von Medien, Babylonien, Assyrien und Vorderasien und beherrschte dieses neue persische Weltreich noch 538 bis 529 v. Chr. Er war einst als ein Mann von Großmut und guter politischer Einsicht in völlig freier Beratung der persischen Edeln zum König gewählt worden; und diese Eigenschaften, verbunden mit männlicher Tatkraft und Menschenkenntnis, machten ihn fähig zur völligen Umgestaltung des politischen Zustandes von Mittel- und Vorderasien.

Die babylonischen Schmeichler schrieben von ihm wie einst von Merodachbaladan:

> „Marduk faßte Erbarmen, in allen Ländern hielt er Umschau, musterte sie und suchte einen gerechten Fürsten nach seinem Herzen, ihn bei seiner Hand zu fassen. Kurusch, den König von Anzan, berief er mit Namen. Zur Herrschaft über die Gesamtheit des Alls tut er kund seinen Namen."

---

1) K. B. III, b, 135.

Früher mußte der Fürst die Hand der Gottheit ergreifen, wollte er als regierender Fürst anerkannt sein. Jetzt hat Cyros das nicht mehr nötig und kann schreiben lassen:

„Als ich in den Toren von Babel wohlbehalten meinen Einzug gehalten, bezog ich in Lust und Freude den Königspalast als Residenz" und: „Marduk, der große Herr ... an diesem Tage breiteten sich meine weit ausgedehnten Heere in Babel friedlich aus. Alle Bewohner von Sumer und Akkad ließ ich keinen Widersacher haben, in Babel und allen Städten war ich in Frieden um sie besorgt"[1]). „Die Gesamtheit der Könige, die in Prachtgemächern wohnen, vom obern Meer bis zum unteren Meer, die Könige des Landes Acharri, die Bewohner von Sutari brachten ihren reichen Tribut und küßten mitten in Suannaki meine Füße. Von Agade, Abnunak, Zamban, Miturnu, Duranki bis zum Gebiet von Kutu, Städten am Tigris, deren Stätte seit alters in Trümmern lag, die dort wohnenden Götter brachte ich an ihren Ort zurück[2])."

Hier erscheint wieder etwas Neues in der Geschichte: ein Fürst, der andern Völkern nicht ihre Götter raubt,, sondern die geraubten zurückgibt. Er war tolerant, etwa in dem Sinn wie Friedrich II. von Preußen; und sogleich am Anfang seines babylonischen Königtums gab Cyros, wie der Prophet Jesaja[3]) vorhergesagt hatte, den gefangenen Juden die Erlaubnis, in ihre Heimat zurückzukehren und den Tempel des unsichtbaren Gottes wieder aufzubauen. Diese königliche Verfügung kam zu rechter Zeit; denn schon begannen einige Juden von der Religion ihrer Väter abzufallen. Hilprecht fand in dieser Zeit den jüdischen Namen Jadahu nabu, d. i. Nebo hat erkannt. Jensen nimmt an, daß hierin ein Beweis liege, daß der sog. Priesterkodex in Babylonien entstanden sei als eine Reaktion gegen diesen Abfall; aber dieser selbe Gelehrte muß doch zugestehn, daß hiermit ein recht zweifelhaftes Werkzeug gegen solchen Abfall gewählt worden wäre.

Den bezüglichen königlichen Erlaß geben die miteinander zu verbindenden biblischen Stellen, 2. Chron. 36, 23 und Esra 1, 2 ꝛc.: „So spricht Koresch, der König in Persien. Der Herr, der Gott des Himmels, hat mir alle Königreiche der Erde gegeben[4]), und er hat mir befohlen, ihm ein Haus zu bauen zu Jerusalem in Juda. Wer nun unter euch seines Volkes ist, mit dem sei sein Gott; und er ziehe hinauf gen Jerusalem in Juda und baue das Haus des Herrn. Er ist der Gott, der zu Jerusalem ist." Auch die Tempelgefäße ließ er durch seinen Schatzmeister Mithradat an Sesbazar, den Fürsten Judas, herausgeben[5]).

Diese den Juden günstige Stellung des persischen Königs darf nicht dahin mißverstanden werden, als sei derselbe ein Anhänger der Religion des Zoroaster und schon darum ein Feind des Götzendienstes gewesen. Auch von einem Zug zum Monotheismus darf man bei solch einem ge-

1) K. B. III, b, 125.
2) K. B. III, b, 127.
4) Jes. 44, 26—28.
3) Jes. 45, 1.
5) Esra 1, 8.

wiegten Diplomaten nicht reden [1]). Uebrigens gab es in Persien zwei Religionen. Die Anhänger des sog. Magismus verehrten nur Ahriman und erwiesen dem Feuer göttliche Ehre. Die alten Perser aber verabscheuten Ahriman und verehrten neben dem Ormuzd auch die Anahite und Mithra, wie die Denkmäler von Susa und die Inschrift des Artaxerxes beweisen. Sie verehrten auch noch den Naresap und Vahmen [2]). Aus dieser religiösen Spaltung erklärt sich manche Bewegung in Persien.

Daß Cyrus nicht an den Einen lebendigen Gott glaubte, sondern sich vielmehr aus Klugheit dem babylonischen Götterdienst voll und ganz anschloß, so wenig er auch sonst von ihm halten mochte, das beweist die Annalentafel. Hier schreibt er oder der Hofliterat seine Siege einesteils der Gottlosigkeit des Nabunaid zu, anderenteils aber erkennt er sich als den Auserwählten von Bel-Marduk, als den wahren Verehrer der Götter. Man darf hiernach als sicher annehmen, daß es Cyrus darauf ankam, nicht nur um jeden Preis die Gunst der babylonischen Priester und Magier für sich zu gewinnen und zu behalten, sondern auch die Neigung der Völker sich zuzuwenden. Er hatte aus der Geschichte gelernt, daß in Babel kein König lange regierte, der den Priestern und Magiern nicht genehm war. Die Sprache der Annalen, auf die ich mich beziehe, zeigt vielfach hebräische Färbung, vermutlich weil die gut begabten Kinder Judas bald auch babylonische Schrift und Sprache gelernt hatten und eine Schreiberstelle bei Hof annehmen konnten. Es heißt dort:

„Von dem Monat Kislev bis zum Monat Adar kehrten die Götter des Landes Akkad, die Nabunaid nach Babel gebracht hatte, zu ihren eigenen Städten zurück. Von ..... bis zu den Städten Zamban, Miturnu, (von) Durili bis zur Grenze von Kuti, den Städten am Tigris setzte ich die Götter, die in ihnen gewohnt, auf ihre Plätze zurück und gründete (ihnen) einen Sitz, der lange dauern sollte. Alle ihre Völker versammelte ich und stellte ihre Wohnungen wieder her. Und die Götter von Sumer und Akkad, die Nabunaid nach Basel gebracht und damit den Zorn Marduks, des Herrn der Götter, erregt hatte, setzte ich auf Befehl Marduks, des großen Herrn, in Frieden in ihre Heiligtümer, in Sitze nach ihrem Herzen. Mögen alle Götter, die ich in ihre eigene Städte gebracht habe, täglich vor Bel und Nebo für mich bitten, daß ich lange lebe. Mögen sie Segen über mich herabrufen und zu Marduk, meinem Herrn, sprechen: Laß Cyrus, den König, deinen Verehrer, und Kambyses, seinen Sohn, (die Freude) ihres Herzens (langes) Leben (genießen). Ich habe (die Götter) aller Länder an einen Ort der Ruhe sich ansiedeln lassen."

Es handelt sich also bei den Juden nicht um einen außerordentlichen Gnadenerweis des persischen Königs, der ihnen gestattete, den Dienst ihres Gottes in dem Tempel von Jerusalem wieder aufzunehmen; sondern Cyrus behandelte andre Städte und Völker seines Reiches in gleicher Weise, wenn sie vorher in gleicher Weise wie die Juden vergewaltigt worden waren. Dazu leitete ihn, wie oben angedeutet, eine feine umsichtige und vorsichtige Klugheit, danach er sich

1) Gegen Jeremias, A. T. O., S. 326.
2) Nach Lenormant.

hin und her in seinem weiten Reiche Freunde zu erwerben suchte, ganz anders gerichtet als die früheren babylonischen und assyrischen Herrscher, die ihre Völker wie milchende Kühe oder wie Herden von Sklaven behandelten. Auch erreichte er bei vielen Völkern seine Absicht; nur die kleinasiatischen Griechen trugen seine Herrschaft mit Unwillen. Als dann in Sardes ein Aufstand zu dämpfen war, stellte der König zuerst den Meder Mazares, dann den Meder Harpagus an die Spitze des medisch-persischen Heeres. Dieser seltene, ganz eigen geartete König soll 529 v. Chr. in einem Kriege gegen Tomyris, die Königin der Massageten, gefallen sein. Er hinterließ zwei Söhne, Kambyses und Smerdis, sowie mehrere Töchter. Eine derselben ehelichte ihren Bruder Kambyses, nach dessen Tod den falschen Smerdis, dann Darius I.

Wer aber einmal recht deutlich sehn will, wie heute von den Meistern der Wissenschaft Geschichte gemacht wird, der lese H. Winckler [1]). Auf Cyrus folgte sein Sohn,

Kambyses,

altpers. Kambudschija, herrschte als König von Persien, das durch seines Vaters Erfolge die vorigen Reiche Vorderasiens in sich aufgenommen hatte, 529—522 v. Chr. Als er einen Feldzug gegen Aegypten unternehmen wollte, übergab er seinem Bruder Smerdis, altpers. Bardija, die Statthalterschaft in Susa. Bald aber wurde Smerdis bei seinem Bruder verdächtigt, als strebe er nach Unabhängigkeit. Er mußte sterben. Kambyses aber zog 525 v. Chr. durch Palästina als das Land eines friedlichen Vasallen und hatte in Aegypten rasche Erfolge. Er siegte sogleich bei Pelusium, eroberte Memphis und nahm den Pharao Psammenit gefangen. Auch die Lybier und die Griechen von Barka und Kyrene unterwarfen sich ihm. Doch bei den Aegyptern ward Kambyses durch seine Grausamkeit, Trunksucht und Verachtung der ägyptischen Götter verhaßt. Als er nach einigen Jahren von einem Aufstand in Persien Kunde erhielt, wo sich der Magier Gaumata als falscher Smerdis zum König aufgeworfen hatte, verließ Kambyses Aegypten und eilte nach Hause. Aber ehe er die Heimat erreicht hatte, kündigte ihm ein Herold Gaumatas an, daß er des Thrones entsetzt sei. Daraufhin soll er sich, was wenig glaubhaft ist, selbst den Tod gegeben haben. Vermutlich ging es ihm wie den meisten babylonischen und assyrischen Herrschern, er wird sein Leben in einer Verschwörung der Heerführer verloren haben, die dem Usurpator geneigt waren. Aus seiner Schwesterehe hatte er keinen Erben erhalten.

Zu gleicher Zeit mit Gaumata, der sich zum König krönen ließ und 17 Monate diesen Platz behauptete, erhoben sich ein Nadintabira oder Nidintubal, der sich für einen zweiten Sohn Nebukadnezars oder für

1) K. A. T., S. 287 zc.

Nebukadnezar, den Sohn des Nabunaid, ausgab, daher er auch Nebukadnezar III. genannt wird. Er fiel ebenso wie Gaumata-Bardija, Arachu und andere Usurpatoren durch den Perser Darius, der mit 6 der angesehensten persischen Edeln in Verbindung stand und durch rasches Handeln eine vollständige Wandlung der verwirrten öffentlichen Verhältnisse herbeiführte. Auf der großen Inschrift von Behistun sind ihre Namen genannt:

„Das sind die Männer, die allein dabei waren, als ich Gomatas den Magier, der Bardes genannt wurde[1]), erschlug. Es sagt Darius der König: Du, der du hernach König sein wirst, gedenke daran, den Nachkommen dieser Männer Gunst zu bezeugen."

Darius I.

pers. Darjawesch, babyl. Darjawusch, griech. Dareios, Sohn des Vischtaspa, griech. Hystaspes, aus dem Geschlecht der Achämeniden entsprossen, war 550 v. Chr. geboren und herrschte 521—486 v. Chr. über das persische Reich. Als er zur Herrschaft berufen wurde, waren fast sämtliche Teile des weiten Reiches im Aufstand begriffen, wie Susiana, Medien, Armenien und Babylonien u. a. Ein schwerer Anfang. So behauptete der Meder Xathrites, er stamme von Cyaxares ab, und fand großen Anhang. Aber Darius besiegte ihn, ließ den Gefangenen verstümmeln, in Ketten zur Schau stellen und endlich kreuzigen. Nach der dreisprachigen Inschrift von Behistun oder Bisutun bei Kermandschah, in der die großen Taten des Königs in altpersischer, medischer und assyrisch-babylonischer Schrift und Sprache verkündigt werden, hatte Darius 9 Gegenkönige niederzuwerfen, die, wie sie vorschützten, den einzelnen Provinzen des Reiches ihre alte Selbständigkeit wiedergewinnen wollten, aber vor allem danach trachteten, sich selbst an die Spitze zu bringen. Dort heißt es:

„Darius der König sagt. Dies ist es, was ich durch die Gnade des Ahuramazda tat, als ich das Königreich gewann. Der Sohn des Cyrus, Kambyses, war hier König vor mir. Dieser König hatte einen Bruder namens Smerdis. Sie hatten dieselbe Mutter und denselben Vater. Später tötete dieser Bruder den Smerdis. Dann ging Kambyses nach Aegypten. Das Volk wurde schlecht, und viele Unwahrheiten kamen in den Provinzen auf, sowohl in Persien als in Medien und in andern Ländern. Dann stand ein Mann auf namens Vahyazdata, ein Magier, in einer Stadt Tarava mit Namen. Am 14. Tag des Monats Vijakna stand er so auf. Dem Volk erzählte er Lügen und sagte: „Ich bin Bardija, der Sohn des Cyrus." Da empörte sich das Volk gegen Kambyses und ging zu ihm über. Er bemächtigte sich des Reiches. Da tötete Kambyses sich selbst."

Dieser Bericht wird durch eine Inschrift ergänzt, die 1901 nach Chr. auf einem Doleritblock in den Trümmern Babels gefunden wurde. Dort heißt es:

„Zum zweiten Male sammelten sich die Aufständischen und zogen gegen Vaumisa, um eine Schlacht zu liefern. Darauf kämpften sie in einem Lande Utiari

1) K. B. IV, S. 295.

mit Namen, in Armenien. Im Schutz Ahuramazdas schlug mein Heer die Aufständischen. Am 30. Ajaru kämpften sie. Darauf tat Vaumisa nichts, sondern wartete auf mich, bis ich nach Medien kam. Darius der König also spricht: Darauf ging ich aus Babylon heraus und zog nach Medien. Bei dem Eintreffen in Medien in einer Stadt Kundur mit Namen war Fravartis gegen mich, derselbe der gesagt hatte, ich bin König von Medien. Er zog mit einem Heere, eine Schlacht zu liefern. Darauf kämpften wir. Im Schutze Ahuramazdas schlug ich das Heer des Fravartis."

Der Usurpator Gaumata führte auf der Höhe seiner Macht in Babel eine Schreckensherrschaft, wobei er jeden töten ließ, den er fürchten zu müssen glaubte, bis Darius sich mit seinen Freunden gegen Babel wandte. Die Inschrift fährt fort:

„Darius der König sagt. Die Königsherrschaft, die unserm Geschlecht geraubt war, stellte ich wieder her. Wie es vor mir gewesen, so tat ich. Ich baute die Tempel der Götter wieder auf, die Gomates, der Magier, zerstört hatte; und ich führte zu gunsten des Volkes den Kalender und die heilige Sprache [1]) wieder ein and gab den Familien zurück, was ihnen Gomates der Magier weggenommen hatte."

Dieser Gomates oder Gaumata aus Pasargadä hatte auch den Weiterbau des Tempels zu Jerusalem verboten Darius aber befahl den bezüglichen Erlaß des Cyrus zu suchen; und als dieser gefunden war, ließ er es an nichts fehlen, was zur Ausführung des Baues nötig war [2]). Der Erlaß des Cyrus aber wurde zu Achmetha oder Ekbatana gefunden, wo Cyrus seine Sommerresidenz zu halten pflegte. Darin stand alles geschrieben, was Esra mitgeteilt hat. Der Schluß des Erlasses stimmt mit dem Schluß der Inschrift von Behistun überein, der also lautet:

„Wenn du diese Tafeln und diese Bilder zerstörst und sie nicht erfüllst, so töte dich Ahuramazda, und du müssest keinen Sprößling haben; und was du immer tust, darüber wird Ahuramazda seinen Fluch aussprechen."

Nun genehmigte Darius, daß die Arbeit am Tempel wieder aufgenommen werde, und wurde dieselbe in sechs Jahren, 520 bis 514 v. Chr., vollendet. 513 überschritt Darius den Bosporus, kam nach Europa, unterwarf Thrakien, überschritt die Donau, wurde aber durch die Skythen zum Rückzug gezwungen. 500—494 dauerte der Krieg gegen die sogenannten griechischen Kolonien, die bei ihrer Erhebung gegen die Perser von Athen und Eretria unterstützt worden waren. Die Kriegserklärung der Perser war, wie Herodot erzählt, in einer Ratsversammlung der vornehmsten Perser unter des Königs Vorsitz sorgfältig erwogen worden. Das weltbewegende Wort mußte Tag für Tag wiederholt werden: „Herr, gedenke der Athener." 492 wurde der erste Rachezug unter dem Oberbefehl des Mardonius unternommen, aber durch Stürme und die wilden Stämme der Thraker vereitelt. 490

1) Ob das Sumero-Akkadische gemeint ist?
2) Esra 6, 3—12. Hagg. 1, 1. Sach. 1, 1.

führten Datis und Artaphernes ein neues Heer gegen Griechenland, aber die Athener schlugen dasselbe ohne Hilfe von andern Griechen bei Marathon. Also hatte Darius mit seinen überseeischen Feldzügen kein Glück, während er, wie Herodot berichtet, selbst die Inder, das „zahlreichste Volk, das man kennt", sich unterwarf. Ihr Land bildete die 20. Satrapie des persischen Reiches und mußte einen jährlichen Tribut von 600 Talenten in Goldbarren oder Stangen liefern.

Mit den Vorbereitungen eines neuen Feldzuges gegen Griechenland beschäftigt, wurde Darius vom Tode überrascht — nach der Weise orientalischer Herrscher. In Persepolis und Susa hat er große Bauten ausgeführt. Seiner dreisprachigen Inschrift von Behistun verdanken wir das Verständnis der Keilschriften und damit einen großen Fortschritt der Altertumskunde.

Er verband auch das rote Meer mit dem Nil. Die Aegypter verehrten ihn als ihren sechsten Gesetzgeber. Von einer Tochter des Gobryas hatte er mehrere Söhne, aber von Atossa, der Tochter des Cyrus, nur einen, der sein Nachfolger wurde, Xerxes.

Der gelehrte Herzog von Manchester, der 1843 „Die Zeiten Daniels" herausgab [1]), geht mit feststehenden geschichtlichen Tatsachen recht willkürlich um. Die Chaldäer der Bibel heißen bei ihm Perser. Er meint, Daniel nenne Nebukadnezar d e n Fürsten, den Herodot Cyrus und Kambyses nennt, und verstehe unter Darius den Meder [2]) Darius, den Sohn des Hystaspes, unter Darius, Sohn des Ahasverus, aber Darius Nothus, unter Artasastha Artaxerxes. Folgerichtiger Weise läßt er das babylonische Exil nicht vor dem 12. Jahr des Xerxes zu Ende gehn, hat also alle Begebenheiten um 60 und einige Jahre verschoben. Sein Cyrus hat nicht vor Xerxes, der sein Enkel war, gelebt, ist also ein ganz andrer als der Cyrus des Herodot und der Inschriften. Richtig aber mag die Ansicht dieses Gelehrten sein, daß mehrere Dynastien als medische oder persische Oberkönige und babylonische Vasallenkönige neben einander herrschen konnten und geherrscht haben. Auf Darius I. folgte sein Sohn

Xerxes I.

babyl. Chsarsha oder Ishiarsu, pers. Khasayarsa, bei Daniel und Esra Ahasverus, wurde 519 v. Chr. geboren und regierte über das persische Weltreich 485—46 v. Chr. Er nahm die Kriegspläne seines Vaters gegen Griechenland wieder auf, nachdem er die aufständischen Aegypter im zweiten Jahr seiner Regierung beruhigt hatte, und rüstete ein gewaltiges Heer und zwei Flotten aus. Aber vor Eröffnung des Feld-

1) Vilmar, d. Buch Daniel, S. 261.
2) Dan. 6, 1.

zuges sah sich nach Herodot der Großkönig im Traum gekrönt mit einem Kranz von Blättern des Oelbaumes, dessen Zweige die ganze Welt bedeckten. Dieser Kranz verschwand plötzlich und völlig. Die Magier, die sich unter allen wechselnden Dynastien behauptet hatten und weiter behaupten sollten, legten den Traum des Königs dahin aus, derselbe bedeute die bevorstehende weite Ausdehnung des persischen Reiches; und diese Auslegung wurde in der Ratsversammlung der vornehmsten Perser, die Xerxes berufen hatte, bekannt gemacht.

Woher aber sollte Xerxes die Mittel nehmen, das größte Heer, das die Welt bis dahin gesehn, auszurüsten und zu erhalten? Der Staatsschatz war erschöpft, so griff der Großkönig nach den schon früher in Anspruch genommenen Tempelschätzen Esagilas. Insbesondere nahm er die goldne Bildsäule Bel-Marduks hinweg und schickte sie in die Münze — ein Kulturfortschritt; denn Babylonier und Assyrer hatten noch kein gemünztes Geld, sondern gaben und nahmen die edlen Metalle nach Gewicht, daher man auch nirgends babylonische oder assyrische Münzen gefunden hat, wohl aber persische. Der Plünderung ihres Tempels setzten die Magier, wie Arrian erzählt, kräftigen Widerstand entgegen, aber sie unterlagen in diesem Kampfe, bei dem der mitten in Babel gelegene Tempel Bel-Marduks durch Feuer zerstört wurde. Nur das Tempelarchiv blieb unversehrt.

Den Oberbefehl über die versammelten Myriaden verdiente nach Herodot niemand mehr als Xerxes selbst, was Anmut und Würde der Person betrifft. Jedenfalls hatte der König selbst eine hohe Meinung von sich und seinen Fähigkeiten, er besaß in der Tat nicht nur den Willen eines assyrischen Selbstherrschers, sondern auch hochfliegende Gedanken und festen Entschluß. Der Uebergang des ungeheuren Heeres über den Hellespont von Asien nach Europa, die Vermeidung des gefährlichen Hochgebirgs Athos geben deutliches Zeugnis von diesen Eigenschaften des Großkönigs, der, wie aus der Weltgeschichte bekannt ist, wieder unglücklich gegen die Griechen kämpfte und nach Susa floh, das bei Herodot Memnon heißt, weil ein König dieses Namens das Schloß Susa gebaut hat. Von Susa hatte man im Altertum eine so hohe Meinung, daß Aristagoras, der berühmte Schwiegersohn des Histiäus, zum König von Sparta sagen konnte: „Susa, wo der persische Herrscher zuweilen wohnt, wo seine Schätze niedergelegt sind, mache dich zum Herrn dieser Stadt, so kannst du an Einfluß mit Zeus selber wetteifern."

An Xerxes wandten sich die von Asarhaddon und seinem Sohn Asurbanipal nach Samaria verpflanzten Leute von Dina, Apharsach, Tarpal, von Persien, von Erech, von Babel, von Susan, von Daha und von Elam und die andern Völker, die der große und berühmte Asnaphar herübergeholt [1]), und verklagten die Juden von Jerusalem als Auf-

1) Asnaphar ist Asurbanipal.

rührer und baten vom König, er möge den Bau dieser Stadt und ihrer Mauern untersagen. Die Bitte wurde ihnen gewährt, aber erst unter den Nachfolgern von Xerxes [1]).

Ueber die Häuslichkeit und das private Leben dieses Herrschers berichtet das Buch Esther mit voller Sachkunde und nach dem Augenschein. Herodot nennt eine Gemahlin des Xerxes Amestris, ein Name, der an Esther anklingt. Dieses persische Wort bedeutet wie das griechische aster einen Stern. Unter ihren Glaubens- und Sprachgenossen hieß Esther vorher Hadasa, d. i. Myrte.

Xerxes und sein Sohn Darius wurden 465 v. Chr. von Artabanus ermordet. Auf seiner Grab zu Nackschirustem werden 30 unterworfene Völker genannt, nämlich Meder, Chuzier, Parther, Areier, Baktrier, Sogder, Chorasmier, Zerengen, Arachosier, Sattegyden, Gaudarer, Inder, Saken, Haumawerken, Spitzhut-Saken, Babylonier, Assyrer, Araber, Aegypter, Armenier, Kappadokier, Lyder, kleinasiatische Griechen, Skythen, Thraker, Makedonen, d. h. den Petasus tragende Griechen, Putier, Kus, Maxyer, Karthago. Es folgte in der Regierung des Königs jüngerer Sohn

Artaxerxes I.

longimanus gen., pers. Artakſathra, babyl. Artakſchatsu, hebr. Artahsastha, der 464—424 v. Chr. regierte. Unter ihm gingen Aegypten, Baktrien und die griechischen Kolonien verloren; aber sein Feldherr Megabyzus, selbst ein Grieche, gewann die meisten Städte für seinen Herrn wieder.

Als babylonische Unterkönige werden zu seiner Zeit aus der 6. Dynastie genannt: Ninibkudurusur und Nabukinapli, der eine Zeit lang neben seinem Vorgänger, im ganzen 24 Jahre, regierte [2]).

458 v. Chr. durfte Esra den Dienst des unsichtbaren Gottes in Jerusalem wieder aufrichten, aber der Bau der Mauern wurde mit Gewalt verhindert [3]).

455 v. Chr. wurde auch Aegypten wieder unter persische Oberhoheit gebracht.

445 v. Chr. zog Nehemia mit des Königs Vollmacht zum Bau der Mauern und Tore nach Jerusalem, brachte das Werk zustande und kehrte dann auf kurze Zeit wieder nach Babel zurück [4]).

424 v. entbrannte ein Streit zwischen den Söhnen des Königs, von denen einer legitim, 17 illegitim waren. Sogdianus wurde nach einer

---

1) Esra 4.
2) K. B. II, b, 82.
3) Esra 4, 6—23, die hinter Kap. 7 zu stellen sind.
4) Neh. 2, 1 ꝛc. 13, 6.

Regierung von 6½ Monaten auf Befehl des Ochus, eines Sohnes der Esther (?) in der Asche erstickt, nachdem der junge König Xerxes II. nach einer Regierung von 2 Monaten durch Sogdianus ermordet war. Von diesem sagt eine Inschrift:

„Sogdianus, Achämenide, König der Länder, ich... Zu der Zeit, als ich dieses Haus zum Wohnsitz meines Königtums in dem Land Babylon, mitten in der Stadt Babylon erbaute..."

Auf Sogdianus folgte Ochus und nannte sich als König von Persien

Darius II. nothus.

423--405 v. Chr. Er hatte seine Halbschwester Parysatis zur Frau, die viele Schandtaten verrichtete und ihren Mann vollständig beherrschte.

In Vorderasien hielt der Satrap Tissaphernes die persische Herrschaft noch aufrecht, aber Aegypten ging durch Amyrtäus verloren. Es folgte sein Sohn

Artaxerxes II. Mnemon.

vorher Arsikas gen. 404—358 v. Chr. König von Persien. Er hatte mit seinem Bruder, Cyrus dem jüngeren, zu kämpfen, der sich auf griechische Söldner stützte und den Thron für sich zu gewinnen hoffte. Aber er wurde 401 bei Kunara besiegt. Trotzdem zerfiel das Reich bei des Königs Unfähigkeit mehr und mehr, indes die Macht des Artabazus und andrer Satrapen zunahm. Noch wurde 387 der vorteilhafte Friede des Antalcidas mit den Spartanern geschlossen, der die griechischen Kolonien in Kleinasien den Persern zurückgab, soweit sie auf dem Festland lagen. Vorher war die spartanische Flotte von den unter Konon vereinigten Persern und Athenern bei Knidus 394 besiegt worden.

In Babylon waren zu dieser Zeit Unterkönige aus der 8. Dynachie Nabuappluiddin, der mehr als 20 Jahre regierte, und Mardukſumiddin. Es folgte

Artaxerxes III. Ochus.

perſ. Vahukha, babyl. Umaſu, 358—338 v. Chr. König von Persien. Durch die Schlacht bei Pelusium, 350 v. Chr., gewann er Aegypten wieder. Auch gegen die Phönikier und kleinasiatischen Griechen kämpften seine Feldherren mit Glück und Geschick. Aber einer unter ihnen, der Eunuch Bagoas, vergiftete den König und räumte auch den Thronerben samt seiner Familie aus dem Wege, um den letzten Achämeniden auf den Thron zu heben. Er folgte als Xerxes III., vorher Arses genannt. Er regierte wenig über ein Jahr und nur dem Schein nach. In Wirklichkeit führte Bagoas die Zügel der Herrschaft, bis er dem Darius nach dem Leben trachtete. Da ließ dieser ihn töten und bestieg den Thron als

Darius III. Kodomannus

336—330 v. Chr. Er war ein gerechter und tapferer Herr, aber dem Ansturm eines Alexanders und seiner Makedonier konnte das morsche Reich auf die Dauer nicht widerstehen. Als er sich auf der Flucht von Ekbatana in die nördlichen Provinzen zurückziehen wollte, wurde er von Bessus, dem Satrapen von Baktrien, tödlich verwundet und starb bald darauf. Es folgten nach dem Recht des Schwertes

7. Die Griechen

Alexander der Große

babyl. Alikſander, 330—323 v. Chr., der auf kurze Zeit Morgenland und Abendland auch in politischer Hinsicht vereinigte. Aber ehe das Band fest geknüpft war, ließ sein früher Tod dasselbe wieder zerreißen.

Als er auf seinem Zug nach Aegypten durch Palästina kam und Jerusalem besuchte, legte ihm der Hohepriester das Buch Daniel vor, ihm anzuzeigen, daß seine Herrschaft schon 200 Jahre vorher durch einen Propheten aus Juda verkündigt worden sei [1]). Alexander verschonte den Tempel und die Stadt.

In Babel, das er zu seiner Residenz gewählt, suchte er wie Cyrus die einflußreichen Magier für sich zu gewinnen und bot alle seine Soldaten auf, um den Trümmerschutt der großen Tempel zu entfernen, damit dieselben wieder aufgebaut werden könnten. Aber sein früher Tod vereitelte diese und andre Pläne.

Kallisthenes, ein Freund des Königs, schickte, wie Simplicius berichtet, eine Reihe astronomischer Beobachtungen, die 1903 Jahre vor der Eroberung Babels durch Alexander, also unter Hammurabi, gemacht waren, an Aristoteles.

Als sich bei Alexanders Tod seine Feldherren, die Diadochen, in das zerfallende Reich teilten, nahm Antigonus Kleinasien, Seleukus Babylonien, Ptolemäus Aegypten. So entstand das Reich der Seleukiden in Syrien, das Reich des Attalus in Pergamum; und nach 200 Jahren verschlang das römische Reich sie alle. Das Reich der Seleukiden befaßte außer Babylonien auch Syrien und Assyrien.

Auf Alexander den Großen folgte dem Namen nach sein Sohn, kaum ein Jahr alt als Alexander II., 323—311 v. Chr. Für ihn regierte Seleukus, bis der ehrgeizige und grausame Kassander Roxane und den 12jährigen König ermorden ließ. Aus dem Jahr 317 ist noch eine Vertragsurkunde in Keilschrift vorhanden.

---

1) Josephus, jüd. Altert. XI, 8, 5.

Seleukus I. Nikator

babyl. Silukku, 312—281 v. Chr. Von seinem Sieg über Antigonus und der Einnahme Babylons datiert die Aera der Seleukiden; denn es ziemte dem Herrscher der 4 Weltgegenden, eine neue Zeitrechnung einzuführen, wobei er die Hilfe seiner Astronomen gut gebrauchen konnte. Nachdem Seleukus fast das ganze Reich Alexanders d. Gr. erobert hatte, wurde er von Ptolemäus Keraunos ermordet.

Antiochus I. Soter

281—261 v. Chr., nennt sich einen Pfleger von Esagila und Ezida. Zur Herstellung dieser Tempel ließ er an mehreren Orten Ziegelsteine anfertigen. Noch zu dieser Zeit bedienten sich nicht allein die Gelehrten der Keilschrift.

Die eindringenden Kelten konnte er nicht zurückdrängen. Aus seiner Zeit sind viel astronomische Beobachtungen in fleißigen Aufzeichnungen erhalten, untermischt mit Angaben über die Preise der Lebensmittel und mit Berichten über Reisen und Taten des Königs. „Für ein Sekel Silber (kaufte man damals) 21 Ka Sesam und 5 mane Wolle. In dieser Zeit stand Jupiter in der Jungfrau, Venus im Skorpion. Merkur war bis zum 2. nicht sichtbar, Saturn im Wassermann, Mars im Schützen, am Ende des Monats im Steinbock. In diesem Monat war der Wasserstand bis zum 29. .... In diesem Monat zog der Feldherr, der zweite nach dem König im Lande Akkad, in Babel ein. Am 21. gab der Feldherr einen Stier und Schafe für das Neumondfest des Bel an die Opferpriester im Tempel Esagila. Dem Bel wurden sie geopfert."

Antiochus II. Theos, 261—245 v. Chr., wurde von den Milesiern Gott genannt und von seiner Gattin vergiftet. Unter ihm verloren die Seleukiden Parthien, indem der Skythe Arsaces, der Ahnherr der Arsaciden, ein eignes Reich gründete.

Seleukus II. Kallinikus, 245—227 v. Chr., hatte fortwährend mit Antiochus Hierax um den Thron zu kämpfen. Das syrisch-babylonische Reich verfiel immer mehr.

Seleukus III. Keraunos, regierte nur 4 Jahre, 227 bis 224. Es folgte

Antiochus III., der Große genannt, 224—187 v. Chr. Er wurde von Ptolemäus IV. bei Raphia geschlagen, aber dessen Nachfolger mußte ihm Cölesyrien, Phönikien und Palästina abtreten. Die Römer schlugen ihn in Griechenland und bei Magnesia am Sipylus. Er mußte ganz Kleinasien diesseits des Taurus an sie abtreten. Als er den Tempelschatz der Elymäer plündern wollte, töteten ihn seine eignen Leute.

Seleukus IV. regierte 187—176 v. Chr.

Antiochus IV. Epiphanes, der wähnte, der erschienene Erlösergott zu sein, 176—164 v. Chr. Er bedrückte die Juden durch törichte Zwangsmaßregeln und reizte sie durch Schändung und Beraubung des Tempels und die Zerstörung der Stadt Jerusalem, die er Epiphania nannte, zu einem Aufstand, der ihm die Herrschaft über Palästina kostete. Auch halb Aegypten, das er dem Ptolemäus Lagas abgenommen, mußte er auf Befehl der Römer wieder herausgeben. Ihm folgten Antiochus V. Eupator 164—161, Demetrius I. Soter 161—157, Alexander Balas 157—145, Demetrius Nikator 145—139 und zu gleicher Zeit Antiochus VI. Epiphanes Dionysius, Sohn des Alexander Balas 144—141. Antiochus VII. Sidetes, Sohn des Demetrius Soter, 139—129; Antiochus VIII. Philometer, Sohn des Demetrius Nikator, 126—97. Ihn ermordete sein Bruder Antiochus XI. Kyzikenus 97—96. Antiochus X. Eusebes fiel im Kampf gegen die Parther, 96—93. Ein Prätendent trat auf als Antiochus XI Epiphanes Philadelphus und starb 95, Gotarges 89. Antiochus XII. wurde durch Lukullus im Namen des römischen Volkes und Senates als Herr von Syrien und Judäa anerkannt. Er, der letzte der Seleukiden, fiel in einem Krieg gegen die Araber. Antiochus XIII. wurde 68 von Lukullus als König von Syrien eingesetzt, 64 von Pompejus abgesetzt, aber die Juden wurden Bundesgenossen des römischen Volkes. 29 v. Chr. wurde Antiochus wegen Gesandtenmordes enthauptet.

So kamen und gingen die Geschlechter der Fürsten, wie das Wesen der Welt es mit sich bringt, über die alten Länder der Babylonier und Assyrer dahin; und der Mantel der meisten unter ihnen war mit Blut und Tränen befleckt. Nur die Magier schienen gegen den Wechsel der Zeiten gefeit zu sein. Wie ein Teil von ihnen mehr mit der oberen als mit der unteren Welt beschäftigt war, so führten sie ihre astronomischen Tabellen weiter, wenig bekümmert darum, wer dort unten regierte. Es folgen darin auf Asarhaddon ein Samassumukin, auf diesen Kandalanu, auf Nabunaid ein Kuras, ein Darjavus, Ahsiarsu; doch kein Alexander, sondern Antigu folgt auf den letzten Darjavus. Von ihren hohen Ziggurats schauten sie fort und fort nach dem Himmel und warteten auf eine besondere Himmelserscheinung, die ihnen die Geburt eines Königs im Acharriland anzeigen sollte. Und als sie erschienen war, stiegen sie herab von ihrer hohen Warte, zogen nach Jerusalem und fragten dort: „Wo ist der neugeborene König der Juden? Wir haben seinen Stern gesehn im Morgenland und sind gekommen, ihn anzubeten [1]).“ Das geschah am Wendepunkt der Menschengeschichte, da Christus zu Bethlehem in Juda geboren war, von dem ein altes Orakel [2]) sagt, er sei

1) Matth. 2, 2.
2) Fr. Delitzsch bei A. Jeremias, A. T. O. 187, Anm.

„der große König, der im Westen aufstehn wird, unter dem Recht und Gerechtigkeit,· Friede und Freude in allen Landen herrschen und alle Völker beglücken wird". Welches Zeichen die Magier gesehn haben, ist in ihren Tabellen noch nicht gefunden worden. Ob ein Komet auf ihn hingewiesen oder die Vereinigung von Jupiter und Saturn, wie Keppler annahm, oder ein andres Himmelszeichen, wird vielleicht nie entschieden werden. Aber mit ihm hört die alte Geschichte von Babylonien und Assyrien auf [1]).

---

1) Auch die Legende, die sich dem Bericht des Evangelisten Matthäus zugesellt hat, steht auf babylonischem Grund und Boden, was die Namen der Magier betrifft, aus deren Gaben sie drei und zwar drei Könige gemacht hat. Balthasar wird kein andrer Name als Balutsunsur sein, Melchior gleich Malkior, und für Kaspar weiß ich keine bessere Gleichung als Ahasverus in harter Aussprache. Wenn aber die Legende die drei Könige aus verschiedenen Ländern kommen läßt, so entspricht auch dieses Stück der Dichtung ganz und gar dem oft ausgesprochenen Gedanken des babylonischen Weltreichs, ob es auch längst untergegangen war.

Vierter Abschnitt.

Götter und Göttersagen der Babylonier und Assyrer.

1. Götter und Geister.

Die meisten der babylonisch-assyrischen Götter, wenigstens die höchsten, von deren wahrscheinlichem Ursprung bereits in der Einleitung die Rede war, haben wir dem Namen nach im Verlauf der Geschichte kennen gelernt; und wie konnte das anders sein, da diese merkwürdigen Völker, mit denen wir uns beschäftigten, mehr religiösen Sinn als andre gezeigt haben, sodaß sie alle ihre Werke, gute und böse, mit Hilfe ihrer Götter verrichteten. So wird es nötig und lohnend sein, diese Gebilde menschlicher Erfindung näher zu betrachten. Teils zutreffend, teils unzutreffend ist, was H. Winckler[1]) sagt: „Die Grundlage aller babylonischen Weisheit ist die Religion, die Lehre von den Göttern, und diese Götter treten dem menschlichen Auge sichtbar entgegen in den Gestirnen. Mond, Sonne und die Planeten sind die Vertreter der Hauptgottheiten, deren Wirksamkeit sich in den von von ihnen abhängigen Erscheinungen des Himmels und der Erde betätigt. Hierauf ist ein ganzes Weltsystem gegründet, das die Erscheinungen des Himmels mit denen der Erde gleich setzt, und alles was den Menschen umgibt, ihn selbst eingeschlossen, aus diesen Erscheinungen heraus erklärt. Denn dieselben Kräfte, die sich eben in den Gestirnen offenbaren, sind auch auf der Erde wirksam, und wie der Mensch nach dem Bilde der Gottheit geschaffen ist — hier trägt H. Winckler eine rein biblische Anschauung auf das Gebiet des babylonischen Heidentums über, in dessen Sagen nichts der Art vorkommt —, so ist die Erde ein Abbild des Himmels, des eigentlichen Sitzes der Götter." Es wäre doch nötig zu erfahren, nach welches Gottes oder Göttin Bild der Mensch geschaffen worden ist? Das sagt uns H. Winckler nicht, obwohl er weiß, daß die Sage ein- oder zweimal den Schlangengott Anu nennt. Sodann wohnen die Götter nach babylonischer Vorstellung nicht immer im Himmel, sondern in ihren

1) K. A. T. 3, S. 157.

Heiligtümern; und die Erscheinungen des Himmels werden nirgends mit denen der Erde gleich gesetzt, sonden die letzteren werden als eine Wirkung der ersteren betrachtet. Der Grundirrtum solcher gelehrten Ausführungen ist gewöhnlich die Annahme, als sei das Götterwesen ein Stück der Kultur, während dasselbe überall den Rückgang und Abfall von einer früheren und höheren Stufe der Kultur darstellt, abgesehn davon, daß in Babylonien die unmittelbare Verbindung der Himmelserscheinungen mit den irdischen Vorgängen in vielen Fällen zu einer Quelle groben Betruges wurde, den die Gelehrten doch nicht für Kultur ausgeben können. Wie wenig abhängig aber die hebräische Anschauung des Himmels von der babylonischen ist, mag schon gleich hier erwähnt werden, indem die Babylonier und Assyrer, wie auch H. Winckler oben sagte, an erster Stelle stets den Mond verehren und ihn für größer und wohltätiger als die Sonne achten, während in der heil. Schrift klar und deutlich geschrieben steht, daß die Sonne das große Licht des Tages, der Mond aber das kleine Licht der Nacht ist [1]). Woher wußten das die Hebräer, da doch beide Gestirne unserm Auge gleich groß erscheinen und selbst in unsern astronomischen Meßinstrumenten nur den kleinen Unterschied von 31',8 zu 31',9 zeigen?

Die Geschichte weist uns darauf hin, daß ein Teil der Nordsemiten, die in Babylonien einwanderten, und auch die, die später nach Assyrien zogen, bereits Götzendiener waren. Die Gelehrten sagen uns, sie seien dem Sterndienst ergeben gewesen und hätten den Mondgott Ai und den Morgen- und Abendstern verehrt [2]) ,warum nicht auch die Sonne, verschweigen sie, obwohl gerade *sie* in Babylonien und Assyrien mit dem *semitischen* Namen Schemesch Samas, samsu zu allen Zeiten genannt worden ist. Die Semiten aber, die in Babylonien blieben und sich mit den Sumero-Akkadiern vermischten, nahmen zu ihrem eignen Aberglauben auch noch den des unterworfenen Volkes an, so verworren dieser auch war. Bald wurde bei ihnen Anu, Anun, Nun als Gott des Himmels angesehn, bald Sin, bald Ea oder Enki, bald Samas.

Aber nicht alle in Babylonien eingewanderte Semiten waren in heidnischem Aberglauben befangen. Das erhellt schon aus der Wahrnehmung, daß viele Namen dieser Einwanderer nicht mit einem Götzennamen, wie es sonst in Babylonien Gebrauch war, sondern mit el — ilu, d. i. Gott, zusammengesetzt sind. Noch zur Zeit Hammurabis finden sich Tontafeln mit den Namen Jahvi-ilu, Jakub-ilu, Jaschub-ilu, Isma-ilu, Mutasa-ilu, Sar-ilu [3]). Freilich hätten diese Namen gar keinen Sinn, wenn der gelehrte Mann recht hätte, der behauptet, ilu oder el bedeute nicht Gott, sondern Ziel. Aber derselbe Gelehrte meint auch,

---

1) Gen. 1, 16.
2) Vergl. Fr. Hommel, Grundriß, S. 363.
3) Derselbe A. u. A., S. 319.

11*

der Name Jahve sei ein uraltes Erbteil der kananitischen Stämme, aus denen nach Jahrhunderten die zwölf Stämme Israels hervorgehn sollten, während die eigne Ueberlieferung Israels die Kinder Abrahams und die Kananiter auf das strengste von einander scheidet; aber gerade das ist dieses Gelehrten eigentümliche Liebhaberei, Israel und Kananiter zu vermischen. Wir aber bleiben mit andern dabei: el bedeutet bei den Hebräern, ilu bei den Babyloniern und Assyrern nichts anderes als Gott; und was die andre Frage betrifft, so findet sich auf einer Tontafel aus der Zeit Sinmuballits, des Vaters von Hammurabi, das Wort Jahun-ilu, das bald „es existiert Gott", bald „Jau ist Gott" übersetzt wird. J. Oppert [1]) übersetzt Japiel „Gott ist schön", Jaupiel „Gott ist gnädig", Jaumel „es lebt Gott, es ist ein Gott, es befiehlt ein Gott" und teilt die Beweisstücke dazu mit. Das erste ist ein Kaufvertrag:

„Sechs Morgen Feldes in . . . ., nach oben grenzend an Asatia, nach unten an Jaupiel; drei Morgen Land libitasimi neben dem Feld von Ribatu . . . Tochter . . . zusammen neun Morgen Landes in Khalkhat."

Das zweite ist eine Schenkungsurkunde:

„Zwölf Morgen Feldes in Subirti neben Imelimi; ein halber Morgen drei Ruten Park neben Japiel. Simimini hat sie der Pikartu, seiner Tochter, geschenkt. Harsatu ist der Gläubiger der Pikartu, aber sie wird das Vorrecht vor ihrem Bruder behalten. In Gegenwart von Ikibu, Sohn des Abihar. Ladimilkit, Sohn des Salik. Rimusu, Sohn des Naramsin. Zimiya und Aradilesu, Söhne des Kinibbasi. Samas-nasir, Sohn des Samasuklu, des Schreibers."

Das dritte ist ein Brief des Jaumel:

„An Ibiningirsu schreibe ich dieses, ich Jaumel. Mögen die Götter Samas und Marduk dir langes Leben schenken. Wie du weißt, habe ich einer Sklavin ihre Freiheit wiedergeben müssen. Ich schulde ihr ihr Mitgebrachtes. Viel hat sie von mir bekommen, mein ganzes Vermögen hat sie mich gekostet. Außerdem muß ich den Aradistar entschädigen. Sende mir daher die drei Drachmen, für die du gutgesagt, und die zwei Drachmen deiner eignen Schuld für den Sesam nach dem babylonischen Vertrag, so kann ich den Aradistar richtig bezahlen. Wende dich nicht an Aradistar. Ich werde ihm seine Forderung richtig abtragen."

Wenn die Namenfrage El und Jahve wirklich strittig ist, so mögen die Gelehrten solchen Fall unter sich austragen. Ich halte mit Grau und Hommel daran fest, daß die Hebräer ihren Einen Gott nicht aus Babel geholt haben und von dort nicht holen konnten, weil er dort unbekannt geworden war. Die Semiten aber, die ihn in alter Zeit dorthin gebracht, nahmen ihn auch wieder mit, als sie auswanderten, oder verloren ihn dort, wenn sie im Lande blieben und sich in den sumero-akkadischen Götterglauben immer mehr hineinziehn ließen. Dieser war schon vor der semitischen Einwanderung vollkommen ausgebildet, wie auch die Tatsache nahe legt, daß die Götter der Babylonier und Assyrer nicht nur von alters her sumero-akkadische Namen haben, sondern auch samt ihren Tempeln bis in die letzten Zeiten des Reiches Namen aus dieser

1) Z. f. A. 1903, S. 295.

Sprache erhielten, während nur zwei oder drei Götter, wie wir später sehn werden, auch einen semitischen Namen neben ihren sumero-akkadischen führen.

Um aber auf den oben erwähnten Gottesnamen Jahve, in Luthers Uebersetzung Jehova geschrieben oder mit „Herr" übersetzt, noch einmal zurückzukommen, so ist der Einwand, Moseh habe, als er die Offenbarung Jahves empfing, unter dem Volk Midian gelebt, ganz und gar abgetan, seit, wie wir oben hörten, nachgewiesen ist, daß dieser Name älter als Moseh, ja uralt ist. Moseh aber vernimmt in der Wüste Midian, daß der Allmächtige und Ewige von nun an mit diesem Namen genannt sein will [1]).

Wohl klingen uns auch aus dem Heidentum Reste der ursprünglichen Gotteserkenntnis entgegen, wie von Melchisedek, dem König zu Salem, der ein Priester des höchsten Gottes heißt [2]). Die Entdeckung, daß in diesem Namen wie in Adonisedek der Name des phönikischen Gottes Sydyk verborgen sein soll, tut seiner religionsgeschichtlichen Stellung keinen Eintrag; denn hat Melchisedek auch in seinem Namen das Heidentum stecken, so betet er dennoch den lebendigen Gott an und fühlt sich eines Glaubens mit Abraham.

Oder es wird Babel das stolze Wort in den Mund gelegt [3]): „Ich will dem Allerhöchsten mich gleichstellen", ein Wort, das ohne diese ursprüngliche Gotteserkenntnis keinen Sinn hätte. Aber Babel soll nach dem einen Gelehrten einen „latenten", nach dem andern einen „ethischen" Monotheismus gehabt haben! Das sind die Märchen, an denen sich einige Gelehrte unserer Tage ergötzen. Auch sagt einer von ihnen mit recht unangenehmem, weil gänzlich ungerechtfertigtem Anklang an die christliche Lehre von der göttlichen Dreieinigkeit: „Nergal, Nebo und Ramman sind eins in Marduk." Mit demselben Recht, mit dem diese vier Namen zusammengestellt sind, lassen sich nicht nur vier andre Götternamen zusammenstellen, sondern eine ganze Reihe; denn die Hauptgötter, Sin und Samas, Ea und Bel, Ninib und andre sind dabei gar nicht berücksichtigt. Und mit Recht urteilt K. Bezold [4]): „Ich halte es für überflüssig, diesem babylonischen Monotheismus auch nur ein Wort hinzuzufügen." Denn warum hat jener Gelehrte nur Götter, nicht auch Göttinnen herangezogen [5])? Sobald der Eine lebendige Gott in der religiösen Erkenntnis und Empfindung verdunkelt oder in den Hintergrund der Seele gedrängt wird, tritt eine Vielheit an seine Stelle, in der bald dieser, bald jener Name den ersten Platz einnimmt, ohne daß dabei ein „latenter" oder ein „ethischer" Monotheismus

---

1) Exod. 3, 13. 6, 3.
2) Gen. 14, 18.
3) Jes. 14, 14.
4) Bab.-ass. K. S., S. 34.
5) Fr. Hommel, Grundriß, S. 51.

herauskommt. Auch haben andre Gelehrte nicht Nergal, Nebo, Ramman und Marduk als zusammengehörig angesehn, sonderr Ea, Marduk und Gibil oder Anu, Bel und Ea, wie schon Damaskius, der letzte Neuplatoniker, um 500 n. Chr. Anos, Illinos und Aos, d. i. Anu, Ilu und Ea als die Götter der Babylonier nennt; und „diese drei sind eins in Sin" könnte man mit besserem Recht behaupten, wie oben von Marduk gesagt war. Denn vom 1. bis 5. Tage heißt der Mond Anu, vom 6. bis 10. Ea, vom 11. bis 15. Bel, sonst aber Sin [1]). Oder es treten ihm Marduk und Erua zur Seite. Den Titel „Vater der Götter" tragen Ea, Asur und Bel, wie denn bei den Assyrern Marduk keiner großen Ehre genießt, sondern Asur, Sin und Samas als die höchsten Götter angesehn werden.

Schon dieses mannigfaltige Schwanken mahnt daran, daß wir es in der gesamten Götterlehre der Babylonier und Assyrer nicht mit einem wohldurchdachten und folgerichtig ausgebildeten System zu tun haben, sondern allermeist mit menschlichem Machwerk, mit willkürlicher Dichtung, ja auch mit Narrenwerk, wie Jensen treffend ausgeführt hat [2]). Mit Recht sagt Homburg [3]): „Die Götter Babels sind nicht von Ewigkeit her wie der Gott Israels und der Christen." Von Anfang an ist bei den Babyloniern wie bei andern heidnischen Völkern nichts als das unbestimmte und unbestimmbare Chaos, dichte Finsternis und das dumpfe Brausen der Wasser. Alle ihre Götter sind in der Zeit entstanden. Sie leben in und vom Wechsel des Lichts und der Finsternis. Schon hierin scheinen sie ein Abbild einiger himmlischen Gestirne, die im warmen Süden mit seinen hellen Nächten dem Menschen näher stehn als im Norden, auch weil der Südländer mit Vorliebe der kühleren Nacht sich freut. Die Götter aber sind tatsächlich ein Abbild der Menschen, die sie erdacht haben; und damit tragen sie die Urkunde über die Art ihrer Entstehung offen vor sich her. Sie stehn in all ihrem Tun und Lassen weder über dem Menschen noch über der Natur [4]). Sie haben wie Menschen Geheimnisse vor einander, sie leben in Haß, Neid und Streit gegen einander. Sie sind nichts weniger als heilig, sondern voller Schande und Laster; und grade diese „ethische" Seite ist ein vollgiltiger Beweis dafür, daß diese Götter aus menschlichen Vorstellungen und Begriffen geboren sind. Die Göttermutter Istar läßt ihre Kedeschen oder Tempeldirnen mit ihrer Unzucht männliche Besucher für das Heiligtum anlocken, sie selbst ist der Unzucht ergeben und verläßt in ihrer Untreue einen ihrer Buhlen nach dem andern, nämlich göttliche und menschliche Buhler. Wo bleibt da der „ethische" Monotheismus der Babylonier?

---

1) Fr. Hommel A. u. A., S. 399.
2) Kosmol. S. 141.
3) Reichsbote v. 1902.
4) Gegen Tiele a. a. O., S. 538.

Die ursprünglich hohen Gedanken von der Gottheit und die letzten Reste des alten kindlichen und köstlichen Glaubens werden bei der Fortbildung der Vielgötterei unter den Menschen mehr und mehr aufgegeben. Das Göttliche wird in die dunkle Tiefe der menschlichen Sündenkreise herabgezogen, bis alle Schandtaten der Menschen, auch die unmenschlichste Grausamkeit mit dem Beispiel gleichgestimmter Götter zugedeckt werden kann. So sind der Götter Namen gut zum Fluchen und Beschwören, zum Erschrecken und Verderben der Menschen, zum Morden durch Gift oder Dolch, und was die babylonischen Priester sonst noch fertig brachten [1]).

Damit sich aber diese Götter und Göttinnen in keiner Hinsicht von den Menschen, die sie verehren, unterscheiden, werden ihnen Boten und Sklaven und Sklavinnen und Hunde zugesellt. Sie tragen und brauchen menschliche Waffen, wohnen bald im Götterberg Arallu, der im Norden liegt, bald in ihren Tempeln. Jener heißt auch Harsagkurkura oder sad matate „der Länderberg". Daselbst ist auch der „Höllenberg" mit seinem Klagegeschrei [2]).

Wenn oben darauf hingewiesen wurde, daß die Semiten, die in Babylonien einwanderten, zum Teil dem Sterndienst ergeben waren, so soll damit nicht gesagt sein, daß sie diesen Dienst nach Babylonien gebracht hätten. Daß dieser Dienst vielmehr den alten Sumero-Akkadiern bereits zu der Zeit, da die Semiten einwanderten, wohl bekannt und von ihnen geübt war, zeigen nicht nur, wie schon oben bemerkt, die Namen der Götter und ihre Beziehungen zu Fixsternen und Planeten an, sondern auch die sehr alte Keilschrift, die für Dingir, d. i. Gott oder Himmel, den achtstrahligen Stern als Zeichen hat [3]). Demnach ist Gott und Stern für die Sumero-Akkadier so zusammengehörig, als wären sie ein und dasselbe.

Daneben hat jede Stadt ihre eigne Gottheit, Patron oder Schutzgott, eine Tatsache, die darauf schließen läßt, daß die Vielgötterei zugleicher Zeit an verschiedenen Orten entstanden sein muß; und dieser Umstand, daß dieselben Götter und Göttinnen, die alle in der Unterwelt Eharsagkurkura geboren sein sollen, an verschiedenen Orten unter verschiedenen Namen verehrt werden, erschwert sehr eine durchsichtige Darstellung, aber er spricht auch gegen die beliebte Annahme, als liege den Göttergeschichten ein System zu Grunde. Alle Mühe, die bei den Beweisversuchen für diese Behauptung angewendet wird, muß verlorene Mühe sein. Ueberall sehen wir die freie Dichtung walten und wenig Wahrheit in den wechselnden Gestalten. Denn neben den Schutzgöttern gab es auch Hausgötter, die ihr beson-

---

1) Vergl. M. Duncker a. a. O. I, S. 277.
2) Jes. 29, 7.
3) Tiele a. a. O. S. 538, Anm.

deres asirtu oder Göttergemach im babylonischen Hause hatten, und Straßen- und Totengötter, wie auf dem Felsen von Maaltaja sieben oder acht Götter und Göttinnen abgebildet sind, die die Pflicht haben, die Toten im Innern des Felsens zu schützen. Da sieht man Asur neben einer Istar, Marduk steht auf einem Stier, Ninib, Samas und die Göttin der Unterwelt reiten auf Pferden, Ramman wieder steht wie Marduk auf einem Stier, und eine zweite Istar bildet den Schluß.

Eine assyrische Tafel zählt sieben höchste Götter auf, fünfzig niedere und dreihundert himmlische Geister. Ihre Summe ergibt dreihundertsiebenundfünfzig, eine Gottheit für jeden Tag des Jahres [1]), einen höchsten Gott für jeden Tag der Woche. Da ist etwas System, aber nachträglich erfunden; denn der Erfinder konnte ebenso gut zehn höchste Götter oder zwölf aufstellen. Und wo bleiben die ersten, die alten Götter Lachmu und Lachamu, Kisar und Sar oder Sir [2]), die noch Damaskius als Lachos und Lache, Assoros und Kissara kennt? Sie sind trotz System hernach gänzlich abgetan, kein Tempel wird ihnen gebaut, kein Opfer gebracht. Nur in den alten Liedern werden ihre Namen genannt, als die „Feinde" der neuen Götter müssen sie zu Schreckgestalten werden. Das ist begreiflich. Die Priester, die die ersten Götter nach ihrer Willkür gemacht haben, besitzen die Macht, dieselben aus ihrer Gottheit zu entlassen und ihren Dienst abzuschaffen. Dasselbe Schicksal teilen Tiamat und Kingu, deren abschreckendes Grabdenkmal in dem Götterepos enuma elis aufgerichtet ist, sowie die alte Göttin Nisaba oder Nidaba, die später als Jungfrau im Tierkreis wieder auftaucht [3]). Sie alle können sich nur damit trösten, Schicksalsgefährten zu haben, wenn nicht Tiamat der Drache ist, der heute bei den Chinesen eine Rolle ohne gleichen spielt, wie bereits oben angedeutet wurde.

Die nach ihnen erdichteten Götter und Göttinnen sollen hier in Syzygien aufgeführt werden, wie sie bei den Astronomen und aus den kosmogonischen Dichtungen der Gnostiker bekannt sind; denn hier von Gatte und Gattin oder von einem Ehestand zu reden, wird jedesmal lächerlich, sobald man vergißt, daß man es nur mit Dichtungen zu tun hat.

---

1) M. Duncker a. a. O. I, S. 275.
2) K. B. II, b, S. 81.
3) Fr. Hommel, Grundriß, S. 130.

Erste Syzygie.

Ea und Damkina.

Ea gilt als der Vater der Götter, als der König und Erschaffer des Weltalls, als Gott des Meeres, als König der Tiefe, sar apsu, als Herr der Quellen, als König der Flüsse, als Bildner des Menschen. Er ist der Gott der Steinschneider, der Fischer und Schiffer, der Töpfer und Tonarbeiter, der Gott mit dem glänzenden oder durchbohrenden Auge, der die geschaffenen Menschen auch zu einem Paare verband, der die Heilmittel für alle Krankheiten kennt, der die bösen Geister durch Beschwörungen vertreibt, der das Geschick der Menschen bestimmt.

Einige von seinen sechsunddreißig Beinamen oder Titeln seien hier mitgeteilt. Er heißt barsa, bel sadi Herr des Gebirges, bel teniseti Herr der Menschheit, damku, dergal der große Steinbock, dugga oder duggal, der gute, na sa nappasi, enki Herr der Erde, enkimagh, lahmi tamti, nakbu der reine, ninagal, ningiazag der Herr der Weisheit oder der gute Ratgeber, nudimmut, sassu, innu, sibba, zuab.

Er heißt auch Herr von Irisibba (Erizibba) oder Urudugga, einer Stadt, die nach Hommel und Haupt gleich Eridu ist. Hier hatte er nahe der alten Mündung der beiden früher getrennten Ströme Euphrat und Tigris seinen Tempel Eapsu genannt, Haus des Apsu. Apsu aber ist im akkadischen dasselbe, was assyrisch bau, hebr. bohu ist. Darum aber bedeutet bohu noch keine semitische Gottheit, und das A. T. kennt kein bet bohu. Auch ist tohu wabohu in Gen. 1, 2 keine „leere Alliteration“ [1]), sollte wohl Assonanz heißen, sondern die treffende Bezeichnung des durch widergöttliche Gewalten erzeugten Zustandes dieser unsrer Erde vor ihrer Neubildung, von der allein die hl. Schrift näheres berichtet.

Auf den Bildern erkennt man Ea an seinem Schlangenhaupt; auf der Nase trägt er eine Art Horn, Wasser fließt aus seinem Maul, sein Körper ist mit sternförmigen Korallen oder einem andern Seetier besetzt, weil er Herr der Tiefe ist. An seinen Füßen trägt er Klauen. Als sein Vater gilt Bel, seine Mutter soll Bau oder Gur [2]) gewesen sein, die Gebärerin Himmels und der Erde. Ihre und seine Tochter wird Gaasch genannt; als sein erstgeborener und größter Sohn wird Marduk angesehn. Das Verhältnis zwischen Vater und Sohn deckt eine Beschwörungsformel auf, in der Ea redend auftritt: „Mein Sohn, was wüßtest du nicht? Was könnte ich dir noch mehr sagen? Was ich

---

1) Fr. Hommel, Sem. V. u. Spr. I, S. 382.

2) Ueber die Unsicherheit bei Lesung der Ideogramme vergl. Fr. Delitzsch bei Mürdter S. 276, M. Duncker und Tiele an vielen Stellen.

weiß, das weißt auch du." Peiser übersetzt: „Das sollst auch du wissen." Diese Formel wird später vollständig mitgeteilt.

Als Marduks Schwestern werden Gaasch, Gadimkurazag und Nina genannt. Ein sumero-akkadischer Hymnus beschreibt auch das Boot, in dem Ea mit Damkina, seinem Sohn Marduk und noch zwei Göttern über das Meer fährt, während der Steuermann nicht mit einer Lanze, sondern mit einem langen Ruder im Vorderteil des Bootes steht. Ob dies nun das Boot der Sonne oder das Schiff des ägyptischen Gottes Ra [1]) ist oder nicht, immerhin wird das Lied anzeigen, daß die Verehrung dieses Gottes über das Meer nach Babylon gekommen ist. Daß der Steuermann aber im Vorderteil des Bootes sein Ruder führt, wird durch die Sitte der Gondoliere in Venedig erklärt, die ebenso noch heute das Boot mit Einem Ruder zu gleicher Zeit lenken und vorwärts treiben.

In seiner Geschichte der Feldzüge Alexanders d. Gr. erzählt Arrian, man habe in Babylonien einen Gott Serapis befragt, ob der kranke König in das Heiligtum dieses Gottes gebracht werden solle, damit er gesund werde? Lehmann [2]) vermutet, und es ist sehr glaublich, daß mit diesem Serapis niemand anders als Ea gemeint sei, indem dieser sar apsu oder Herr der Tiefe heißt. Ihm ist der Monat Airu, hebr. Ijjar, geweiht; sein Tier im Tierkreis ist der Widder.

Wie die oben geschilderte bildliche Darstellung bieten noch andre ähnlicher Art manches Interessante: Ein Gebirge, vermutlich das armenische, scheidet Ober- und Unterwelt. Ea steigt als Wassergott und Herr des Gebirges in Begleitung des Feuergottes Gibil auf. Vor ihm sinkt ein unbewaffneter Riese nieder, bis Ea seinen Glanz abgelegt und hinter den Bergen gelassen hat. Dann hält er dem Riesen seinen Dreizack entgegen, das Zeichen der Bändigung und Bildung der wilden Erdenbewohner oder Riesen. Nackt und unbewaffnet empfangen sie die Fischergabel und die Erntesäge oder Sichel von Ea-Oannes-Jabal und vom Gott der Schmiede, Gibil. Den Wilden wird der Kopf umgedreht, daß sie andern Sinnes werden! Oder der gebildete Mensch hält dem Bild des aufquellenden Gottes die von ihm empfangene Sichel entgegen.

Der weiblich vorgestellte Teil dieser Syzygie ist Damkina, bei Damaskus Dauke, sumero-akkadisch auch Aruru und Damgalnunna genannt. Sie hat elf Titel oder Beinamen, wie ninki Herrin der Erde, sarrat apsi Herrin der Tiefe, belit ilani Herrin der Götter, Herrin des Lebens, Herrin der himmlischen Tiere, Muttergöttin u. s. w.

Ea und Damkina sind später von ihren Kindern sehr in den Hintergrund gedrängt worden, namentlich von Marduk, neben dem noch vier

---

1) Tiele a. a. O. S. 520.
2) Z. f. A. 1897, S. 112.

Brüder genannt werden; die drei Schwestern sind vorher erwähnt worden.

Wer einen Zusammenhang zwischen Maria, der Mutter Gottes, und Damkina annehmen kann, wie H. Zimmern tut[1]), der scheint zu erwarten, daß im Morgenland mit dem Christentum zugleich eine ganz neue Sprache entstanden wäre, darin kein Wort einer der vorher gebrauchten Sprachen gleich sein durfte.

Zweite Syzygie.

Marduk und Zirbanit.

Marduk oder Maruduk, Merodach, abgekürzt aus dem ursprünglichen amarutuk, der erstgeborene Sohn, dessen Zeichen amarud Sonnenkreis oder elf gelesen wird, hat eine Menge ehrender Titel oder Beinamen. Er heißt akbal ilani, der Weise unter den Göttern, amal, dann wie Ea amarud oder elf, amarutuk, asari, bel balati u muti Herr der Lebendigen und der Toten, bel bili Herr der Herrn, bel erua Herr der Fruchtbarkeit, bel nubatti Herr der Totenklage, bili rabbu der große Herr, burnuntasi, enkilulu, gigal, giri gullu dugga[2]), girra, gisbarra, gudana Herr der Welt, gudibir, gurru dugga, ilu banija Gott, mein Schöpfer, ilu ilu der höchste Gott, ilu kissati der Gott des Weltalls, ilu nibiri Gott des Planeten Jupiter, lamassu Machthaber der Beschwörung, lugal Marada Herr von Marada, malik milki ilani rabuti König der Könige der großen Götter, masmas ilani, der Sühnepriester der Götter, mirri dugga die Morgensonne, muballitat muti, der die Toten ins Leben ruft, musim simati der Bestimmer des Geschickes, ningal, nur bili Leuchte der Götter, patisi siru erhabener Gebieter, rabsauzui, sar ili König der Götter, sar sami u irsiti Herr Himmels und der Erde, silig galsar, taru seines Volkes, tutu, ubaratutu.

Von Marduk sagt ein Gelehrter, „er sei eine der reinsten lichtesten Gestalten des babylonischen Pantheons, ein Gott der Menschen, der ein Herz hat für alle Not und Elend der Menschen", als ob diese Gestalt Leben und Wirklichkeit wäre und keine Dichtung; doch wir werden diese reine Gestalt noch näher kennen lernen.

Er ist der Gott der Frühsonne und Frühlingssonne, er bringt den Kranken Heilung, er ist der Schutzpatron der Magier, der Machthaber des Lebens, der Friedebringer. „Seine Beschwörung", sagt H. Zimmern[2]), „ist eine Beschwörung des Lebens, sein Speichel ein Speichel des Lebens, er selbst ist der Herr des Lebens"; er ist aber auch ein gewaltiger Jäger, der die Geister und Ungeheuer der Finsternis bekämpft, dazu den

---

1) Fr. Hommel, Grundriß, S. 308, Anm.
2) K. A. T. S. 373.

dunkeln Wolkendrachen des Gewitters und der Nacht, er hilft dem Licht zum Sieg. Er ist der Retter der Bedrängten, der Helfer der Schwachen, der Geber des Lebens, nur den Bösen schrecklich [1]). Er ist bel riminu, der barmherzige Herr. Aber viele dieser Lorbeeren, mit denen babylonische Dichter das Haupt ihres Lieblingsgottes geschmückt haben, sind dem Ruhmeskranz seines Vaters entnommen; und barmherzig wird jeder Gott genannt, wenn er tut, was der Gläubige von ihm bittet.

Sein Symbol ist bald ein Pinienzapfen, bald ein Blitzbündel, bald ein Nagel oder Hammer. Nach den einen Gelehrten gehört Marduk zu den ältesten Gottheiten der Babylonier, nach den andern ist er eine spätere künstliche Schöpfung der babylonischen Priesterschaft, der nach und nach die Ehren der andern Götter zugewiesen wurden; wie wir bereits vernommen haben, daß Götter abgesetzt und neue aufgestellt werden können. Sicher ist, daß in Babel bereits Agumkakrime und Hammurabi sich um seinen Dienst und seine Verehrung bemühten. Nur in Assyrien kam er viel später als in Babylonien zu Ehren und Ansehn, nämlich unter Tiglatpilesar I, der 1000 Jahre nach Hammurabi regierte.

Schon in dem Epos enuma-elis wird Marduk häufig mit Bel verwechselt und später kaum noch von diesem Gott unterschieden, ja allem System zum Spott heißt er auch bilu habal bilu, Bel, Sohn des Bel. Seine Verehrung war besonders in Babylonien und in Babel selbst verbreitet. Hier gehörte ihm der große Tempel Esagila, der vorher in Eridu stand, auch Emahtila, Ekua (Mekua) und Ezida, vielleicht auch Etemenanki oder Bit temennu sami u irsiti Haus des Grundes von Himmel und Erde, dessen hohen Stufenturm Nebukadnezar mit glasierten Ziegeln und hellem Uknustein schmücken ließ. Das Heiligtum Esagila bestand aus mehreren Gebäuden, die um zwei Höfe herum lagen, deren einer 346 mal 270 Meter, der andre 316 mal 315 Meter groß waren. Sechs Tore führten zu diesen Höfen [2]). Aber in Esagila „wohnten" neben Marduk auch Nebo und Tasmitu, Ea und Nusku, Anu und Bel.

Die Stadt Marada gilt, wie wir gehört haben, als die Geburtsstadt des Nimrod-Izdubar-Gilgamis. Aber dem Lugalmarada d. i. Marduk, Herr von Marada, erbaute schon der alte König Naramsin einen Tempel in derselben Stadt [3]).

Ein Hymnus auf Marduk lautet nach Fr. Hommel [4]):

„Lugalmarada war zu einem Berg, einem fernen Ort (gezogen), auf dem Berg Sabu (war sein Aufenthalt). Seine Mutter bewohnte ihn nicht, und sein Vater bewohnte ihn nicht. In eines Vogels Gestalt verwandelte er sich, in den Gott Zu verwandelte er sich."

---

1) Tiele a. a. O. S. 531.
2) Fr. Hommel, A. u. A., S. 316 2c.
3) K. B. IV, S. 63.
4) Sem. V. u. Spr. I, S. 297.

In diesem Hymnus wird auch ein scharfes Auge wenig „Licht" entdecken.

Über eine Inschrift Merodachbaladans II. rühmt wieder in Begeisterung:

„Marduk, der große Herr, der weise unter den Göttern, der König des Alls, der oberste der Igigi und der Anunaki, der Herold der Gesamtheit des Himmels und der Erde, der Berater der Götter, seiner Erzeuger, der Herr der Höhe und der Tiefe, der die Menschheit regiert" u. s. w.[1])

Ein Reliefbild, das in Birs Nimrud gefunden wurde, stellt Marduk dar, wie er ein Strahlenbündel in seinen beiden Händen hält, während ein Sichelschwert an seinem linken Arm hängt. Er ist der streitbare Held und gewaltige Jäger, wie auch ein 1900 nach Chr. aufgefundener Halsschmuck ihn zeigt. Zu den Füßen des Jägers liegt eine Antilope, vier Hunde begleiten ihren Herrn, der Packer, der Vielfraß, der Einholer und der Schnapper; bei andern heißen sie der Zerstörer, der Fresser, der Greifer und der Wegschlepper[2]). Mit diesen 4 Hunden sollen die vier Monde des Jupiter gemeint sein, des Planeten, der dem Marduk geheiligt war. Die Inschrift des Bildes lautet:

„Marduk, dem großen Herrn, dem hocherhabenen, dem Allherrn, dem Herrn der Herrn, dem erhabenen Richter, der die Entscheidungen der Völker entscheidet, dem Herrn der Länder, dem Herrn von Babel, der da wohnt in Esagila, seinem Herrn, hat Mardukinadinsum, der König des Alls, der hehre, sein Verehrer, auf daß er lebe, daß es seinem Hause wohl ergehe, seine Lebenszeit lang und seine Regierung gefestigt sei, daß er das Land seines Feindes niederwerfe und wohlbehalten vor ihm ewiglich wandle, ein Siegel aus glänzendem Lasurstein mit prachtvollem Gold sorglich bereitet, einen Schmuck seines glänzenden Halses anfertigen lassen und bereitet."

Der Glanzpunkt des Marduktultus war das Neujahrsfest, das sumero-akkadisch zagmuk, babyl. res satti oder akitu heißt. Als tabu bedeutet das Neujahrsfest das Auferstehn der Natur im Frühjahr, wo der Winterdrache besiegt ist. Das Wort selbst bedeutet auch einen „Greuel". Am Akitufest wurde das Bild Marduks auf dem makua, einem Schiff, über die Prozessionsstraße von Babel, also auch über den Kanal Arachtu gefahren und mit den Bildern der andern Götter vereinigt, damit sie alle in gemeinsamer Beratung im Schicksalsgemach die Lose des Jahres bestimmen möchten[3]). Was aber das ursprüngliche ist, diese Sitte oder die Erzählung von der Götter-Versammlung in Enuma elis, wird nicht zu entscheiden sein. Irgend einen Vorwurf wird die Dichtung doch gehabt haben. Dann mußte der König die Hände des Mardukbildes ergreifen und an der Prozession teilnehmen. Es war der zehnte Nisan, an dem der König der Götter, Marduk, und die Götter von Himmel und Erde für ein neues Jahr in Esagila Wohnung nahmen.

---

1) K. B. III, S. 185.
2) Tiele a. a. O. S. 531.
3) A. Jeremias, A. T. O., S. 43. Fr. Hommel, Grundriß, S. 311, Anm.

Auch die Hethiter kennen Marduk, den sie Tesup nennen, als einen großen Jäger und bilden ihn ab, wie Sonne und Mond ihm helfen auf der Löwenjagd [1]. Ihm ist der Monat Marcheswan geheiligt. Im Tierkreis folgt Marduks Stier dem Widder Eas. Er heißt ein Vater des Nebo und der Ninmarki.

Zirbanit, der weibliche Teil dieser Syzydie, heißt auch Amma, Arua oder Erua, Banitum, Gasrua, Gusia, Nannai, Papuun, Serua. Sie ist die Göttin, die über der Menschheit waltet, die Nachkommenschaft verleiht, Samen schafft. Sie trägt als Gattin Marduks, der Frühsonne, auf Dilmun den Namen Lahamun, in dem der Name der alten Gottheit Lahamu erhalten ist. Gleichzeitig ist sie auch der Morgenstern. Ihr Heiligtum in Esagila hieß Kachilisir d. i. Pforte der Pracht oder prächtige Pforte. Von ihren Tempeln sagt Nebukadnezar in der großen Steininschrift:

„Hilisud, das Tor der Zeugungskraft, und das Tor von Ezida und Esagila ließ ich wie den Glanz der Sonne machen. Duazag, den Ort der Schicksalsbestimmer, das ubsuginna der Geschicke, wo am Zagmuk am 8. und 11. Tag der König der Könige Himmels und der Erde, der Herr der Götter sich niederläßt, und die Götter von Himmel und Erde sich ehrfürchtig vor ihm beugen und gebückt vor ihm stehen, ein Los ewiger Tage zum Los meines Lebens darin bestimmen."

Als Töchter von Marduk und Zirbanit galten Katuna, auch Kadi oder Kasa genannt, und Miuschi, die am 11. Tammuz (24. Juni) nach Ezida ziehen um die Nacht zu verlängern, während am 3. Kislev (24. Dezember) die Töchter der Nannai oder Anunit, Gumbaba und Kazalsurra, nach demselben Tempel ziehn um den Tag zu verlängern [2].

Neben Zirbanit wird auch Istar, die Schwester Marduks, als die Gattin Marduks genannt. Auch im A. T. werden Marduk und Zirbanit neben einander erwähnt. Denn wenn es heißt [3] „die von Babel machten Sukkoth-benoth", nämlich Götzen-Bilder, denen sie in Samaria dienten, dahin sie verbannet waren, so ist nur an diese Syzygie zu denken; zumal die Siebzig auch statt benoth benit d. i. Zirbanit gelesen haben. E. Schrader will statt sukkoth sakkut lesen und denkt an Ninib, der diesen Namen trägt. Es kommt aber Banitum auch selbständig in babylonischen Schriften vor, wie „der Lebenshauch der Banitum ist gut."

Dritte Syzygie.

Ninib und Gula.

Ninib, auch Adar, Bara, Bildar, Eb oder Ib, Halhal, Lugalgira, Mas, Nindar, Ningirsu, Ninlig, Ninrag, Ninsach, Nintum, Papniginzarra, Sakkut d. i. Herr der Entscheidung oder Vater des Ge-

1) A. Jeremias, A. T. O., S. 283.
2) Fr. Hommel, Grundriß, S. 337.
3) 2. Kön. 17, 30.

schickes, Urasch, Zamama oder Zamalmal heißt bald der älteste Sohn oder Enkel Eas, bald ein Sohn Bels, bald ein Sohn von Ekura und Esarra. Die Kassiten nennen ihn Marattas; auch werden Adar und Zamama bisweilen als verschiedene Gottheiten gefaßt. Ninib heißt er als Gott der Morgensonne, Mas als Gott der Abendsonne. Er ist auch der Gott der Jagd und des Krieges und der segnenden Sommersonne, daher in seinem Monat Duzu oder Tammuz (Juli) die Ziegelsteine getrocknet werden. Er gilt als verwandt mit Nusku, dem Gott des zunehmenden Mondes, dem Sohn Sins, von dem H. Zimmern [1]) behauptet, Israel habe die Neumondsichel verehrt; aber der Gelehrte sagt uns nicht, welches Israel solchen Sterndienst geübt hat? Er ist aber auch ein Gott des Feuers und mit Nergal verwandt, indem die dichtenden Astrologen dieselbe Wirkung bald diesem bald jenem Sterngott zuschreiben. Er heißt ein mächtiger Herr, dessen Schwert gut ist, der die Feinde niederwirft, Bels großer Krieger, auch bel kakki d. i. Herr der Waffe. Daneben ist er ein Gott der Fluren, ein Herr der Kanäle und des Meeres, der Zwillingsgott im Tierkreis; doch diese letzte Ehre beanspruchen auch Sin und Nergal. Ihm ist der Planet Saturn und der Pfeilstern heilig, in dem man den Orion erkennen will. H. Zimmern aber sagt uns auch, daß der Name Humusiru, der Schwein bedeutet, wahrscheinlich eine Bezeichnung für Ninib ist. Ein Hymnus auf ihn lautet:

„Deine Hand hast du nicht erhoben; unter den Königinnen (bist du) allein Herr, Adar, Herr, Sohn des Gottes Enlilla [2]), wer kommt dir gleich? Aus dem Hochgelegenen Land [3]) möge sich entfernen dein . . . . von dem Berg Magan . . . dein . . . du, der du das feste Erz biegst wie ein Fell."

Darauf antwortet Ninib:

„Ich bin der Herr, kräftig zur Seite meiner Macht, der König, der zum Leben ferner Tage seinen Namen macht [4])" u. s. w.

Ein andrer Hymnus lautet:

„Der Herr, wie ein Sturmwind kommt er daher, der Gott Adar, der Verwüster des feindlichen Landes, wie ein Sturmwind kommt er daher. Sein Schreiten geht auf das Geheiß des Gottes Enlil bis zum Haus von . . . der Held der Götter nach Nippur [5])."

oder ein Dritter:

„Ninib, dem ungestümen, gewaltigen, erhabenen, dem streitbaren, erlauchten, einzigen Führer der Götter, dessen Ansturm in der Schlacht ohne gleichen ist, dem ersten Sohn, dem Zermalmer des Widerstandes, dem erstgebornen Eas, dem starken Kämpen der Igigi, dem Berater der Götter, der Ausgeburt von Ekur, der das Verbindungsband von Himmel und Erde hält, der die Wasserhöhlungen öffnet, der auf die weite Erde tritt; dem Gott, ohne den Bestimmungen im Himmel und auf Erden nicht bestimmt werden, dem großmächtigen, starken, dessen Befehl nicht geändert wird, dem Fürsten der Weltteile, der den Herrscherstab und Bestimmungen der Ge-

1) K. A. T., S. 417.
2) Bel.
3) Elam.
4) Fr. Hommel, Sem. V. u. S. I, S. 218.
5) Ebenda, S. 237.

samtheit aller Städte verleiht; dem Vordermann, dem ungestümen, dessen Lippenwort nicht verwandelt wird; dem starken, breiten, dem weisen unter den Göttern, dem gepriesenen, der Sturmsonne, dem Herrn der Herrn, dessen Hand die Enden Himmels und der Erde anvertraut sind, dem König des Kampfes; dem machtvollen, der den Widerstand besiegt; dem sieghaften einzigen, dem Herrn der Wasserhöhlungen und Meere .... dem Licht Himmels und der Erde, der das innere des Weltmeeres erleuchtet ... der da Leben schenkt, dem barmherzigen Gott, zu dem zu beten gut ist; der in Kalchu wohnt [1])" u. s. w.

Dieser Hymnus ist in mehreren Ausgaben vorhanden, eine so hochtrabend und arm an Inhalt wie die andre.

Die Verehrung Ninibs war um die Mitte des 2. Jahrtausend vor Chr. bis nach Palästina vorgedrungen. Das beweist der Name Bitninib als eines Ortes bei Jerusalem, in dem ich das ältere Bethel erkenne. Er findet sich in einem Steinbrief aus dem Tell el Amarna.

Ninibs Bild ist ein geflügelter Kirabu oder Cherub, ein Stierkoloß mit Menschenkopf und gewaltigen Adlerflügeln.

Der Kiun oder Kewan, babyl. Kaiwanu,, dem das abgefallene Israel während seiner Wüstenwanderung diente [2]), ist der Planet Saturnus.

Die Zahl Ninibs ist fünfzig. Er hatte einen Tempel in Kisch Emeteursag oder Meteursagga genannt; in Nippur stand Esumedu, andre in Kalah und Sirpurla oder Lagasch, ein andrer in Suanna oder Borsippa, der Esitabila „Haus des Lebensfürsten" hieß. Auch in Sippara hatte Ninib seinen Tempel. Die Einwohner dieser Stadt, so viele ihrer nach Samaria verpflanzt waren, brachten dem Adramelech d. i. „Adar ist König" Menschenopfer dar [3]).

Ob Ninib mit Nisroch [4]) gleich ist, steht noch dahin. Er war wie dieser ein Nationalgott der Assyrer. Das ist auch das einzige, was für diese Gleichung angeführt werden kann. Hoffmann [5]) aber nennt Nisroch den Geiergott und hält es für nicht möglich, daß er gleich Nergal ist. Er wäre dann gleich dem ägyptischen Gott Phra mit einem Adler- oder Sperberkopf abgebildet worden.

Der weibliche Teil dieser Syzygie ist G u l a , die Göttin der Morgenröte. Sie heißt auch Bau, Damat-esara, Dun, Ghanna oder Isganna, Maltumdug, Mama, Ninella, Ninkarrak, Ninni, Nintinbadga, Nintu. Sie ist die belit balati u muti Herrin über Lebende und Tote, wie auch Ninib verherrlicht wird als der die Leiber derer zurückbringt, die in das Totenreich hinabgeführt worden sind. Sie hilft als die große Aerztin den Kranken zur Genesung und ist daher Schutzpatronin der Aerzte. Sie wurde in Sirpurla, besonders aber in Sippara verehrt.

1) Nach Jensen, Kosmol. S. 465.
2) Amos 5, 26.
3) 2. Kön. 17, 31; 23, 10.
4) Jes. 37, 37.
5) Z. f. A. 1896, S. 287.

Hier stand ihr Tempel Eulbar oder Esilbubu d. i. Haus der Milchstraße. Ihre Tempel in Babel hießen Esabi und Eharsagila. In Borsippa hatte sie drei Tempel: Egula, Etila und Esitabila, den Nebukadnezar einweihte. In ihm wurde auch Ninib verehrt.

Ninnis Tempel erneuerte schon Hammurabi. Als Söhne von Ninib und Ninella werden bald sieben bald acht genannt. Der älteste heißt Egia, der fünfte Sachonsun, der achte Urmuntauddu. Ihre einzige Schwester heißt Ninnigina, die „Braut".

Vierte Syzygie.

Asur und Beltis.

Asur, dessen Zeichen Ansar geschrieben wird, gilt bei den Assyrern als Vater und König der Götter, als König der Engel und bis in die letzten Zeiten des Reiches als Nationalgott von Assyrien, auf den im Laufe der Jahrhunderte allmählich alle großen Taten, die man in Babylon von Marduk erzählte, namentlich die Heldenkämpfe mit dem göttlichen Ungeheuer Tiamat übertragen wurden. Denn die Assyrer und ihre Priester hatten nicht die Dichtergabe der Babylonier, die ihre Götter und Göttinnen nicht nur mit hohen Tempeln und glänzenden Gewändern zu ehren verstanden, sondern auch fortdauernd neue Namen und Taten für sie erfanden. Doch hat man neuerdings das „Feierhaus der Ebana für das Kiretufest des Gottes Asur", nämlich einen seiner Tempel gefunden, in dem Asur als der König der Götter seine Genossen und Vasallen versammelt, um mit ihnen seinen Sieg über Tiamat zu feiern. Ein Kupferrelief aus der Zeit Sanheribs schildert diese Götterversammlung, den Zug der Götter in das Haus des Gottes am Kiretu, d. i. das assyrische Neujahr, das wie das babylonische im Monat Nisan gefeiert wurde.

Als König Sargon II. die Stadt Maggamubba neu baute, rief er die Götter Damku und Sarilani an, worunter Ea und Asur zu verstehn sind.

Sein Tempel hieß Easur.

Beltis, auch Scherua, Sirua genannt, die Asur zugesellt wird, ist uns nur dem Namen nach bekannt. Kein Dichter hat ihren Ruhm gesungen.

Fünfte Syzygie.

Bel und Beltis.

Bel, auch Belmatati, Belsarbi, Burijas, Enlilla oder Inlil, Kurgal großer Berg, Mullilla Herr der Luft oder des Windes, Sarbu, Sarsarbi, Herr der Länder, Schöpfer der Welt, Vater der Götter, König des Alls genannt, gilt für einen Sohn Anus. Wie Marduk erscheint er in der Göttersage als ein Heros, der den grimmigen Drachen tötet. Er wohnt auf dem Weltberg, der in den Himmel ragt. Unter seinem Schutz stehen die Hauptstädte beider Reiche, Babel und Ninive. Auch Nippur heißt eine Stadt Bels. Sein dortiger Tempel, wahrscheinlich von dem alten König Urgur erbaut, hieß Ekura „Haus des Berges", wie ein altes Lied sagt:

„Anu und Tun mögen ihn im Himmel segnen, Inlil und Ninlil mögen ihm in Ekur ein Lebensgeschick bestimmen, Ea und Damkina, die da den großen apsu bewohnen, mögen ihm ein Leben langer Tage geben [1])."

Ekur aber bezeichnet nicht nur einen Tempel Bels, sondern auch den Götterberg, also den Ort des Lebens in Herrlichkeit; unter ihm liegt die Unterwelt Arallu. Jener heißt auch Duranki d. i. Band Himmels und der Erde. Vergl. auch S. 44, Anm.

In Baz baute Nebukadnezar dem Bel den Tempel Edurgina, woraus wie aus vielen andern Beispielen zu ersehn ist, daß Götter und Göttertempel bis in die letzten Zeiten sumero-akkadische Namen erhielten, obwohl diese Sprache zuletzt nur von den Gelehrten verstanden wurde. Von Bel wird das Lied gesungen:

„Der Herr, der schläft: wie lange wird er schlafen? Der große Berg, der Vater, der Gott Mullilla, der schläft: wie lange wird er schlafen? Der Hirte, der Bestimmer der Geschicke, der schläft: wie lange wird er schlafen [2])?"

In Israel weiß man ein ander Lied zu Gottes Ehre zu singen: „Siehe der Hüter Israels schläft noch schlummert nicht [3])."

Ein Hymnus auf Bel hebt an:

„O Bel, Babylon ist deine Wohnung, Borsippa ist deine Krone."

Nach ihm heißen die Mauern Babels Imgurbel und Nimittibel. Nisan, der erste Monat des Jahres, ist ihm geheiligt, seine Zahl ist 50. Wie Nebo wurde auch Bel schon früh mit Marduk zusammengestellt oder verwechselt, aber nach Belieben auch wieder auseinander gehalten. Den Nebotempel Ezida nennt Herodot einen Tempel Bels. Auch ein Kanal heißt nach ihm Mebel, d. i. Wasser Bels.

B e l t i s , der weibliche Teil dieser Syzygie, wird auch Allat, Belit, Beltu, malikat ilani Königin der Götter [4]), Ninharsag Herrin des Berges, oder Ninlilla Herrin der Luft genannt. Ihr Tempel in Babel war auch Ekura, aber sie hatte noch Ekinura, Gigunnu und Egigunnu zu bewohnen, sowie Emach das „erhabene Haus". Als ihr Sohn gilt Ea. Die Phönikier nannten sie Thanath, Ninmach, auch Bau „Herrin der himmlischen Gewässer".

---

1) Fr. Hommel, A. u. A., S. 345 ꝛc.
2) A. Jeremias, A. T. O., S. 336.
3) Ps. 121, 4.
4) Auch Jer. 7, 18.

Sechste Syzygie.

Sin und die große Frau.

Sin, der auch Ab Vater, Bel purussu Herr der Entscheidungen [1]), Buru junger Stier, Ilu banii Schöpfergott, Inbu sa ina rammitu ibbanu der Zweig, der von selbst wächst, Inzu oder zuin, Lugalbanda, Nannar, Nugimmut, Sin ellame Zwilling heißt, wird als Sohn Bels betrachtet. Als „Vater" trägt er einen langen Bart, als „junger Stier" hat er zwei große Hörner. Er ist der Gott des Mondes, die Leuchte von Himmel und Erde, König und Gott der Götter, der Leuchtende, der in den heiligen Himmeln wohnt, der Wasser und Feuer hält, der Fieber erregt. Zur Vollmondzeit ist er mit einer Kopfbinde oder agu bedeckt; wenn er aber verdunkelt wird, so sind daran die sieben bösen Geister schuld. Dann berät sich Bel Enlilla mit Ea, dem erhabenen barsu der Götter, und setzt den Gott des Mondes und den Gott der Sonne und die Göttin des Abendsternes und Anu an das Firmament, die Ordnung wieder herzustellen. Aber die bösen Sieben machen einen Ansturm gegen Sinnannar und gegen den Sonnengott. Nannar wird verdunkelt und sitzt nicht mehr auf dem Stuhl seiner Herrschaft. Da sendet Enlilla seinen Diener Nusku zu Ea in die Wassertiefe mit seinem Gebot. Ea beißt sich auf die Lippe und spricht zu Marduk: „Gehe, mein Sohn Marduk, mein Sohn Sin ist am Himmel kläglich verdunkelt" ... hier ist die Tafel leider sehr beschädigt, und wir erfahren nicht, auf welche Weise Marduk dazu hilft, daß Sin sein Licht wieder über alle Sterne erstrahlen lassen kann [2]). Ich bin der Meinung, daß hier nicht von der regelmäßigen Verdunklung des Mondes zur Zeit des Neumondes ein Märchen gedichtet ist, das man dann alle 4 Wochen den großen und kleinen Kindern erzählen konnte, sondern von der Mondfinsternis, deren Ursache die Babylonier noch nicht ergründet hatten.

Ein Hymnus auf den Neumond ist uns in sumero-akkadischer Sprache und in assyrischer Uebersetzung erhalten, mitgeteilt von Jensen [3]), auch als Beschwörung gebraucht:

„Am Tage, da der Gott geschaffen wird, wird ein heller askaru erzeugt, der Gott zeigt sich in allen Landen, schrecklichen Glanz trägt er, Ueberlegenheit und üppige Kraft macht ihn vollkommen, mit majestätischer Pracht ist er umgeben, die Gestalt entsendet Schrecken, Funkeln leuchtet hervor, ein askaru bricht hell hervor, im Himmel wird er geschaffen und auf Erden, dieser askaru wird in der Gesamtheit des Himmels und der Erde geschaffen; dieser askaru geht aus einem Hain von Lasurru-Bäumen hervor; ein askaru, das Erzeugnis eines Gottes, das Werk von Menschen; dieser askaru ist in Richtigkeit, in gehöriger Weise vollendet; durch die

---

1) A. Jeremias, A. T. O., S. 35.
2) Fr. Hommel, Sem. V. u. Spr. I, S. 310.
3) Z. f. A. II, S. 79.

Kunst Gusginbandas ist er gemacht. Dieser askaru ißt keine Speise und trinkt kein Wasser ohne den Mund zu öffnen."

Obwohl dieser Hymnus in zwei Sprachen erhalten ist, leidet er gleich dem Neumond am Lichtmangel, namentlich betr. des askaru, viel mehr als der folgende Klagegesang an Nannar:

„Mondbarke [1]) des glänzenden Himmels, herrlich bei sich selbst, Vater Nannar, Herr von Uri, Vater Nannar, Herr von Ekisnugal [2]), Vater Nannar, Herr von Namrasit [3]), Herr Nannar, Hauptsohn des Enlil, wenn du voll wirst, wenn du voll wirst, wenn du dem Auge deines Vaters, dem Auge des Gottes Mullil herrlich bist; Vater Nannar, wenn du herrlich bist, wenn du entgegentrittst, Mondbarke, wenn du in der Mitte des Himmels voll herrlich bist; Vater Nannar, du wenn du hin zur glänzenden Behausung dich aufmachst; Vater Nannar, wenn du gleich einem Schiff zur Hochflutzeit voll bist, wenn du voll bist, wenn du voll bist, wenn du voll bist, wenn du hell ultia bist, du wenn du voll bist, Vater Nannar, wenn du für . . . sorgsam zubereitet bist, möge dein Vater mit frohem Auge dich anschauen, traulich dich hegen, zum erhabenen König leuchtend hervorkommend, dem Gott Mullili die Tiara leihend, möge deine Hand dir vollenden, wenn du als glänzende Mondbarke dich nach Uru aufmachst, wenn du, Vater Nugimmud, sorgsam zubereitet bist . . .[4])"

Hier fehlt ein Stück der Tafel; aber es reicht auch dieser Torso schon hin, die Weise der Anbetung der babylonischen Götter nach den beiden Seiten des menschlich-vertraulichen Umgangs und der Gedankenlosigkeit etwas kennen zu lernen. Am wichtigsten ist die naheliegende Vermutung, daß die alten Babylonier bereits den Einfluß des Mondes insbesondere des Voll- und Neumondes auf Ebbe und Flut beobachtet haben.

Eine Beschwörung, darin Nannar angerufen wird, teilt H. Zimmern mit[5]): „Sin ellame möge deinem [6]) Leibe den Garaus machen, zu einem Fallen in Wasser und in Feuer stoße er dich hin." Schüttelfrost und Fieberhitze treten der Regel nach neben einander auf. Wenn diese Redeweise auch im N. T. [7]) vorkommt, so muß das nach der Methode unsrer heutigen Wissenschaft ein gewisses Zeichen sein, daß die Erzählung von dem kranken Kind aus Babylonien herübergekommen ist, als ob es in Palästina nicht auch kranke Kinder, Schüttelfrost und Fieberhitze gäbe! Aehnlich geht es mit dem Propheten Jona. Weil der Frühlingsneumond drei Nächte unsichtbar ist, so ist der Prophet Jona drei Nächte im innern des großen Seetieres gewesen, ist Johannes der Täufer drei Tage von Malta entfernt, ist Christus nach drei Tagen oder am dritten Tage auferstanden! Den innern Zusammenhang zwischen dem Nichterscheinen des Neumondes und diesen Tatsachen sieht die heutige

---

1) Das erste Vierel des Mondes erscheint in südlichen Gegenden häufiger wie bei uns als ein kleines am Himmel fahrendes Schiff.
2) Eridu.
3) Neumond (?).
4) Fr. Hommel, Grundriß, S. 378.
5) K. A. T., S. 364.
6) Angeredet ist eine Hexe.
7) Matth. 17, 15.

Wissenschaft ebenso deutlich, als einer des Gras wachsen sieht. In einem Hymnus auf Sin heißt es:

„Wenn dein Wort im Himmel erschallt, werfen sich die Igigi auf das Antlitz nieder. Wenn dein Wort auf Erden erschallt, küssen die Annaki den Boden."

Dieser Hymnus, der mehr Dichterkraft und Kunst als viele seines gleichen kundgibt, ist von H. Zimmern mitgeteilt [1]). Er hebt an:

„Herr, Herrscher unter den Göttern, der im Himmel und auf Erden allein groß ist, Vater Nannar, Herr Gott Ansar, Herrscher unter den Göttern; Vater Nannar Herr großer Gott Anu, Herrscher unter den Göttern; Vater Nannar, Herr, Gott Sin, Herrscher unter den Götern; Vater Nannar, Herr von Ur, Herrscher unter den Göttern, Vater Nannar, Herr von Gissirgal, Herrscher unter den Göttern; Vater Nannar, Herr der Kopfbinde, glänzender Herrscher unter den Göttern; Vater Nannar, an Königsherrschaft sehr willkommen, Herrscher unter den Göttern; Vater Nannar, der in hehrem Gewande einherschreitet, Herrscher unter den Göttern; kräftiger junger Stier mit starken Hörnern, vollkommenen Gliedmaßen, lasurfarbenem Bart, voll Uppigkeit und Fülle; Frucht, die von selbst erzeugt wird, von hohem Wuchs, herrlich anzuschauen, an deren Fülle man sich nicht satt sehn kann; Mutterleib, der alles gebiert, der bei den lebenden Wesen einen glänzenden Wohnsitz aufschlägt; barmherziger gnädiger Vater, in dessen Hand das Leben des ganzen Landes gehalten wird; o Herr, deine Gottheit ist wie der ferne Himmel, wie das weite Meer, voller Ehrfurcht; der das Land erschaffen, die Tempel gegründet und mit Namen benannt hat; Vater, Erzeuger der Götter und Menschen, der Wohnsitze aufschlagen ließ, Opfer einsetzte, der zum Königtum beruft, das Szepter verleiht, der das Schicksal auf ferne Tage hinaus bestimmt; gewaltiger Anführer, dessen tiefes Innere kein Mensch durchschaut; hurtiger, dessen Kniee nicht ermatten, der den Weg der Götter eröffnet, seiner Brüder, der von Grund des Himmels bis zur Höhe des Himmels glänzend dahinwandelt, der die Türe des Himmels öffnet, allen Menschen Licht schafft; Vater Erzeuger von allen, der auf die Lebewesen blickt, der auf (ihr Wohl) bedacht ist; Herr der die Entscheidungen für Himmel und Erde fällt, dessen Befehl niemand abändert, der Feuer und Wasser hält, der die Lebewesen leitet; welcher Gott käme dir gleich? Wer ist groß im Himmel? Du allein bist groß. Wer ist groß auf Erden? Du allein bist groß. Wenn dein Wort im Himmel erschallt, werfen sich die Igigi auf das Antlitz nieder. Wenn dein Wort auf Erden erschallt, küssen die Anunaki den Boden. Wenn dein Wort droben wie der Sturmwind dahinfährt, so läßt es Speise und Trank gedeihen; wenn dein Wort auf der Erde sich niederläßt, so entsteht das Grün. Dein Wort macht Stall und Herde fett, breitet aus die Lebewesen. Dein Wort läßt Recht und Gerechtigkeit entstehn, sodaß die Menschen recht sprechen. Dein Wort ist der ferne Himmel, die verborgene Unterwelt, die niemand durchschaut. Dein Wort, wer verstünde es? Wer käme ihm gleich? O Herr, im Himmel hast du an Herrschertum, auf Erden an Herrschern unter den Göttern, deinen Brüdern, keinen Nebenbuhler."

Wird hier Sin über alle seine Brüder erhoben, so weiß die hl. Schrift und die Astronomie, worauf schon hingewiesen wurde, daß sich die Sache anders verhält.

Das Bild Sins ist eine Mondsichel oder Mondbarke, in der häufig ein Mann steht, auf dem Kopf eine Tiara, von einem Halbmond gekrönt. Auf den Münzen von Haran sieht man einen eiförmigen Stein auf einem Gestell mit der Mondsichel darüber, auf einem Stein die sechssprossige Leiter, auf dem Achatkegel des Sinsarusur eine Säule mit liegender Leiter.

1) K. A. T., S. 608.

Aus der Säule wird hernach ein Mast des Mondkahns, von dem aus Taue nach dem Rande gespannt sind. Oder der Gott im Mondkahn hat die mit der Sichel gekrönte Säule in der Hand. Die sechs Sprossen der Leiter werden auf die Wirksamkeit des Gottes der Phasen gedeutet, „dessen Wille alle Dinge mehrt", der nach sechs Tagen eine neue Phase erreicht.

Auf die Tafel aber des Vollmonds schreibt Nebo, der Gott der Schreibekunst, und der Priester liest zum Orakelgeben, was Nebo geschrieben hat. Daß Sins Verehrung in Haran ursprünglich gewesen und von dort nach Babylon gebracht wrden sei, ist die Annahme einiger Gelehrten; der Beweis dafür steht noch aus [1]).

Die Zahl Sins ist dreißig nach der Zahl der Tage im Monat.

Seine Tempel in Babel und in Ur heißen auf der großen Steininschrift Nebukadnezars Egissirgal, Egalmach, Emipar, Emurianna, der in Ezida aber Edimanna. Schon Sumuabi baute ihm den Tempel Emach, der mit einem Tor von Zedernholz geschmückt war. Aber dieser König sagt uns auch, in welcher Stadt er Sins Tempel aufgerichtet hat. Es war nicht die Stadt Haran, sondern Ur in Chaldäa. Bis zu des Königs Josia Zeit war die Verehrung Sins auch bei dem abgefallenen Israel üblich gewesen; denn „er tat ab die Räucherer des Baal und der Sonne und des Mondes und der Planeten und alles Heers am Himmel" [2]).

Die große Frau oder Herrin, auch Nikkal, Ningal, Ninsum genannt, wurde wie Sin auch in Haran verehrt. Ihre Tochter ist Nannai. Aber die Verehrung der großen Frau blieb recht klein. Sie konnte gegen den glänzenden Gemahl nicht aufkommen.

Siebte Syzygie.

Samas und Ai.

Zum zweiten Mal haben wir einen semitischen Gottesnamen in Samas; denn die Sumero-Akkadier nannten diesen Gott Babbara oder Barra, Sahasisu oder Utu. Wenn er einmal Ilu samullu [3]) genannt wird, so wird dieser Name auch semitischen Ursprungs sein. Sein Tempel in Sippara hieß Ebabbara. Er gilt für einen Sohn des Sin und der Ningal-Istar. Er ist der große Richter Himmels und der Erde, der alle Lebewesen aufrecht erhält, der Herr der Zeit, dargestellt unter dem Bild des Ringes, der keinen Anfang und kein Ende hat, daher „Herr des

1) Vergl. auch die Einleitung.
2) 2. Kön. 23, 5.
3) E. Schrader, K. A. T., 2. Aufl., S. 159.

Ringes" genannt [1]). Er heißt auch der Krieger der Welt, der Regent aller Dinge, das Licht der Götter, der den Königen im Krieg hilft, ihre Feinde verdirbt, im Frieden ihre Herrschaft stärkt. Er verscheucht die bösen Gespenster, straft die Lüge, hütet die alten Gebräuche und Rechte, ist ein Hort des Lebensmutes, wird oft der höchste Gott genannt. Zwanzig ist die ihm heilige Zahl [2]), warum, ist noch nicht entdeckt. Ursprünglich soll Samas als Frau angesehn worden sein, weil ein Name Samas-mumia vorkommt d. i. „Samas ist meine Mutter"; aber in der Sprache des Orients kann das auch von einem Mann gesagt werden.

Ein Hymnus auf Samas lautet:

„Samas, am Grund des Himmels leuchtest du auf, du öffnetest den Verschluß des glänzenden Himmels, du öffnetest die Türe des Himmels. Du, Samas, erhobest dein Haupt über dem Lande, mit majestätischem Glanz des Himmels bedecktest du die Länder, auf Land und Leute richtest du dein Ohr und achtest auf den Weg der Leute . . . das Getier . . . wie ein Vater . . . ."

Einen andern Hymnus hat Halevy veröffentlicht [3]):

„O Herr, deine Erscheinung erleuchtet die Finsternis. Barmherziger Gott, der die Bedrückten aufrichtet, der den Schwachen Kraft gibt. Dein Licht beten die großen Göter an, die Anunaki alle erheben deine Erscheinung."

Nicht übel ist die Beschreibung des Sonnenaufgangs: „Am frühen Morgen tritt Samas aus dem großen Berg des Ostens hervor, versammelt die Götter um sich und verscheucht mit seinen Lichtstrahlen alle finstern Geister und Gewalten, die in der Nacht ihr Wesen treiben. Wenn er über das Meer fährt, dann sitzt er auf dem Götterwagen, den sein Wagenlenker Bunene führt."

Neben Bunene oder Bunini, der auch Misaru heißt, hatte Samas noch einen zweiten Wagenlenker Kittu, die beide zusammen den zu- und abnehmenden Mond bezeichnen sollen [4]). H. Zimmern [5]) aber läßt sich durch einen leisen Anklang verführen und bringt mit den beiden Wagenlenkern des Samas Ps. 89, 15 in Verbindung, wo es heißt: „Gerechtigkeit und Gericht ist deines Stuhles Festung", obwohl hier zunächst das Gegenteil von dem gesagt wird, was bei der Sonne statthat, nämlich äußerlich betrachtet: Die feste sichere Ruhe gegenüber dem rollenden Sonnenwagen mit dem Sonnengott und seinen Wagenlenkern. Aber das zweite Glied des Satzes „Gnade und Wahrheit sind vor deinem Angesicht", das stets zur Erklärung oder näheren Bestimmung des ersten Gliedes dient, hätte von Zimmern auch nicht übersehn werden sollen. Es zeigt sich, daß hier von den Eigenschaften des unsichtbaren Gottes die Rede ist, wie sie sich in seinen Werken auf Erden offenbaren, und das

1) P. Scheil, Z. A. IV, S. 336.
2) Fr. Hommel, Grundriß, S. 118.
3) Z. A. III, S. 349.
4) Fr. Hommel, Grundriß, S. 123.
5) K. A. T., S. 370.

Volk wird selig gepriesen, das unter der Führung eines solchen Herrn lebt und sich vom Dienst der Götzen fern hält.

Von Bunene redet auch eine Inschrift Nabunaids [1]):

„Bunene, dessen Weg günstig ist, der auf dem Wagen fährt, auf dem sassu (sussa) sitzt dessen Ungestüm nicht überholt wird, der die heldenhaften Renner anschirrt, deren Kniee nicht ermatten, möge beim Fortgehn und Rückkehren, während dessen er vor dir herzieht, auf Markt und Straße meine Worte gut machen."

Ja in einer Inschrift des Nabuapluiddin, Königs von Babel, wird Bunene neben Samas und Ai sogar ein Herr der Entscheidungen bel purussu genannt [2]).

Dem Samas ist der Monat Tisri geweiht; doch hatte er auch im Elul neun Festtage. Sein Tempel in Babel hieß Editurkalama oder Edikudkalama d. i. Haus des Richters der Welt. Die Hauptorte seiner Verehrung waren und blieben Sippara und Larsam. Sein Tempel in Sippara hieß, wie oben erwähnt, Ebabbara.

Den Diskus, das Bild der Sonne, richtete Nabunaid in Sippara von neuem auf, es war von Alabaster gemacht, wie vermutet wird. In der Mitte befand sich die aus Gold gefertigte, glänzende Sonne als resu oder Kopf. Das ganze stand auf einer Art Altar (tana) vor einem Bild des Gottes [3]).

Nabunaid wollte das ganze Bild aus Gold herstellen lassen, aber das Volk von Babel und Sippara und die Orakel des Samas, Ramman und Marduk bestanden auf der alten Weise.

Der Sonne Aufgang sit samsi bezeichnet wie bei uns den Osten, erib samsi den Westen oder Sonnen Untergang, nipih samsi den Süden, salam samsi den Norden.

Ai, der weibliche Teil dieser Syzygie, die Mondgöttin, heißt auch Anunit und Gula. Ihre Kinder sind Kittu, Masaru und Gir, der Hirte und vielerlei Vieh. Die beiden ersten finden sich in der phönikischen Götterlehre als Sydyk und Misor. Sie gelten als Entdecker des Salzes. An der Stelle Ais findet sich bisweilen auch Istar mit dem Ehrentitel Malkatu als Gemahlin des Samas.

Da die Babylonier frühe erkannten, daß der Stand der Sonne in jedem Jahre mehrere male wechselte, und daß dieser Wechsel die Ursache der vier Jahreszeiten war, so bekam Samas noch vier Untergötter, indem Marduk als Frühlingssonne, Ninib als Sommersonne, Nebo als Herbstsonne und Nergal als Wintersonne verehrt wurde. Also sind Marduk, Ninib, Nebo und Nergal „eins in Samas".

1) Jensen, Kosmol., S. 109.
2) K. B. III, S. 183.
3) Scheil, Z. f. A. 1890, S. 399.

Achte Syzygie.

Nabu und Tasmit.

Nabu, auch Dikud, Inzag, Nebo, Nebohari genannt, als Schöpfer der Schrift der beschriebenen Tontäfelchen heißt er banu sitri dubsarruti. Er ist der Gott der Schreibekunst, die er als der göttliche Tafelschreiber, der Schreiber von Esagila den Sumero-Akkadiern gelehrt hat. Er ist auch der Träger der Schicksalstafel der Götter, sofern sie beschrieben ist. Daher wird Nebo zu den jüngeren Göttern gehören, wie Nimrod ein Ahnherr, aber nicht groß in Krieg und Jagd, sondern um der friedlichen Kunst, aber hochwichtigen Entdeckung der Schreibekunst willen würdig befunden, unter die Götter erhoben zu werden.

Andere Namen, mit denen man Nebo ehrte, sind bilu asaridu der Oberherr, rikis kalame Ordner der Welt, ilu tiliu Gott des Eides (?), ilu mustabarru salimi Gott Freundschaftsstifter, dubsar gimri Schreiber des Alls. Er gilt als Sohn der Belitigurra der Herrin des Himmelozeans. Als weiser Gott oder Gott des Wissens und Richter besitzt und gibt er Verstand, heißt auch pakid kissat sami u irsiti Hüter der Heere Himmels und der Erde und pakid sipi [1]) der den Fuß faßt, schlau wie ein Ja'kob. Als Sohn Marduks wird er habal kinu der treue Sohn genannt. Er verleiht den Königen das Szepter der Herrschaft und dient den Göttern als Bote. Ob das hebräische nabi gleichbedeutend ist, erscheint mir fraglich, da Nabu als Hauptname doch zur Zeit der Sumero-Akkadier, denen er die Schrift gelehrt hat, gegeben sein wird und nicht hebräisch ist. Sein Symbol ist ein Stab oder Szepter oder der Griffel, mit dem er am Jahresbeginn die Geschicke der Menschen schreibt. Eine andere Anschauung läßt die Schicksale der Könige und auch der andern Menschen von alten Zeiten her im voraus festgesetzt sein ultu ulle, ultu ume rukuti.

Sowohl in Ezida wie in Esagila hatte Nabu sein Duazaga oder glänzende Wohnung, wo sich am Anfang des Jahres alle Götter versammelten, um von ihm ihre Befehle zu erlangen, natürlich nach gemeinsamer voraufgegangener Beratung. An diesem Tage wurden die Bilder von Nabu und Marduk in feierlicher Prozession umhergetragen oder gefahren. Nabus Barke hieß Elipnarichaulla. Ein ihm geweihter Tempel war Epadkalamasumma Haus des Gebers des Szepters der Welt, bei Fr. Hommel Eninchadkalamasumma. Ein andrer Tempel Nebos war Emahtila; auch in Euriminanki in Birs Nimrud hatte Nebo sein Heiligtum, aber erst in späterer Zeit; denn wie wir gesehn haben, suchte Adadnirari III. seine Verehrung in Assyrien einzuführen.

---

1) K. B. IV, S. 59.

H. Zimmern [1]) erkennt ganz deutlich in den sieben Männern, die der Prophet Ezechiel [2]) im Gesicht sieht, die sieben Planeten, trotzdem sechs von ihnen eine tötliche Waffe trugen, der siebte aber ein Schreibzeug an seiner Seite hatte. Dieser hat die Aufgabe, die Leute von Jerusalem zu bezeichnen, die über die Greuel seufzen, die darinnen geschehn sind. Die andern sechs sollen alle Einwohner töten, die dieses Zeichen nicht tragen. Nun tun alle sieben, Nebo und die andern Planetengötter, was der allmächtige Gott ihnen befohlen hat, und man könnte sich insofern solche Auslegung gefallen lassen; aber sie beruht andererseits auf der gänzlich unbegründeten Ansicht, als seien alle göttlichen Vorherbestimmungen, wie die Erwählung Israels und die Berufung einzelner auf die babylonische Mythologie und Astrologie zurückzuführen, die wir als menschliche Erfindung kennen gelernt haben und immer mehr kennen lernen werden. Aber die Mythologie gefällt vielen gelehrten Leuten besser als die Offenbarung des lebendigen Gottes im A. und N. T.

Ein Hymnus auf Nebo lautet: „Herr von Borsippa, Sohn von Esagila, Herr, mit deiner Macht kann keine Macht es aufnehmen. O Herr, Verkünder des Guten, mit deiner Macht kann keine Macht es aufnehmen. Mit deinem Hause Ezida kann kein Haus es aufnehmen. Mit deiner Stadt Borsippa kann keine Stadt es aufnehmen. Mit deinem Gebiet Babel kann kein Gebiet es aufnehmen. Deine Waffe ist ein Wehrwolf, aus dessen Mund das Gift nicht weicht. Dein Gott ändert sich nicht gleich dem Himmel, im Himmel bist du erhaben."

Ihm ist der Planet Merkur zugeeignet.

Tasmit, der weibliche Teil dieser Syzygie, heißt auch Nana, Ninsabi, Tasmitum. Sie gilt für eine Tochter des Mondgottes Sin. Sie erhört Gebete, darum heißt sie die „hörende". Sie ist Herrin des Gebirges, Bewohnerin des Tempels Meurur.

Neunte Syzygie.

Anu und Anatu.

Anu, auch Anna, Anum, Burjasch, Nun genannt, der Sohn des alten Gottes Ansar, ist der Herr und oberster Anführer der Geister, der Igigi und der Anunaki, der König oder Vater der Götter, der Gott des höchsten Himmels und des Himmelozeans, der im Himmel wohnt, selbst der Mittelpunkt des Himmels, auch musiradda oder Königskrone genannt, der Polarstern. Seine Boten sind „die bösen Geister, die Anus

1) K. A. T., S. 404 2c.
2) Ezech. 9, 11.

Zerstörung anrichten". Seine 9 Söhne, zu denen auch Ramman gehört, sind die Träger der Pest, des Fiebers und andrer menschenfeindlicher Uebel. Als seine Töchter gelten die Labartu, Labassu und Abhazu. Sein Bild oder Symbol ist ein gradstehender Keil, der als Zahl eins oder sechzig bedeutet, was s e i n e Zahl ist. Ein andres Zeichen für Anu ist ein Kreuz von vier gleich langen Balken, der einfachste Kompaß mit den vier Himmelsgegenden. Sein Bogen, der Himmelsbogen, wird besser in der Milchstraße als im Regenbogen gesehen. Seine Tempel hießen Eanna, Ekura und Esarra.

Besonders wurde Anu in der babylonischen Stadt Der oder Dir verehrt, und zwar unter dem Bild einer Schlange. Wenn aber H. Zimmern [1]) die Vorstellung von dem Thron Gottes, von dem Licht, in dem Gott wohnt, von Gottes Königsherrschaft auf Anu zurückführt, so ist damit der Sachverhalt vollständig verkehrt. Denn wenn die Babylonier noch einige geringgefügige Züge aus alter Offenbarung dem Bilde Anus angeheftet haben, so spricht doch das Hauptbild Anus als des Vaters aller bösen Geister gegen jede Gedanken-Verwandtschaft mit dem Gott Israels und gegen die Schöpfung des Menschen nach seinem Bild.

In dieser Syzygie nimmt der weibliche Teil unstreitig den Vorrang ein; viel wichtiger als Anu ist seine Tochter und Gattin in e i n e r Person; ein Zeugnis für die Blutschande unter den Göttern Babyloniens.

A n a t u oder Anunit heißt auch Aratum, Anodingirri, Gatumdug, Gingira, Gubarra, Malkatu, Nannai, Ninazagnunna „Herrin des glänzenden Himmelozeans", Ningal, Ninkigal, Ninni, Tum, Usaramatsa, Zirtigaz, am häufigsten aber Istar der Stern, assyr. Asratu, Asirtu, hebr. Astoreth, Astarte, Asrat, griech. Aphrodite. Doch wird sie auch Anunna genannt, die Braut des Himmelskönigs, eine Herrin von Ueppigkeit und Pracht, die verschleierte Siduri-sabitu, die Göttin der Weisheit und der Steppe gegenüber dem Gott Amurru, der der Herr des Berges ist. E. Schrader ist der Meinung, daß Istar und Nanai nicht dieselbe Gottheit bedeuten; denn diese heißt auch ilu usaramatsa „bewahre ihren Ausspruch" und ilu arkaitu „Göttin von Erech"; aber diese Beinamen der Nanai treffen grade auf Istar zu „die erhabene Herrin von Uruk", die auch Schöpferin der Menschen, barmherzige Mutter der Menschen, Lenkerin und Helferin bei der Geburt ist; doch diese bessere Tätigkeit teilt sie mit Belit und Damkina [2]).

Nach einer Inschrift Asurbanipals hat Istar drei Väter Asur, Bel und Ea und gilt als Schwester Marduks, gelegentlich auch als seine Frau. Andre nennen sie eine Tochter Anus, andre eine Tochter Sins. Ihr Bild zeigt sie bald mit einem Bart [3]), bald mit vier Brüsten.

---

1) K. A. T., S. 353.
2) Vergl. H. Zimmern, K. A. T., S. 429.
3) A. Jeremias, A. T. O., S. 39.

Sicher sind zwei Istargottheiten von einander zu unterscheiden. Die Istar von Ninive oder Istar assuritu wurde nicht allein in Assyrien, sondern auch in Babylonien z. B. in Erech oder Uruk mit unzüchtigem Dienst verehrt; während die Istar von Arbela für die Königin des Krieges und des Sieges gehalten wird, die Herrin der Länder, die hehre Braut Aja und Herrin der Schlacht, wie es auf einer Broncestatuette heißt:

„Der Istar, der großen Herrin . . . . . von Arbela für das Leben Asurdans, des Königs von Assyrien, hat Samsibil, Sohn . . . . . ., Sohnes des Nirgalnadinachi . . . diese Bildsäule geweiht."

Dann ist sie in Flammen gekleidet und steht gewappnet auf einem Leoparden. In der Schlacht aber fliegt sie wie eine Schwalbe dahin. Dann heißt sie auch kissati ilani „Bogenschütze der Götter", trägt Bogen und Pfeilköcher wie die griechische Artemis und die lateinische Diana. Wenn die Taube der Istar heilig ist, so will diese Wahl weder zu der einen noch zu der andern Istar passen.

Als Anunit ist sie die Göttin des Morgensterns, als Belit Göttin des Abendsterns, was wieder die Semiten nach Babylonien gebracht haben müssen. Aber die Sumero-Akkadier verstanden sich auf Himmelskunde und Sterndienst viel besser als die Semiten, hatten also nicht nötig, von diesen zu lernen. Daß aber die Babylonier die Phasen der Venus sollen gekannt haben, ist mir bis jetzt noch nicht glaublich, da dieselben meines Wissens nicht einmal durch ein gewöhnliches Fernrohr, sondern nur durch ein Teleskop sichtbar werden.

Die Istar von Ninive und Erech ist stets die Göttin der sinnlichen Lust, treibt mit allen Göttern und mit Menschen Buhlerei und heißt darum das Freudenmädchen der Götter [1]). Sie wird beschrieben als ein Weib mit offner Brust, der sie den Säugling mit der linken Hand zuführt. Von der Mitte des Leibes an ist sie eine Schlange. Das Pochen ihres Herzens bewegt die Meeresflut. Auf ihrem Kopf trägt sie ein Horn [2]). Die Pflegerin der Unzucht wird in den verschleierten Ascheren oder Marmorsäulen dargestellt, wie eine solche in Ras-el-ain unweit der Quellen des Habur gefunden worden ist. Daß ein so schmutziges und häßliches Weib wie die Istar von Ninive und Erech als die Mutter aller babylonischen und assyrischen Könige betrachtet wurde, ist schwer zu glauben; eher doch die Istar von Arbela. Aber Dusratta, der König der Mitanni, wünscht in einem Brief an Nimmuria, den König von Aegypten, seinen Schwiegervater, es ist der 20. Brief aus dem Tell el Amarna:

„Istar, die Herrin des Himmels, möge meinen Bruder und mich beschützen hunderttausend Jahre und große Freude uns geben."

---

1) K. B. VI, S. 203.
2) Z. f. A. 1894, S. 116.

Hier ist es zweifelhaft, welche Istar der König der Mitanni im Sinn hat, und er meint noch, daß sie gern nach Aegypten ginge. Diese ist die Königin des Himmels, die von einigen Juden zur Zeit des Propheten Jeremia abgöttisch verehrt wurde; und sie wollten von ihrem Dienst nicht lassen und meinten gar, es habe ihnen dabei immer wohlergangen[1]). Ihr buken sie kawan oder gewürzte Kuchen, wie sie das von den Babyloniern gelernt hatten.

Nabopolassar, König von Babylonien, betet zu Istar:

„O Belit von Sippara, große Herrin, mache mich Nabopolassar, den König, der dich ausstattete, wie die Backsteine von Sippara, fest für die Ewigkeit. Mein Königtum laß alt werden bis in ferne Tage[2]).“

Ein Hymnus auf Istar wird von H. Zimmern mitgeteilt[3]):

„O Istar, barmherzige Herrin. Ich blickte auf dein Angesicht, ich rüstete dir eine reine Zurüstung zu aus Milch, Kuchen und gesalzenem Röstbrot, ich stellte dir ein Spendegefäß auf: Erhöre mich und sei mir gnädig! Ich schlachtete dir ein reines makelloses Lamm von dem Vieh des Feldes, ich brachte dar ein Mus für die Hirten des Gottes Tammuz.“

Ein Gebet an Istar lautet bei demselben[4]):

„Ich möge zu eigen bekommen den guten Dämon, der vor dir (steht), den Schutzgeist, der hinter dir wandelt, möge ich zu eigen bekommen. Den Wohlstand, der zu deiner Rechten ist, möge ich ergreifen. Das Gute, das zu deiner Linken ist, möge ich erlangen.“

Wie Marduk heißt auch Istar muballitat miti die die Toten lebendig macht, weshalb wissen wir nicht; auch hat dieser Ehrentitel nichts mit der Fabel von der sog. Auferstehung oder Höllenfahrt der Istar von Ninive und Erech zu tun, der A. Jeremias die Bedeutung einer Totenbeschwörungsformel beilegt.

Das Gedicht erzählt uns auf mehreren Tontafeln, daß Istar einstmals ihre Schritte zu der Stätte des Todes lenkte, zu dem düstern Haus, der Wohnung Irkallas, dessen Bewohner sich von Lehm und Erdstaub sättigen, das Licht nicht sehen, in Finsternis sitzen. Gebieterisch verlangt sie den Eintritt, er wird ihr gewährt. Aber an jedem der sieben Tore der Unterwelt Eresu oder Arallu, die an die sieben Zonen der oberen Welt erinnern[5]), muß sie gemäß den Gesetzen ihrer löwenköpfigen Schwester Allatu[6]) oder Ereskigal (Ninkigal d. i. „Herrin der Grundfläche“[7]) oder Belili „wo man nicht mehr herauskommt“, nach der auch der ganze Mythus genannt wird) ein Stück ihrer Bekleidung und ihres Schmuckes nach dem andern ablegen, bis sie gänzlich entblößt am Sitz

1) E. Schrader, A. d. W. 1886, S. 477.
2) K. B. III, 3, 9.
3) K. A. T., S. 442.
4) Ebenda S. 455.
5) Jensen, Kosmol., S. 175.
6) Tiele a. a. O. S. 535.
7) Fr. Hommel, Grundriß, S. 340. Vorher übersetzte er „Herrin der Unterwelt“, Sem. V. u. Spr. I, S. 323.

der Herrscherin erscheint [1]). Die Schwester aber läßt die Entblößte durch ihren Diener Namtaru einsperren und befiehlt, sechzig Krankheiten auf ihre Augen, Seiten, Füße, Herz und Kopf loszulassen.

Unterdessen hat auf Erden alles Leben in der Natur und alle Zeugung sowohl bei den Menschen wie bei den Tieren aufgehört, wie im Original eingehend beschrieben wird. Das aber können die oberen Götter auf die Dauer nicht zulassen. Samas berät sich also mit Ea, dem weisen Meergott, und beide kommen überein, einen Spielmann in die Unterwelt zu senden, der Istar zur Rückkehr veranlassen soll. Es ist Papsukal, der Bote der großen Götter, der zur Unterwelt gesandt wird, aber Ereskigal hört nicht auf seine Botschaft, und Istar bleibt gefangen. Da bildet Ea den Kinäden Asusunamir oder Uddusunamir, d. i. „sein Licht leuchtet" [2]), und auf dessen Erfordern genehmigt die Herrin der Unterwelt, daß Istar wieder zur oberen Welt zurückkehre. Nun wird sie mit dem Wasser des Lebens besprengt, obwohl sie an der Stätte des Todes gar nicht tot gewesen ist, empfängt an jedem der sieben Tore einen Teil ihrer Kleidung und ihres Schmuckes und kehrt auf dem Weg zurück, für den es sonst „keine Umkehr gibt". Das ist Kurnugi.

Ein Kinäde oder Päderast tut also der Welt nach babylonischer Vorstellung die Wohltat an, daß der Lauf der Natur nicht mehr gehemmt werden darf; und in dieser Zusammenstellung kann der verborgene Sinn der Fabel liegen, die auch bei den spätern Juden bekannt gewesen sein mag; denn auch der Talmud weiß von sieben Abteilungen der Hölle. Aus dem Schluß des Originales sei hier noch eine Probe gegeben, der Auftrag, den der Götterbote empfängt:

„Wenn sie dir ihre Loslassung nicht gewährt, so bringe sie ihr wieder zurück und Tammuz, den Buhlen ihrer Jugend, wasche mit reinem Wasser, salbe ihn mit gutem Oel, zieh ihm ein Festkleid an, daß die Flöte von Lasurstein ihre . . . . zerschmeiße, daß die Freudenmädchen ihren Bauch erschüttern [3])."

Ein andrer Schluß enthält eine Anrede an die Versammelten, die der Erzählung von Istars Gang in die Unterwelt, wie die Ueberschrift lauten sollte, zugehört haben:

„In den Tagen des Tammuz spielt mir auf der Flöte von Lasurstein, auf dem Kinnor von Porphyr (?) spielet mir seine Totenklage, ihr Klagemänner und Klagefrauen."

Es ist leicht zu erkennen, woher die Griechen ihre Sage von Orpheus und von seinem Gang in die Unterwelt mitgebracht haben. Am Zagmuk oder dem babylonischen Neujahr wurde diese Reise der Istar in die Unterwelt bez. ihre Rückkehr zur oberen Welt und Hochzeit mit Marduk gefeiert, und war dies das Frühlingsfest; denn am 24. März hatten die Babylonier ihr Neujahr.

---

1) Hiob 1, 21.
2) Tiele a. a. O. S. 536.
3) K. B. VI, S. 91.

Der Tempel der Istar in Ninive hieß Emischmisch, der in Sippara Eulmas [1]) oder Eulbar oder Eiddina, der in Uruk Eanna. Der Tempel Eturkalama, den Asurbanipal wieder herstellen ließ, war vermutlich nur ein Teil von Esagila. Fünfzehn war ihre heilige Zahl, ihr Monat Elul.

Die zehnte Syzygie.

Nergal und Laz.

Nergal, der auch Dibbara, Gallum, Girra, Ira, Schit, Sitlamtauddu, Sukamunu, Urra, Zalbadan heißt, wird von einigen gleich Ninib gehalten. Er gilt als Herr und Lenker der Schlachten, ein Herr der Speere und der Bogen, ein Zerstörer gleich der alles verzehrenden Glut der Sommersonne. Aber er ist auch der Gott der Wintersonne [2]), des zu- und des abnehmenden Mondes [3]), auf den man das Fieber mit seiner Hitze und Schüttelfrost zurückzuführen pflegt, d. i. in der Sprache des Westlandes oder Amurru das Sarrabdu und Birdu. Was aber H. Zimmern weiter vom Höllengott und Höllenfeuer fabelt, die das Christentum aus dem Judentum herübergenommen haben soll, so sollte er doch, Mißverständnissen vorzubeugen, seinen Lesern anzeigen, was für ein Christentum er meint?

Nergal heißt auch der Kämpfer unter den Göttern, der Schutzpatron der Jäger, der ilu mamman oder Gott des Mammon. Eine Erscheinungsform von Nergal und seinen sieben Söhnen ist ein Sternbild am Himmel, der Walfisch südlich vom Widder lulimu, vorher ein Gott der Unterwelt und des pflanzlichen Wachstums, Iminsarra oder Ilanisibit d. i. Siebengott [4]) genannt; denn Nergal steigt am 18. Tammuz zur Erde hinab, und am 28. Kislev steigt er wieder herauf. So bleibt er einhundert sechzig Tage verborgen, während die Plejaden, die aus sieben Sternen bestehn, nur vierzig Tage unsichtbar sind. Die Babylonier verbinden mit ihrem Verschwinden ein vierzigtägiges Wüten der bösen Geister; und unsre Gelehrten sind unentschieden, ob die vierzigtägige Fastenzeit vor Ostern oder die vierzig Tage zwischen Ostern und Himmelfahrt von den Plejaden herkommt? Aber sie konnten auch an die vierzig Tage erinnern, in denen die zwölf Kundschafter Israels das Land durchzogen, das ihren Vätern verheißen war, oder an die vierzig Tage, die Elia zur Reise nach dem Horeb brauchte.

---

1) So Fr. Hommel.
2) A. Jeremias, A. T. O., S. 46.
3) Fr. Hommel, Grundriß, S. 121, sodann H. Zimmern in K. A. T., S. 413.
4) Fr. Hommel, A. u. A., S. 240 und 448.

Denkt aber der Babylonier an den Winter, der vom Winterholstitium bis zur Frühlingstagundnachtgleiche dauert, so singt er: „Wer bist du, Hexe, deren Treiben drei Monate zehn einen halben Tag währt“?

Nergals Bild ist der Löwe mit Menschenantlitz; dazu trägt er das Horn eines Stiers und Flügel, ein Haarbüschel fällt auf seinen Schädel herab.

Er ist aber auch ein Gott der Gräber und der Unterwelt, der Totengott und Pestgott. Unter seinen vierzehn dienstbaren Geistern befindet sich außer dem Blitz, Fieber, Gluthitze und Pest auch der Dämon, der bereits genannt wurde, Sarrabdu, der auch Verleumder oder Teufel heißt.

Nergal wurde besonders in Kutha nordöstl. von Babel verehrt. Sein dortiger Tempel hieß Esidlam, ebenso der in Maschkanschabri. Ihm gehört in der Musik der siebte Ton und am Himmel der siebte Planet; aber später wurde ihm der Planet Mars zugeeignet. Gehört aber der siebte Ton zur Harmonie der Sphären, so wird mit solcher Zugehörigkeit dem Herrn der bösen Geister doch zu viel Ehre angetan. Ein Mißton wäre seinem Wesen entsprechender. Ganz verschieden ist die Grundlage der hebräischen Frömmigkeit, die wirkliche Harmonie der Menschenseele mit Gott und seinen Werken, wo sie loben kann: „Die Himmel erzählen die Ehre Gottes“ 2c. [1])

Ein alter Hymnus auf Nergal lautet:

„Der tapfre, der gewaltige Sturmwind, der das feindliche Land überwältigt; der große Stier, der Herr der Macht, der das feindliche Land überwältigt; der Herr von Kutha, der das feindliche Land überwältigt; der Herr von Esidlam, der das feindliche Land überwältigt; der gallu, der Gott Isum, der das feindliche Land überwältigt; der gewaltige Sturmwind, der seines gleichen nicht hat [2]).“

Ein Gebet zu Nergal zeigt uns die frommen Wünsche seiner Anbeter:

„Die Gesamtheit ihrer Wohnungen wirf darnieder, daß sie wie Schutthügel werden. Tapferer Held, laß deine Stimme erschallen in's Land einzubrechen, und niemand wird es mehr aufsuchen. Dein gewaltiger Glanz überdeckt das Land der Feinde, vor deiner Hoheit mögen sich die Völker beugen [3]).“

Als Nergals Gattin gilt bald seine Schwester Laz [4]) d. h. „ohne Ausgang“ oder Ereskigal d. i. Herrin der Unterwelt, bald Gula, die sonst Ninib zugesellt wird. Sie wird als ein Wesen gemischter Art beschrieben: Ein Horn steht vorn, eins hinten auf dem Kopf. Man sieht an ihr das Ohr eines Lammes, aber die Hände eines Menschen. Mit beiden Händen ergreift sie die Nahrung und führt sie zum Munde, wie Affen und einige andre Tiere tun. Ihren Leib schlägt sie munter mit

---

1) Ps. 19.
2) Fr. Hommel, Sem. V. u. Spr. I, S. 237.
3) Nach Fr. Hommel, Sem. V. u. Spr. I, S. 320.
4) K. B. II, b, 7.

ihrem Schweife. Sonst trägt sie den Kopf eines Löwen [1]), zwischen ihren Hörnern steht ein Haarbüschel, der nach der Stirn überfällt.

Die Göttersage erzählt von Ereskigal: Als die Götter einst ein Gastmahl bereiteten, sandten sie zu ihrer Schwester Ereskigal einen Boten mit dem Auftrag, sie solle sich durch einen Boten ihr Backwerk holen lassen. Ihr Bote Namtaru, den sie zum gewaltigen Himmel sendet, hört, daß derjenige Gott, der nicht vor ihm aufsteht, sterben soll. Nergal steht nicht auf und geht darauf zu seiner Schwester Ereskigal und klagt ihr, weil er nicht vor Namtaru aufgestanden sei, müsse er sterben. Zugleich faßt er seine Schwester bei den Haaren und zieht sie von ihrem Throne herab, ihr das Haupt abzuschlagen. Aber sie bittet: „Erschlag mich nicht, mein Bruder! Ich will dir eine Rede sagen." Da lösen sich seine Hände von ihrem Haare, sie aber weint und heult: „Du sollst mein Gatte sein, ich will dein Weib sein. Ich will dich die Königsherrschaft auf der weiten Erde ergreifen lassen, ich will die Tafel der Weisheit in deine Hände legen. Du sollst der Herr, ich will die Herrin sein." Als Nergal diese Rede gehört hatte, küßte er sie, wischte ihre Tränen ab und sprach: „Was immer du von mir wünschest, soll geschehen von nun an (und immerdar)" [2]).

Man sollte es nicht für möglich halten, daß christliche Gelehrte in diesen mythologischen Fabeln, wo die Schwester sich dem Bruder als Gattin in die Arme wirft, wo überhaupt mehr Dunkelheit als Licht waltet, noch christologische Beziehungen finden. Aber es ist doch so und gewinnt den Anschein, als wollten sie dem Evangelium, an dem sie sich geärgert haben, nur einen Schandlappen nach dem andern anhängen.

Als Kinder des Nergal und der Gula gelten die sieben großen Götter, die mit ihm acht ausmachen und an die ägyptische Achtgottheit erinnern sollen [3]). In Nisin wurde die Ninnisin, die Herrin des abnehmenden Mondes und Gattin Nergals verehrt. Es ist aber nicht die freie Liebe unter den Göttern Babels herrschend gewesen, sondern die Willkür der dichtenden Priester, die Götter und Göttinnen beliebig vereinigt oder löst, treibt ihr grausames Spiel mit den Gelehrten, die in diesem Wirrnis Ordnung und System und dazu noch die Quelle der religiösen Anschauungen von Juden und Christen entdecken wollen.

---

1) Bezold, N. u. B., S. 117.
2) K. B. VI, S. 75 ꝛc.
3) Fr. Hommel, Grundriß, S. 161. 343.

Elfte Syzygie.

Ramman und Sala.

Ramman wird auch Adad oder Hadad, Barku, Im (sein Ideogramm), Belbiri Orakelherr, Bur, Martu, Miru genannt. Es ist unter den Gelehrten noch nicht ausgemacht, ob er aus dem Westland nach Babylonien oder aus Babylonien nach dem Westland gebracht worden ist. Hilprecht hält Martu gleich dem aramäischen Amurru; und die Namen Hadadesar, Hadadrimmon, Benhadad sind in Syrien sehr gebräuchlich. Ist aber Adad eins mit dem phönikischen Adonis, so hat er doch dessen Eigentümlichkeit an den babylonischen Duzi oder Tammuz abgetreten. Ob Bir überhaupt ein Göttername sei, darüber sind die Gelehrten auch nicht einig, wie Zimmern gegen Winckler in ein und demselben Buch auftritt.

Ramman ist der Großfürst des Himmels und der Erde, der Herr der Sturmflut, der Quellen und des Regens, der Gott des Blitzes und des Donners, der Schutzgott der Grenzen, der die Flüsse mit Schlamm, die Fluren mit Dornen erfüllen soll, nämlich bei dem Grundbesitzer, der einen Grenzstein versetzt oder verletzt [1]). Als Adad ist er Herr des Sturmes. Er bringt der Erde Fruchtbarkeit, aber auch Mißwachs und Hungersnot. Daher sind ihm auch die Kanäle geheiligt. Der Name bedeutet nach den einen den Glänzenden, nach den andern einen Brüller oder Donnerer. Seine Zahl ist sechs. Sein Bild ist der Donnerkeil, den wir auch bei seinem Vater Anu als dessen Zeichen kennen gelernt haben. Er wird auch mit einem Blitzbündel oder mit einer Axt abgebildet. Sein Tier ist der Stier, aber er übertrifft diesen durch seine vier Hörner [2]). Auf ihn mag sich die Kälberverehrung beziehen, die Jerobeam I. von Israel in Dan und Bethel aufrichtete. Zu seiner Seite schreiten die sieben bösen Geister seines Vaters Anu, wie sie wohl zu Sturm und Mißwachs, weniger aber zum Segen der Erde passend erscheinen.

Die Verehrung Rammans findet sich besonders in Halab und Karkar, wo sein Tempel Eudgolgol stand; dann in der assyrischen Stadt Ekallate. Sein Tempel in Babel hieß Enamhi, d. i. Haus des Ueberflusses. Ein Hymnus auf ihn lautet:

> „Bei seinem Zürnen, seinem Wüten, bei seinem Brüllen, seinem Donnern steigen die Götter des Himmels zum Himmel hinauf, gehen die Götter der Unterwelt zur Unterwelt hinein.“

Also tun die babylonischen Götter wie alle ängstlichen Menschen, die bei dem Zucken der Blitze und Dröhnen des Donners Sicherheit in ihren Häusern suchen.

---

1) K. B. IV, S. 73.
2) H. Zimmern, K. A. T., S. 448.

Der weibliche Teil dieser Syzygie ist Sala oder Gubarra, Herrin von Gueddina, auch Anunit oder Sumalia genannt. Sie ist die Herrin der glänzenden Berge, der hellen Schneeberge, woher im Frühjahr das reichliche Wasser der Ströme kommt.

In den Bildern, die häufig die Inschriften begleiten, waltet eine große Willkür der Schreiber oder Zeichner. Bald ist es die aufgehende Sonne des Samas, die mit Flammenflügeln aus einem Felsenspalt heraufklimmt, bald ist es Ea, der mit Flammenflügeln sitzend dargestellt wird und in der Rechten eine Art Säge hält. Bald schwimmen zwei Fische auf seinen Nabel zu, bald entspringen diesem Mittelpunkt seines Leibes zwei Ströme, Euphrat und Tigris. Oder die Ströme entfließen einem Kruge, und der Genius des Euphrat und Tigris steht in Menschengestalt davor und trägt auf dem Januskopf eine Stierhornmütze. Oder Euphrat und Tigris kommen von den Schultern eines knieenden Gottes herab und fließen, indem se sich kreuzen, zu dem fischgeschwänzten Dagon. Oder es wachsen [1]) zwei Schlangen aus dem Schultern des Gottes.

Wieder auf andern Bildern sieht man Gilgamis und Eabani je einen Krug darreichen, aus jedem Krug aber sprießen drei Keime. Daneben schwimmen im Flusse göttliche Stiere, Stiere mit Menschenantlitz tragen einen Gott, der auf dem Throne sitzt ... Wer kann es alles erzählen?

Oder: Auf der Grabwand von Bavian hält der assyrische Gott, der auf einem männlichen Hund steht, zwei Keilschriftzeichen in seiner Hand. Aus dem Schrein, auf dem ein Keil liegt, kriecht ein doppelzüngiges gehörntes Ungeheuer hervor. Aber auf dem Urkundenstein des Merodachbaladan ist über dem Schrein ein aufrechter rechteckiger Stab angebracht, ebenso auf der Urkunde des Mardukiddinabal auf dem Tier an der Berggrotte. Aber Kegel und Keilschaft erscheinen in zwei Randleisten zerlegt auf der Sargonstele. Bald hat der Schaft in der Mitte eine Querlinie, bald ist er am oberen Ende keilartig verbreitert, bald ein Halbmond darüber, davor ein Stern. Dann trägt eine Göttin ein langes Szepter wie von ineinander gesteckten Keilen, ähnlich dem Schachtelhalm, oder der Schaft bleibt halbiert rechteckig brettartig. Das zweizüngige Ungetüm sieht mit seiner Mähne und aufgeworfener Nase einer Hyäne ähnlich; aber die Beine sind mit Federschuppen bedeckt und geierartig, während der Schweif lang ist wie eine Schlange. Geht neben diesem Tier ein Stier, so haben wir das Zweigespann des Gottes Asur. So geht es weiter in endloser Mannigfaltigkeit nach der Gabe der Zeichner. Das in ein System bringen zu wollen, heißt unsern Archäologen eine Danaidenarbeit auflegen.

1) Hofmann, Z. f. A. 1896, S. 273.

Andere Gottheiten.

Neben den zweiundzwanzig Hauptgottheiten der Babylonier und Assyrer gibt es noch eine nicht geringe Anzahl von gepaarten und einzelnen Göttern, die es zu keinem so hohen Ansehn wie jene gebracht haben, auch hier wieder abgesehn von den vergessenen oder abgesetzten alten Göttern, die uns in den Göttersagen begegnen werden.

Der Stiergott Arabi hat keine Geschichte und wird uns fast nur im Bild, wie Nergal als Löwengott vorgestellt.

Die Göttin Aruru kommt in einem Schöpfungsbericht als Gattin Eas vor und soll an der Erschaffung des Menschen teil haben.

Nach der Göttin Dadia nannte Samsiiluna eine Mauer in der Sonnenstadt Sippara.

Dagan oder Dagon ist am Mittelmeer ebenso wie in Babylonien und Assyrien bekannt, daher bei ihm dieselbe Frage betr. des Ursprungs wie bei Ramman vorliegt. Häufig begegnet uns sein Bild auf Denkmälern, der obere Körper in Menschengestalt, der untere Teil einem Fisch gleich. Dieser Meergott schwimmt vor den Schiffen der assyrischen Flotte her. Erklärt man den Namen für semitisch, so bedeutet er einen Fischgott oder den Gott des Getreides; aber E. Schrader und H. Zimmern fassen den Namen als akadisch auf [1]). Mehrfach sind assyrische Königsnamen mit Dagan zusammengesetzt, wie Ismidagan u. a.

Ein Gott Dod muß den geistreichen Einfall und die großartige Entdeckung rechtfertigen helfen, von der bereits in der Einleitung die Rede war. Nun heißt aber Dod ein Geliebter oder Vetter, und Fr. Hommel möge uns sagen, was man sich unter dem „Vetter oder Geliebten in der großen Götterfamilie" zu denken hat [2])? Auch muß die Frage aufgeworfen werden, welche Legende die frühere gewesen ist, die der Menschengeschicke oder die Berichte von den Gestirnen?

Dumuzi odr Duzi, akkad. Sohn des Lebens, Dumuzi abzu oder Duzizuab, Sohn des Ea oder der Wassertiefe, auch Dugal-usugalanna genannt, hieß bei den Phönikiern Adon, griech. Adonis, bei den Hebräern [3]) Tammuz. Nach Rawlinson wird er bald als ein Gott, bald als Göttin betrachtet. Bei den Sumero-Akkadiern soll er der Sonnengott gewesen sein. Sonst gilt er als Gott der Jugend, als der Buhle Istars, auch als Gott des Pflanzenwuchses und des Totenreiches. Aber Duzi und Gisrida stehen auch im Tor von Anus Himmel.

Wie in Phönikien Adonis in der Zeit der Sommersonnenwende beweint wird, weil die meisten Blumen und Blätter vor der Sonnenglut dahinwelken, grade wenn die Tage anfangen kürzer zu werden, so Duzi in Babylonien; denn dann tritt die Sonne scheinbar in die rückläufige Bewegung ein, es geht dem Herbst und Winter zu, und dieser Gedanke

1) K. A. T., S. 358.
2) K. A. T., S. 225.
3) Ezech. 8, 14.

allein kann empfindsame Seelen zu Thränen rühren. Aber wenn die Weiber am Nordtor Jerusalems den Tammuz beweinen, so haben sie den lebendigen Gott verlassen, sind in den Naturdienst gefallen und verüben einen Greuel [1]). Dasselbe gilt von den christlichen Frauen, die in die Isis-Mysterien eingeweiht waren, von denen Firmius treffend sagt: „Was beweint ihr die Früchte der Erde und beweint den wachsenden Samen? Beweint lieber eure Sünden und sehet den wahren Heiland an und rufet: Wir haben gefunden und freuen uns [2]).

Des Tammuz trauriges Geschick erinnert den einen Gelehrten an die Geschichte von Abel, der früh starb; den andern an Joseph, der vom Neigen der Gestirne träumte. Auch kommt ja in dieser Geschichte ein Brunnen vor und ein wildes Tier und ein bunter Rock, das alles auf Duzi umgedeutet werden kann. Ein dritter Gelehrter will nüchtern sein und rechnet solche Dinge zur Formenlehre des A. T. [3]); aber ein altes Sprichwort sagt: Wenn man dem Teufel den kleinen Finger gibt, so nimmt er die ganze Hand. Ist Josephs Geschichte aus babylonischen Göttersagen entnommen, so ist sie ebensowenig Geschichte wie diese Sagen und hat für uns nicht mehr Wert als eine Erzählung aus 1001 Nacht.

Jensen ist der Meinung, Tammuz sei gleich dem Gott Gil, der alljährlich zur Unterwelt geht, weil er der Gott des Laubes ist, das im Herbst von den Bäumen zur Erde fällt [4]). Diese Meinung paßt auf Deutschland, aber nicht auf den Süden, wo die meisten Bäume winterhartes Laub tragen, das nicht im Herbst fällt.

Ein Hymnus auf Duzi lautet:

„Du Hirte und Herr, Gemahl der Istar, Herr der Unterwelt, Herr der Wasserwohnung. Hirte, du bist eine Tamariske, die in der Furche kein Wasser trank, deren Krone auf dem Felde keine Zweige trägt; ein junges Bäumchen, das nicht an einem Bewässerungsgraben gepflegt wurde, ein junges Bäumchen, dessen Wurzel ausgerissen wurde, eine Pflanze, die in der Furche kein Wasser trank."

Noch ein Lied teilt A. Jeremias mit [5]):

„Ich gehe zum Kampf hin, ich der Herr. Ich gehe, ich der Herr. Den Pfad ohne Rückkehr ging er, stieg hinab zur Brust der Unterwelt .... Der Sonnengott ließ ihn verschwinden zum Land der Toten, mit Wehklage ward er erfüllt an dem Tage, da er in große Trübsal fiel ...."

Hier stehen wir entschieden wieder nicht auf dem Gebiet eines verstandesgemäß aufgebauten Systems, sondern auf dem Gebiet der freien Dichtung, einer Art von Volkslied, das aus dem Leben der Natur sich die Form und aus dem wechselnden Menschenleben Stoff und Kraft holt.

Enmisara und Etana s. Ninazu.

---

1) Ezech. 8, 14.
2) A. Jeremias, B. N. T., S. 19.
3) Derselbe A. T. O., S. 239 ꝛc.
4) K. B. VI, S. 117.
5) A. T. O., S. 364 ꝛc.

E r u a bezeichnet bald eine männliche, bald eine weibliche Gottheit, wie er ein häufig gebrauchter Beiname der Zirbanit ist. Aber in andern Urkunden steht dieser Name neben Anu, Ea, Bel und Marduk als ein Gott und Herr, der das Geschick der Menschen bestimmt.

G a d und M a n i sind als babylonische Götter bekannt [1]), aber Gad findet sich keilschriftlich bis jetzt nur in Personennamen. Daß den Götterbildern Speise und Trank vorgesetzt wird, ist ein allbekannter Brauch; und wir glauben auch zu wissen, wer diese Gaben verzehrte. Ob ein Zusammenhang zwischen diesem Mani und dem Gott Mani, dem „Apostel der Manichäer", statthat, ist noch zweifelhaft. Aber das ist gewiß, daß dieser Apostel aus Babel kam.

G i b i l wird neben Marduk und Ea namentlich bei Beschwörungen angerufen, damit er gegen Zaubereien und Bann helfe. Wenn aber diese Trias Gibil, Marduk und Ea neben Gott Vater, Sohn und heiligen Geist gestellt wird, weil Geist und Feuer bei der Taufe der Apostel zusammenwirkten, wie Johannes der Täufer das vorausgesagt hatte: so soll es sich dabei um unbewußte Nachwirkung alter babylonischer Ideen handeln [2]). Aber eine solche Nachwirkung wäre doch nur in d e m Fall denkbar, wenn die Verfasser der Evangelien ebenso frei gedichtet hätten, wie wir von den babylonischen Priestern wissen; und was wäre dann all ihr Berichten wert, wenn die babylonischen Wahnideen bei den Aposteln nachgewirkt hätten? Aber man vergesse auch nicht, daß diese Ideen erst von den Gelehrten bei den Babyloniern entdeckt oder untergelegt sind; denn sie wußten nichts von einer Geist- und Feuertaufe.

Gibil gilt auch als Herr oder Gott der Bergwerke, der Bronzemischer, der Gold- und Silberförderer, von dem es heißt: „Sohn der Tiefe, im Hause der Finsternis setzest du Licht." Er ist der Gott des unterirdischen Wassers, das dem Schoß der Berge entspringt, was zum Feuergott schlecht passen will. Manche beziehen ihn auch auf den Planeten Merkur, den Süd-Sommer- und Morgenmerkur, während der Nord-Winter-Abendmerkur Nusku zugeteilt ist.

I n l i l z i d d a s. Nusku.

I s u m kommt als Beiname von Nergal vor, aber auch als besondere Gottheit, die auch Sigsagga heißt, der „Führer auf der Straße des unterirdischen Gewölbes" [3]) oder der „erhabene Verstörer". Man hält ihn gleich Bilgu, Gibil, Girra, dem Gott des Feuers. Er ist aber auch ein Gott des Tigris, bald Lieblingssohn Eas, bald ein Sohn Anus. Im Lied wird er also gefeiert:

„Ueberwältiger der feindlichen Dämonen, Spender des Lebens, vollkräftiger, der die Brust des Feindes zurückwendet, Beschützer des Orakels Enlilla, Gibil,

1) Jes. 65, 11.
2) H. Zimmern in K. A. T., S. 419. Zu Matth. 3, 11. Apostelgesch. 2.
3) Fr. Hommel, Sem. V. u. Spr. I, S. 393.

Ueberwältiger der Feinde; Schwert, das die Pest vertilgt; Herrscher, der den Menschen Licht schafft; der mit den sieben Göttern die bösen vernichtet."

Ich vergleiche Isum mit Asima [1]), dem Gott der früheren Bewohner von Hamath, wo die Verehrung Nergals bald nach Eroberung der Stadt durch die Assyrer unter diesem Namen Eingang gefunden haben mag.

Als Isums Gattin wird Schusilla genannt; beide sind die Götter des Dignat und Purattu, d. i. des Tigris und Euphrat.

G i r a wird in einer Inschrift Nabopolassars neben Nabo und Marduk genannt. Er war ein Gott des Krieges und des Todes, der den Mordsper trägt, die Männer zur Unterwelt zu senden. Er ist auch Gott der Pest. Nimib ist der lugalgira, lipitgira die Ansteckung durch die Pest.

I n n a und N i n g u i n n a sind Göttinnen, von denen wir nichts als den Namen wissen. Sie werden hier aufgeführt, um die Vielseitigkeit und fortgehende Tätigkeit der babylonischen Götterdichtung anzudeuten, wobei es auch an fehlschlagenden Versuchen nicht fehlt; andrerseits wird hier erstrebt, annähernd Vollzähligkeit der babylonisch-assyrischen Götter zu erreichen.

I r n i n n i oder Ininni ist vermutlich eine Göttin der Unterwelt, also mit Ninkigal und Areskigal zusammen zu stellen.

L a b a n ist der Gott der Lehm- und Tongrube, der bei dem wichtigen Geschäft des Ziegelmachers angerufen wird.

L a t a r a k heißt ein Flußgott, der schon in einer Inschrift Burnaburias I. genannt wird [2]).

L u g a l b a n d a , der Gott des Gilgamis [3]), wird selten erwähnt, obwohl er auch Gott und Schöpfer heißt [4]). Aber Sin trägt denselben Namen.

M a h i r oder Masur hat als sein besondres Gebiet das Reich der Träume. Inschriftlich: „Der Gott Masir, der Gott der Träume, möge sich auf mein Haupt setzen." Bisweilen wird kein Unterschied zwischen ihm und Malik gemacht.

M a l i k , auch Mahir, Masur, Meser und Bunini, begegneten uns bereits als Wagenlenker des Samas. In einer Urkunde des Nabuapluiddin, Königs von Babylon, werden sie neben Samas als Götter und Herren der Entscheidungen aufgeführt, ein Beweis, wie einfach es war, eine Standeserhöhung unter den Göttern zu verfügen. In späterer Zeit wurde besonders Bunini verehrt, und Nabunaid, der letzte König des altbabylonischen Reiches, ließ seinen Tempel Ekura in Sippara wieder herstellen.

---

1) 2. Kön. 17, 30.
2) Fr. Hommel, A. u. A., S. 332.
3) K. B. VI, S. 177.
4) K. B. IV, S. 65.

Mamitu heißt im Gilgamis-Epos eine Göttin, die das Schicksal bestimmt im Verein mit den großen Göttern.

Mani s. Gad.

Nibehas und seine Gattin Chartak wurden in Avva verehrt.

Ninazu und Ninkigal, auch Allatu, Ereskigal, Ninahakuddu, Ninkasi, Ninmar genannt. Dieses Paar erinnert bald an Nergal und Laz, bald an Anu und Anatu. Sie werden bei Beschwörungen angerufen; denn Ninkigal gilt als Herrin des Kurnugi oder der Unterwelt. Eine sehr alte Inschrift lautet:

„Der Ninmar, seiner Herrin, hat Dungi, der mächtige Mann, König von Ur, König von Kengi und Akkad, das Haus Salgilsa, den Tempel ihres Gefallens, erbaut."

Neben Ninkigal hausen im Totenreich wenigstens zeitweise der schon genannte Duzi, dann auch Etana und Enmisara. Ein Gebet zu diesem, das vielleicht bei der Grundsteinlegung eines Hauses gebraucht wurde, lautet:

„Enmisara, Herr der Erde, Erhabener in der Unterwelt, Herr der Erde und des Landes ohne Heimkehr, Berg der Anunaki, großer Herr, ohne den Ningirsu in Feld und Wässerung kein Gelingen hat und nichts wachsen läßt, Herr der Kraft, der mit seiner Macht die Erde beherrscht."

Ningirsu, Bagas, Dingir oder Dimmer, Imigulaglag, der gewaltige Krieger des Gottes Enlilla, wurde in Lagasch-Sirpurla als männliche, in Akkad als weibliche Gottheit verehrt. Im ersten Fall gilt Bau oder Ninmar als seine Gattin. Ihr baute Urbau die Kapelle Sagipada. Eine alte Inschrift lautet:

„Dem Gott Ningirsu sein König Eriaku, Hirte des Besitzes von Nippur[1]), Vollzieher des Orakels des heiligen Baumes von Eridu, der Hirte von Ur, und von dem Tempel Euddaimtigga, König von Larsa, König von Sumer und Akkad."

Sein Lieblingssohn ist Dunsagana oder Sulsaggana, dem der König Urukagina die Stätte Akkil, Gudea aber Kidurguttini baute. Es ist sehr wahrscheinlich, daß wir hier einige der ältesten babylonischen Gottheiten vor uns haben, wie schon die Namen zeigen „Herr von Girsu", „Herr von Harsagga", „Herr von Karrak" u. s. w.

Dahin gehört auch Ningiszida, der in einer Inschrift Gudeas genannt wird. Am Neujahrstag ward in jener alten Zeit das Fest der Bau gefeiert, der Kälber, Hämmel und Schafe, Schwäne und Kraniche, auch Datteln zum Opfer gebracht wurden. Dazu kamen noch Gewänder aus Wolle und anderen Stoffen gefertigt.

Ninharsagga hatte in Babel einen Tempel Emah, den Nebukadnezar für seine Mutter Mah gebaut hatte. Auch Beltis trägt diesen Namen.

Ninkarrak, eine Tochter Anus, hat Macht über Gesundheit und Krankheit. Man könnte sie gleich Gula achten, aber ihr Tempel Eulla in Sippara wird doch besonders erwähnt:

„Ein Haus, das seit alten Tagen nicht in stand gehalten war. Sein gisratu war verfallen, sein kisurru ragte nicht hervor, war von Erde bedeckt. Zu den Tempeln war es nicht gezählt, die Abgaben waren zurückgehalten worden, sein Name war in Vergessenheit geraten."

Ninsum[1]), die große Königin, die als Mutter des Gilgamis angesehn wird, haben wir als die große Frau oder Gattin des Lugalbanda, d. i. des Gottes Sin, bereits kennen gelernt.

Nintilimah[2]) nennt Nebukadnezar „die Herrin, die mich liebt". Ihr Tempel in Babel hieß Edurgazza oder Ekitusgazza oder Eharsagila, der in Sippara aber Eulla wie der der Ninkarrak.

Nirba und Nisaba gelten als Gott und Göttin des Ackerbaues, die ihre Segenshand über die Felder ausstrecken.

Nisroch s. Ninib.

Nusku wird mit Nergal und Ninib zusammengestellt, aber auch neben diesen beiden Göttern genannt. Er hatte wie Ea in Esagila auf der Nordseite des großen Gebäudes sein besonderes Gemach. Wie Gibil ist er ein Gott des Feuers. Er heißt auch sukallu nabu „erhabener Bote", und wird von ihm gerühmt, daß er auf Befehl von Asur und Belit die Scharen der Feinde niederstreckt, den König aber schützt. Er heißt auch wie Nabu nasi hatti ellite, d. i. Träger des glänzenden Szepters. Inschriftlich:

„Der Gott Nusku, der König, sprach: Wehe über ihn, hin zu dem Gott Inlilzidda, dem Vater der Flammen."

Nusku wird auch verbunden mit dem Stern sa pan Enmisara, dem Herrn der Unterwelt, der den Pflanzen Wachstum verleiht[3]).

Eine andre Inschrift gibt Hommel[4]):

„Dem Gott Nusku, dem erhabenen Boten des Gottes Enlilla, seinem König, weiht dieses zur Verlängerung des Lebens des Dungi, des gewaltigen Helden, des Königs von Sumer und Akkad, Urannandi, Patesi von Nippur, Sohn des Lubadduggal, Patesi von Nippur."

Wie Nabu trägt auch Nusku den Schreibegriffel (hattu) und konnte als Götterbote leicht mit diesem zusammengeworfen werden.

Der weibliche Teil dieser Syzygie ist Sadarnuna, die auch Ninnisuul heißt, Herrin, die die Befehle ausführt, oder Ninkiagnuna Herrin die hehre geliebte, oder Ninkaananki Herrin Himmels und der Erde.

Salmanu oder Salman ist der Gott, nach dem die Könige Salman von Moab und Salmanassar von Assyrien ihren Namen führen, hebr. Salomo, ein Friedensfürst. Sein Dienst, der in Phönikien bis in die griechische Zeit hinein verfolgt werden kann, scheint in Babylonien und Assyrien nur wenig Freunde gefunden zu haben.

---

1) K. B. VI, S. 105.
2) K. B. III, b, S. 19.
3) Hoffmann. Z. f. A. 1896.
4) Gesch. von B. u. A., S. 334.

Serru wird in einer Sintfluterzählung genannt.

Sukurru, ein südbabylonischer Gott, gab einer Stadt seinen Namen und ward vergessen.

Tisu[1]) wird ein Beiname des Bel sein, Husa[2]) ist noch rätselhaft, Ishara[3]), eine Göttin des Sieges über die Feinde, wird gleich Istar von Arbela sein; doch heißt sie auch Isharra tiamat, d. i. Meereskönigin. Man vergleiche Esarra, die Mutter des Gottes Ninib, und Esarra als Tempelnamen.

Turbiti oder Turi ist ein Gott des Krieges, der die Waffen des Feindes zerbricht. Er hatte einen Tempel in Borsippa.

Zazaru wird als Flußgott schon aus alter Zeit bekannt[4]).

Zu, der Sturmvogel, neben Ninib als Zwillingsgott bekannt, ist der Vater des geflügelten Stierkolosses oder des geflügelten Pferdes. Doch soll dies auch ein Zeichen Eas sein.

Alle diese Götter versammeln sich, wenn sie des gemeinsamen Rates pflegen wollen, im äußersten Norden, wo der Götterberg liegt, der in einer Urkunde des Königs Sargon genannt wird, aber auch dem Propheten Jesaja bekannt ist[5]); denn dieser legt dem König von Babel das Wort in den Mund, er wolle sich setzen in der Götterversammlung am äußersten Norden, wo für die Bewohner von Babylonien die nächsten in die Wolken ragenden Berge liegen. Demnach dürfen wir den babylonischen Olymp etwa im Ararat oder im Kaukasus vermuten. Sicher aber ist er weder am Himmel noch in der Unterwelt zu suchen.

Ist die Schar der Götter und Göttinnen von Babylonien und Assyrien eine recht ansehnliche zu nennen, so wird sie durch die Zahl der untergeordneten Geister oder Dämonen doch noch übertroffen. Auch sie empfangen als sedu lammu und als sedu damku, d. i. gute oder böse Geister, verschiedene Opfer von den Menschen in der Absicht, den Dienst oder Einfluß der guten Geister sich zu erhalten oder zu gewinnen, hingegen die bösen Geister zu versöhnen und zu bewegen, daß sie keinen Schaden anrichten oder Unheil stiften, genau so wie bei den Göttern selbst. Die guten Geister heißen auch lamassu. Daneben bezeichnen lamassu und sedu auch die Schlangen- und Stierbilder, die zum Schutz an den Toren von Tempeln und Palästen aufgestellt wurden. Sonst heißen die Bilder seru und rimu.

Beide, gute und böse Geister, stehen zum Dienst der Götter und der Könige bereit. Der „Gnadenbote" zieht mit dem König im Auftrag der Götter zu Feld, der „Wächter des Heils und des Lebens" steht dem König zur Seite, ihn vor Schaden durch feindliche Waffen zu schützen.

---

1) K. B. III, S. 45.
2) K. B. IV, S. 23.
3) K. B. IV, S. 73.
4) Fr. Hommel, Grundriß, S. 287.
5) Jes. 14, 14.

Wenn einige Gelehrte diese Geister als depossedierte Götter ansehn, so hat diese Ansicht keinen Grund; denn sie können erstens nicht nachweisen, daß diesen Geistern vorher Tempel errichtet und Opfer gebracht worden sind; sodann haben wir wohl depossedierte Götter kennen gelernt, aber bei keinem einzigen haben wir vernommen, daß er hernach zu den Geistern oder Dämonen versetzt worden sei, weder bei Tiamat noch bei Lachmu und Lachamu noch bei Ansar und Kisar noch bei Dunsaggana. Die Geister sind vielmehr ebenso alt oder noch älter als die Götter selbst, haben sozusagen mehr Realität wie diese und stehen, wie schon bemerkt, den Menschen näher, ja im täglichen Verkehr mit ihnen.

Sie werden auch als Igigi und Anunaki unterschieden. Die Igigi, auch murgalane oder abgalli genannt, sind die Diener Bels in der oberen lichten Welt, dem Wolkenhimmel. Die Anunaki aber, vollständig Dingiranunakidana, d. i. „die Götter der Wasserwohnung", sind Diener des Ninib, Geister der unteren dunkeln Welt. Als Sterne betrachtet sind die einen, die über dem Horizont stehn, sichtbar, die andern, die unter dem Horizont stehn, unsichtbar. Alle zehn Tage wird ein Teil der Igigi zu Anunaki und umgekehrt. Eine Ausnahme machen nur die Zirkumpolarsterne, die immer sichtbar sind.

Aber die Nacht hat auch ihre Schrecken, und die Angst vor diesen Schrecken hat das grausige Gespenst der lilitu geschaffen, an die im A. T.[1]) die lilith erinnert, die im wüsten Edom haust. Dies häßliche Wesen erschreckt oder tötet die Kinder, setzt sich gern wie eine Fledermaus in die Haare der Menschen[2]).

Schlimmer noch ist das dreigestaltige Wesen der labartu, labasu und abhazu. Ein schwarzer Hund ist ihr Begleiter. Diese totbringenden Dämonen packen Greis und Kind, Herr und Magd an; sie brennen wie der Feuergott, zerschneiden die Sehnen, trinken Menschenblut, machen das Antlitz erbleichen, verursachen im Herzen großes Weh[3]). Besonders haben sie es auf die Kinder, ihre Mütter und Ammen abgesehn. Die labartu plagt das arme Kind von der Geburt an, faßt die Gestalt seines Gesichtes, macht das Antlitz erbleichen, zerschneidet die Sehnen, brennt den Leib bald wie Feuer, bald überfällt sie ihn mit Frostschauer. Dagegen helfen nur die Beschwörungen, deren Formeln und Sprüche in bestimmter Ordnung über Kopf, Hals, Hände, Brust, Hüften und Füße und die nächsten Gebrauchsgegenstände hergesagt werden. Darin wird die labartu beschrieben, angesprochen, bedroht, verwünscht. Wie ein Vogel des Himmels soll sie wegfliegen, wie ein Wildesel die Berge besteigen, zu den Wüstentieren sich gesellen. Sie möge dort Hirsche, Steinböcke und ihre Jungen fangen, statt die Menschenkinder zu quälen. Ihr

1) Jes. 34, 14.
2) A. Jeremias, B. N. T., S. 115.
3) Mitteil. 1901, 9, S. 14.

sollen Sandalen für die Ewigkeit angelegt werden, sie soll über das Meer gebracht und im fremden Land angebunden werden. Die Götter, ihre Väter, sollen ihr zu essen geben, damit sie nicht nach der Menschen Fleisch und Blut zu verlangen braucht. Ein Trog zum essen, ein Schlauch für ihren Durst soll ihr gegeben werden.

Zum Schutz gegen die labartu wird besonders Marduk angerufen, aber auch Anu. Daneben gehen rituelle Handlungen. Eine labartu, aus Ton gemacht, soll wie eine Gefangene behandelt werden. Man legt dem Bild zwölf Brote und andre Speisen hin, gießt Quellwasser aus und übergibt dem Kranken das Bild eines schwarzen Hundes. Drei Tage lang läßt man das Bild am Bett des Kranken stehen, dann trägt man das Bild am Abend hinaus, zerschlägt es mit einem Schwerte, gießt Mehlwasser darüber und begräbt es im Winkel der Mauer.

Oder die labartu wird jeden Tag bekleidet, ein Schwein wird geschlachtet und sein Herz in den Mund der labartu gelegt; oder ihr Bild wird zusammen mit Hundebildern von dem Beschwörer in ein Schiff gebracht und fortgeschickt:

Das kranke Kind soll mit einer Salbe von Pferdehaut, Fischfett, Schweinefett, Pech, Asche, Butter, Erde aus Tempeltoren nebst verschiedenen Kräutern eingerieben werden. Auch das Haus wird mit seinen Fenstern und Türen der Beschwörung oder Reinigung unterworfen.

Bei der Anfertigung der Amulette, die gegen die labartu helfen, wird eine Menge von Gegenständen erwähnt, die uns noch gar nicht bekannt sind, wie die Edelsteine enate, parie, kasulmu, kapasu, appa, eingebunden in Stoffe von roten, blauen, weißen und schwarzen Garnen oder aufgereiht auf weiße, schwarze, rote und blaue Schnüre; und diese Amulette werden um Hals, Hände und Füße des kranken Kindes gebunden. Dazu gehört noch das sappu der rechten Seite eines Esels, der linken Seite einer Eselin, das sappi von jungen Eseln und einem weißen Schwein und dem hallulaja-Insekt. Wahrscheinlich sind hiermit bestimmte einzelne Knochen der genannten Tiere gemeint.

Aehnlich der griechischen Hekate trägt das Bild der labartu einen Löwenkopf. Bellende Hunde, schreiende Tierjungen begleiten sie [1]).

In einer Beschwörung wird eine labartu also beschrieben:

„Gewaltig ist die Tochter Anus, die die Kleinen quält. Ihre Hände sind ein Fangnetz, zornig, tobend, feindselig . . . ist die Tochter Anus. Sie kehrt das innere der Gebärenden um, sie reißt das Kind gewaltsam aus der Schwangern, sie säugt es, sie läßt es jammern . . . Eine Hure ist die Tochter Anus unter den Göttern, ihren Brüdern. Ihr Haupt ist ein Löwenhaupt, ihre Gestalt ist die des Esels, ihre Lippen sind Spritzen, die Speichel ausstoßen. Aus der Wohnung im Gebirg ist sie herabgestiegen, brüllt wie ein Löwe, heult wie ein Schakal . . . . Da erblickte sie Marduk und sprach zu Ea, seinem Vater: „Mein Vater, die Tochter Anus habe ich gesehen, die die Kleinen quält." Ea antwortete seinem Sohn Marduk: „Gehe, mein Sohn Marduk, mit der weißen Beschwörung . . ."

1) Myhrmann in Z. f. A., 1902.

Hier ist die Schrift auf der Tafel fast gänzlich zerstört, der Schluß aber leider ganz abgebrochen.

Ein andres Ritual fügt zu dem vorigen noch hinzu:

„Einen Samentopf sollst du nehmen und an die Schnüre anlegen. Das Gehänge, die Augensteine, die pare sollst du daran hängen. Sieben Augensteine, sieben pare und Schnüre sollst du als Halsgeschmeide nehmen. Spren, Blei, ein Schweinebild, ein sappu der rechten Seite eines Esels sollst du an seinen Hals legen. Vierzehn husab von der azallu-Pflanze sollst du in eine weiße Umhüllung einschließen und an seinen Hals legen" u. s. w.

Andere Dämonen werden als gallu und mullu beschrieben. Sie treiben den Sohn aus dem Vaterhaus, die Tauben fangen sie in ihrem Schlag, den Raben lassen sie sich erheben auf seinen Flügeln, die Schwalben zwingen sie aus ihrem Nest auszufliegen. Den Ochsen treiben sie hinweg, das Schaf erschrecken sie, und der feindliche Fluch schlachtet den Menschen hin wie ein Lamm. Am Himmel erkennt man sie in den Verderben bringenden Sternbildern [1]), wie den „Rachenaufreißer", der bald im Schützen, bald in den Zwillingen als Gatte der Schusilla wiederkehrt, die sonst Isum, dem Ueberwältiger der feindlichen Dämonen, zugesellt wird.

Endlich haben wir noch den Tesu und die dreimalsieben bösen Geister vorzustellen. Von einem Jäger wird erzählt:

„Wie der Wettergott schoß er die Vögel des Himmels herunter. Die Antilope packt er an ihrem Kopf und Hörnern, einen Wildstier der Steppe überwältigt er, das Vieh des Gottes Gir bezwang er auf der Weide; doch jetzt wirft ihn in seinem eignen Haus der tesu nieder."

Noch fürchteten sich die armen Babylonier und Assyrer vor sieben bösen Geistern des Sturmes, vor sieben bösen Geistern der Erde, vor sieben bösen Geistern des Meeres [2]). Zu Namtar, dem Diener der Ereskigal, dem mit Rusbisa verheirateten Dämon der Pest, gesellen sich die Totengeister ekimu und utuku, die ala, gikim und maskim, alle schon von den Sumero-Akkadiern erdichtet und gefürchtet. Zu diesen alten Unholden brachten die Semiten nur wenige hinzu, wie die rabisi [3]), die nach dem Volksaberglauben kein Riegel zurückhält. Gleich Schlangen schleichen sie zur Türe herein. Bald gleichen sie einem Pardel, bald einem Wehrwolf, bald der Hyäne, bald dem Sturm.

„Sieben sind sie, die Boten des Gottes Anu, die von Stadt zu Stadt Verfinsterung anrichten wie der Orkan, der am Himmel gewaltig dahinjagt. Mit dem bösen Wind, dem feindlichen Wetter ziehen sie einher. Sie sind die tapfern tesus, die zur Rechten des Wettergottes gehn und wie ein Blitz hervorbrechen [4])."

An ihrer Spitze zieht Nergal, der Pestgott, Ninibs Würgengel, einher. Astronomisch betrachtet, sind hier die Frühjahrsstürme vor Tag-

---

1) Fr. Hommel, A. u. A., S. 242.
2) Vergl. auch S. 523.
3) Vergl. Gen. 4, 7.
4) Nach Fr. Hommel, Sem. V. u. Spr. I, S. 307.

und Nachtgleiche beschrieben, die einzutreten pflegen, wenn das Siebengestirn der Plejaden unsichtbar geworden ist. Man vergleiche Nergal, den Siebengott.

Andere Lieder, die man von bösen Geistern flüstert, werden später mitgeteilt, wo wir auch die utuks, die gikim und maskim näher kennen lernen werden, dazu auch die galla, rabgumme, schazu, lilla, namtar und andre Unholde, die als Ankläger, Verfolger, Bedränger der Menschen auftreten.

Zweiter Teil.

Die Verehrung der Götter.

Wenn das Sprichwort „Wie der Hirte, so die Herde" wahr ist, dann sind die Babylonier und Assyrer ein sehr religiöses Volk gewesen, wie auch Tiele urteilt; denn die Könige beider Reiche verwandten viel Zeit, Mühe und große Mittel auf die Erbauung und Erhaltung, Ausschmückung und Wiederherstellung der asrati, d. i. der gottesdienstlichen Gebäude [1]. Ebenso lag den Königen, die in Assyrien noch nach der Zeit der Patesi Oberpriester blieben, am Herzen, eine zahlreiche und gelehrte Priesterschaft zu unterhalten, die als Propheten den Ratschluß der Götter zu verkündigen hatten, während sie als Unterpriester die mannigfaltigen Opfer brachten, Beschwörungen und Reinigungen u. a. vornahmen.

Von jedem Feldzug und seiner Beute erhielten die Götter, d. h. die Priester, ihr Teil, und mit der Zeit wurden besonders in Babel große Schätze in den Tempeln aufgespeichert. So bestand das Parakku, das „Allerheiligste, darin die großen Götter wohnen" [2]), das nämlich ihre Bildsäulen enthielt, oft aus massivem Silber. Ein andrer besonders heiliger Ort eines Tempels war der papaha, dessen Bedeutung und Gebrauch noch nicht aufgeklärt ist; während die Ziggurats, die stets in der Nähe der Tempel standen, in ihrem obersten Stockwerk auch ein besonderes Heiligtum enthielten, über dessen Benutzung wir so gut wie nichts wissen. Vermutlich dienten die hochgelegenen Gemache der Beobachtung des nächtlichen Himmels, ohne die kein Orakelgeben möglich war, wie später darzulegen ist.

In den Tempeln befanden sich außer den erwähnten parakkus und papahas kostbare Teppiche, Zelte, Boote und Bilder, vor allem die Bilder der Götter selbst, meist aus Silber oder Gold gegossen und mit edeln Steinen geschmückt. Diese Bildsäulen wurden auch mit kostbaren Gewänder zu ihren oder andrer Götter Festtagen angetan, zu welchem Dienst besondere Priester und Priesterinnen angestellt waren.

---

1) Vergl. die Namen der Anatu-Istar.
2) Jensen, Kosmol., S. 189.

Zum Teil hatten die babylonisch-assyrischen Götterbilder eine aus Menschen- und Tierleibern gemischte Gestalt. Das eine zeigte etwa einen Menschenleib mit dem Kopf eines Vogels oder den Füßen eines Vogels oder mit dem Schwanz eines Fisches; oder man setzte auf die Leiber von Stieren und Löwen ein Menschenhaupt. Die höchsten Götter aber wurden meist unter Menschenbild als Könige dargestellt, vielfach bewaffnet, reitend oder fahrend, wie es sich für die Kinder dieser Erde schicken will [1]).

E i n Symbol der Gottheit haben die alten Sumero-Akkadier vielleicht aus Aegypten mitgebracht. Das ist die mit Flügeln versehene Sonnenscheibe, in der bei den Assyrern eine menschliche Gestalt steht, deren unterer Teil in ein Federkleid gehüllt ist. Häufig zeigen die Hüte der Götter Hörner, ja diese gelten geradezu als ein Götterzeichen. In ihrer Hand halten sie eine Wasserkanne oder einen Fichtenzapfen, was eine Mahnung an die Unsterblichkeit und an den Blitz sein soll. Aber wie ist das zu verstehn?

Wer einen Tempel erbaute oder beschenkte, der erwarb für sich und sein Haus die Gunst der Gottheit, die ihm zum Dank und Lohn Leben und Glück bescherte. Aberglauben jeder Art und das Vertrauen auf eigne Kraft und eignes Verdienst und Würdigkeit gingen schon in dieser alten Zeit ruhig nebeneinander her.

Am meisten und unmittelbarsten wurden die Könige selbst von der Religion und ihren Dienern beeinflußt. Alle ihre Häuser und Hausgeräte, Decken und Wände ihrer Paläste, ihr Essen und Trinken, ihr Wachen und Schlafen, ihre Handlungen in Krieg und Frieden waren unter das religiöse Gesetz gestellt. Doch wäre die Annahme gänzlich verfehlt, als handelte es sich hierbei um die sittliche Haltung des Volksoberhauptes. Da von sittlicher Haltung die Götter selbst nichts wissen, können sie so etwas auch nicht von den Menschen verlangen. Vielmehr wurde die Religion mit all ihrem Zeremoniell und Aberglauben besonders dazu benutzt, den König mit all seinen Untertanen in unsichtbaren Fesseln, aber in voller Abhängigkeit zu halten — von den Priestern.

Der König von Assyrien hatte als Oberpriester den Göttern tägliche Opfer darzubringen, aber im Monat Ululu fünfzehnmal am Tage und e i n m a l am frühen Morgen.

Nach dem allgemeinen Glauben der Babylonier und Assyrer kommt alles, was auf Erden geschieht, aus Einwirkung der Götter, von denen die guten Menschen mit Glück belohnt, die bösen mit Unglück gestraft werden. Dieser Mißverstand höherer Fügungen führte im Privatleben zu falschem Selbstgefühl und Eitelkeit, im öffentlichen Leben aber zu Verwirrung und politischen Fehlern und mußte dahin führen, wie wir in der Geschichte einige Male beobachteten. Die Könige, die schon im

1) Jensen, Kosmol., S. 189.

Mutterleib von den Göttern berufen sind, müssen sehr gut sein, wenn sie einen Sieg nach dem andern aus der Hand der Götter empfangen, was sie wohl rühmend anerkennen, während sie in ihren Lastern um so fester verharren. Auch fehlt es nicht an Erklärungen, daß die Götter solche Hilfe für empfangene Wohltaten von Seiten des Königs schuldig waren!

Wurde dann einmal ein Götterbild geraubt oder zerstört, so war damit der betroffenen Stadt der größte Schaden und die schwerste Beleidigung zugefügt. Der entführte Gott erklärte nachträglich durch seine Priester, er müsse die Stadt verlassen. Kein Krieg wurde gescheut, den Schaden wieder gut zu machen, den Gott wieder hereinzuholen; aber niemals kamen diese frommen Leute auf den naheliegenden Gedanken, daß diese Bilder keine wahren Götter sein könnten, schon darum, weil sie unvermögend waren sich selbst zu schützen; und daß die sich selbst nicht schützen konnten, noch weniger imstande sein würden, andern in Not und Gefahr zu helfen.

Aber Könige und Priester und Untertanen hielten an dem Glauben steif und fest, daß die Ratschlüsse der Götter für die Menschen zugänglich seien, und die Priester, die den Vorteil davon hatten, taten das ihre, solchen Aberglauben zu nähren und zu befestigen. Im übrigen standen sie auf dem Standpunkt des Rationalismus, der eine unmittelbare Offenbarung der Gottheit zu den unmöglichen Dingen rechnet. Aber der Himmel, in dem die Gottheit bisweilen wohnt, gibt nach ihrer Meinung durch Wind und Wetter, durch Blitz und Donner, durch den Lauf der Sonne und des Mondes, sowie durch den Stand der Gestirne, insbesondere der Planeten und einige andre Wege den Willen der Götter kund, soweit sich dieser auf die Zukunft der einzelnen Menschen und auf das Geschick der Könige und Völker bezieht. Hiervon werden wir noch mehr bei der Darstellung der babylonisch-assyrischen Astrologie hören.

Der Dienst dieser Götter erforderte von den Gläubigen mannigfache Opfer von Räucherwerk kutrinnu hebr. ketoreth, auch rikke, d. i. Kräuter genannt, von Speise und Trank, von Tier- und Menschenblut. Das Opfer im allgemeinen heißt niku, ursprünglich wohl eine Ausgießung oder Libation. Zibu bedeutet dem Wort nach das Schlachtopfer, kutrinnu und surkinu das Räucheropfer, massaku das Gießopfer, kistu ein Geschenk, sattukku und ginu die feststehenden Darbringungen. Das Blut wird seltener als man denken sollte als Gegenstand des Opfers genannt [1]), während es bei den Hebräern als Sitz der Seele von der größten Wichtigkeit war. Alles Blut gehörte und gebührte gesetzlich Gott allein, der die Seele, die im Blut ist, gegeben hatte, daher der Genuß des Blutes den Hebräern untersagt war; mit Blut wurde dort, aber nicht in Babylonien alles Sündige geheiligt und gereinigt.

1) H. Zimmern in K. A. T., S. 599.

Die Opfer waren vornehmlich Sühnopfer, wo das geschlachtete Tier des sündigen Menschen Stelle einnimmt, der durch seine Vergehungen den Tod verdient hat. So sagt eine Inschrift:

„Das Lamm, den Ersatz für den Menschen, das Lamm gibt er für dessen Leben. Den Kopf des Lammes gibt er für den Kopf des Menschen, den Nacken des Lammes gibt er für den Nacken des Menschen, die Brust des Lammes gibt er für die Brust des Menschen."

Eine andre Inschrift besagt dasselbe:

„Ein Ferkel gib als Ersatz für den kranken Menschen, das Fleisch anstatt seines Fleisches, das Blut anstatt seines Blutes gib hin, und die Götter mögen es annehmen [1])."

Der später mitzuteilende Vertrag des Matiilu bestätigt dieselbe Anschauung.

Die Gegenstände des Opfers waren sehr mannigfaltig: Wein oder Rauschtrank, der aus Weizen und Datteln oder aus Honig und Datteln gebraut war, Honig, Butter, Oel, Datteln, Salz, Brote, Lämmer, Schafe, Ziegen, Stiere, Gazellen, Tauben, Hühner, auch ein oder ein paar Dutzend süße oder ungesäuerte Brote (ekal mutki) für Gula oder Anu, Bel und Ea, Labartu und Istar — alles konnten die Götter oder ihre Priester brauchen. Solche Opfer wurden bald zu bestimmten Zeiten, bald bei öffentlichen Festen, im Gottesdienst, bei Vertragsschließung, bei Familienereignissen, vor Unternehmungen jeder Art dargebracht und zwar häufig auf dem Dach der Tempel und bei Nachtzeit, weil da die Sterngötter sichtbar am Opfer teilnehmen konnten. In Babel war das Opfern allein Sache der Priester wie auch in den übrigen babylonischen Städten, anders in Assyrien, insbesondere in dessen Hauptstadt; denn der König von Assyrien konnte als Opferer und Oberpriester doch schwerlich von einer Stadt zur andern ziehn.

Die Gottheit, das ist die Meinung des Opfernden, soll durch seine Gabe zugunsten des Opfernden, der durch den Priester vertreten wird, bestimmt werden, sei es zur Vergebung einer Schuld, nachdem der gerechte Zorn der Gottheit versöhnt ist, sei es zur Spendung irgend einer andern Wohltat. Der Priester steht aber auch als Stellvertreter seines Gottes da und kann nach seinem Ermessen die Sache des zürnenden Gottes oder die des büßenden und bittenden Menschen steigen oder fallen lassen. Bald redet er zu Gott: „Dein Herz erheitere sich wie das einer Mutter, die geboren hat, wie ein Vater, der ein Kind gezeugt hat." Bald kann er den Büßer beruhigen und in Frieden ziehn lassen. Demnach muß für den Laien der Grundsatz gelten: „Für sein Herz begehrt großes, wer Bescheid sich selbst bescheiden will." Das will sagen: Es kann ihm niemand verwehren, sich unmittelbar an die Gottheit zu wenden; aber wer die Priester übergeht, ihre Dienste nicht in Anspruch

1) Für beide Inschriften vergl. A. Jeremias, A. T. O., S. 230 ꝛc.

nimmt, der hat es mit ihnen verdorben. Und was soll es dem Laien auch helfen, sich ohne Vermittlung des Priesters an die Gottheit selbst zu wenden, die er doch nicht anders kennt als nur durch den Priester? So ist es in der Tat eine dogmatische Notwendigkeit, wie Jastrow sagt, daß der Priester den Vermittler spielt. Im übrigen ist die Gottheit oder der Gott stets der Herr (belu), der Mensch sein Knecht (ardu), sein rechtloser Sklave, der ein persönliches Verhältnis zu seinem Gott weder sucht noch versteht. Es handelt sich bei einem Verkehr zwischen Herr und Knecht stets um Sachen, um Schulden, die der Knecht seinem Herrn gegenüber auf sich geladen hat, oder um Güter des zeitlichen Lebens, die der Knecht bei seinem Herrn sucht.

„Davon, daß dem Menschen die Gemeinschaft mit seinem Gott das höchste und seligste ist, was ihn auch im Unglück tröstet, kann hier keine Rede sein, wo vielmehr langes Leben, Befreiung von nationalem und persönlichem Unglück und Leiden das einzige Ziel der inständigsten Bitten bilden, das Göttliche also keinen den Menschen voll befriedigenden Selbstwert hat, sondern nur als Mittel zum Zweck vom Betenden begehrt wird [1].“

Eine sakrale Gemeinschaft kennt man in Babylonien nicht. Reinigende Kraft hat nicht, wie in Israel, das Blut der Opfertiere, sondern das Wasser, der Wein, Honig, Butter, Salz, Holz von Zedern, Zypressen, Palmen und Räucherwerk. Wie für das Opfer gilt auch für die Speisen der Menschen der Gegensatz von rein und unrein; und für gewisse Tage ist Fleisch vom Schwein oder Fisch verboten. Das Reinigen (kuppuru) nimmt der Beschwörungs- oder Sühnepriester vor, ebenso das paraku und salahu oder Besprengen; und hier trifft H. Zimmern das Richtige, indem er an die Urverwandtschaft der beiden Völker erinnert [2], nämlich der Hebräer und der Babylonier.

Von Menschenopfern hat man bis jetzt nur Spuren gefunden, wie die Bestimmung, daß bei dem Bruch eines Vertrages die Verbrennung des ältesten Sohnes oder der ältesten Tochter auf dem Altar des Sin oder der Belitseri, d. i. der Herrin der Wüste oder der Hölle, gedroht und ausbedungen wird. Der betr. Vertrag wird später mitgeteilt werden. Aber bei Kriegsgefangenen kommt wie im A. T. [3]), so auch in Assyrien das Hinschlachten derselben als Totenopfer inschriftlich vor, wie Asurbanipal berichten läßt: „Ihre Knaben und Mädchen verbrannte ich in der Glut“, nachdem Asarhaddon babylonische Kriegsgefangene an dem Stierkoloß hatte hinschlachten lassen, in dessen Nähe sein Vater Sanherib ermordet worden war, wie er in einer Inschrift berichtet:

1) Orelli bei Kaspari a. a. O. S. 74.
2) K. A. T., S. 602.
3) 1. Sam. 15, 33.

„Die noch am Leben waren, bei den Stiergöttern, zwischen denen sie meinen Großvater Sanherib erschlugen [1]), ebendort erschlug ich jetzt diese Leute als ein Totenopfer für ihn“ — ina kispisu [2]).

Die bildliche Darstellung eines Menschenopfers findet sich auf einem assyrischen Siegelcylinder. Auf diesem sieht man, wie ein Kind vor dem Bild eines Gottes von dem Priester mit dem Sichelschwert geschlachtet wird [3]). Das alte Testament aber bestätigt die Menschenopfer der Babylonier und Assyrer an mehreren Stellen, die bei Ninib oder Adar angeführt sind.

Eins der schandbarsten und für das ganze Volk verderblichsten Opfer war die Hingabe der Töchter zu Tempeldirnen, die schon in Hamurabis Gesetzen vorkommt, und die Preisgabe der Frauen und Mädchen, die an mehreren Orten zu Ehren der Gottheit stattfand, wie Herodot davon Zeugnis gibt [4]).

Das Lob der Götter wurde in Hymnen verkündigt, deren mehrere bereits mitgeteilt worden sind. Einer lautet:

„O Istar, was sollen wir dir geben? Fette Rinder, feiste Schafe?“ „Nicht will ich essen fette Rinder, feiste Schafe. Man möge mir geben prächtiges Aussehn der Männer, Schönheit der Frauen.“

Das soll wohl heißen: Diese Gottheit verlangt prächtige Männer, schöne Frauen, die in ihrem Dienst verzehrt, an Leib und Seele verdorben werden.

In Bittgebeten suchte der fromme Babylonier und Assyrer die Hilfe seiner Götter, wie wir sie an anderer Stelle noch kennen lernen werden. Die meisten dieser Gebete, die uns schriftlich erhalten sind, stammen aus der sumero-akkadischen Zeit und wurden in den späteren Gottesdienst herübergenommen. Damit aber auch das Volk diese Gebete in der heiligen Sprache verstehen konnte, war jeder Zeile des sumerischen Textes eine Zeile in assyrischer Uebersetzung beigefügt [5]). Man hatte also schon eine Art Gesangbuch und teilte die festen liturgischen Formen nach den Anfängen ein, wie die Breven der Päpste. Die erste Klasse begann „o Samas, Herr des Gerichts“ oder „o Adad, Herr der Seherkunst“. Die zweite Klasse enthielt Gebete gegen die schlimmen Folgen einer Mondfinsternis. Die dritte Klasse umfaßte die „Gebete der Handreichung“. Hieran schlossen sich die Litaneien und Hymnen an.

Besonders zahlreich sind uns Opferrituale erhalten. Sie umfassen das Ritual des Wahrsagers, des Beschwörers und des Sängers. Da finden sich die genauesten Vorschriften für alle Arten von Opfer, für die

1) Ein neuer Beweis, daß der Mörder Sanheribs mehrere waren.
2) Tiele, Z. f. A. 1890, S. 385.
3) Jeremias, A. T. O., S. 278 2c.
4) M. Duncker I. 271.
5) K. Bezold, N. u. B., S. 107 2c.

Zurüstung von Opfertischen, Räucher- und Waschbecken, für das unblutige und blutige Opfer.

Wenn es im Ritual des Sängers heißt: „Der Vornehme soll eine Taube als Brandopfer verbrennen, der Arme aber ein Stück von einem Schaf opfern", so soll das wieder „etwas Babylonisches" im N. T. sein, nur schade, daß das Gesetz in Babylonien grade umgekehrt lautet, wie in Jerusalem [1]). So steht es auch mit der Wertschätzung des Opfers.

Durch Gebete und Opfer erwirbt sich der Babylonier und Assyrer ein Verdienst vor seiner Gottheit, die solches auch bei Gelegenheit zu hören bekommt. Während es in der heil. Schrift heißt: „Gehorsam ist besser denn Opfer" [2]), gilt für diese das Wort: „Furcht der Götter gebieret Gunst, Opfer fördert das Leben, Gebet löst Sünde, Furcht vor den Anunaki macht lange leben."

---

1) Lev. 12, 8. Ev. Luk. 2, 24.
2) 1. Sam. 15, 22.

Dritter Teil.

Die Göttersagen.

Mehrere deutsche und englische Gelehrte behaupten mit Vorliebe und mit dem Bewußtsein der Unfehlbarkeit, die Berichte des A. T. über Schöpfung, Sündenfall, Sintflut u. a. seien aus den babylonisch-assyrischen Göttersagen geschöpft. Dabei aber sind diese Gelehrten über eine wichtige Vorfrage selbst nicht einig, nämlich über die Frage nach dem Ursprung und Alter dieser Sagen, ob sie schon bei den alten Sumero-Akkadiern vorhanden waren und von ihnen aufgezeichnet wurden, oder ob erst die Nordsemiten sie einführten [1])?

Nehmen wir als bewiesen an, was dort behauptet wird, der oder die Verfasser der fünf Bücher Moseh hätten aus den babylonischen Sagen geschöpft, so ist eine Folgerung nicht abzuweisen: es müßte der Inhalt dieser Sagen dann auch in den biblischen Berichten gefunden werden; und wir hätten vielleicht Ursache, den feinen Verstand der biblischen Schriftsteller zu bewundern, durch den sie es fertig brachten, das Wertvolle und ewig Wahre von dem Leeren und willkürlich Erfundenen in diesen Sagen zu unterscheiden. Aber nun findet sich des Wertvollen und ewig Wahren kaum ein Körnchen in den babylonischen Göttersagen, des Leeren und willkürlich Erfundenen ebensowenig in der heil. Schrift. Die beiden haben also nichts mit einander gemein, als was der gemeinsame Ursprung der Menschheit allen ihren Kindern mitgab, oder was die dichtenden Priester aus den alten Ueberlieferungen zweier Völker von verschiedener Rasse aufzunehmen für gut fanden. So schwierig die Entscheidung dieser Frage war, ebenso wertvoll und wichtig ist sie; und diese Annahme scheint sehr viel Glauben zu verdienen, daß um das Jahr 3000 v. Chr., da die Nordsemiten in Babylonien eingewandert waren, die Priester aus beiden Völkern zwecks Verbreitung und Unterstützung des gemeinsamen Götterdienstes die Ueberlieferungen beider Völker gesammelt, bearbeitet, umgedichtet und auf die vielen Götter zugerichtet haben. Für diese An-

1) Hommel gegen Haupt.

nahme spricht nach der formellen Seite hin die Tatsache, daß die babylonisch-assyrischen Göttersagen, mit den biblischen Berichten verglichen, ungleich wortreicher, ja weitschweifig erscheinen; ferner daß die priesterlichen Dichter ihr eignes Machwerk willkürlich behandeln und ihre Götter mit allen Sünden, Mängeln, Torheiten und Gebrechen ihres eignen Volkes verunzieren Dadurch aber erklärt sich auch, daß in den babylonischen Göttersagen vieles vorkommt, wovon die eingewanderten Semiten nichts wußten, wie denn die allermeisten Namen der auftretenden Personen nicht semitisch sind!

Andere Gelehrte verstehen diese Göttersagen vielfach als eine eingekleidete Astronomie. Dann stellen sie sich aber zweifellos als eine Schöpfung der Gelehrten und nicht als Volksüberlieferung dar. Auch hätten die biblischen Schriftsteller keine Ahnung von ihrem eigentlichen Inhalt gehabt, wie denn die Hebräer wenig Sinn für Astronomie hatten. Und welchen Glauben erfordern die Behauptungen der Gelehrten! Eine fremde Wissenschaft aus fremdem Volk, in fremder Sprache dargestellt, soll der Hebräer älteste heilige Schriften hervorgebracht haben? Doch hören wir diese Sagen selbst!

---

1. Sage von Entstehung der Welt.

G. Smith fand in der Bibliothek Asurbanipals sieben zum Teil stark beschädigte Tafeln, die nach seiner Meinung etwa 660 v. Chr. von einem alten Steinkodex abgeschrieben waren. Er ist der Vater der vorher bestrittenen Meinung, als seien biblische Erzählungen aus babylonischen Quellen geschöpft; denn er nannte diese Tafeln „chaldäische Genesis", weil er glaubte gefunden zu haben, was er suchte, ein Seitenstück der hebräischen Genesis. Aber in der Namengebung sind ihm mehrere Gelehrte nicht gefolgt, wie Tiele [1]) und Jensen, der das Epos mit Recht nach seinem Anfang „Enuma elis" nennt. Nach Hommel stammt das verlorene Original aus der Zeit von Agumkakrime, der nach seiner Meinung um 1800 v. Chr., nach andern aber 800 Jahre früher regierte. Was Jensen in seiner Kosmologie [2]) wünschte, daß die vollständigen Texte veröffentlicht würden, damit „man nicht länger gezwungen sei, seine Kenntnisse altbabylonischer Legenden aus Interpretationen zu schöpfen, die sich gelegentlich zum Original verhielten, wie eine Robinsonade zu einem hebräischen Bußpsalm"; dieser Wunsch ist in der keilinschriftlichen Bibliothek Bd. VI durch eben diesen Gelehrten erfüllt worden, sodaß wir keine Robinsonade mehr zu lesen noch zu schreiben brauchen. Hören wir also das Epos selbst!

1) A. a. O. S. 571.
2) S. S. 000.

In der Urzeit, als die Himmel oben noch keinen Namen erhalten hatten, d. h. noch nicht entstanden waren, und die Erde unten noch nicht war und noch keine Götter waren, da wurde der Abgrund der Wasser ihr Erzeuger.

Apsu, der Himmelsozean, und Tiamat, der Erdozean, verbanden sich mit einander (ehelich), daß die Götter alle geboren wurden. Ihre Wasser waren an einem Ort gesammelt, aber Schilf war noch nicht erschienen, das Kraut des Feldes noch nicht gewachsen.

Erst später wurden große Götter gebildet. Zuerst gingen Lachmu und Lachamu aus der Verbindung beider Ozeane hervor; doch bald mehrte sich ihre Zahl, indem Anſar und Kiſar, Ea und Anu gebildet wurden.

Da sprach Apsu, der Himmelsozean, zu Tiamat, dem Erdozean: „Eilends will ich sie verwirren und ihren Weg verderben." In diesem Kampf der alten Götter gegen die neuen Götter, der das Thema des Epos darstellt, ist Tiamat alsobald kriegsbereit: „Eilends wollen wir gegen sie ziehn." Beide Ozeane werden von Mummu, dem Sohn Apsus, unterstützt. Aber Tiamat, die Mutter des Nordens, raste und fluchte, machte unwiderstehliche Waffen, gebar ganze elf Ungeheuer, nämlich Riesenschlangen mit spitzen Zähnen und giftgefülltem Leib, Molche, Fischmenschen und Widder u. a.

Hierzu vergleicht Professor Sellin Hiob 9, 13 und Jes. 51, 9, danach sich die Helfer Rahabs vor dem lebendigen Gott beugen müssen, danach der Arm des Herrn die Stolzen zerhauen und den Drachen verwundet hat. Es versteht sich von selbst bei manchen Gelehrten, daß dieser Thannin, was Luther mit Drache wiedergegeben hat, die Tiamat sei. Andere aber weisen darauf hin, daß Thannin das Krokodil bedeute und ein Symbol Aegyptens sei [1]). Wie kann man ein Dunkel durch das andere erleuchten?

Wieder meinen einige Gelehrte, die elf Helfer des Himmels- und des Erdozeans seien die elf Bilder des Tierkreises, obwohl die Babylonier deren 12 bez. 13 kennen, wie wir später sehen werden; und dann sind Aehre (Jungfrau) oder Pfeil u. a. doch keine Ungeheuer. Oder wie können überhaupt himmlische Bilder aus dem Erdozean abgeleitet werden?

Auch A. Jeremias gibt sich der Moderichtung gefangen und redet [2]) leider Gottes auch von einem Jahve-tehom-Drachenkampf! Sodann zieht er mehr als eine Elf an, elf kommt auch im Traum Josephs vor, auch bei den Aposteln Jesu u. a. Wo eine Elf erscheint, muß sie vom Tierkreis kommen.

---

1) Fürst, hebr.-chald. Wörterb. II, S. 536.
2) A. T. O., S. 83, 335 u. a.

Fr. Hommel aber erkennt in der an den Himmel versetzten Urwasserschlange Tiamat die Milchstraße, von der die Ekliptik zwischen Stier und Skorpion, dem alten Frühlings- und Herbstpunkt, geschnitten und also in die Sommer- und Winterhälfte geteilt wird. Sie wird samt ihren elf Helfern vom Stier, dem Zeichen des Sonnengottes, besiegt. Anders im Epos; denn da fällt der Sieg Marduk zu, der über alle Götter erhoben wird. Uebrigens gab es neben Stier, Zwillingen, Streitkolben, Hund oder Löwe, Aehre oder Jungfrau, Joch oder Wage, Skorpion, Pfeil oder Schütze, Kohlenbecken oder Amphora, Vogel oder Pferdekopf und Widder als dreizehntes Zeichen den Raben, der auf der Stange sitzt, das Zeichen des Schaltmonats. Daher sein Ruf als Unglücksvogel und die üble Vorbedeutung der Zahl dreizehn [1]). Aber wo bleiben dann die elf Helfer der Tiamat? Doch hören wir weiter das Epos selbst.

Kingu, eins der erstgeborenen Kinder der Tiamat, soll dieser Schar von Ungeheuern — Aehre, Wage, Pfeil, Kohlenbecken u. s. w. — als Befehlshaber vorangehn. Sie sagt zu ihm: „Deinen Zauber habe ich gesprochen, ich habe dich groß gemacht und mit der Herrschaft über die Götter belehnt. Du sollst der größte sein, du mein lieber Buhle." Darauf befestigt sie die Schicksalstafeln an seiner Brust, damit jeder Befehl, der aus seinem Mund geht, feststehe. So weit die erste Tafel. Die zweite Tafel wiederholt diese Erhöhung Kingus und fährt fort: Als Ansar von Tiamats Aufruhr hörte, schlug er an seine Scham und biß seine Lippen und sprach zu Anu, seinem Sohn: „Auf, mein Sohn, beginne den Kampf. Du wirst Apsu bezwingen, und ich will Tiamat entgegentreten." Als aber Anu der Tiamat ins Auge gesehn hatte, kehrte er ohne Kampf nach Ansar zurück. Dieser fordert nun Marduk zum Kampfe auf.

Hier, wo Marduk als ein deus ex machina auftritt, scheint eine kleine Unterbrechung des Berichts gerechtfertigt. Man hört nicht, woher dieser Marduk kommt? Erst später wird er Anus Sohn genannt. Von ihm aus wird das ganze Epos zu verstehn sein. Es ist abgefaßt, um ihn unter die Götter und über die Götter zu erheben. Die astrologische Deutung ist als die spätere erst an zweite Stelle zu setzen. Wo haben auch die Sternkundigen am Himmel das Vorbild dieser Kampfgeschichte gesehn und sehn können? Freilich bei einer lebhaften Einbildungskraft ist vieles möglich, wie wir noch heute sehn, wenn wir daran denken, daß diese Götter-Kriegsgeschichte die Quelle der Genesis genannt worden ist. Doch fahren wir fort.

Marduks Herz frohlockt, da er zum Kampf aufgefordert wird, und er spricht zu Anu, seinem Vater: „Herr und Schicksal der großen Götter! Wenn ich als euer Retter Tiamat bewältigen und euch erretten soll, dann

1) Fr. Hommel, A. a. A., S. 360.

schart euch zusammen! Und wenn ihr in Upsukinnaku [1]) freudig zusammensitzt, dann gesteht zu, daß ich an eurer Statt die Schicksale bestimme."

Hier ist doch für jeden nüchternen Beurteiler deutlich genug der Zweck des ganzen Gedichtes ausgesprochen: Marduk will über seinen Vater und über alle Götter erhoben werden. Er ist der richtige Streber; und es ist schwer zu begreifen, wie ein ernster Gelehrter dazu kommt, diesen Marduk als die „erhabenste Schöpfung der religiösen Spekulation" zu preisen [2]), während sie einem andern die „lichteste Gestalt des babylonischen Pantheons" ist.

Die dritte Tafel berichtet, wie Ansar seinen Boten Gaga, der seiner Leber wohltut, zu Lachmu und Lachamu und zu allen Göttern sendet, die bei dem Gastmahl Weizenbrot essen und Wein bereiten (mischen), daß er ihnen den Fluch der Tiamat und die Rüstung zum Kampf anzeige.

Hier folgt eine wörtliche Wiederholung der ersten Tafel, die dann in der Rede des Boten an die Götter zum dritten Mal erscheint.

Als die Götter von diesen Vorgängen hörten, riefen sie „Hilfe", und die Igigi schrieen heftig. Aber die großen Götter traten alle in Ansars Gemach ein, küßten einander und setzten sich zum Mahle hin, aßen Weizenbrot und bereiteten Wein. Der süße Most, der Federweiße, verkehrte ihre Sinne. Sie trinken sich einen Rausch an, und in des Rausches Müdigkeit und Gleichmut bestimmen sie Marduk zum Schicksalslenker.

Wer weiß, ob Marduk, diese „erhabenste Schöpfung der religiösen Spekulation", nicht selbst dazu geholfen hat, die alten großen Götter der Mächtigkeit ihrer Sinne zu berauben, damit er oben ankomme?

Die vierte Tafel. Die Götter sagen im Rausche zu Marduk: „Du bist nun der geehrteste unter den großen Göttern. Dein Gebot ist Anu, dir geben wir die Herrschaft über das ganze All." Und da ein Kleid [3]) zwischen ihn und die Götter gestellt war, verging dasselbe auf seinen Befehl, und auf seinen Befehl ward es wieder geschaffen. Nun huldigen ihm alle Götter und rufen „Marduk ist König"; gaben ihm Szepter, Thron, den Palubaum und ein Schwert, damit er das Leben der Tiamat abschneide. Bel — so wird Marduk von nun an genannt — schlägt den Heils- und Glückspfad ein, hängt Bogen und Köcher an seine Seite, macht vor sich einen Blitz, füllt seinen Leib mit loderndem Feuer und richtet ein Netz zu, um Mittlings-Tiamat damit zu umschließen. Das Netz aber nahm alle vier Windseiten ein, Süd und Nord, Ost und West. Es war ein Geschenk seines Vaters Anu. Ein Variante berichtet darüber weiter:

1) Der Olymp der babylonischen Götter.
2) A. Jeremias, A. T. O., S. 30.
3) Ob dies die richtige Uebersetzung ist? Ein Kleid kann doch nicht gestellt werden!

Es sahen die Götter das Netz, das er gemacht, und den kunstvollen Bogen und priesen das Werk, das er vollendet hatte. Anu erhob den Bogen in der Versammlung der Götter, pries den Bogen und nannte seine drei Namen. „Langholz“ ist der eine, der zweite . . . ., der dritte „Bogenstern am Himmel“. Der erste Bericht fährt in der vierten Tafel fort:

Dazu schuf Bel-Marduk einen Orkan mit sieben Winden und bestieg einen Wagen, vor den er ein Viergespann gelegt, schonungslos flüchtig, mit giftigen Zähnen, furchtbar im Kampf, und richtet seinen Weg nach dem Ort der Tiamat. Sein Mund hält . . . ., die Hand faßt ein Kraut, womit man beschwört, und die Götter, seine Väter, laufen um ihn herum, sie laufen um ihn herum, sie laufen um ihn herum, sie laufen um ihn herum [1]). Aber Held Marduk nähert sich, blickt prüfend der Tiamat ins Innere und nach dem . . . . Kingus, ihres Buhlen. Aber bei diesem Anblick wird sein Denken verwirrt, der Verstand gesprengt, und den helfenden Göttern geht es nicht besser. Doch noch einigen Worten der erzürnten Tiamat gewinnt Bel-Marduk den Mut, der Tiamat darüber Vorwürfe zu machen, daß sie aus Hochmut den Kampf erregt, die Götter verflucht, den Kingu zu ihrem Buhlen gemacht habe. Als er sie dann zum Kampf auffordert, geberdet sich Tiamat wie wahnsinnig. Bis auf die Wurzeln erzittern ihre Beine [2]), einen Zauberspruch sagt sie her, aber Marduk hat sie bereits mit seinem Netz umschlossen; und als Tiamat ihren Rachen auftut, soweit sie kann, läßt Marduk den Orkan hineinfahren. Nunmehr senkt er den Sper, zerschlägt ihren Bauch und zerschneidet ihr Herz. Dann stellt er sich, wie dem Sieger gebührt, auf ihren Leichnam. Auch d i e Götter, die ihr zu Hilfe gekommen waren, nun nach ihrem Falle aber fliehen wollten, werden vom Netze Marduks umschlossen und festgehalten, ihre Waffen zerbrochen. Wie sie da im Garn sitzen, erfüllen sie den Weltraum mit ihrem Geheul. Aber die elf grausigen Geschöpfe, eine Rotte von Teufeln [3]), werden von Marduk mit Stricken gebunden. Auch Kingu wird bezwungen und seiner Schicksalstafeln beraubt. Diese siegelte Marduk mit seinem Siegel und barg sie an seiner Brust, sie vor lüsternen Augen zu verbergen.

Nachdem so der gewaltige Marduk Nugdimmuds [4]) Absicht erfüllt hatte, kehrte er zu der besiegten Tiamat zurück, spaltete der Leiche den Schädel, durchschnitt ihre Adern und teilte unter dem Beifall der Väter ihren Rumpf gleich einem gedörrten Fisch in zwei Teile. Die eine Hälfte nahm er und machte sie zur Decke des Himmels [5]). Er reckte die Haut

1) Also werden die alten Götter gegenüber Marduk verhöhnt.
2) Also die große Wasserschlange hat Beine.
3) Man achte wohl darauf „die Bilder des Tierkreises“!
4) Andre lesen Ansar.
5) Der Himmel eine ausgereckte Fischhaut, welche sinnige Vorstellung.

aus und ließ Wache halten mit dem Befehl, daß ihre Wasser nicht abfließen sollten. Der Himmel ist hell, die niedere Erde freut sich, und er setzt die Wohnung Eas der Tiefe gegenüber. Dann maß Bel den Umfang der Tiefe und richtete ein großes Gebäude, Esarra genannt, im Himmel auf. Das sollten Anu, Bel und Ea als ihre Feste oder Wohnsitze bewohnen.

Dies sind nach Hommel die drei Abteilungen der Ekliptik, deren Gott nibiri der Jupiter mit dem Zeichen des Stieres ist, der Anführer der übrigen Tierkreisbilder.

Die fünfte Tafel fährt fort: Nunmehr stellte Marduk die Tierkreisgestirne, das Ebenbild der großen Götter[1]) auf, für die zwölf Monate je drei Sterne, setzte den Standort des Jupiter fest, auch Bels und Eas Standort, ließ den Neumond als Herrn der Nacht aufleuchten im Anfang des Monats, daß er am siebten Tage die Hälfte der Königsmütze trage und nach dem vierzehnten Tage sich wieder dem Weg der Sonne nähere.

Fr. Hommel übersetzt: „Schön machte er die Standorte der großen Götter Anu, Bel und Ea; Sterne gleichwie sie, die lumaschi, setzte er ein. Er kennzeichnete das Jahr mit allen Bildern, die er machte. Für die zwölf Monate setzte er Sterne ein, je drei an der Zahl.“

Die sechste Tafel erzählt von der Bildung des ersten Menschen, die besonders behandelt werden wird.

Die siebte und letzte Tafel beweist wieder deutlich den Zweck der ganzen Dichtung, indem sie die *neuen Namen aufzählt, die Marduk erhält*, wie „der Reinigung bewirkt“, „Gott des guten Windhauchs“, „Herr der Erhörung“, „Schöpfer der Pflanzenwelt“, Herr der reinen Besprengung, der die Toten lebendig macht, der mit den bewältigten Göttern Erbarmen hatte, der das aufgelegte Joch den Göttern abnahm, der sie zu erlösen die Menschheit schuf, der das Herz der Götter kennt, der die Götter versammelt, der ihr Herz erfreut, der alle Bösen vernichtet, der Packer, der Mittlings-Tiamat bezwingt. Er weide die Götter wie Schafe! Er bewältige Tiamat bis zum Alter der Tage! *Fünfzig Namen gaben ihm die Götter. Davon erzähle der Vater und lehre sie den Sohn. Er möge sich freuen über Marduk, den Herrn der Götter*, daß er sein Land üppig gedeihen lasse, ihm selbst es wohlgehe. Daß die Gebote Eas gelehrt, von Weisen und Klugen bedacht werden; daß der Vater sie den Sohn lehre; denn beständig ist das Wort Marduks, des Herrn der Götter. Das Wort seines Mundes ändert kein Gott.

Also diesem blutigen Kriegslied soll der biblische Schöpfungsbericht entnommen sein? Diesem Gedicht, das keinen andern Zweck von An-

1) Vorher waren es die Ungeheuer, die Rotte von Teufeln.

fang an kennt, als Marduk, den neuen Gott, zu erheben und die alten Götter niederzudrücken? Wie ein solcher Mißverstand bei gelehrten und achtungswerten Männern [1]) möglich war, wird vielleicht immer dunkel bleiben. Ich bin der Ansicht, es war der babylonische Rauschtrank, der die Sinne in Nebel hüllt, die Augen verblendet, daß sie den Irrweg des Traumes einschlagen.

Etwas mehr von der ursprünglichen Ueberlieferung ist in dem Bericht erhalten, den der Phönikier Sanchuniathon von der Schöpfung im allgemeinen und von der des Menschen im besonderen gegeben hat [2]). Nach ihm war im Anfang nur finstre Luft und finstrer Urschlamm, beide ohne Ende. Aber der unerschaffene Geist vermischte sich, durch Liebe getrieben, mit seinem Urprinzip, das den Mot gebar. Dieses ungewisse Etwas ist der Anfang aller Wesen, der vernunftlosen und der vernünftigen, die wie ein Ei gestaltet waren, und zwar also. Als das Licht hervorgeleuchtet hatte, entstanden durch Feuer, Wasser und Meer Winde und Wolken, auch Gewitter mit Blitz und Donner, bei deren Tönen lebende Wesen von verschiedenem Geschlecht im Meer und auf der Erde erschienen. Dies alles hat Taut, der babylonische Nabo, in dem Buch von der Weltentstehung geschrieben. Die Winde aber segneten die Keime der Erde und beugten im Glauben an die Götter ihre Kniee und brachten Speis- und Trankopfer dar. Der Wind Kolpias und seine Gattin Baau, hebr. kol peh und bohu, gaben dem ersten sterblichen Menschenpaar, Protogonos und Aeon, d. i. Eva, das Leben. Deren Kinder waren Genos und Genea. Diese hielten die Sonne für den einzigen Herrn Himmels und der Erde und nannten sie Belsamen, d. i. Baal schamajim Herr des Himmels. Und Aeon, d. i. Eva, begann zu essen von der Frucht des Baumes.

Es gibt noch einige babylonische sog. Schöpfungsmythen, die wie die erste, die wir kennen lernten, mit gleichem Recht Lieder zu Ehren Marduks genannt werden. Einige derselben seien hier nachgetragen:

„Ein heiliges Haus, ein Haus der Götter war an heiliger Stätte nicht entsprossen, ein Baum nicht geschaffen, Ziegelsteine nicht hingelegt, eine Ziegelform [3]) nicht gebaut, ein Haus nicht gemacht, eine Stadt nicht gebaut — Nippur nicht gemacht, Ekur nicht gebaut, Uruk nicht gemacht, Eanna nicht gebaut . . . Die Länder alle waren noch Meer [4]). Damals ist Eridu gemacht worden, Esagila gebaut worden, das mitten im Ozean Lugaldnazaga oder Ungaldulazag d. i. Marduk bewohnte, Babel gemacht . . . und die Götter nannten sie die heilige Stadt, eine Wohnung, die ihrem Herzen wohltut . . . Marduk fügte einen Baldachin [5]) vor dem Wasser und schüttete Erde daneben [6]).“

---

1) Selbst Jensen, der sonst die phantastischen Vorstellungen der Babylonier sehr wohl kennt, ist hier irre gegangen.
2) Vergl. A. Jeremias, A. T. O., S. 62 rc.
3) Vielleicht Ziegelofen?
4) Erinnerung an die Sintflut, aber keine Schöpfung.
5) Eher Strauchwerkfaschinen oder mit A. Jeremias Rohrgeflecht.
6) Nach Jensen K. B. VI, S. 39 rc.

Hier wird dann die sog. Schöpfung der Menschen durch Marduk angefügt:

„Den Göttern eine Wohnung zu bereiten [1]), baute er die Menschen, schuf das Vieh des Feldes, den Tigris und den Euphrat, das Gras, Rohr und Wiesengestrüpp, das grüne Gras des Feldes, die Länder, die Wiesen und das Schilf, die Wildkuh und ihr Junges, das Mutterschaf und sein Junges, die Haine und die Wälder. Der Ziegenbock und Gazellenbock .... Marduk füllte im Bereich des Meeres eine Werft auf, machte eine Rohrwand ... baute eine Ziegelform (?), machte Häuser, baute Städte ... Nippur und Ekur, Uruk und Eanna."

In diesen beiden kurzen Berichten ist weniger von der Entstehung der Welt oder der ersten Menschen, sondern viel mehr von der Bevölkerung und Bebauung der Erde nach der Sintflut, insbesondere von dem Städtebau die Rede, der hier dem jungen Gott Marduk zugeschrieben wird, während das A. T. dieselbe Tätigkeit von Nimrod berichtet [2]).

Ein dritter Bericht lautet [3]):

„Nachdem die Götter in ihrer Schar (die Welt) gemacht, den Himmel hergestellt, (die Feste) gefügt, kleine Lebewesen gemacht, Vieh des Feldes, Getier des Feldes" —

hier wird das Bruchstück der Tafel unverständlich; und niemand kann sagen, was das für kleine Lebewesen waren, die Ea gemacht haben soll.

Die sog. „Kuthäische Schöpfungslegende" erzählt von sieben Brüdern, Königssöhnen, die von Tiamat, der hernach verstoßenen Herrin der Götter, gesäugt waren. Daher scheint dieses Gedicht sehr alt zu sein, weil es die Tiamat noch hoch hält. Es beginnt mit einer Anrufung des Samas:

„Herr des, das droben, und des, das unten ist, Herr der Anunaki! Ein Volk, das trübes Wasser trinkt, klares Wasser nicht trinkt, dessen Einsicht verkehrt ist, hat vergewaltigt, eingenommen, gemordet. Auf einem Denkstein war nichts darüber geschrieben, nichts hinterlassen. Darum ließ ich Leib und Leute nicht ausziehen, bekämpfte es nicht. Es waren Leute mit Leibern von Höhlenvögeln, Menschen von Ansehn wie Heuschrecken. Es hatten sie geschaffen die großen Götter, im Erdboden hatten die Götter ihre Wohnstätten geschaffen. Tiamat hatte sie gesäugt, die Herrin der Welt sie zur Welt gebracht. Mitten im Gebirg wurden sie groß, wuchsen sie auf und bekamen Gestalt, sieben Könige, schön und prächtig, dreihundertsechzigtausend Krieger waren ihre Heeresmacht. Anbanini war ihr Vater, der König, die Königin Milili ihre Mutter. Ihr großer Bruder, der vor ihnen herzog, hieß Mimaangab, der zweite Midudu, der dritte ... lub, der vierte Dada [4]), der fünfte .... teh, der sechste Ru, der siebte ...."

So weit reicht die erste am meisten beschädigte Kolumne. Der Anfang der zweiten ist auch zerbrochen, dann heißt es weiter:

„Böse Dämonen, böser Fluch. Ich rief herbei die Seher, gelobte ihnen, stellte Opferlämmer auf, sieben hier und sieben dort, setzte die heiligen Opferschalen hin,

---

1) Nicht in den Menschen, sondern die Menschen sollen den Göttern Tempel bauen.

2) Gen. 10, 11.

3) K. B. VI, S. 43.

4) Denselben Namen trägt ein Patesi von Kischurru. S. 36.

befragte die großen Götter Jstar, Zamalmal, Anunitu und Samas, den Krieger. Die Götter befahlen mir auszuziehn, ließen mich nicht ohne Antwort. Da sprach ich also bei mir selbst: So wahr ich lebe, wer . . . wer . . . So will ich hingehn, da . . . . meines Herzens, und . . . will angreifen. Als das erste Jahr herankam, schickte ich einhundertzwanzigtausend Krieger aus, aber kein einziger von ihnen kam lebend zurück. Als das zweite Jahr herankam, schickte ich neunzigtausend Krieger aus, aber kein einziger von ihnen kam lebend zurück. Als das dritte Jahr herankam, schickte ich sechzigtausend siebenhundert Krieger aus, aber kein einziger von ihnen kam lebend zurück. Verzweifelnd, ohnmächtig, vergehend war ich, voll Leides und brach in Stöhnen aus. Da sprach ich bei mir selbst: So wahr ich lebe, was habe ich über mein Reich gebracht! Ich bin ein König, der seinem Land kein Heil bringt, und ein Hirte, der seinem Volk kein Heil bringt. Aber also will ich tun, ich selbst will ausziehn; Tod und Verderben verfluche den Stolz des nächtlichen Volkes . . . ."

Nun folgen eine ganze Anzahl sehr beschädigter Zeilen. Auf der vierten Kolumne heißt es:

„Du aber, o König, oder wen sonst Gott beruft, daß er die Königsherrschaft ausübe, dir habe ich eine Steintafel angefertigt und geschrieben in Kutha, im Tempel Esidlam, in der Kammer Nergals sie dir hinterlegt. Siehe diese Steintafel an und werde nicht schwach. Fürchte dich nicht und zittre nicht. Fest sei der Boden unter dir. Mögest du im Schoß deines Weibes das Geschäft verrichten. Mache deine Stadtmauern stark, fülle deine Gräben mit Wasser. Deine Habe, dein Korn, dein Geld (?) bringe in deine Truhen. Deine Waffen, dein Geräte, deine Wagen binde fest, stelle sie in die Ecken . . . . gehe nicht zu ihm heraus . . ."

Von hier an ist auch die letzte Kolumne bis zur Unleserlichkeit beschädigt.

Mit demselben Recht, mit dem G. Smith dem Lied Marduks den Namen „Chaldäische Genesis" gab, wird dieses Machwerk „kuthäische Schöpfungslegende" genannt, davon nur das eine richtig ist, daß diese Sage aus Kutha stammt. Vielmehr haben wir hier ein echt babylonisches, unkriegerisches Kriegsgedicht; denn wenn sich endlich der ungenannte König auch aufrafft, nach langem Zögern selbst in das Feld zu ziehn, so vernehmen wir doch leider nichts von dem, was er ausgerichtet hat. Nach dem Schlusse zu urteilen, findet er die Genüsse des friedlichen Daseins besser als das Kriegsleben. Wenn Zimmern [1]) schreibt: „Wie aber vor alters die Götter in so wunderbarer Weise den Königen des Landes zum Siege verholfen haben, so soll derselbe auch in Zukunft in gleicher Gefahr auf gleiche göttliche Hilfe hoffen", so schiebt er diese frommen Gedanken dem babylonischen Dichter unter. Davon steht kein Wort im Text. Christliche Gedanken dem Babylonier imputieren, diesem Kunststück sind wir schon mehr begegnet. Hat aber eine große Sintflut, wie Zimmern meint, die Feinde dieses „frommen" Königs umgebracht, wo blieb e r dann mit den Seinen in diesem Fall?

1) Z. f. A. 1897, S. 327.

2. Andere Göttersagen.

Die Ordnung, in welcher die keilinschriftliche Bibliothek[1]) diese Sagen veröffentlicht hat, wird hier beibehalten.

a) Vom Bel und dem Labbu.

Die Tafel, auf der dieses höchst seltsame Märchen geschrieben steht, ist zwar sehr beschädigt, aber auch die Bruchstücke sind beachtenswert. Es war, so wird uns dort erzählt, eine Zeit allgemeiner Not auf Erden. Die Menschen klagten und stöhnten. Da zeichnete Bel am Himmel ein Ungetüm, fünfzig Meilen lang, eine Meile (breit). Sein Maul war sechs Ellen groß, zwölf Ellen der Umfang der Ohren. Da beugen sich die Götter des Himmels vor Sin und fragen: „Wer wird hingehn und den Labbu töten und das weite Land erretten? Gehe hin, Tisu, errette das weite Land und übe die Königsherrschaft aus." . . . . tat seinen Mund auf und sprach zu Bel: „Laß ein Wetter vor dir hergehn, fahr hinab und töte den Labbu." Er tat also, und drei Jahre, drei Monate, einen Tag und . . . Stunden geht dahin das Blut des Labbu.

In diesem Lied ist wieder Bel-Marduk der gefeierte Heros, nur daß er allein das Ungeheuer erwürgt, das er selbst am Himmel gezeichnet hat.

Vielleicht hat die Erscheinung eines Kometen Anlaß zu diesem Gedicht gegeben. Sein Erscheinen wird häufig durch vorangegangene große Dürre auf Erden angezeigt wie 1811, 1858. Auch entspricht der Gestalt eines Kometen die Beschreibung des Labbu mit sehr kleinem Kopf und mit ausgedehntem Leib. Das Blut aber und die Zeit seines Ergusses wage ich nicht zu deuten.

b) Das Märchen vom Adler.

Ein Adler sagte zu seinen Jungen: „Ich will die Jungen der Nachtschlange fressen." Aber eins von seinen Jungen, ein sehr gescheites, sagte zu seinem Vater: „Friß nicht, mein Vater! Soll das Jägergarn des Samas über dich hingehn und dich fangen?" Aber der Adler hörte nicht auf sein Junges, sondern fraß die Jungen der Nachtschlange. Diese beschwerte sich bei Samas über solchen Frevel: „Der Adler fraß meine Jungen. Das Böse, das er mir antat, gib ihm zurück." Samas versprach ihr einen toten Wildochsen. In dessen Bauch solle sie sich verbergen und dem Adler auflauern, wenn er komme, von dem Aas zu fressen. Der Vater Adler wird von seinem sehr gescheiten Jungen wieder gewarnt, aber er frißt doch von dem Aas des Wildochsen und wird trotz seiner Bitten und Versprechungen von der Schlange zerrupft und in eine Grube geworfen. Er bat aber: „Habe Mitleid mit mir. Wie einem Bräutigam will ich dir ein Brautgeschenk geben."

1) K. B. VI, 45 ꝛc.

Sie aber meint, sein sertu würde sich gegen sie wenden. So muß er seine Flügel zurücklassen und kommt in ein Hungergefängnis [1]).

Die Moral dieses Märchens liegt auf der Hand: Wie du mir, so ich dir.

c) Die Sage von Etana.

Etana erwartete die Geburt eines Sohnes, aber sie verzögerte sich. In seiner Not wandte er sich an Samas mit der Bitte um das Heilkraut für die Geburt. Samas antwortete ihm: „Geh, zieh über den Berg, daß du den Adler darum fragest." Das Heilkraut aber für die Geburt befindet sich in Istars Verwaltung. Darum soll sich Etana von dem Adler zu Istar in den Himmel tragen lassen. Istar wohnt auf der sechsten Stufe des Himmels, während Anu die dritte einnimmt. Der Adler trägt Etana bis kurz vor das Ziel. Da wird Etana vom Schwindel ergriffen und stürzt mit dem Adler auf die Erde herab.

Eingeflochten in dieses Gedicht ist die Sage von der Berufung des ersten Königs. Denn es herrschte auf Erden zu Anfang eine königlose Zeit, und die Abzeichen der Königsherrschaft, Szepter, Binde, Mütze, Stab lagen noch ungebraucht vor Anu, bis Istar und Bel sich nach einem Hirten im Himmel und nach einem König auf Erden umschauten. Wurde dann Etana der erste König auf Erden, so hatte ihm der Sturz aus schwindelnder Höhe, wohin ihn der Adler getragen, keinen Schaden zugefügt. H. Zimmern meint aber, das Kind, das erwartet wurde, sei der erste König auf Erden geworden; und diese Geburt erinnere an die von Sargon I., Cyrus, Moseh, Romulus und — Christus. Wieder eine echt wissenschaftliche Entdeckung, da uns doch von der Geburt dieses Kindes nichts Sagenhaftes, überhaupt gar nichts überliefert ist!

d) Die Sage vom Sturmvogel Zu [2]).

Als der Vogel Zu den Gott von Duranki, Bel, mit der Mütze seiner Herrschaftswürde in göttlichem Gewand mit den Schicksalstafeln sah, erhoben sich in seinem Herzen böse Begierden. Er gedachte mit den Schicksalstafeln zugleich die Herrschaft an sich zu reißen; und am Anfang eines Tages, da Bel sich mit reinem Wasser gewaschen und seinen Thron bestiegen hatte, führte der Vogel Zu den geplanten Angriff aus und flog davon.

Aber unter den versammelten Göttern und Göttinnen erhob Anu, der Vater aller, seine Stimme und fragte: „Wer will Zu erschlagen und in den Wohnplätzen seinen Namen groß machen?" Der furchtbare Adad erhielt den Auftrag und die Verheißung großen Lohnes: Sein

1) K. B. VI, S. 101 2c.
2) K. B. III, S. 47.

Name soll groß sein in der Schar der großen Götter, seine Städte mit seinen Tempeln sollen in allen Himmelsgegenden liegen und in Ekur kommen. Er soll herrlich sein vor allen Göttern und gewaltig sein Name.

Adad aber fühlt sich außer stand, gegen den Vogel Zu, der die Schicksalstafeln hat, etwas auszurichten. Darum fordert Anu seine Tochter Istar auf und verspricht ihr denselben Lohn wie Adad; aber Istar gibt die gleiche Antwort wie ihr Bruder Adad. Darauf wendet sich Anu an Bara, das Kind der Istar. Auch Bara antwortet gleich Adad und Istar . . . aber Lugalbanda [1]) ging zu einem Berg in der Ferne, ganz allein. Von dem Berg holte er Inna, Ninzuinna und Siris, die weiße Frau, die hingesetzt wird, um zu tun, was gehörig ist, ihre Zauberbeschwörung. Ihr Mischkrug ist aus blauem Lasurstein, ihr Waschkübel reines Silber und Gold, im Rauschtrank steht Frohlocken, im Rauschtrank sitzt das Jauchzen . . . er erhob sich aus dem Nest des Zu . . . Hier ist die Tafel abgebrochen, und wir haben mehrfache Ursache, diesen Schaden zu bedauern, bis eine vollständige Abschrift gefunden wird.

A. Jeremias aber sollte den Besitzwechsel der Schicksalstafeln von Tiamat auf Kingu, von Kingu auf Marduk-Bel, von Marduk-Bel auf den Vogel Zu ansehen, wie er durch Raub und Kampf vollzogen wird, und Christen, die ihre Bibel lieb haben, mit dem Vergleich von Offenbarung St. Johannis Kap. 5, da das versiegelte Buch beschrieben wird, verschonen. Das heißt nichts anderes, als dieses hohe Gefühl in den Kot herunterziehen.

Die hier erwähnte Siris wird auch als Göttin des Weins angesehn.

e) Die Sage von Eura.

Die Tafeln [2]), auf denen von Eura, den andre Irra nennen, erzählt wird, sind vielfach beschädigt und leiden dadurch an Unvollständigkeit und Dunkelheit. Anu, so erzählen sie, gab dem Eura, dem gewaltigen der Götter, sieben Bewaffnete, die an seiner Seite gehn sollen, um die Schwarzköpfigen zu töten und die Tiere des Feldes zu fällen. Sie sind nicht wie ein schwacher Greis, nicht wie ein Kind, nicht wie ein Kinäde. Mit ihrer Hilfe wirft Eura den rabisu in Blut von Mann und Mädchen, die Kinder Babels sind wie Vögel in seinem Netz, auch des Säuglings wird nicht geschont. Keiner bleibt am Leben, alle Schätze Babels werden erbeutet. Das Blut der Getöteten nahm wie das Wasser eines Regensturzes den großen Platz der Stadt ein. Da rief der große Herr Marduk „wehe“ und sprach einen unlösbaren Fluch aus, Istar aber erzürnte sich über Erech, wo ihr Tempel Eanna von Beduinen angezündet,

1) Der Gott Sin.
2) K. B. VI, S. 57 ꝛc.

von Eunuchen und Kinäden umgestoßen war. Auch die Stadt Durilu war bedrängt worden.

Da wendet sich an Eura ein rätselhaftes Wesen, Jsum genannt, und Eura spricht:

„Das Meerland soll das Meerland, das Mittelstromland das Mittelstromland, Assyrien Assyrien, den Elamiten der Elamite, den Kossäer der Kossäer, den Nordländer der Nordländer, den Lulubäer der Lulubäer, ein Land das andre Land, ein Haus das andere Haus, ein Mensch den andern Menschen, ein Bruder den Bruder nicht verschonen, sondern sollen einander erschlagen. Aber hernach soll der Akkadier sich erheben und soll sie alle niederstrecken und sie insgesamt niederwerfen.“

Hier findet H. Zimmern [1]), groß in wissenschaftlichen Entdeckungen, das erste Vorbild von dem Messiaskönig, der nach vorangegangenem Streit der Völker und Könige auftritt und sein Reich begründet. Der Gedanke von dem Messiaskönig stammt also aus dem babylonischen Heidentum! Solche Entdeckungen, wo wieder die Hauptsache, hier der Messias, erst in das babylonische eingetragen wird, zu würdigen, ist nicht jedem gegeben; oder die andre, daß die Juden, die heftigsten Feinde der Unbeschnittenen und ihrer Götter, ihrem Nationalhelden Mardochai den Namen eines babylonischen Gottes gegeben haben sollen [2]). Was tut aber der Name allein, wenn die sachliche Verbindung fehlt?

Die Erzählung fährt fort: Jsum geht zum Berg Sarsar. Dort bricht Eura von Hasurrubäumen [3]) seine Weinpfähle. Aber da er sich beruhigt, beugen sich die Götter vor ihm mit den Igigi und Anunaki. Wieder führt Eura große Worte im Mund, aber wir verstehen nicht, was er sagen will, da die Tafeln hier wieder sehr beschädigt sind. Endlich verkündigt er, daß der, der seinen — Euras — Namen groß macht, die Welträume beherrschen soll, nämlich als König oder sar kissati, aber nichts von einem Messias!

Warum Eura der gewaltige genannt wird, und wer er eigentlich ist, und in welcher Zeit der blutige Krieg stattfand, von dem im ersten Teil die Rede war, wird uns, wie noch manch andre Frage vielleicht für immer unbeantwortet bleiben. Mehrere Züge sprechen für die Zeit, wo die Nordsemiten in Babylonien einwanderten, andre wieder dagegen. Der Schluß ist ganz rätselhaft. Wir müssen auf andre Tafeln warten, die denselben Stoff behandeln; aber von einem akkadischen Messiaskönig träumen, das ist ebenso unnütz wie grundlos.

3. Sagen vom ersten Menschen.

Treffend bezeugt Dillmann [4]), daß die hebräische Paradiesesgeschichte einzig in ihrer Art dasteht. Wenn auch andre alte Völker die

1) K. A. T., S. 394.
2) K. A. T., S. 394.
3) Vermutlich eine Art von Pappel, die leicht anwächst.
4) A. d. W. 1882, S. 431.

Vorstellung von einem goldnen Zeitalter der Menschheit sich erhalten haben, so findet sich doch nach Dillmann nirgends die Vorstellung, daß die ersten Menschen, die zum Leben in der Gemeinschaft mit Gott geschaffen waren, durch eine Tat des Ungehorsams ihres seligen Glücks verlustig gegangen und dem ganzen Heer der Uebel unterworfen worden seien. Er sagt: „Sie findet sich nirgends und kann sich nicht finden, weil kein andres Volk und keine andre Religion von der Bestimmung des Menschen und von dem Begriff der Sünde so hohe Gedanken hatte wie das hebräische."

Hier haben wir an erster Stelle das nachzuholen, was die sechste Tafel des Epos Enuma elis von den ersten Menschen berichtet [1]):

Als Marduk die Rede der Götter hörte, da nahm er sich in den Sinn, Kunstreiches zu schaffen. Er öffnete seinen Mund und sprach zu Ea, was er in seinem Inneren ersann, (ihm) mitteilend: „Blut will ich nehmen und Bein will ich (bilden), will hinstellen den Menschen, der Mensch möge (leben), will erschaffen den Menschen, daß er bewohne (die Erde), auferlegt sei (ihm) der Dienst der Götter, die wohnen (in ihren) Götterkammern."

Diese Bestimmung des Menschen begegnet uns hier zum andern Mal. Berosus aber erzählt, Bel-Marduk habe sich selbst den Kopf abgeschlagen, mit dem ausfließenden Blut Erde vermischt und aus diesem Stoff Menschen gebildet. Hiermit zeigt er an, daß die babylonischen Sagen, die er für allegorische Darstellungen von Naturvorgängen hielt, ihm wohl bekannt waren. Ihren Hauptinhalt faßt Berosus also zusammen [2]):

Im Anfang war alles Finsternis und Wasser. Darin lebten schreckliche Tiere und Menschen mit zwei Flügeln und andre mit vier Flügeln und zwei Gesichtern und andre mit zwei Naturen, männlich und weiblich. Andre hatten Schenkel von Ziegen und Hörner auf dem Kopf, andre hatten Pferdefüße oder hinten die Gestalt eines Pferdes, vorn die des Menschen. Auch gab es Stiere mit Menschenköpfen und hundsköpfige Pferde und Menschen und andre Tiere in Menschengestalt mit Schweifen gleich den Fischen und sirenenartige Fische und Drachen und kriechende Tiere und Schlangen und wilde Tiere, deren Bilder im Tempel des Bel vorhanden sind.

Ueber alle diese zweifelhaften Wesen herrschte ein Weib, namens Omorka, das nach Berosus auf chaldäisch Tamta — Tiamat —, auf griechisch Meer bezeichnet. Bel aber spaltete die Finsternis und das Weib in der Mitte durch und machte einen Teil zur Erde, den andern zum Himmel und stellte die Sterne, die Sonne und den Mond und die Wandelsterne auf und leitete das Wasser ab und verteilte es unter jeg-

---

1) A. Jeremias, A. T. O., S. 74.
2) M. Duncker a. a. O. I, S. 230.

liches Land und bereitete und ordnete die Welt. Jene Wesen aber konnten die Macht des Lichtes nicht ertragen und kamen um. Da Bel nun das Land unbewohnt und fruchttragend sah, hieb er sich selbst sein Haupt ab und befahl einem von den Göttern, das Blut, das aus seinem abgehauenen Kopf floß, mit Erde zu mischen und die Menschen und andre Tiere und Wild zu bilden, welche die Luft und das Licht ertragen konnten.

Es ist bemerkenswert, wie hier Berosus von einer untergegangenen Welt weiß und von einer zweiten Schöpfung berichtet, in der die Unterschiede von Mensch und Tier fest aufgerichtet waren.

Ein altes sumero-akkadisches Lied erzählt vom Wohnort der ersten Menschen [1]): Tammuz wohnte in einem Garten von Edin nahe bei Eridu. Dort wuchs ein dunkler Weinstock, an einem herrlichen Ort war er erzeugt. Seine Gestalt war heller Lasurstein, gefaßt in die Welt drunten. Der Pfad Eas in Eridu ist voller Fruchtbarkeit. Seine Stätte ist der Mittelpunkt der Erde. Sein Lager ist das Bett des Mammu oder [2]) sein Laub war das Ruhebett von Zikum, der ersten Mutter. Zu dem herrlichen Haus, das einem Walde gleicht, erstreckt sich sein Schatten. Kein Mensch tritt in seine Mitte ein. In seinem Innern ist der Sonnengott Tammuz, zwischen den Mündungen der Flüsse, die auf beiden Seiten sind.

Nach Hommel[3]) haben wir in dieser Dichtung eine alte Beschwörungsformel, die er anders übersetzt:

„In Eridu wuchs ein dunkler Orakelbaum auf, der an einem heiligen Ort erzeugt wurde. Sein Antlitz ist echter lapis lazuli, das nach dem Apsu gerichtet ist. Des Gottes Ea Gang in Eridu fülltest du (o Göttin) mit Ueberfluß. Sein Wohnsitz ist der Ort der Erde, sein Ruheort ist das Nachtlager der Göttin Gur. Aus dem heiligen Haus, das wie ein Hain seinen Schatten ausbreitet, in dessen Innres niemand eintritt, worin der Gott Samas (und) der Gott Dugalusugalanna (Tammuz) ist zwischen der Mündung der Ströme, auf beiden Seiten haben die Götter Kachegal und Siturgal, die (Cherube) von Eridu, diesen Orakelbaum (Kiskanu) verpflanzt und über den (kranken) Menschen die Beschwörung des apsu gelegt und auf das Haupt des (angsterfüllt) umhergehenden Menschen gebracht.“

Die Vorstellungen der Babylonier über die Beschaffenheit der ersten Menschen geben Tafeln aus dem Palast Asurbanipals kund. Sie erzählen in verworrener, fast sinnloser Weise:

„Die Göttin Mami oder Aruru wusch ihre Hände, knetete Ton und breitete ihn auf der Erde aus. Sie erschuf Anus Ebenbild (?), Eabani d. i. Ea machte mich. Dieser erste gewaltige Mensch hatte am ganzen Leib Haare und auf dem Kopfe Haare wie ein Weib.“

Bei dem Namen Aruru denkt Hommel an das Wort [4]): Arura haadamah, d. i. verflucht ist die Erde. Es wäre doch mehr als seltsam,

---

1) Nach Pinches bei Urquhart I, S. 99.
2) Uebersetzung von Sayce.
3) Grundriß, S. 276.
4) Gen. 3, 17.

wenn aus dem Fluchwort der Name einer Göttin geworden wäre. Aber der Anklang ist da.

Nach andern Aufzeichnungen hieß der erste Mensch Adapa. Er trug den Leib eines Menschen, aber Beine, Hörner und Schwanz eines Ochsen und fraß mit den Gazellen Gras. So war der Zer ameluti, der Sproß der Menschheit, beschaffen. Aber sein Vater Anu, der Gott des Himmels, gab ihm aufrechten Gang und änderte Speise und Bekleidung. Er wohnte in der Einsamkeit, drei Tagereisen weit von der Stadt Erech in einer Höhle. Seine Gesellschaft war das Vieh und die kriechenden Tiere.

Wie der Name Eabani oder Mulkiru nicht auf Anu und Aruru, sondern auf Ea als den Bildner des Menschen hinweist, so erzählt geradezu eine andre Tafel:

„Ea bildete die Menschen, daß sie den Göttern unterworfen seien, der Gott des reinen Lebens, der Meister aller Weisheit, der die Toten zum Leben erweckt, der barmherzige, bei dem Leben ist, der Herr der menschlichen Gattung."

Auf andern Tafeln wieder heißt der erste Mensch Samasnapistim, d. i. der aus Ton (titu) gemachte. Und von den Menschen, die in der Sintflut umkamen, wird gesagt, daß sie zu dem Ton zurückkehrten, aus dem sie gemacht waren. So finden sich in diesen verschiedenen Sagen über den ersten Menschen Spuren, Anklänge aus einer uralten, den verschiedensten Völkern gemeinsamen Ueberlieferung. In Babylonien aber wurden diese Ueberlieferungstrümmer von zwei Völkern genommen und zum Zweck der Ausbreitung eines neuen Götterdienstes bald mit rationalistischem, bald mit gnostisch-mystischem Ausputz ausgestattet.

4. Die Gilgamis-Sage.

Aelian kennt einen babylonischen König Gilgamos. Denselben Namen trägt der Herr von Erech, der in diesen Sagen auftritt. Sein Zeichen oder Ideogram wird bald Hissimki, bald Samasnapistim, Pirnapistim oder Utnapistim gelesen. Sein Ahnherr war Hasisatra oder Atrahasis. Vor diesem Namen steht das Götterzeichen. Daran halten sich die Forscher, die in dem Helden Gilgamis oder Gibilgamis einen Sonnenheros erkennen, dessen Taten wie die Arbeiten des Herkules in zwölf Monaten verrichtet wurden und hier auf zwölf Tafeln verzeichnet sind. So meint Paul Haupt[1]), es könne kaum zufällig sein, daß Eabani, der weise Stiermensch, im zweiten Gesang auftritt, daß Nimrod-Gilgamis-Izdubar mit Eabani im dritten Gesang ein unzertrennliches Freundschaftsbündnis schließt (Zwillinge); daß er im siebten Gesang krank wird, wie die Sonne im siebten Monat schwächer wird,

1) Bei Fr. Hommel, A. u. A., S. 357.

was doch sehr fraglich ist; daß die achte Tafel ihn mit dem Skorpionmensch zusammentreffen läßt; daß im elften Gesang die Sintflut erzählt wird. Demnach meint der Gelehrte, daß wir hier wie in Enuma elis kein Volksepos, sondern eine in allegorische Bilder eingekleidete Astronomie haben, während Jensen dieses Epos für die Unterlage oder Quelle der Odyssee und vieler andern Dichtungen erkennt. Doch lassen wir das Gedicht für sich selbst reden, anstatt es mit neuen Dichtungen einzurahmen und zu verdunkeln.

In der Einsamkeit, fern von den Wohnungen andrer Menschen, lebten Eabani, das Abbild Anus, ein Geschöpf Arurus, am ganzen Leibe behaart Er frißt Kraut mit den Gazellen, geht mit dem Vieh zur Tränke, tummelt sich im Wasser mit den Fischen Niemand beschränkt oder belästigt den weisen Menschen in dem glücklichen Zustand dieser Freiheit, bis der Jäger Zaidu ihm begegnete. Der beschwerte sich bei Anu über Eabanis Uebergriffe: er fülle seine Fanggruben aus und nehme seine Netze weg.

Anu der Weise gibt auf solche Beschwerde hin dem Jäger den Rat, er solle eine Hure mitnehmen. Die soll ihr Gewand ablegen und den Gewaltigen [1]) an sich locken! So geschieht es. Sechs Tage und sieben Nächte liegt Eabani bei dem Freudenmädchen. Aber in dieser Zeit wendet sich sein Vieh von ihm ab. Da sagt die Hure zu ihm: „Schön bist du, Eabani. Wie ein Gott bist du. Ich will dich nach Erech führen, wo Gilgamis über die Männer gewaltig ist."

In dieser ekeln Ausgeburt einer heidnischen Phantasie sieht ein evangelischer Gelehrter unserer Tage [2]) eine „naive Erzählung, in der eine gewisse Ideenverwandtschaft mit dem biblischen Bericht (mit welchem?) vorliege". Da man nicht annehmen kann, daß dieser Gelehrte die Bibel verhöhnen will, so ist eine Erklärung des Vergleiches der babylonischen Erzählung mit der hl. Schrift nur dadurch möglich, daß derselbe Gelehrte die babylonische Erzählung nicht mit den Worten des Epos selber gibt, wie wir sie eben gehört haben, sondern zugestutzt und in einer Färbung, die nicht am Platze ist, wo es sich darum handelt, ein gerechtes Urteil über verschiedene literarische Werke zu gewinnen. Auf diese Weise zieht der Gelehrte seine Leser leicht in ein ungerechtes Vorurteil hinein und ladet eine unmeßbare Schuld auf sich. Das Epos erzählt weiter:

Damals war die Stadt Erech von den Elamitern hart bedrängt und konnte vor diesen Feinden das Haupt nicht erheben. Da tritt Izdubar oder Gilgamis, den Berosus Xisuthros nennt, ein Nachkomme Hasisatras aus der Stadt Marada auf, ein König der Riesen, ein Richter der Igigi, ein edler Fürst, groß unter den Menschen, Eroberer

1) Eabani wird als ein Riese mit gewaltigen Schnabelschuhen abgebildet.
2) A. Jeremias in A. T. O., S. 113.

der Welt, Beherrscher der Erde, Herr der untern Gegenden, sprechend wie ein Gott [1]).

Dieser Held hat drei wunderliche Träme gehabt. Er sah im ersten Traume, wie die Sterne des Himmels auf ihn fielen, und ein schreckliches Wesen bedrohte ihn. Der zweite Traum zeigte ihm eine Art, der dritte ein Wetter am Himmel, auf Erden Salz aus dem Rauch von oben.

H. Zimmern [2]) weiß nur von e i n e m Traum und vermutet, sein Inhalt sei die Schilderung des Zustandes in der Unterwelt gewesen. Daß die Träume einen rechten Wirrwarr vorbringen, zeigt eine treffende Schilderung an.

Gilgamis hört von Eabani, der die Geheimnisse der Natur kennt, und bittet ihn, seine Waldeinsamkeit zu verlassen und nach Erech zu kommen. Der Gott Samas rät Eabani, dieser Einladung zu folgen, und verspricht ihm schöne Gewänder, behagliche Wohnung und große Ehren — durch das Freudenmädchen! Doch erst eine zweite Gesandtschaft, die aus dem Jäger Zaidu, der früher sein Ankläger war, und zwei Frauen besteht, kann Eabani bewegen, nach Erech zu kommen. Dort schließen beide Helden mit einander Freundschaft und bekämpfen wilde Tiere. Sie überfallen auch den Tyrannen Hambaba, dessen Stimme gleich dem Sturmwind ist, in seiner Parkwohnung und töten ihn, worauf Gilgamis König von Erech wird.

Nun aber wirft Istar ihre begehrlichen Augen auf diesen Helden: „Sei mein Buhle und schenke mir deine Leibesfrucht. Du sollst mein Mann sein und ich dein Weib. Ich will dich fahren lassen auf einem Wagen von Gold und Lasurstein. Die Könige, Fürsten und Herren sollen dir untertan sein und deine Füße küssen." Aber Gilgamis hält der Versucherin vor, wie viele Männer sie schon betrogen und unglücklich gemacht habe. Insbesondere erinnert er an Tammuz, den Buhlen ihrer Jugend, dem sie Jahr für Jahr Weinen bestimmt habe, und an den Allaluvogel, den sie geliebt, und sagt: „Als du den bunten Hirtenknaben liebtest, schlugst du ihn und zerbrachst seinen Flügel; als du den Löwen liebtest, grubst du ihm sieben und sieben Fallgruben. Als du den Hirten der Herde liebtest, verwandeltest du ihn in einen wilden Hund, daß seine eignen Knaben ihn verjagten, seine eignen Hunde ihm das Fell zerrissen. Und als du Isulanu, den Gärtner deines Vaters, liebtest, der dir beständig Blumensträuße zuträgt, wollte er nicht Speise von Dorn und Disteln noch Kraut essen. Auch ihn hast du in einen ...... verwandelt."

Ueber solche Vorwürfe erzürnt steigt Istar zum Himmel empor und klagt ihrem Vater Anu und ihrer Mutter Anatu, Gilgamis habe sie verwünscht. Ea solle ihn durch einen wilden Himmelsstier strafen, sonst

1) Vergl. Tiele a. a. O. S. 512.
2) K. A. T., S. 569.

wolle sie .... zerschlagen, und der Toten solle mehr sein als der Lebendigen. Anu antwortete der erzürnten Tochter: „Wenn ich tue, was du begehrst, so werden sieben Spreujahre sein“ — Jahre, in denen der Ausdrusch des Getreides mehr Spreu oder Kaff als Korn ergibt. Anu tat aber doch nach Istars Bitte und schafft einen wilden Himmelsstier, den die beiden Freunde, Eabani und Gilgamis, alsbald jagen und erschlagen. Es war ein ungeheures Tier, das mit seinem Schnauben zweihundert Männer auf einen Schlag tötete. Sie weihen ihn dem Gott Samas.

Daher, sagen die Freunde der astronomischen Deutung, erscheint im Tierkreis nur ein verstümmelter Stier. Aber man hat die Frage zu lösen, welcher Teil der Sage Wurzel und welcher Teil Ausschlag oder Zusatz ist?

Nun tritt Istar auf die Zinne der Mauern von Erech und klagt über die neue Kränkung, die Gilgamis durch das Erschlagen des Himmelsstieres ihr zugefügt habe. Eabani aber wirft ihr das rechte Viertel des Stieres ins Gesicht und will dessen Eingeweide ihr anhängen. Da ruft Istar alle Dirnen, Huren und Freudenmädchen von Erech zusammen und stellt ein großes Weinen an über das rechte Viertel des Stieres, dessen Hörner Gilgamis dem Gott Lugalbanda oder Sin weiht.

Auch an die Unterwelt wendet sich Istar um Hilfe, richtet aber dort nichts aus. Nun aber schickt ihre Mutter Anatu über Gilgamis die Plage des Aussatzes, die ihn, der auch durch den Tod seines Freundes Eabani um diese Zeit betrübt wird, zu seinem Ahnherrn Hasisatra oder Utnapistim treibt. Eabani aber klagt in der Unterwelt: „Folge mir nach, komm zu mir hinab in das Haus der Finsternis, in die Wohnung Irkallas, zu dem Haus, dessen Betreter nicht wieder hinausgeht; zu dem Weg, dessen Begehen ohne Umkehr ist; zu dem Haus, dessen Bewohner des Lichtes entbehren, wo Staub ihre Nahrung, Erde ihre Speise ist; wo sie wie ein Vogel mit dem Federkleid bedeckt sind, kein Licht schauen, im Dunkeln wohnen, im Hause des Staubes, in das ich hineingegangen, die majestätische Königsmütze, (der Erbe) der Königsmützen, die seit den Tagen der Vorzeit das Land beherrschen. Hier wohnen die Priesterherren und die Priesterdiener, der Gewaschene und der Verzückte, die Weltmeergesalbten der großen Götter, hier Etana, hier Gira, hier wohnt die Königin der Erde, Ereskigal; Belitsiri, die Schreiberin der Erde, kniet vor ihr.“

So klagt Eabani in geheimnisvoller Rede, aber Gilgamis trachtet nach dem Abschied seines Freundes zu seinem Ahnherrn Hasisatra zu gelangen und kommt nach manchem Abenteuer an den Berg Masu, wo die Skorpionmenschen Wache halten und Gilgamis von seinem Zuge abraten. Aber er bleibt bei seinem Vorsatz und gelangt endlich zu dem wunderbaren Garten, wo Fruchtbäume wachsen, die Edelsteine als Früchte tragen. Hier wohnt die Göttin Sidurisabitu auf dem Thron des Meeres, mit einer Hülle verhüllt. Sie sieht Gilgamis von ferne kommen und verriegelt ihre Türe; aber Gilgamis erzwingt den Eingang und berichtet der Göttin von seinen und seines Freundes Heldentaten und seines Freundes frühen Tod. Dann fragt er nach dem Weg zu seinem Ahnherrn. Sabitu antwortet: „Nie gab es eine Ueberfahrt, und keiner, der seit alters angelangt ist, geht über das Meer. Samas, der gewaltige, ging über das Meer. Wer geht außer Samas hinüber? Das Leben, das du suchst, wirst du nicht finden. Als die Götter die Menschen schufen, haben sie den Menschen den Tod auferlegt, das Leben aber in ihren Händen behalten [1]). Dir, Gilgamis, rate ich: genieße die Freuden dieses Lebens. Fülle deinen Bauch mit Speise, freue dich Tag und Nacht. Mache dir täglich ein Freudenfest, spring und hüpfe Tag und Nacht. Deine Kleider seien sauber, dein Haupt sei rein, mit Wasser wasche dich. Schaue auf den Kleinen, der dich an der Hand hält; dein Weib freue sich in deiner Umarmung! Schwierig ist die Ueberfahrt, beschwerlich sein Weg, tief sind die Wasser des Todes, die ihm vorgelagert sind."

Dann weist Sabitu ihn zu Urnimin, dem Schiffer Utnapistims; und als Gilgamis diesen gefunden, wird noch einmal berichtet von seinen Taten und seines Freundes frühem Tod. Schon am dritten Tage gelangen beide zu Utnapistim, wo zum dritten Mal der Bericht von seinen Taten vorgetragen wird. In dem Zwiegespräch, das beide über den grimmigen Tod halten, sagt Utnapistim:

„Bauen wir ein Haus für immer? Siegeln (?) wir für immer? Teilen Brüder für immer? Geschieht Kinderzeugen auf Erden für immer? Führt der Fluß für immer Hochwasser? Herrscht nicht der Tod von Unbeginn? Die Fehlgeburt und der Tote, wie sie einander begegnen, zeichnen sie nicht des Todes Bild? Nachdem der Aufpasser und der Zuriegler die Toten begrüßt haben, versammeln sich die Anunaki, die großen Götter; mit ihnen bestimmt Mamitu, die das Schicksal schafft, die Geschicke; sie setzen Tod und Leben fest, aber des Todes Tage werden nicht kundgetan."

Also philosophiert Hasisatra, der wegen seiner Frömmigkeit in das Paradies versetzt ist, vor Gilgamis und seinem Fuhrmann Urnimin oder Urubel, d. i. Knecht des Bel, aber von seinem Aussatz kann er ihn nicht heilen, doch erzählt er ihm die babylonische Sintflutsage.

Wenn Jensen [2]) daran Anstoß nimmt, daß am Schluß der siebten Tafel Eabani mit Gilgamis spricht, während er vorher als Toter in der Unterwelt klagte, und wenn er aus diesem Grund eine andre Anordnung der Kolumnen verlangt, so ist das einleuchtend. Aber was gibt es hier nicht für Anstöße, Unmöglichkeiten, Scheußlichkeiten, die nicht zugedeckt werden durften, damit unbefangene Leser ein gerechtes Urteil über diese angeblichen Quellen unsrer biblischen Geschichten ge-

1) Man beachte die von der hebräischen gänzlich verschiedene Anschauung der Babylonier betr. dieser wichtigen Frage, woher der Tod zu den Menschen gekommen ist.

2) K. B. VI, S. 193.

winnen können, auch einen Begriff von dem babylonischen Götterwesen unmittelbar überkommen und zuletzt zu der Gewißheit gelangen, daß die hl. Schrift hoch, unendlich hoch über dem babylonischen Schmutz erhaben ist.

Doch möge hier, indem wir die an dieser Stelle eingeschaltete Erzählung Hasisatras von der Sintflut aufsparen und besonders vorführen wollen, sogleich das Ende des Gilgamis-Epos Platz finden.

Utnapistim wendet sich weiter an den Hilfe suchenden Gilgamis mit dieser geheimnisvollen Rede:

„Wer von den Göttern wird dich zu ihnen versammeln, daß du das Leben findest, das du suchst? Auf, lege dich nicht schlafen sechs Tage und sieben Nächte." Sowie er aber auf seinem Hintern sitzt, bläst der Schlaf wie ein Wetter gegen ihn, und Utnapistim spricht zu seinem Weibe: „Sieh den starken, der das Leben wünschte. Ein Schlaf bläst wie ein Wetter gegen ihn." Das Weib spricht zu Utnapistim: „Rühr ihn an, daß der Mensch aufschrecke und auf dem Weg, den er gegangen, gesund zurückkehre." Utnapistim antwortete: „Ist dir das Schlimmere des Menschen schlimm? Wohlan so backe seine Brote und lege sie zu seinen Häupten. Und zu der Zeit, da der Mensch sich an der Wand seines Schiffes schlafen legte, buk sie seine Brote, legte sie zu seinen Häupten und sprach (den Zauberspruch): „Sein eines Brot sei trocken, das zweite hart, das dritte naß gemacht, ein viertes weiß, das fünfte wirft graues Haar ab, das sechste ist gekocht, ein siebentes . . . ." Da rührte er ihn an, und der Mensch schrak auf. Gilgamis aber sagte zu Utnapistim: „Erstarrung und Schlaf ergossen sich über mich. Da rührtest du mich an und stießest mich." Utnapistim sprach zu Gilgamis: „Wohlan, Gilgamis, zähle deine Brote.„ [1])."

Hier ist eine Lücke in der Erzählung; denn wir hören nichts davon, wie es mit Gilgamis Broten geworden ist, sondern wir werden ans Meer geführt, wo Gilgamis von seinem Fährmann Urnimin ins Wasser getaucht und vom Aussatz rein wird. Ein neuer Zauberspruch ergeht über ihn:

„Seinen Leib wasche er mit Wasser, werfe ab seine Häute, das Meer trage sie fort. Erneuert werde die Binde seines Hauptes, er werde mit seinem Schamtuch bekleidet. Bis er zu einer Stadt kommt, soll das Gewand kein graues Haar abwerfen."

Als dann Gilgamis und Urnimin im Schiff fahren, sagt der Fährmann zu Gilgamis:

„Ich will verborgenes dir verkünden. Es ist ein Kraut wie Dornen auf dem Acker, die seine Hand durchbohren. Wenn deine Hände dieses Kraut erlangen, wirst du zu deinem Land zurückkehren." Hierauf bindet Gilgamis schwere Steine an seine Füße, die ihn in's Meer hinabziehen, wo er das Kraut findet, das ihm die Hand durchbohrt. Er sagt zu Urnimin: „Dies Kraut ist ein Zauber, wodurch der Mensch seine Vollkraft erlangt. Ich will es nach Erech bringen. Sein Name ist „als Greis wird der Mensch wieder jung."

An diesen Teil des Epos mögen sich die griechischen Sagen von Glaukos, die arabischen von Hadir anschließen. Die Erzählung fährt fort: Als Gilgamis glücklich wieder ans Land ausgestiegen war und sich in eine Zisterne wusch, um durch Hilfe des Zauberkrautes zur Kraft seiner

1) Nach Jensen, K. B. VI, S. 247 ꝛc.

Jugend zu kommen, riecht eine Schlange den Duft des Krautes und entreißt es ihm. Darüber erhebt Gilgamis ein großes Klagen und zieht mit dem Schiffer zu Fuß nach Erech. Glücklich in Erech angekommen, stellt Gilgamis für seinen verlorenen Freund Eabani eine zweite Totenklage an, wodurch Ea so gerührt wird, daß er die Seele Eabanis ins Land der Seligen aufsteigen läßt.

Gilgamis aber sagt zu Urnimin:

„Gehe hin und her auf der Mauer von Erech, besiehe die Aufschüttung und das Ziegelwerk. Wenn sein Ziegelwerk nicht wieder hergestellt ist, und die sieben Klugen sein Fundament nicht gelegt haben, so werde ich einen Sar von der Stadt, einen Sar von den Gärten, einen Sar von dem heiligen Bezirk des Hauses der Istar, drei Saren und den heiligen Bezirk von Erech hinschütten."

Mit diesem Rätselwort schließt der babylonische Roman. Aber es gibt noch einen zweiten, nicht minder dunkeln Schluß:

„Wer den Tod durch Eisen starb, das sahest du? Ja ich sah es. Er ruhet im Schlafgemach und trinkt reines Wasser. Wer in der Schlacht erschlagen ward, das sahest du? Sein Vater und Mutter erheben sein Haupt und sein Weib auf ihn. Wessen Leichnam auf das Feld geworfen ward, das sahest du? Das sahe ich, dessen ikimmu[1]) hat in der Erde nicht Ruhe. Wessen ikimmu niemand hat, der für ihn sorgt sahest du, sahe ich. Ueberbleibsel im Topf, Reste von Speisen, die auf die Straße geworfen sind, muß er essen[2])."

In einem dritten Schluß[3]) wird die Mahnung ausgesprochen, Marduk möge die Menschen die Gebote Eas lehren: „Sie mögen festgehalten werden, und der erste (älteste?) möge sie lehren."

Wieder einen andern Schluß bringt Jensen in seinem neuesten Buch: Vergeblich beschwor Gilgamis den toten Eabani, aus der Unterwelt heraufzukommen. Da öffnet Nergal, der Herr des Totenreichs, ein Loch der Erde und läßt den Schatten Eabanis wie einen Wind herausfahren. Ihn redet Gilgamis also an: „Sage mein Freund, sage mein Freund das Gesetz der Erde, das du gesehn hast." Ihm antwortet Eabani: „Werde ich es dir nicht sagen, mein Freund, werde ich es dir nicht sagen? Wenn ich dir das Gesetz der Erde, das ich gesehn, sage — setze dich, weine." Gilgamis antwortet: „Will mich setzen, will weinen." Hierauf berichtet Eabani, wie es in der Unterwelt aussieht, was er bereits aus dem Ort der Toten schon geklagt hatte.

Wenn dieses Epos bald ein Sonnen-, bald ein Dioskuren-Mythus genannt wird, so ist anzuerkennen, daß die Zahl der zwölf Tafeln auf die zwölf Tierkreisbilder bezogen werden kann; auch daß auf das Zeichen der Zwillinge der Freundschaftsbund zwischen Eabani und Gilgamis, auf das Zeichen des Skorpions der Skorpionmensch, auf das Zeichen des Wassermanns die große Flut, auf das Zeichen der Jungfrau die Begegnung mit der Buhlerin (!) Istar hinzuweisen scheint — aber was ist

1) Die Seele, die mit dem Leib begraben wird.
2) Jensen in K. B. VI.
3) A. Jeremias, A. T. O., S. 106.

damit für den Inhalt und die Beurteilung des ganzen Gedichtes gewonnen? Mag es „von den Sternen abgelesen sein", und sei alles zugegeben, was die Forscher entdeckt zu haben sich rühmen, so ist damit doch nur die Form bestimmt, in die der mannigfaltigste Inhalt gegossen werden konnte und gegossen worden ist. Beweis dafür sind die deutschen Märchen von Dornröschen und Schneewittchen, von Brunhild und Siegfried, die auch ihren Naturhintergrund haben, aber etwas ganz anderes geben als die Babylonier.

5. Sage von Adapa.

Mitten unter den Urkunden des „ältesten diplomatischen Briefwechsels", wie Klostermann sagt, nämlich auf einigen von den 300 Tontafeln aus dem Tell el Amarna, fand sich die Erzählung von Adapa, in der einige Gelehrte sogleich die Vorlage der Quelle des biblischen Berichtes [1]) vom Sündenfall der ersten Menschen zu erkennen vermeinten. Der vorurteilslose Leser wird staunen über die kühne Phantasie, die in solcher Behauptung offenbar wird; aber die Mode oder Richtung der Zeit erfordert die Herabsetzung der hl. Schriften A. T. Doch hören wir die Erzählung selbst.

Eines schönen Tages, wird uns berichtet, beschäftigte sich Adapa, der Sproß der Menschheit, den Ea, der Allweise, unter den Menschen schuf, der auf die Gebote acht hat und mit den Bäckern von Eridu das Bäckerhandwerk betrieb, mit Fischfang auf dem Meer; denn er übte die Fischerei und Jagd von Eridu aus. Daneben war er auch Bäcker und Priester seines Vaters Ea und hatte für den Bedarf des Heiligtums an Brot und Wasser zu sorgen.

Schon aus diesem Anfang der Erzählung wird die Grundlosigkeit des Vergleiches mit der hl. Schrift offenbar; denn entweder ist Adapa gar nicht der erste Mensch gewesen oder er ist schon einige hundert Jahre alt, und dann kann von einem Sündenfall nicht mehr die Rede sein, wie die Schrift ihn versteht.

Die Erzählung fährt fort: An der hellen Ufermauer von Eridu bestieg Adapa ein Segelschiff und lenkte dasselbe mit dem Steuer ins weite Meer, das dem Meerland den Namen gegeben. Da erhob sich plötzlich ein heftiger Südwind und tauchte ihn unter zum Haus der Fische, indem er sein Boot zum kentern brachte. Den Wind für diesen Unfug zu strafen, zerbrach Adapa ihm seine Flügel, daß er sieben Tage lang nicht zum Land hin wehen konnte.

Nach sieben Tagen fragt Anu, der Himmelsgott, seinen Boten Ilabrat, warum der Südwind seit sieben Tagen nicht zum Land hin geweht habe? Darauf bringt Ilabrat den Frevel, den Adapa am Süd-

1) Gen. 3.

wind begangen, zur Kenntnis Anus. Der ruft „Hilfe", steht von seinem Thron auf und heißt den Südwind selbst kommen; aber Adapa wird von Ea, seinem Vater, mit einem Trauertuch bekleidet und erhält von dem weisen Gott folgende Belehrung über sein Verhalten, das er vor seinem Richter beobachten soll: „Wenn du zum Himmel hinauf kommst, um vor Anu, den König, zu treten, werden in seinem Tor Tammuz und Gisrida stehn und dich fragen: »Mann, für wen siehst du so aus? Um wen trauerst du?« Dann sage: »Weil zwei Götter aus unserem Lande verschwunden sind, befinde ich mich so.« »Wer sind die zwei Götter?« werden sie fragen. Dann sage: »Tammuz und Gisrida.« Sie werden einander ansehn und staunen, aber gute Worte für dich zu Anu sagen." Weiter sagte Ea:

„Wenn du dann vor Anu hintrittst, so wird man dir Speise des Todes bieten, iß sie nicht. Wasser des Todes wird man dir hinhalten, trink es nicht. Ein Gewand wird man dir bieten, zieh es an. Oel wird man dir hinhalten, salbe dich damit. Den Befehl, den ich dir gegeben, laß nicht los. Die Worte, die ich dir gesagt habe, halte fest." So der Gott Ea.

Als Adapa dann vor Anu, seinem Richter, stand, fragte ihn dieser: „Wohlan, Adapa, warum hast du des Südwinds Flügel zerbrochen?" Adapa antwortete: „Für das Haus meines Herrn fing ich Fische inmitten des Meeres, das einem Spiegel glich. Da wehte der Südwind und tauchte mich unter zum Haus der Fische." Anu war durch diese Antwort nicht befriedigt und wollte kein Erbarmen gelten lassen, aber er wurde durch Tammuz und Gisrida beruhigt; doch fragte er noch: „Warum hat Ea einem unholden Menschen das Innere des Himmels und der Erde geoffenbart? Holt ihm Speise des Lebens, daß er sie esse." Aber Adapa aß die Speise des Lebens nicht. Und als sie ihm Wasser des Lebens brachten, trank er es nicht. Da sie ihm ein Gewand holten, zog er es an. Da sie ihm Oel brachten, salbte er sich damit. Anu blickte den Uebeltäter an, staunte über ihn und sprach: „Wohlan, Adapa, warum hast du nicht gegessen und getrunken, sodaß du nicht leben wirst?" Adapa antwortete: „Ea, mein Herr, befahl mir »iß nicht und trink nicht«."

Hierauf befahl Anu, daß Adapa, der vom Grund des Himmels bis zu den Höhen des Himmels geschaut habe, auf die Erde zurückgebracht werde [1]).

Das Uebrige der Tafel ist so beschädigt, daß kein Zusammenhang zwischen den gelesenen Zeichen hergestellt werden kann. Aber wir haben aus dem mit Sicherheit Gelesenen hinreichende Mittel, um zu der Erkenntnis zu gelangen, daß diese ausgedehnte, einige Male ganz poetische Erzählung mit dem kurzen Bericht der Bibel über den Aufenthalt der

---

1) Nach K. B. VI, S. 93 ꝛc.

ersten Menschen im Paradies und ihren Sündenfall unter dem Baum der Erkenntnis von Gut und Böse kaum einen einzigen Berührungspunkt hat. Hier ist nicht von Mann und Weib die Rede, sondern nur von einem Mann. Hier stehen nicht zwei reine Menschen vor dem Versucher, sondern ein gewalttätiger Mensch vor dem Strafrichter. Es ist sehr die Frage, ob der dichtende Babylonier überhaupt die hebräische Ueberlieferung gekannt hat, und wenn er sie gekannt hat, so hat er eine Travestie darauf gemacht, ohne für den wirklichen Inhalt dieser Ueberlieferung das geringste Verständnis zu zeigen. In seiner Verlegenheit dreht er die Sache hin und her, bis sie auf seinen heimischen Boden, den Streit der Götter unter einander, geschoben ist. Da kann er frei dichten und erfindet eine Kriminalgeschichte. Anu, der König des Himmels, soll einen Frevler richten, aber Ea steht diesem mit Advokatenlist bei. Was der eine Speise des Todes nennt, ist dem andern Speise des Lebens.

Aber die Gelehrten meinen ja, der biblische Bericht sei aus dem babylonischen Gedicht geschöpft! Aber wo ist denn in diesem die Rede von der listigen Schlange, die zu dem Weib des Menschen versuchliche Worte spricht? Wo von den erlaubten und von verbotenen Baumfrüchten? Wo von dem Auftun der Augen und Erkenntnis des Guten und Bösen? Nichts von alledem.

Etwas anders steht es mit einem alten Text, der in sumero-akkadischer Sprache geschrieben ist. Der weiß zu erzählen: „In Sünde kamen die beiden — die ersten Menschen — überein. Das Gebot war im Garten Gottes gegeben. Vom Ansambaum aßen sie und brachen ihn entzwei. Seinen Stiel zerstörten sie, den süßen Saft, der dem Leibe schadet, (tranken sie). Groß ist ihre Sünde. Sich selbst erhoben sie. Dem Marduk, ihrem Erlöser, überwies der Gott Sar ihr Geschick [1])."

Hier haben wir sozusagen die erste Uebertragung der alten Ueberlieferung in das neue Heidentum. Noch wußten die alten Sumero-Akkadier etwas von einem Gebot, von einem Garten Gottes, von einem Baum und seinen Früchten, von dem Ungehorsam der Menschen, von der Sünde, in der sie sich selbst erhoben; aber schon ist die Tatsache in den Hintergrund getreten, daß sich die Menschen an Gottes Gebot versündigt haben, wie sie versucht, aber auch gewarnt sind. Schon wissen sie nichts mehr von dem Schaden der Seele, sondern dies essen und trinken tut nur dem Leibe des Menschen Schaden. Und vergleichen wir den Standpunkt des späteren Babyloniers, so ergibt sich die Tatsache, daß je größer die zeitliche Entfernung irgend einer Aufzeichnung von der den ersten Menschen gewordenen, von ihnen auf die Nachkommen überlieferten Offenbarung ist, desto schwächer wirkt das Licht der ursprünglichen Erkenntnis, desto tiefer werden die Schatten des Aberglaubens.

---

1) Vergl. Boscaven bei Urquhart I. S. 109.

Wenn der sumero-akkadische Bericht noch einige Lichtstrahlen der Wahrheit enthält, so ist in dem viel spätern babylonischen Märchen keine Spur sittlicher Regung oder eines religiösen Gedankens oder einer Entscheidung über Gut und Böse mehr zu finden; und aus solch einer trüben Quelle kann unmöglich der biblische Bericht geflossen sein, so wenig als der klare Jordan aus dem toten Meer entspringt.

Aber ein babylonischer Siegelcylinder zeigt doch, so sagt man, einen Baum mit herabhängenden Früchten, und rechts unter dem Baum sitzt ein Mann mit Hörnern, dem Zeichen der Kraft; links aber streckt ein Weib ihre Hände nach den Früchten aus, und hinter dem Weibe windet sich eine Schlange in die Höhe. Und wenn es aus andern Tafeln erwiesen ist, daß die Schlange aib ilani, d. i. Feind der Götter, heißt, warum soll das kleine Bild von einem Baum, Mann, Frau und Schlange nicht an den Sündenfall der ersten Menschen erinnern? Dann hätten doch die Hebräer in Babel eine Quelle ihrer Erzählung gefunden! Aber dieses Mal ist die Wissenschaft selbst grausam und zerschlägt schonungslos die schöne Entdeckung und stellt sie als leere Einbildung dar. Sie sagt: Der angebliche Mann ist kein Mensch, sondern ein Gott; denn nur ein Gott trägt Hörner; und das angebliche Weib ist kein Weib, sondern ein bekleideter Mann, ein Gott oder Priester eines Gottes [1]). Demnach wird das Bildchen gedeutet: Izdubar-Gilgamis und Eabani sitzen am Baum des Lebens. Aber wo bleibt die Schlange? Diesen gekrümmten Strich erklärt der eine Gelehrte für einen leeren Zierrat, der andre aber bleibt dabei, es sei eine Schlange, doch gesteht er zu, diese Schlange befinde sich nicht an dem Ort, wo die Erzählung der Bibel ihre Leser sie suchen läßt.

Häufig wird auf babylonisch-assyrischen Denkmälern, auch auf Särgen, der heilige Baum abgebildet gefunden. Bald wird er von geflügelten Cheruben angebetet, bald hält unter ihm ein Priester das Opfertier am Horn fest und in der andern Hand sieht man das Opfermesser bereit zum tödlichen Schnitt. Aber dieses Bild hat nichts zu tun mit irgend einem Baum des Paradieses; dagegen sieht man auf mehreren dieser Bilder das häßliche Zeichen der Unzucht oder des Istar-Astarte-Dienstes.

6. Babylonische Sintflutsagen.

Berosus, ein Priester des Gottes Bel zur Zeit Alexanders des Großen, den wir schon öfter hören durften, erzählt nach den Tempelurkunden, Chronos sei dem Xisuthros [2]) erschienen und habe ihm an-

1) So noch Dillmann, A. d. W. 1882, S. 432.
2) Lucian nennt ihn Sisythes.

gekündigt, es werde am fünfzehnten Tag des Monats Daesius die ganze Menschheit durch eine große Flut umkommen. Sodann befiehlt er ihm, den Anfang, die Mitte und das Ende alles Geschriebenen zu nehmen und in der Sonnenstadt Sippara zu begraben, weil sie, wie ein deutscher Gelehrter weiß, der Sonnengott in der ihm heiligen Stadt in seinen persönlichen Schutz nehmen wollte.

Wichtig ist, daß nach Berosus die ganze Menschheit untergehen sollte, und daß nach ihm die Schreibekunst schon vor der großen Flut erfunden und gebraucht worden ist, worüber die hebräische Ueberlieferung schweigt.

Auch gab Chronos dem Xisuthros den Rat, ein Schiff zu bauen und mit seiner Familie und seinen liebsten Freunden hineinzugehn, auch Vorräte von Lebensmitteln mitzunehmen und die Tiere, vierfüßige und Vögel, hineingehn zu lassen und zuletzt alles zum Segeln vorzubereiten.

Xisuthros gehorchte dem göttlichen Auftrag und erbaute ein Schiff, fünf Furlong lang und zwei Furlong breit, sammelte alles, was ihm vorgeschrieben war, und schiffte sich mit seiner Frau, seinen Kindern und vertrauten Freunden ein. Nachdem die Flut gekommen war und bald wieder abgenommen hatte, ließ Xisuthros einige Vögel frei. Da diese weder Nahrung, noch einen Platz zum ruhen fanden, kehrten sie zum Schiff zurück. Nach einigen Tagen gab Xisuthros ihnen wieder die Freiheit, aber wieder kamen sie zum Schiff zurück und hatten die Füße voll Schlamm. Endlich, nachdem er sie zum dritten Mal in Freiheit gesetzt hatte, kamen sie nicht wieder. Da wußte Xisuthros, daß das Land nicht mehr von Wasser bedeckt sei. Er machte hierauf eine Oeffnung im Dach des Schiffes und sah, daß es auf einem Berge stillgestanden war. Er stieg heraus mit seinem Weibe, einer Tochter und einem Steuermann, betete die Erde an [1]), errichtete einen Altar und opferte auf ihm den Göttern. Aber in diesem Augenblick verschwand er mit denen, die ihn begleitet hatten. Die andern schrieen laut, bis eine Stimme ihnen befahl, gottesfürchtig zu sein wie Xisuthros, der wegen seiner Gottesfurcht zu den Göttern erhoben worden sei.

Indem Berosus davon sagt, die ganze Menschheit solle umkommen, und von der Gottesfurcht des aus der Flut Geretteten weiß, zeigt er an, daß er neben den uns bekannten Sintflutsagen der Babylonier auch noch a n d e r e Q u e l l e n benutzt hat. Die vollständigste babylonische Darstellung der großen Flut stammt etwa aus der Zeit Hammurabis und ist, wie schon erwähnt, auf der elften Tafel des Epos Enuma elis aufgezeichnet, wo Atrahasis, der Ueberweise, seinem Gast Gilgamis also erzählt [2]):

---

1) Er kniete auf die Erde nieder, voll Dank und Freude, daß er wieder festen Boden unter den Füßen hatte.

2) Nach Jensen K. B. VI.

16

„Etwas verborgenes will ich dir, Gilgamis, eröffnen und ein Geheimnis der Götter will ich dir verkünden. Surripak, eine Stadt, die du kennst, die am Ufer des Euphrat liegt, diese Stadt ist alt. Denn in ihr beschlossen die Götter, die Sturmflut zu machen, Anu ihr Vater und der gewaltige Bel, ihr Berater und Ninib ihr Herold und Ennugi ihr Führer. Der Herr der Weisheit Ea ningiazag hatte mit ihnen geredet und erzählte ihre Rede einem Rohrhaus kikkisu (damit er hernach sagen konnte, er habe keinem Menschen etwas vom Rat der Götter verraten): „Rohrhaus, Rohrhaus, Wand, Wand! Rohrhaus höre, Wand verstehe! Mensch aus Surripak, Kind des Ubaratutu [1]), zimmere ein Haus, baue ein Schiff, laß fahren Reichtum, suche das Leben. Hasse Besitz und erhalte das Leben. Bringe Lebenssamen aller Art in das Schiff hinein. Das Schiff, das du bauen sollst, seine Maße sollen gemessen sein. Einander entsprechend sei seine Breite und seine Länge. Bei dem Weltmeer leg es hin."

Das verstand ich und sagte zu Ea, meinem Herrn: „Siehe, Herr, was du befohlen, habe ich ehrfurchtsvoll beachtet und werde es tun. Aber was soll ich entgegnen der Stadt, dem Volk und den Aeltesten?" Ea tat seinen Mund auf und sprach zu mir, seinem Knecht: „Du Mensch, so sollst du zu ihnen sprechen: Nachdem Bel mich verflucht hat, will ich nicht mehr in eurer Stadt wohnen und auf den Erdboden Bels mein Antlitz nicht mehr richten, sondern ich will zum Weltmeer hinaus fahren und bei Ea, meinem Herrn, wohnen. Er wird Ueberfluß für mich regnen lassen, Vögel und Fische, eine Fülle von Vieh, reichliche Feldfrucht, wenn an einem Abend die Gebieter der Finsternis einen Schmutzregen über euch kommen lassen werden . . . ."

Hier sind in der Anleitung zur Täuschung seiner Mitbürger, die Ea dem Sohn Marduks gibt, mehrere Zeilen der Tafel unleserlich und verdorben; sonst wüßten wir vielleicht besser, was „Schmutzregen" bedeutet, ein Wort, das andere mit „Verderben" wiedergeben. Aber es ist doch ein fruchtbringender Regen gemeint, also ein andauernder, durchdringender Regen, der das Erdreich aufweicht. Weiter erzählt Atrahasis:

Am fünften Tage zeichnete ich des Schiffes Vorderansicht. Einhundertzwanzig Ellen waren die Wände hoch, einhundertvierzig Ellen die Schrägung des Daches. Das innere teilte ich in sechs, in sieben, in neun Teile, schüttete sechs Saren Erdpech in den Innenraum, drei Saren Asphalt (brauchte ich zum äußeren Anstrich). Den Bauhandwerkern schlachtete ich viele Rinder und Schafe, Most, Sesamwein [2]) (?), Oel und Traubenwein gab ich ihnen wie Wasser des Flusses. Dann brachte ich in das Schiff all mein Silber und Gold (entgegen dem Befehl Eas), Lebenssamen aller Art lud ich darauf, meine Familie und meine Angehörigen, Vieh des Feldes und alle Handwerkersöhne (andre haben „Kunsthandwerker").

Den Zeitpunkt der Abfahrt hatte Samas festgesetzt: „Wenn die Gebieter der Finsternis heute Abend einen Schmutzregen regnen lassen werden, dann besteige das Schiff und schließe sein Tor hinter dir zu." Mit Bangen erwartete Atrahasis an diesem Tage den Sonnenuntergang, mit Angst bestieg er sein Schiff, dessen Leitung der Steuermann Buzurkugal übernahm. In der Frühe des nächsten Tages wurden die Elemente entfesselt. Es erhob sich am Fundament des Himmels dunkles Gewölk, in dessen Mitte Adad den Donner krachen ließ, während Nebo

---

1) Damit bezeichnet Atrahasis sich als einen Sohn Marduks.
2) Hier ist vermutlich ein Schreibfehler im Text. Es sollte wohl heißen „Sesamöl".

und Marduk vorangingen. Nun reißt Uragal den Anker des Schiffes los. Sechs Tage und sieben Nächte rast der Sturmwind [1]), die Herolde [2]) schreiten über Berg und Tal, der Pestgott Dibbara hat die Wirbelwinde entfesselt, der Gott Adar läßt die Kanäle überströmen, die Götter des unterirdischen Wassers senden gewaltige Fluten herauf, lassen die Erde erzittern, das Licht wird in Finsternis verwandelt. Aber die Anunaki erheben ihre Fackeln und lassen das Land von ihrem Glanze erglühen.

Indessen steigt die Flut immer höher und höher, der Bruder sieht nicht nach dem Bruder, die Menschen kümmern sich nicht mehr umeinander. Alle Menschen gehen zu grund, ihre Leichen bedecken das Wasser wie Baumstämme. Selbst die Götter fürchten sich vor dem Wasser und flüchten in den höheren Himmel, wo sie sich wie Kettenhunde am Himmelsgitter niederkauern; denn die Götter, die von Menschengedanken gemacht sind, müssen sich auch die schlechteste Behandlung gefallen lassen. Das wird hier recht offenbar.

Da schreit die schönstimmige Belitilu oder Anatu, die Göttermutter, wie ein kreisendes Weib und alle Götter mit ihr; denn sie bereuen, die Sintflut beschlossen zu haben: „Wäre der Tag doch zu Lehm [3]) geworden, da ich in der Versammlung der Götter Böses befahl. Wie befahl ich den Schlachtensturm zur Vernichtung meiner Menschen, daß wenn ich meine Menschen gebären lasse, sie wie Fischbrut das Meer erfüllen." So klagen und weinen die Götter, indem sie mit den Anunaki auf dem asru [4]) sitzen. Schon dauert die Flut sechs Tage und sieben Nächte, die ganze Menschheit ist zu Erde geworden. Aber am siebten Tage legte sich die Flut, die wie ein gewaltiges Kriegsheer gekämpft hatte. Der Sturm ließ nach, das Meer wich in seine Ufer zurück.

Sobald das Tageslicht gekommen war, erzählt Atrahasis weiter, betete ich, öffnete ein Luftloch, und das Tageslicht fiel auf die „Mauer meiner Nase". Am andern Tage stieg eine Insel auf, und das Schiff steuerte auf das Land Nisir zu, das am untern Zab liegt. Ein Berg hielt es dort fest. Als das Schiff dort sechs Tage gelegen, ließ Atrahasis eine Taube fliegen. Sie konnte keinen Ruheplatz finden und kam wieder zum Schiff zurück. Danach ließ er eine Schwalbe hinaus, aber auch sie kehrte zum Schiff zurück. Der Rabe aber, der zum dritten Versuch diente, sah das Schwinden des Wassers, krächzte und kam nicht wieder. Nun verläßt Atrahasis, nachdem er allem Getier, das er im Schiff bei sich hatte, die Freiheit gegeben, mit den Seinen das Schiff, errichtet auf dem Berg Nisir einen Altar, schlachtet Schafe zum Opfer nach den vier Winden und setzt adagur-Gefäße je sieben und sieben auf und legt unter

1) Wo bleibt da das Schiff?
2) Andre übersetzen „Thronträger".
3) Fragliche Uebersetzung.
4) A. Jeremias, A. T. O., S. 36 versteht darunter den Tierkreis.

16*

sie Schilfrohr, Zedernholz und Weihrauch [1]). Die Götter riechen aber den angenehmen Duft und sammeln sich wie Fliegen um den Opferaltar.

Auch Istar, die hehre Göttin, kommt heran und richtet am Himmel die großen Bogen [2]) auf, die ihr Vater Anu geschaffen hatte, und sprach: „Seht, ihr Götter, diese hier! So gewiß ich den Edelsteinschmuck meines Halses nicht vergesse, will ich mich dieser Tage erinnern und in ferner Zukunft nicht vergessen. Wenn die Götter an das Schlachtopfer herangehn, soll Bel nicht herankommen, weil er sich nicht besann und die Sturmflut machte und die Menschen zum Strafgericht bestimmte."

Auf Istars Anregung wird hierauf ein zweiter Rat der Götter gehalten, in dem es bald zum gewohnten Streit kommt. Bel ist darüber erzürnt, daß der Flut Einhalt geschehen ist; denn sein Wille war, kein Mensch sollte im Strafgericht leben bleiben. Weiter klagt er darüber, daß Ea dem Atrahasis zur Rettung geholfen; Ea aber macht Bel zum Vorwurf, daß er unüberlegt gehandelt und ohne Unterschied alle Menschen vernichtet habe. Er meint: „Dem Sünder lege seine Sünde auf, den Missetäter lasse seine Missetat tragen, aber mache ihn los, daß er nicht abgeschnitten werde. Schicke Löwen und Leoparden, Pest oder Hungersnot, aber keine Sturmflut, die alle Menschen vertilgt. Hätte sich doch Uru erhoben und das Land hingeschlachtet! Ich habe kein Geheimnis der Götter verraten. Den überklugen Utnapistim ließ ich Traumbilder schauen. So vernahm er das Geheimnis der Götter."

Nach dieser Rede raten die Götter Eas Rat, und Bel wendet seinen Sinn. Er geht in das Schiff hinein, ergreift Atrahasis an der Hand und macht einen Bund mit ihm, der mit seinem Weib vor ihm niederkniet. Bel segnet sie und spricht: „Vormals war Utnapistim ein Mensch, nun soll er und sein Weib wie die Götter sein [3])." „Da nahmen sie mich und ließen mich fern an der Mündung der Ströme wohnen." Also ward Atrahasis der Stammvater der alten Babylonier, die das Meerland besiedelten.

Ein Rückblick auf alle die Göttersagen, die hier in möglichster Vollständigkeit mitgeteilt sind, wird wohl am Platze sein. Sie verraten uns nicht, wie viel Hamiten und Semiten von der den Menschen von Anfang an vertrauten Wortoffenbarung nach Babylonien mitgebracht haben. Wohl ist die alte Ueberlieferung mit den Kindern der aus der Sintflut geretteten Menschen aus dem Quellgebiet der Flüsse des armenischen Hochlandes, dem Lauf des Wassers folgend, in die Ebene herabgestiegen [4]), sodaß die Abkunft der neuen Menschheit von Norden her

1) Jensen hat hier simgir oder Myrte, nach andern soll es das wohlriechende ondropogon Schönanthus oder Kamelhen sein.

2) Jensen versteht unter nimmis Intaglios d. i. Gemmen.

3) Hier ein deutlicher Fingerzeig, woher viele Götter der Babylonier gekommen sind.

4) Vergl. Dillmann, A. d. W. 1882, S. 438.

auch bei den Babyloniern ein feststehender Zug ist. Mit den Völkern aber gehen ihre Ueberlieferungen, und Babylonien kann nicht, wie mehrere Gelehrte annehmen, die Heimat der Sintflutgeschichte sein. Aber bei den meisten Völkern wurde die ursprüngliche Ueberlieferung Stück für Stück verloren oder durch menschliche Zutaten unkenntlich gemacht und verdorben. Das geschah zu derselben Zeit und in dem Maße, wie der Aberglaube der Vielgötterei sich verbreitete, die durch die alte Ueberlieferung als Lug und Trug gestraft ward. Je ferner aber das Bild des Einen lebendigen unsichtbaren Gottes im Andenken der Menschen gerückt wurde, desto freier wurde die mythologische Dichtung, desto dringender auch das Verlangen, das ursprünglich bewunderte Werk der Schöpfung und Erhaltung der Welt und aller Weltwesen auf verstandesgemäße und verständliche Entwickelung zurückzuführen. Daher stellen die heidnischen Mythologieen die erste Gestalt des Rationalismus auf dem Gebiete der Religion dar. Er kennt kein Wunder, weil er keinen allmächtigen Gott kennt. Seine Götter tragen das Bild der Menschen an sich, für die und aus denen sie gemacht sind, und sie können nicht anders. Sie müssen ganz im Bereich des menschlichen Erkenntnisses und der menschlichen Willkür bleiben. Man macht mit ihnen, was man will. Gefallen sie nicht mehr, so werden sie abgesetzt, und neue Dichtungen treten an ihre Stelle, heute wie vor fünftausend Jahren.

Betrachtet man diese Entwickelung, so wird auch die andere Tatsache verständlich, daß der Rationalismus und der Subjektivismus unserer Zeit stets auf Seiten der Mythologieen und nicht auf Seiten der göttlichen Offenbarung steht. Sogar in scheinbaren Nebendingen finden sich die gleichgestimmten Seelen der Menschenkinder alter und neuer Zeit zusammen. So beschränken sie beide die Dauer und Ausdehnung der großen Flut so viel als möglich gegen das ausdrückliche Zeugnis der hl. Schrift und der Erdkunde.

Uebrigens finden sich immer neue Texte der verschiedenen babylonischen Sintflutsagen. So erzählt ein Text aus der Bibliothek Asurbanipals, daß Atrahasis im Gespräch mit Ea an den Jammer erinnert, den die Strafen der Götter über die Menschheit gebracht haben. Hungersnot, Dürre, Unfruchtbarkeit, Seuche, Mißwachs sei über sie gekommen, zuletzt die Sintflut, weil die Sünden der Menschen nicht abnahmen, sondern noch ärger wurden. Dieses Stück ist entschieden älter als Atrahasis Bericht, weil hier ein Teil der ursprünglichen Ueberlieferung erhalten ist, nämlich was die Ursachen der Sintflut angeht, wovon der Hauptbericht eigentlich nichts weiß. Nur am Schluß verrät der Streit der Götter etwas davon.

———

Fünfter Abschnitt.

Schrift und Sprache der Babylonier und Assyrer.

1. Die Schrift.

Nach mehreren Zeugnissen ist die Schreibekunst bereits vor dem Ereignis erfunden worden, das die Babylonier abubu oder die große Flut nennen. Chronos befiehlt Atrahasis, die alten Schriften nach Anfang, Mitte und Ende in Sippara zu vergraben; und dem König Asurbanipal ist es eine Freude, Steinschriften aus der Zeit vor der Sintflut zu lesen. Es wird auch sonst auf die Aussprüche der alten Weisen wie eines Enmeduranki und andrer hingewiesen. So kann uns auch nicht zweifelhaft sein, welchem Volk die Ehre dieser Erfindung gebührt. Es sind die Kinder Hams, die im Anfang Vorderasien und Aegypten besiedelten. Nur steht es noch in Frage, ob die Aegypter von ihren stammverwandten Nachbarn, den Sumero-Akkadiern, oder umgekehrt, ob die Sumero-Akkadier von den Aegyptern gelernt haben, was uns heute in Erstaunen setzt? Wir lassen diese Frage hier unerörtert und begnügen uns mit der Vermutung, daß beide Völker aus derselben Quelle geschöpft haben, und mit der Gewißheit, daß diese beiden Völker sich sehr nahe stehen, sich eines Ahnherrn rühmen, beide der Schrift kundig, beide hoch gebildet.

Dieser beiden Völker Schrift war eine Bilderschrift. Daher kann die semitische Buchstaben- oder Lautschrift, die durch die Vermittlung der Phönikier, Griechen und Römer unsere Schrift geworden ist, ebensowohl aus der ägyptischen wie aus der sumero-akkadischen Schrift entstanden sein. Nach Hommel [1]) soll das semitische Alphabet um die Zeit zusammengestellt sein, als die Semiten noch Nomaden waren; und trifft diese Vermutung bei den Hebräern zu, bei denen nach dem Zeugnis der hl. Schrift Moseh zuerst geschrieben hat. Das war in der Steppe der peträischen Halbinsel, wo die Hebräer als Hirtenvolk umherzogen.

Einige Beispiele mögen das Verhältnis von Bilder- und Lautschrift verdeutlichen. Das Zeichen

‼ lesen die Babylonier alpu Ochse, die Hebräer nannten dasselbe Zeichen alef, sprechen es aber nicht alpu oder alef aus, sondern a und wir nach ihnen unser A.

---

1) Sem V. u. Sp. I, S. 169. Grundriß S. 111.

bei den Babyloniern bitu das Haus, bei den Hebräern bajith, bei uns b.

babylonisch gimillu das Kamel, hebräisch gimel, unser Laut g.

bab. daltu die Türe, hebr. dalet, unser d.

bab. idu die Hand, hebr. jod, jad, unser i j.

bab. nunu der Angelhaken, hebr. nun ל, unser n.

bab. inu das Auge, hebr. ghain o, unser gh.

bab. risu der Kopf, hebr. resch, rosch ף, unser r.

In der Tat kommen alle diese Sachen, die wir hier im Bild sehn, bei Nomaden im täglichen Leben vor, nicht nur der Zeltpflock und die Hürde, sondern es erinnern Haus und Türe nur an die Zelte der Hirten, nicht aber an ein festgebautes Haus. Damit wird schon deutlich sein, daß die alten Babylonier wenigstens für jede Sache oder Silbe ein besonderes Zeichen haben mußten, die späteren Semiten aber mit einigen zwanzig Zeichen alle Worte ihrer Sprache schreiben konnten. Während uns etwa zwölftausend Zeichen der Babylonier und Assyrer bekannt sind, haben es die Chinesen, ihre Nachfolger, schon auf fünfzigtausend gebracht. So wenig wir wissen, von wem diese überaus schwierige Schreibweise erfunden worden ist, so wenig ist uns über den Erfinder der Buchstabenschrift etwas bekannt. Bezold ist geneigt [1]), eine sehr frühe Zeit noch vor Moseh dafür anzunehmen, wo zunächst ein altsemitisches Alphabet gefunden wurde, aus dem sich später das phönikische, hebräische und aramäische Alphabet entwickelten. Das letztere findet sich auch auf assyrischen Urkunden.

Die Anfänge der hamitischen Schreibkunst suche ich in der Vorzeit, da die Hamiten noch nicht in Aegypter, Hethiter und Sumero-Akkadier getrennt, sondern noch e i n e Familie oder Stamm der Kuschiten waren. Seine Zweige trennten sich später auch räumlich und entwickelten sich selbständig in jeder Kultur, auch nach Schrift und Sprache, sodaß die Schreibkunst in Aegypten wie im Khattiland und Babylonien ihre eigentümliche Ausbildung erfuhr. Wie lange das gegenseitige Verstehen anhielt, ist ungewiß. Im fünfzehnten vorchristlichen Jahrhundert schrieben ägyptische Statthalter und die Könige von Mitanni und von Babel Steinbriefe in babylonischer Keilschrift an den Pharao von Aegypten; aber wir haben schon früher vernommen, daß ein Dolmetsch mitgesandt wurde.

Die Schreibzeichen der Sumero-Akkadier sind wie die Hieroglyphen der Aegypter ursprünglich wirkliche Bilder; aber sie haben eine doppelte Bedeutung. Das Bild des Fisches bezeichnet nicht allein einen Fisch,

1) N. u. B., S. 78.

sondern auch die Silbe ha, wie das Bild eines Vogels den Vogel und die Silben hu oder bek. Alle Bilder von Sachen oder Silben waren ohne Ausnahme aus einfachen graden Strichen zusammengesetzt, die man später Keile oder Pfeile nannte; und je nach der Zahl und Stellung der Striche oder Keile, von denen diese Schriftart ihren Namen erhalten hat, wurden die tausende von Bildern hervorgebracht, die schon die sumero-akkodische Schrift bald nach ihrer Erfindung gebrauchte.

Später gab es auch Zeichen für mehrsilbige Worte oder Ideogramme, während an andern Zeichen ein wirkliches Bild gar nicht mehr zu erkennen ist. So kann niemand sagen, wie es kommt, daß das Zeichen [Keilschriftzeichen] einen Fisch bedeutet, [Keilschriftzeichen] Gott, [Keilschriftzeichen] die Stadt, [Keilschriftzeichen] Auge, [Keilschriftzeichen] Holz. Es scheint uns wenigstens nicht die geringste Aehnlichkeit zwischen Bild und Sache obzuwalten. Doch haben wir selbst manches ähnliche, wie unsre Zahlzeichen 1, 2, 3 u. s. w., das Zeichen für Pfund, Münzen, die überall in Europa verstanden, doch überall anders ausgesprochen werden.

Nunmehr wird auch verständlich werden, wie die Sumero-Akkadier und die später eingewanderten Semiten ihre beiden ganz verschiedenen Sprachen doch mit e i n e r Schrift schreiben konnten, wie auch heute die zweihundert Sprachen Chinas nur mit e i n e r Schrift geschrieben werden. Für beide Sprachen bedeutet der achtstrahlige Stern Himmel oder Gott. Die Sumero-Akkadier sprechen dieses Zeichen anna oder dingir aus, die Semiten dagegen samai oder ilu. Das Bild eines Hauses, das vier senkrechte und zwei wagrechte Keile enthält, wird von den einen e, bei den andern bit ausgesprochen.

Solch ein Keil oder Pfeil, den die Sumero-Akadier mit einem kantigen Griffel in ihre Tontafeln einritzten, ist immer an dem einen Ende spitz, am andern breit und allmählich verjüngt; bald kürzer, bald länger, nach oben oder nach unten, aber stets nach rechts oder schräg gerichtet; bald senkrecht bald wagrecht, bald zu kleineren bald zu größeren Gruppen vereinigt. So unterscheidet man Ecken, Nägel und Winkel an diesen Keilen.

Es kann aber jedes Zeichen, wie wir oben hörten, auch eine Silbe bezeichnen, wie der achtstrahlige Stern nicht immer die Bedeutung von Himmel oder Gott, sondern oft nur den Silbenwert a n hat. Dasselbe Zeichen kann kur, mad, mat, schad, schat, lat, nat, kin, gin gelesen werden. [Keilschriftzeichen] bedeutet bald gi, bald dis, bald tal; bald die Zahl 1, bald daß der Name eines Königs folgt. Nun mag jeder in etwas ermessen, welche Schwierigkeiten mit dem Lesen der Keilschriften heute noch mehr als in alter Zeit verbunden sind; und wie viele Zeichen von den Gelehrten auf mehrere Art gelesen werden. Dazu vergleiche man Jensens Kosmologie.

Viel einfacher sind zunächst die babylonisch-assyrischen Zahlzeichen. Ein senkrechter Keil, der auf der Spitze steht, bedeutet 1; zwei solcher

Keile 2, drei 3. Die Zahl 5 wird entweder durch 5 Keile, die in 2 Reihen geordnet sind, oder durch 2 Keile ausgedrückt, die in ihren Spitzen vereinigt sind, sodaß dies Zeichen der römischen V ähnlich ist. 6 hat dieses Zeichen und einen Keil daneben und so weiter bis zu 9. Das Zeichen von 10 besteht aus 2 Keilen, die mit ihrem breiten Ende aneinander stoßen, aber in einem stumpfen Winkel, also ⟨; 20 hat zwei solche Keilpaare, 30 drei, 40 aber drei schräg stehende Keile und einen breiten, kurzen, ebenfalls schräg stehenden Keil. 100 wird geschrieben, 1000 nach dem dekadischen System oder der Dezimalrechnung, die den Babyloniern und Assyrern wohl bekannt war.

Nicht so einfach ist die Schreibweise des Duodezimalystems, das neben dem erstgenannten hergeht. Hier kann sowohl 1 als 60 als 3600 bedeuten, ⟨ sowohl 10 oder 600. bezeichnet 2, ⟨ also 12, aber 72, 60 + 12, indem durch die nachfolgenden Zeichen in die höhere Einheit, das ist 60, vorgerückt ist, daher 10 mal 60 und 12 oder 672.

Das Quadrat von 16 wird geschrieben, d. i. 6 + 10 + 4 × 60 = 256. Daneben liest Oppert 6, 12 u. s. w. 24, 30; doch dürfte hiermit dem Laien genug gegeben sein, um diese fremdartige Kultur zu bewundern.

Wie die Semiten außerhalb Babyloniens haben auch die Perser sich aus der Bilderschrift eine Lautschrift zusammengestellt, die bereits 1621 von Pietro della valle in Persepolis entdeckt und im Abendland bekannt gemacht wurde. Aber lesen konnte man zunächst nur e i n e n Buchstaben, das a, das in der Zendsprache der häufigste Laut ist. Die nächsten neun Buchstaben entdeckte der junge Dr. Grotefend zu Göttingen 1802, indem er auf der Dariusinschrift drei mehrfach wiederkehrende Königsnamen fand und vermutete, daß hiermit eine Dynastie von Großvater, Vater und Enkel gemeint sei. Da aber in der altpersischen Geschichte nur e i n m a l diese Folge vorgekommen ist, so fiel er auf Hystaspes, Darius, Xerxes, persisch Vishtasp, Darjawesch, Chsharsha. Mit diesen drei Namen hatte er 9 Buchstaben entdeckt. Auf dieser ersten größeren Entdeckung bauten andre Gelehrte weiter, wie Eugen Burnouf, ein französischer Gelehrte, der gleichzeitig mit Lassen in Bonn sämtliche Buchstaben des persischen Alphabets feststellte. Den bedeutendsten Fortschritt aber brachte die Entdeckung des Engländers Rawlinson, der die große dreisprachige Inschrift des Königs Darius vom Berg Behistun oder Bisutun 1835—37 abgeschrieben und erklärt hat. Die drei Sprachen, altpersisch, susisch oder medisch und babylonisch waren auch in dreierlei Keilschrift geschrieben, von denen nur eine, die altpersische, bis dahin bekannt war. Häufig stand für ein persisches Wort im babylonischen Text nur e i n Zeichen. Das mußte ein Ideogramm sein. Noch konnte man nicht alle Worte lesen, bis die weitere Entdeckung folgte, daß die Eigennamen durch vorgesetzte senkrechte Striche oder Keile kenntlich gemacht waren. Doch herrschte noch große Unsicherheit im Lesen. Das Zeichen, in dem man das r erkennt hatte, wurde bald ra oder ri oder ru, bald ar oder ir ausgesprochen. Ein französischer Gelehrte hatte 1850 schon über hundert Silbenzeichen und Ideogramme gesammelt, ein andrer gab 1851 sämtliche persische Keilschriften heraus, und ein Engländer folgte mit dem Text und Uebersetzung des babylonischen Teiles der Behistun-Inschrift. Dann wies ein deutscher Gelehrte nach, daß die babylonische Schrift eine Silbenschrift sei, und 1868—72 wurde die erste assyrische Grammatik und Wörterbuch herausgegeben, dem bald 1887—96 Fr. Delitzsch mit seiner großen Arbeit folgte. Damit wurde die babylonisch-assyrische Schrift und Sprache weiten Kreisen zugänglich gemacht. Es entstand die Wissenschaft der Assyriologie.

Es hat aber die Keilschrift verschiedene Stufen der Entwickelung durchgemacht. Die älteste Form ist auch für Babylonien die eigentliche Bilderschrift, die später in Vergessenheit geriet, während sie in Aegypten noch neben der demotischen und hieratischen Schrift lange Zeit gebraucht wurde. Aus dem Bild eines Gegenstandes wurde, wie Max Duncker darlegt, erst das andeutende Bild, dann das Bildzeichen, das Ideogramm. Oder es wurde dem Zeichen ein Lautwert beigelegt, und Wörter, die aus mancherlei Silben zusammengesetzt waren, konnten durch eine Gruppe von Zeichen ausgedrückt werden. Gegen hundert Gruppen von Zeichen bezeichnen nur einfache Silben, die aus einem Konsonant und einem Vokal als Anlaut oder Auslaut bestehen. Dagegen sind wieder mehrere hundert Gruppen von Zeichen vorhanden, die mehr als einen Konsonant enthalten. Indem aber dasselbe Zeichen bald nach seinem Sinnwert, bald nach seinem Lautwert gelesen wurde, und manche Zeichen haben bis zu vier Lautwerten und vier Sinnwerten, so entstand schon für die alten Babylonier eine Unsicherheit im Lesen, der sie durch Lesezeichen, sog. Determinative zu steuern versuchten, die den Namen der Götter, Könige, Länder, Städte u. a. vorangestellt wurden. Wenn schon die Alten solche Zeichen nötig hatten, welche Schwierigkeiten entstanden dem Forscher nach vier und fünf tausend Jahren [1]). So blieb denn die Keilschrift auf den meisten Stufen ihrer Entwickelung eine äußerst schwierige Schrift; und es ist zu verwundern, daß sie noch in der Zeit der Seleukiden, ja bis in die Zeit Christi gebraucht wurde.

Die zweite Stufe der Entwickelung ist auch hier die sog. hieratische. Man brauchte diese Schrift zur Zeit des Königs Gudea für die sumero-

1) Nach E. Schrader, A. d. W. 1887, S. 585.

akkadische Sprache. Die Zeilen liefen von oben nach unten, wie noch heute die Chinesen schreiben; man schrieb von rechts nach links. Die Tontäfelchen haben häufig ein oder mehrere Löcher, wie die chinesischen Münzen oder Bücher. In die Löcher wurden kleine Holzpflöcke gesteckt und danach die Tafeln geordnet.

Es folgte die altbabylonische oder archaistische Schrift. In ihr sind die Tontafeln von Ur und andern Orten zur Zeit des Königs Hammurabi geschrieben, sowie auch der große Stein mit den babylonischen Gesetzen. Die Zeilen laufen nun wagrecht, man schreibt von links nach rechts, eine Aenderung, die schwerlich von den eingewanderten Semiten ausging [1]; denn abgesehn davon, daß wir gar nicht wissen, ob diese Semiten überhaupt des Schreibens kundig waren oder gar fähig, die gelehrten Sumero-Akkadier zu unterweisen, steht die Tatsache vielmehr fest, daß von allen Semiten bis auf den heutigen Tag an der Richtung von rechts nach links bei allem Schreiben festgehalten wird.

Wahrscheinlich verdankt diese Aenderung ihren Ursprung und Uebung der größeren Leichtigkeit und Bequemlichkeit, nach der um so mehr verlangt wurde, als man oft und viel zu schreiben hatte. Diese Schriftart wurde bis in die griechische Zeit hinein für die Prunkinschriften der Könige gebraucht.

Die neubabylonische Schrift ist eine Art Kursiv, das zur Zeit Asurbanipals aufkam und fast bis zur Zeit Christi gebraucht wurde [2]). Aus dieser Schriftart entnahmen die Elamiter, Perser und Kappadokier ihre Zeichen.

Die altassyrische Schrift findet sich auf den Denkmälern der assyrischen Könige von 1500—800 v. Chr. Dieser Schrift bedienten sich die ägyptischen Statthalter in Palästina, wie die Briefe aus dem Tell el Amarna beweisen. Aus ihr stammt das Altarmenische.

Die neuassyrische oder ninivitische Schrift ist nicht viel jünger als die vorige. Sie fängt zur Zeit Tiglatpilesars I. um 1100 v. Chr. an und reicht bis zum Ende des assyrischen Reiches um 606 v. Chr. Sie entwickelte sich unabhängig von der neubabylonischen Kursivschrift und weicht daher vielfach von dieser ab.

Alle bisher genannten Schriftarten sind Silbenschriften. In den vier letzten finden sich gegen vierhundert Ideogramme.

Die susische, auch medische oder skythische Schrift genannt, enthält etwa neunzig Monogramme, die noch nicht gedeutet sind. Man findet sie auf den Achämeniden-Inschriften in Persepolis, auch auf einigen Tafeln aus der Bibliothek Asurbanipals in Kujundschik.

Die altpersische Buchstabenschrift ist wie die neuarmenische aus der neubabylonischen Kursivschrift hervorgegangen. Sie verdankt ihre Ein-

---

1) Gegen Tiele a. a. O., S. 560.
2) Vgl. Fr. Hommel, Grundriß, S. 106.

führung dem König Darius und wurde die ganze Zeit der Achämenidenherrschaft gebraucht [1]).

Die kappadokische Keilschrift hat Fr. Delitzsch in den Abhandlungen der königlich sächsischen Gesellschaft der Wissenschaften von 1893 behandelt. Sie ist nach ihm und Jensen im wesentlichen dem assyrischen gleich.

Ueber die Zeichen der verschiedenen Schriftarten unterrichtet Straßmaier im vierten Band der assyriologischen Bibliothek.

Die Tafeln, auf die man schrieb, die Prismen und Cylinder wurden, wie bekannt, aus Ton geformt, getrocknet und gebrannt; aber es ist nicht sicher, ob sie v o r dem Brennen oder n a ch demselben beschrieben wurden. Oefter findet man auf einer Tafel mehrere Schriften wie assyrische und babylonische neben einander. Auch hier schrieb der eine wie noch heute schön und leserlich, der andre nachlässig und undeutlich. Die Tafeln und andere Schreibunterlagen sind von sehr verschiedener Größe, Farbe und Dicke. Viele sind arg beschädigt, nur wenige unversehrt. Das Kopieren derselben ist oft nur mit der Lupe möglich, da die Schriftzüge dann und wann außerordentlich fein sind [2]).

2. Die Sprache der Babylonier und Assyrer.

Während die in Altbabylonien eingewanderten Semiten von den vor ihnen im Land ansässigen Sumero-Akkadiern das Schreiben lernten, so hielten sie dagegen an ihrer Sprache, einem Dialekt der semitischen Sprache, fest. Ja sie lehrten als das herrschende Volk diese Sprache auch den unterworfenen Sumero-Akkadiern, sodaß deren Sprache allmählich ausstarb oder nur den Gelehrten bekannt blieb. Diese Sprache gehört zu den sog. agglutinierenden Sprachen Vorderasiens [3]), die u. a. die Eigentümlichkeit zeigen, daß derselbe Vokal in einem Wort wiederholt auftritt, wie dugud schwer, suphur Staub, dagal weit, nipin Kreis, dirig dunkel, ugur Schwert, utul Herrscher, imin Wort, ishib Beschwörung, alam Bild, amar Wildstier. Ob auch diese Sprache ihre Dialekte hatte, die Hommel als Herrnsprache und Weiber- oder Dienersprache unterscheidet, ist nach andern [4]) noch recht unsicher.

Manche Worte der sumero-akkadischen Sprache nahmen die eingewanderten Semiten in ihre Sprache auf. Solche Lehnworte sollen das

1) Vgl. Fr. Hommel, Grundriß, S. 202.
2) Vgl. Knudtzon a. a. O., S. 6.
3) Fr. Hommel, Sem. V. u. Sp. I.
4) Tiele a. a. O., S. 67.

hebr. ir Stadt sein, sumer. uru, akkad. eri; oder kaneh Rohr, sumer. gin, assyr. kanu; oder kisseh Sessel sumer. guza, assyr. kussu.

Im fünften Jahrhundert v. Chr., als Ninive und Babylon schon gefallen waren, gelangte auf dem Gebiete der untergegangenen Weltreiche nicht persische Schrift und Sprache zur Herrschaft, sondern die aramäische Schrift und Sprache, wie die der Babylonier und Assyrier ebenfalls ein semitischer Dialekt, der im vierten Jahrh. v. Chr. von der griechischen Sprache teilweise verdrängt wurde. Daher haben wir aramäische Inschriften auf späteren assyrischen Grabdenkmälern, wie die zu Nareb bei Damaskus gefundenen:

. . . Des Nazarban, Priesters des Sahar in Nareb, des verstorbenen. Dies ist sein Bild und sein Totenbett. Wenn du dieses Bild und dieses Totenbett von seinem Platz reißest, mögen Sahar und Samas und Nikal und Nusku deinen Namen und deinen Platz aus dem Leben reißen und dich jeden Todes töten und deinen Samen verloren gehn lassen. Aber wenn du dieses Bild und Totenbett in acht nimmt, möge ein andrer das deinige in acht nehmen [1]."

oder:

„Des Agbar, Priester des Sahar. Dies ist sein Bild. Für meine Gerechtigkeit vor ihm hat er mir einen guten Namen geschafft und meine Tage lang gemacht. Zur Zeit, da ich starb, enthielt sich mein Mund nicht zu sprechen, ‚mit meinen Augen, was sehe ich?' ‚Kinder weinen um mich im vierten Geschlecht, o seht ihrer hundert.' Und sie haben bei mir kein Gerät von Silber und Kupfer gelegt, mit meinen Kleidern haben sie mich hingelegt, nichts für einen andern. Beraube nicht mein Totenbett! Wer immer mich beeinträchtigt oder beraubt, den mögen Sahar und Nikal und Nusku auf schlimme Art töten, und sein Ausgang müsse verloren sein."

Die Priester aber und Grundbesitzer bedienten sich in ihren Urkunden noch lange der altbabylonischen Schrift und Sprache. Sicher wurde die Keilschrift zur Zeit Alexanders des Gr., auch der Seleukiden und Arsaciden gebraucht. Aus dem J. 80 v. Chr. ist noch ein Horoskop mit Planetenstellung in Keilschrift erhalten.

1) Nach Hoffmann, Z. f. A. 1896, S. 109; auch die folgende Inschrift

Sechster Abschnitt.

Die Denkmäler der Babylonier und Assyrer.

Mehr als zwei Jahrtausende haben die Denkmäler aus den beiden Weltreichen, die für Israel, das Volk Gottes, und damit für das Reich Gottes im Neuen Bund von tief einschneidender Bedeutung waren, unter Schutt und Trümmern begraben gelegen, wie sie bald der Elemente Gewalt, bald der Menschen zerstörende Hand über sie gehäuft hatte.

So wußten wir in früheren Jahrhunderten von diesen alten Kulturvölkern nur das wenige, was die Griechen von ihnen zu berichten hatten, und dieses war zum teil recht sagenhaft und konnte kaum anders sein; denn als die Geschichtschreibung der Griechen ihren Anfang nahm, lagen die meisten assyrischen und babylonischen Städte schon in Trümmern. Hätten aber die griechischen Geschichtschreiber, die für das Barbarische ein hohes Interesse hatten, die schriftlichen Denkmäler dieser Barbaren in Händen gehabt, so mußten dieselben doch ohne Nutzen bleiben, weil ihnen deren Schrift und Sprache unbekannt war. So sah Xenophon die Trümmerstätte des gewaltigen Ninive, nannte sie Mespila und meinte, diese Stadt sei von Medern bewohnt gewesen. Die Stätte des alten Kalah heißt bei ihm Larissa, er weiß nichts von ihrer Bedeutung.

Den späteren Reisenden fielen die seltsamen Hügel im Mittelstromland auf, wo allerlei Trümerstücke, Backsteine und Tontafeln, mit unbekannten Schriftzeichen bedeckt, gefunden wurden. Noch stellte niemand eingehende Untersuchungen an, bis ein Engländer namens Rich in dem Ort Hillah bei Bagdad zu graben anfing. Er hatte die Stelle des alten Babylon gefunden. Und als er 1820 in die kurdischen Berge reiste, entdeckte er auch die Reste von Ninive. Hier stellte dann Emil Botta, ein französischer Konsul in Mosul, 1842 neue Nachforschungen an, die im Jahr darauf zur Aufdeckung des Palastes führten, den sich König Sargon II. in Ninive gebaut hatte. Bottas Nachfolger waren Viktor Place und Auston Henry Layard, ein Engländer. Dieser entdeckte 1846 den Palast Salmanassars I. und den Asurbanipals, den Tiglatpilesars II. und den Asarhaddons. In den Ecken des Palastes von Tiglatpilesar II. fand er die achtseitigen Tonprismen, die er suchte, beschrieben auf allen

Seiten; und in Kujundschik entdeckte er die Paläste Sanheribs und Asurbanipals mit dessen Bibliothek.

Die späteren Ausgrabungen leiteten Rawlinson, Hormuzd Rassam, Loftus, Taylor, Fresnel, Oppert und andere Gelehrte und Forscher, meist in dem Gebiet des alten Assyriens, während in neuer und neuester Zeit auch Babylonien, vor allem die Stadt Babel selbst untersucht wird.

Außer den Königspalästen mit ihrem mannigfachen Inhalt, den Stierkolossen, Cheruben und andern Bildwerken, die ebenso wie die aus Alabastertafeln bestehenden Wände mit Schriften bedeckt sind, bieten die Altäre und Bildsäulen der Götter, die auch meist beschrieben sind, und die neben den Tempeln stehenden Stufentürme oder Ziggurats ein reiches Feld der Altertums-Forschung dar. Unzählige Tontafeln lieferten die Bibliotheken; und auch die Ziegelsteine, aus denen die Mauern der gewaltigen Bauten errichtet waren, tragen viele Inschriften oder Stempelabdrücke, die auf den gebrannten Steinen besonders gut erhalten sind. Am meisten Schreibfläche gaben die Prismen und Cylinder her. So haben auf ihnen besonders die ruhmredigen Könige von Assyrien ihre Großtaten der Nachwelt kundgetan.

Doch auch Privatleute waren bestrebt, namentlich ihre Besitzesurkunden möglichst lange zu erhalten, wie die schrecklichen Flüche beweisen, die sie im voraus, also zur Abschreckung gegen die Zerstörer solcher Denkmäler schleudern. Da heißt es etwa:

„Wer immer in späterer Zeit, sei er ein König, ein Prinz, Statthalter oder Richter, dessen Name der große Herr Marduk genannt hat und der in Akkad die Herrschaft übt, diese Tafel zu zerschlagen beliebt oder irgend jemand anstiftet, einen Feind, einen bösen unverständigen unweisen Toren, der die großen Götter nicht fürchtet, ihre Standorte verändert, in's Wasser wirft, in die Erde verbirgt, mit Feuer verbrennt, mit Steinen zerschlägt oder versteckt, wo man sie nicht finden kann; die Schrift auslöscht, um das Grundstück, das Lehen an sich zu reißen, das Mardukapluiddin, König von Babylon, dem Balachiirba, dem ninku von Babel, verliehen hat; jenen Menschen werden Anu, Ea und Bel, die großen Götter, mit einem unlösbaren Fluch, Blindheit, Taubheit, Lähmung der Glieder belegen, und er möge Elend erleiden. Marduk und Erua, die Herrn, die das Schicksal bestimmen, sollen die Wassersucht auf ihn legen! Mit dem Schwinden des Fleisches soll seine Haut verderben! Die großen Götter, so weit deren Namen auf dieser Tafel genannt sind, mögen seinem Namen, Samen und Nachkommenschaft im Mund der Leute vernichten und sein ferneres Leben abschneiden [1]).“

Aehnliche Urkunden folgen später.

Außer den Chroniken, Königslisten und Urkunden aller Art, allerlei Gefäßen, Waffen und Schmuckgegenständen, Kameen, Siegeln, Abbildungen von Jagden und Belagerungen der Städte, von denen bei Besprechung der Künste später noch die Rede sein wird, fand man auch Säulen und Monolithe, Türflügel und Schwellen, aus Erz gegossen und vielfach beschrieben, dazu Bildsäulen, Stierkolosse, Cherube, Sphinxe.

---

1) Nach K. B. III, S. 193.

Besonders zahlreich sind die aufgefundenen Grenzsteine, bedeckt mit Bildern und Schriften.

Alle diese Denkmäler haben eine doppelte Bedeutung für uns, indem sie zunächst über den Stand der Kunst in jener alten Zeit Kunde geben; vor allem aber führen sie uns durch die Inschriften, mit denen die meisten von ihnen bedeckt sind, in die Geschichte, Religion und Wissenschaft ein, die bei beiden Völkern, Babyloniern und Assyrern, eine hohe Stufe erreicht hatte.

Noch ist zu erwähnen, daß viele der kürzeren Inschriften oder Bilder nicht mit dem kantigen Schreibegriffel oder Stift in den noch weichen Ton eingedrückt oder ausgestoßen sind, sondern mit einem Stempel, Petschaft oder Siegelcylinder, die im allgemeinen Gebrauch sich befanden. Auch sie sind uns als Denkmäler willkommen, wenn sie von hartem Stein angefertigt sind; aber die meisten waren aus Holz gefertigt und sind im Lauf der Jahrtausende selbstverständlich zu Staub und Asche geworden.

Siebenter Abschnitt.

Das geistige und religiöse Leben der Babylonier und Assyrer.

Es war nicht leicht zu vermeiden, daß schon im zweiten Teil des vierten Abschnitts, da wo von Verehrung der Götter gehandelt wurde, manches vorgetragen wurde, das ebensogut auch in diesem Abschnitt stehn konnte. Dort sollte mehr die objektive, hier die subjektive Seite des religiösen Lebens hervortreten.

Die Priester, die als die ersten Rationalisten dem gläubigen Volk an der Stelle des Einen unsichtbaren Gottes, der in seiner Wundermacht Himmel und Erde erschaffen hatte, die vielen sichtbaren Götter verkündigten und die frisch erfundenen Mythen oder Fabeln über deren angebliche Großtaten erzählten, lehrten das Volk auch den Dienst und die Anbetung dieser Götter.

Wenn ein deutscher Gelehrte diese Götter für „lebendige, allwissende und allgegenwärtige" Wesen erkennt, der überträgt offenbar das Licht der Erkenntnis aus den heiligen Schriften der Christen in die Finsternis der Heiden. Diese Götter sind nach allgemeiner Vorstellung der Babylonier und Assyrer nicht ewig lebend; denn sie können getötet werden und sind auch getötet worden. Sie sind nicht allwissend; denn sie können getäuscht werden und sind getäuscht worden. Sie sind nicht allgegenwärtig; denn entweder sind sie in ihren Tempeln oder auf dem Götterberg, aber nicht zu gleicher Zeit an beiden Orten. Das ist der Babylonier und Assyrer Meinung, und eine andere soll man ihnen nicht unterschieben.

Da den Priestern von seiten ihrer Völker schon in alter Zeit der Abfall von dem lebendigen Gott und das Verlangen nach neuen Dingen entgegenkam wie in dem Volk Israel noch viel später geschah [1]), so fanden sie in allen Schichten der Bevölkerung zu allen Zeiten schnellen Glauben. Und wie das angedichtete verkehrte Tun und Lassen dieser sichtbaren Götter einen Deckmantel für gleiche Torheiten und verkehrte Wege der Menschen hergab, so muß ihre fortgesetzte Anbetung und Ver-

1) Exod. 32, 1.

ehrung als ein gefährliches Reizmittel zu fortschreitender Entsittlichung der Völker gewirkt haben. Daneben steigerte sich mit der Sündenlust und dem Sündenschmutz auch die Finsternis des Aberglaubens, der alle Leibes- und Seelennöte durch Zauberei mit Heilwurz und anderem Kraut zu stillen sich rühmt; der dabei überall Gespenster sieht; der in jeder Nacht voll Angst ist, den vor dem Tode graut, der den Menschen ohne Hoffnung dahinsinken läßt!

Nebukadnezar, der hohe mächtige König von Babylon, war trotz aller seiner Macht und Hoheit doch in den Händen seiner Priesterschaft. Er läßt sie schreiben [1]):

„Seit Marduk, der große Herr, mich zur Herrschaft des Landes erhoben, beuge ich mich ehrfurchtsvoll vor dem Gott, der mich geschaffen hat. Seine reichen Einkünfte vermehrte ich gegen früher und gab für jeden Tag einen fetten Ochsen, Fische, Vögel, sumu oder Knoblauch, pilu, den Schmuck der Wiesen, Honig, Rahm, Milch, gutes Oel, Kurunnu-Wein, Wein von den Gebirgen Izalla, Trimmu, Simmini, Hilbuni, Aranabani, Suhi, Bitkubati, Bitati spendete ich wie Flußwasser ohne Zahl auf den Tisch Marduks und der Zirbanit."

Wie im ganzen Morgenland wurde der Wein auch in Babylonien und Assyrien aufbewahrt. Daher heißt es einmal: 4 nakrimanu ana kirinu silkata u sikari d. i. vier Lederschläuche zum Einfassen von Rüben (?) und Wein. Davon spendete der fromme König seiner Priesterschar mit vollen Händen, daß sie wie der reiche Mann im Evangelium herrlich und in Freuden leben konnten, und namentlich der Keller gut gefüllt war.

Auch Nabuaplaiddin, König von Babylon, opferte dem Samas fette Stiere, Schafe, Korn, Honig, Wein, Ysop und bestimmte, was den Priestern an Opferteilen und Gewändern zufallen sollte. Und wer solche Bestimmungen verändert oder aufhebt, der wird verflucht bei Samas, Ai und Bunene, den Herrn der Entscheidungen [2]).

Das Hauptopfer, mit dem die Götter verehrt und ihr Zorn gestillt wurde, war und blieb, wie wir schon oben vernommen haben, das Schlachten von reinen Tieren, vorzüglich Haustieren; doch werden auch Gazellen als Opfertiere erwähnt. Weihrauch und Trankopfer fehlten nicht. Besonders große Opfer wurden dargebracht, wenn der Rat der Götter, demütig erbeten und von den Priestern in Orakeln kundgetan, glücklichen Erfolg gebracht hatte. Dann empfingen die Götter den ihnen gebührenden Dankeslohn nicht nur in Lob und Preis der Sieger mit zugehörigen reichen Opfern, sondern auch in Errichtung von Tempeln und Altären.

Es war aber das ganze Leben eines jeden Babyloniers oder Assyrers ohne Unterschied des Alters, Geschlechts oder des Standes von der Geburt bis zum Grabe durch religiöse Sitte oder Gesetze also bestimmt, daß

1) K. B. III, b, 33.
2) K. B. III, S. 183.

diese beiden Völker nicht anders als durch Würdigung ihrer Religion und Religionsübung verstanden werden können. Jeder Tag des Jahres war einem oder mehreren Göttern geweiht; und an jedem Tag mußte, wie wir hörten, der König von Assyrien eigenhändig als Oberpriester das Opfer bringen.

Auch ist diesen Völkern das Gefühl für recht und unrecht durchaus nicht abzusprechen. Sie wissen, was gut und böse ist; aber die Weckung und Stärkung des sittlichen Gefühles und das wirkliche Halten der Gebote mußte in demselben Verhältnis abnehmen, wie sie sich von dem lebendigen Gott entfernten. Daher hört man noch aus einigen Sagen der Götter heraus, daß diese, wenn sonst auch ganz menschlich dargestellt, doch noch über Gottlose zürnen und Gericht halten, die Guten aber belohnen. Wie das gemeint ist, bleibt nicht im Dunkeln. Wer sich schwer verfehlt hat, wer etwa die Grabesruhe eines Toten gestört oder seinen Leichnam nicht beerdigt hat, der steht unter dem Fluch, er wird von Tempel und Palast ausgeschlossen [1]), kann also weder vor die Götter, noch vor den König ein Anliegen vorbringen.

Bisweilen scheint es, als sei das Sündenbewußtsein bei diesen Völkern ausgeprägter als bei andern Heiden gewesen, sodaß nicht nur Verfehlungen im Dienst der Götter, sondern auch innere Mängel und schlechte Handlungen gegen die Götter, den König und die Volksgenossen erkannt und gerügt wurden. Solchen Schein erwecken die Beschwörungstafeln [2]) aus der sog. Surpu-serie. Surpu aber bedeutet Verbrennung. Da liest man:

„Hat er Vater und Sohn entzweit, hat er Mutter und Tochter entzweit, hat er Schwiegermutter und Schwiegertochter entzweit, hat er Bruder und Bruder entzweit, hat er Freund und Freund entzweit; hat er einen Gefangenen nicht freigelassen, einen Gebundenen nicht gelöst; ist's Gewalttat gegen das Oberhaupt, Haß gegen den älteren Bruder; hat er Vater und Mutter verachtet; die ältere Schwester beleidigt, der jüngeren Schwester gegeben, der älteren verweigert; zu nein ja, zu ja nein gesagt; unlauteres gesprochen, frevelhaftes gesprochen; falsche Wage gebraucht, falsches Geld (?) genommen, einen rechtmäßigen Sohn enterbt, einen unrechtmäßigen eingesetzt, falsche Grenze gezogen, Grenze, Werke und Gebiet verrückt? Hat er seines Nächsten (tappu) Haus betreten, seines Nächsten Weib sich genaht, seines Nächsten Blut vergossen, seines Nächsten Kleid geraubt? Hat er einen Mann nicht aus seiner Gewalt gelassen, einen braven Mann aus seiner Familie getrieben, eine wohlvereinte Sippe gesprengt, gegen einen Vorgesetzten sich erhoben? War er mit dem Herzen aufrichtig, mit dem Munde falsch? Mit dem Mund voller ja, mit dem Herzen voller nein? Ist's wegen Ungerechtigkeit, auf die er sann, um Gerechte zu vertreiben, zu vernichten, zu freveln, zu rauben, rauben zu lassen, mit bösen sich zu befassen? Ist sein Mund unflätig, widerspenstig seine Lippen? Hat er unsauberes gelehrt, ungeziemendes unterwiesen? Hat er mit Zauberei und Hexerei sich befaßt? Hat er mit Herz und Mund versprochen, aber nicht gehalten? Durch ein Geschenk (etwa ein fehlerhaftes Opfertier, wie heute etwa einige Namenchristen unwerte Münzen oder Rechenpfennige opfern) den Namen seines Gottes mißachtet? Etwas

1) K. B. II, b, S. 145.
2) H. Zimmern bei A. Jeremias, A. T. O., S. 109.

17*

geweiht, aber zurückbehalten; etwas geschenkt, aber es gegessen? Gelöst werde, wodurch er auch immer gebannt ist. Ob er solches, das für seine Stadt ein Greuel, gegessen; ein Gerede über seine Stadt ausgesprengt, den Ruf seiner Stadt schlecht gemacht; ob er mit einem Gebannten Gemeinschaft gehabt, in seinem Bett geschlafen, auf seinem Stuhl gesessen, aus seinem Becher getrunken?"

Das ist ein Beichtspiegel, der denen der römischen Priester würdig zur Seite stehen kann. Kaspari [1]) nennt ihn einen „Lasterkatalog" und macht die treffende Bemerkung, daß bei den Babyloniern und Assyrern das Verhältnis zwischen Göttern und Menschen als ein Rechtsverhältnis gedacht worden sei. Damit aber wird auf eine ethische Betrachtung der Sünde verzichtet.

Wenn die Beschwörung dazu dient, daß der Mensch Frieden erlange, so ist wohl ein Zusammenhang zwischen den sog. Bußpsalmen und den Beschwörungstafeln zu erkennen. Während diese Tafeln die normierende Vorschrift für den handelnden Priester darstellen, so bestimmen jene Lieder die Rede des Sünders vor seinem Gott. Jene enthalten das Mittel, einen Gott zu versöhnen; die Klage sucht, fordert die Versöhnung. Die Schwierigkeit aber der Lage des sündigen Menschen bleibt immer dieselbe: W e l c h e n Gott hat er beleidigt? W e l c h e Sünde hat ihn in das Unglück gestürzt? Für beide Fragen ist in Babylonien und Assyrien der Mensch lediglich auf den Priester angewiesen, ja gänzlich in des Priesters Hand gegeben. Der Priester sucht und findet den Dämon, der die Krankheit in den Leib gebracht hat, und gibt das Mittel an, ihn wieder zu verdrängen, alles auf gut Glück. Wollen Gebet und alle symbolische Handlungen, die wir noch kennen lernen werden, nicht helfen, so hat der Priester immer noch den Ausweg oder die Ausrede, die Ursache des Mißlingens in besonders schweren Vergehungen des Gebannten oder einem Ungehorsam des Sünders gegen die priesterlichen Vorschriften zu entdecken.

Doch enthält die Surpuserie, aus der vorhin eine Art Beichtzettel mitgeteilt wurde, auch mehrere treffende Verbote, wie diese: falsches Geld (?) oder Gewicht zu gebrauchen, des Nächsten Weib zu beleidigen, Pflanzen aus dem Feld auszureißen, des Nächsten Kanal zu verstopfen oder zu beschmutzen. Aber schon diese Zusammenstellung von ethischen Geboten mit Polizeibestimmungen zeigt deutlich, daß die Sittlichkeit des Babyloniers oder Assyriers ihre besondre Art hat. Es kommt aber diese Zusammenstellung häufig vor; denn es ruhet der Bann (mamitu) auf einem Menschen, der jemandem durch Bestechung zu seinem Recht verholfen hat, der Pflanzen aus einem Feld ausgerissen, Rohr im Dickicht abgeschnitten hat; der für e i n e n Tag um eine Rinne gebeten wurde und die Bitte abgeschlagen hat; der für e i n e n Tag um einen Wasserbehälter gebeten wurde und es abgeschlagen hat; der des Nächsten Kanal verstopft hat, statt den Gegnern oder Anliegern zu willfahrn und ihnen

1) A. a. O. S. 25.

Vorflut zu schaffen; der ihnen Feind geblieben, der einen Fluß verunreinigt oder in einen Fluß gespieen hat [1]).

Aus alledem dürfen wir erkennen, daß der Mann aus Tarsus den Standpunkt der Heiden nicht nur wohl versteht, sondern auch gerecht abwägt und treffend beschreibt, wenn er sagt, die Werke des Gesetzes seien in ihren Herzen geschrieben, daneben aber zeuge ihr Gewissen mit den Gedanken, die sich unter einander verklagen oder entschuldigen [2]). Sie bitten wohl, „es werde zerbrochen die Tafel meiner Sünden"; und bei der Lösung des Bannes erklärt der Priester, „die Tafeln seiner Sünden, seiner Uebertretungen, seiner Missetaten, der Bannsprüche und Verwünschungen werden in's Wasser geworfen". Wenn aber das Zerbrechen einer Schuldurkunde gleich einer Quittung war, so müssen wir die obige Bitte und des Priesters Erklärung auf d i e Vergebung der Sünden beziehen, wie sie in Babylonien begehrt und erteilt wurde, nicht aber, wie sie von Christen begehrt wird. Dabei aber wollen wir nicht vergessen, daß der Bann gleicherweise auf dem Menschen ruht, der seines Bruders Blut vergossen hat, wie auf dem, der in den Fluß gespieen hat, damit wir nicht etwa mit E. Schrader [3]) überschätzen „das tief empfundene Sündenbewußtsein und die Innigkeit der Religiosität" oder gar zugeben eine „enge Verwandtschaft" der sog. assyrischen Bußpsalmen mit den Gesängen des biblischen Psalmbuches; denn diese Ueberschätzungen beruhen auf der falschen Voraussetzung, als ob jede Religiosität gleichwertig sei, einerlei ob sie gegenüber dem Einen lebendigen Gott oder gegenüber den toten erdichteten Götzen zur Erweisung kommt, ob sie echt und wahrhaftig oder innerlich hohl und leer ist.

Die häufigsten Verfehlungen bleiben die Uebertretungen der Vorschriften, die den Gottesdienst betreffen, Ungehorsam gegen priesterliche Gebote, Unterlassung von Geboten, von Opfern an den Tempel, von Gaben an den Priester. Doch vermeint man einen tiefer denkenden und fühlenden Geist aus den Vorschriften zu vernehmen, die A. Jeremias mitteilt [4]):

„Zu deinem Gott sollst du ein Herz der (Ehrfurcht) haben Das ist es, was der Gottheit zukommt. Beten, Flehen, Niederwerfung des Angesichts sollst du ihm frühmorgens darbringen und überschüssig sollst du es (über Tag) machen. Bei deinem Lernen sieh auf die Tafel. Gottesfurcht gebiert Gnade, Opfer verwahrt das Leben, und Gebet (tilgt) die Sünde. Dem, der die Götter fürchtet, entgeht nicht (der Lohn). Wer die Anunaki fürchtet, verlängert (sein Leben). Gegen Freund und Genossen rede nichts (schlechtes). Niedriges rede nicht, Freundlichkeit (verweise). Wenn du versprichst, so gib (auch, was du du versprochen hast)."

Daß hier die Erwähnung einer Tafel, von der man lernen soll, besonders wichtig sei, kann ich trotz der bez. Behauptung von A. Jere-

1) Vergl. A. Jeremias, A. T. O., S. 110.
2) Röm. 2, 15.
3) Bei Kaspari a. a. O., S. 95.
4) A. T. O., S. 107.

mias nicht finden, es sei denn, daß diese Tafel eine Art Beichtspiegel enthalten habe. Daneben ist daran zu erinnern, daß alle Schüler von Tafeln lernen mußten, auf die sie selbst oder ihre Lehrer die Lektion aufgezeichnet hatten. Man schrieb auf Tafeln in Schulen und im täglichen Verkehr. Lieber hätte uns A. Jeremias etwas von dem Bann sagen sollen: wen er traf, wer ihn aussprach, was für Folgen er hatte, wie er gelöst werden konnte [1])?

Am meisten Aufschluß über das innere Leben des Babyloniers sollte man billig von den Gebeten oder Klagliedern erwarten, denen man mit unrecht den Namen „Bußpsalm" beigelegt hat, um auch hier eine Parallele mit der hl. Schrift zu gewinnen. Man sollte diesen Vergleich nicht allein wegen des gänzlich verschiedenen Inhalts, sondern auch wegen des Namens aufgeben. Diese babylonisch-assyrischen Lieder sind und heißen gar nicht Bußpsalmen, sondern sigu d. i. Heulen, ersebkumal oder Klaglied, takkaltu oder Trauergesang. Von Reu und Leid über die gegen Gott und seine heiligen Gebote begangene Sünde ist nirgends in ihnen die Rede, und dieses verstehn wir heute doch unter Buße.

Lénormant hält dafür, daß diese Klaglieder erst nach der Zeit entstanden seien, als die Nordsemiten bereits in Babylonien eingewandert waren. Andre Gelehrte halten sie für älter. Es leiden aber diese Klaglieder außer andern Gebrechen an dem Hauptfehler aller heidnischen Gebete, den der Herr seinen Jüngern zur Warnung vorhält [2]): „Sie meinen, sie werden erhört, wenn sie viele Worte machen." Dies Urteil zu begründen, möge eine Anzahl von solchen Gebeten oder Liedern hier folgen.

„Was meinem Gott ein Greuel, das habe ich unwissentlich gegessen. Was meiner Göttin ein Abscheu, darauf habe ich unwissentlich getreten. O Herr, meine Sünden sind viel, groß sind meine Missetaten. O mein Gott, meiner Sünden sind viel, groß sind meine Missetaten. Bekannter unbekannter Gott, meiner Sünden sind viel, groß sind meine Missetaten. Bekannte unbekannte Göttin, meiner Sünden sind viel, groß sind meine Missetaten. Die Sünde, die ich begangen, kenne ich nicht. Das Vergehn, das ich verübt, kenne ich nicht. Den Greuel (tabu), den ich gegessen, kenne ich nicht. Das Abscheuliche, darauf ich getreten, kenne ich nicht. Der Herr hat im Zorn seines Herzens mich feindlich getroffen. Die Göttin hat wider mich gezürnt, mich einem Kranken gleich gemacht. Der bekannte unbekannte Gott hat mich bedrängt, die bekannte unbekannte Göttin hat mir Schmerz angetan. Ich suchte nach Hilfe, aber niemand faßte mich bei der Hand. Ich weinte, aber niemand kam an meine Seite. Ich stoße Schreie aus, aber niemand hört auf mich. Ich bin voll Schmerz, überwältigt blicke ich nicht auf. Zu meinem barmherzigen Gott wende ich mich und flehe laut. Die Füße meiner Göttin küsse ich, rühre sie an [3])."

Wenn je die Finsternis und Trostlosigkeit des Heidentums, auch des gebildeten, einen beredten Ausdruck gefunden hat, so ist er in diesem Klagelied enthalten. Die Sünde ist bekannt und unbekannt, der Gott und

1) Wer einen Gebannten nur berührte, galt für unrein.
2) Matth. 6, 7.
3) Nach Urquhart und A. Jeremias, A. T. O., S. 107.

die Göttin sind bekannt und unbekannt; aber ihr Zorn und Feindschaft brennen im Herzen des Menschen, und doch ist niemand da, der Trost und Rettung bringt, der die drückenden Folgen der Sünde aufhebt. Denn diese Folgen der Sünde, die zeitlichen Strafen, treiben den sündigen Menschen in's Gebet. Ein andres Gebet lautet:

„O Herr, stürze nicht deinen Knecht. In das Wasser des Schlammes geworfen, fasse ihn bei der Hand. Die Sünde, die ich begangen, wandle in gutes. Den Frevel, den ich verübt, führe der Wind fort. Meine vielen Schlechtigkeiten zerreiße wie ein Kleid. Mein Gott, sind meiner Sünden auch sieben mal sieben, so löse meine Sünden. Bekannter unbekannter Gott, sind meine Sünden auch sieben mal sieben, so löse meine Sünden. Bekannte unbekannte Göttin, sind meiner Sünden auch sieben mal sieben, so löse meine Sünde [1]."

Dies Gebet muß doch gewiß aus der Tiefe kommen? Aber neben dem lebhaften Sündenschmerz und dem innigen Verlangen nach Vergebung steht immer das bedauernswerte Bild des törichten Menschen, dem es weh tut, daß er etwas verbotenes gegessen oder auf einen Greuel getreten hat, auch seine Götter bald als bekannt bald als unbekannt behandelt. Beachtenswert ist noch, daß hier gar nicht der sühnenden Kraft des Opfers gedacht wird. Wir sehen wieder, daß keine Mythologie die Götter dem Menschen nahe bringen oder vertraut machen kann. Das muß die bedrängte Seele zu ihrem Schaden erfahren. Sie wird in ihrer Not nicht getröstet, sondern im stich gelassen. Sie ruft „Baal, erhöre uns", aber da ist keine Stimme noch Antwort [2]). Welch eine Anklage gegen die trügerischen Priester.

Aber dieses Klagelied, sagt ein Gelehrter, enthält etwas „Babylonisches im N. T." Wie Petrus [3]) fragt, ob siebenmal vergeben genug sei, antwortet der Herr doch nicht ganz babylonisch, sieben mal sieben, sondern verstärkt den Ausdruck, der bei den Hebräern vermutlich *ebensoalt ist wie bei den Babyloniern*, zu „siebzig mal sieben mal". Ein drittes Gebet:

„Daß meines Herrn Herzenszorn sich besänftige, daß der mir unbekannte Gott sich besänftige. Daß die mir unbekannte Göttin sich besänftige. Bekannter und unbekannter Gott sich besänftige. Daß meines Gottes Herz sich besänftige. Daß meiner Göttin Herz sich besänftige. Bekannter und unbekannter Gott und Göttin sich besänftige. Der Gott, der mir zürnte, möge sich besänftigen. Die Göttin, die mir zürnte, möge sich besänftigen. Die Sünde, die ich begangen, kenne ich nicht. Die Missetat die ich begangen, kenne ich nicht. Den Groll, den ich hinuntergewürgt, kenne ich nicht. Den Fehltritt, den ich getreten, weiß ich nicht."

Dieselbe Finsternis und Trostlosigkeit, wie in den vorigen Liedern, derselbe abergläubische Dienst des Buchstabens, wie Kaspari [4]) richtig sagt; denn es sind nur Buchstaben, aber keine sinnreichen Worte, die Gebete dieser Art.

---

1) Wie bei 3 auf S. 262.
2) 1. Kön. 18, 26.
3) Matth. 18, 21.
4) A. a. O., S. 24/430.

„Wie einer, der seines Herrn vergaß, der den hohen Namen seines Gottes leichtsinig aussprach, erschien ich. Ich selbst aber dachte nur an Gebet und Flehen. Gebet war meine Regel, Opfer meine Ordnung. Der Tag der Verehrung meines Gottes war meine Herzenslust. Der Tag der Nachfolge meiner Göttin war mir Gewinn und Reichtum. Gebet eines Königs, das war meine Freude, und Gesang eines solchen, das war mir angenehm. Ich lehrte mein Land den Namen Gottes bewahren, den Namen der Göttin zu verherrlichen unterwies ich mein Volk [1])."

Dies nur ein Teil des Gebetes, das später vollständig mitgeteilt wird. Hier haben wir kein Klagelied vor uns, sondern wahrscheinlich das Gebet eines babylonischen Königs der ältesten Zeit, wo noch eine Erinnerung an die heiligen Gebote Gottes vorhanden war. Darauf weist sogleich der Anfang hin. Dann freilich folgt ein Selbstlob auf das andere; doch will der hochgestellte Herr seinem Volk die Religion erhalten, und das ist bis heute etwas Großes.

„Der Herr, dessen Herz droben nicht beruhigt ist, dessen Herz drunten sich nicht besänftigt, droben und drunten keine Ruhe findet, der mich gebeugt, der mich vernichtet hat, der in meine Hand einen Fluch gelegt, der in meinen Leib Furcht gelegt, der die Lider meiner Augen mit Tränen erfüllt hat, der mein Herz mit Jammer erfüllt hat, ein reines Herz will ich zu beruhigen suchen, sein Herz möge besänftigt wieder ruhen."

Es ist den heidnischen Vorstellungen ganz angemessen, daß alle Gemütsbewegungen des leidenden Menschen in seinen Gott hineingelegt werden, der keine Ruhe hat, bis er den Menschen mit Fluch, Furcht, Jammer, Not und allem Elend belegt und in den Staub gedrückt hat.

„Der Herr, das erhabene Oberhaupt des Gottes Atar, möge mein Flehen dir verkünden. Die Verkünderin, die Herrin von Nippur [2]), möge mein Flehen dir verkünden. Der Gott, der Herr Himmels und der Erde, der Herr von Uruzibba [3]), möge mein Flehen dir verkünden. Die Mutter des großen Heeres, die Damgalnuna [3]), möge mein Flehen dir verkünden. Der Gott Marduk, der Herr von Tintir [4]), möge mein Flehen dir verkünden. Egia, der Erstgeborene des Gottes Ib [5]), möge mein Flehen dir verkünden. Der Gott Martu [6]), der Herr von Charsavva, möge mein Flehen dir verkünden. Die Göttin Gubara [7]), die Herrin von Gueddina, möge mein Flehen dir verkünden [8])" u. s. w.

Ein ganzes Heer von Fürbittern wird aufgeboten, aber wir erfahren nicht, bei wem sie Fürbitte einlegen sollen, und was der eifrige Beter begehrt. Das ist nach Caspari [9]) ein Versuch, aus dem Polytheismus einen praktischen Nutzen zu ziehen, wie in den Beschwörungen die Götter gegen die Dämonen ausgespielt werden. Bei der einen Instanz hat sich der Beter die Sünde zugezogen, die andre ruft er gegen die Folgen auf.

---

1) A. Jeremias, A. T. O., S. 111.
2) Hier wurden Bel und Beltis besonders verehrt.
3) Ea und Damkina.
4) Alter Name von Babel.
5) Ninib.
6) Ramman.
7) Anunit.
8) Nach Fr. Hommel, Sem. V. u. Spr. I, S. 308.
9) A. a. O., S. 67.

Er scheint es für möglich zu halten, über den Zorn eines Gottes mit Hilfe eines andern heil hinwegzukommen, ohne diesen zu versöhnen. Vermutlich bietet er den mächtigeren zur Hilfe gegen den schwächeren auf. Solche Ansätze, in die Ratsversammlung der Götter puhur ilani, wo die Schicksale festgesetzt wurden, einen Keil zu treiben, konnten sich auf Präzedenzfälle in den Mythen berufen. Jedenfalls mußte diese also gerechtfertigte Handlungsweise die Religion verwüsten.

Wenn es einmal in solch einem Gebet heißt, Gott möge vergeben, wie Vater und Mutter vergeben, so erinnert dieses Wort, wenn es kein bloßes Dichterwort sein soll, als ein letzter Rest an den uralten Glaubensschatz der Voreltern, die den lebendigen Gott als den Vater aller Menschen kannten und liebten und ehrten.

Oder es wird erinnert, daß bei Beschwörungen wie bei Klageliedern die beleidigte Gottheit als eine unbekannte erscheint. Die Namenlosigkeit aber führte von den einzelnen Göttern hinweg, brachte, wie Jastow meint, die Schar der Götter unter einen gemeinsamen Gesichtspunkt, die Leitung der menschlichen Schicksale. Aber damit ist doch nicht der geringste Zug von wirklichem Monotheismus in Babel entdeckt; denn ein persönlicher Gott wird nie und nirgend durch menschliches Nachdenken gefunden, sondern nur durch Offenbarung kund gemacht [1]).

Fr. Hommel [2]) will solchen monotheistischen Zug bei den alten Babyloniern dem neu eingewanderten Volk der Semiten zuschreiben; aber wenn diese zur Zeit der Abfassung solcher Gebete erst kürzlich eingewandert waren, so konnten sie schwerlich schon Einfluß in religiösen Dingen ausüben, zumal diese Einwanderung, wie bereits einmal bemerkt wurde, höchst wahrscheinlich nicht friedlicher Natur war; sondern die semitischen Nomaden bezwangen die Ackerbauer mit ihrem guten Schwert und starken Arm. Sodann ist zu erwägen, daß diese Semiten selbst nur zur Minderzahl, vielleicht recht kleinen Minderzahl, noch an dem Einen lebendigen Gott festhielten.

Noch könnte jemand annehmen, hier sei der Einfluß des nach Babylon verbannten jüdischen Volkes zu spüren. Diese Annahme zu begründen, müßte der Nachweis vorher gehn, daß solcher Art Lieder dem sechsten vorchristlichen Jahrhundert angehörten; und daß das jüdische Volk, das in seiner Verbannung den Gott, den es vorher schnöde verlassen hatte, nun aber wieder suchte und fand und ehrlich bekannte, der babylonischen Literatur auf irgend einem Wege nahe getreten sei, wovon wir bis heute nichts wissen. Eine Ausnahme hiervon macht vielleicht ein Gebet des Königs Nebukadnezar, das an Marduk gerichtet und möglicherweise von einem jüdischen Schreiber abgefaßt ist. Es lautet:

„Marduk, Herr, Fürst der Götter, trefflicher Fürst! Du hast mich geschaffen, die Herrschaft über die Scharen der Menschheit mir anvertraut. Wie mein kostbares

1) Kaspari a. a. O., S. 74 ꝛc. Matth. 11, 25.
2) Sem. V. u. Spr. I, S. 316.

Leben liebe ich deinen erhabenen Sal. Außer deiner Stadt Babel habe ich an allen Wohnstätten keine Ansiedlung (eines Gottes) erbaut. Weil ich die Furcht von deiner Gottheit liebe und an deine Herrschaft denke, so sei meinem Gebet gnädig und höre meine Bitte. Ich bin der König, der Ausstatter, der dein Herz erfreut, der weise Statthalter, der alle deine Städte ausstattet. Auf deinen Befehl, barmherziger Marduk, möge das Haus, das ich gebaut habe, für ewig stehn. Möge ich eine Pracht genießen, möge ich in ihm das Greisenalter erreichen, meine Großtaten genießen, von den Königen der Weltteile, von der gesamten Menschheit möge ich schweren Tribut darin empfangen. Vom Umkreis bis zur Höhe des Himmels beim Aufgang der Sonne möge kein Feind vor mir sein, möge ich keinen Widersacher haben. Meine Nachkommen mögen darin für ewig die ganze Menschheit beherrschen [1])."

Ein Gebet desselben Königs von ähnlichem Inhalt ist bereits früher mitgeteilt worden. Wir wissen freilich nicht, wie groß der Einfluß eines babylonischen oder assyrischen Königs auf seine Hofliteraten war; aber das dürfen wir wohl annehmen, daß in allen Inschriften, also auch Gebeten, die in des Königs Namen abgefaßt wurden, wenigstens der Sinn des Herrschers wiedergegeben wurde. So kann man wohl solchen Schriftstücken einen Einfluß der jüdischen Religion abspüren; aber neben dem Ausdruck des innigen religiösen Gefühls machen sich auch die ersten Ansätze des späteren Größenwahns in diesem Gebet bemerklich.

Sehr bemerkenswert ist in dieser Beziehung auch das Gebet eines leidenden Königs, das H. Zimmern aus der Bibliothek Asurbanipals mitteilt [2]):

„Ich gelangte in's Leben, in der Lebenszeit rückte ich vor. Wo ich mich auch hinwandte, da stand es schlimm, schlimm. Drangsal nahm überhand, Wohlergehn erblickte ich nicht. Rief ich zu meinem Gott, so gewährte er mir nicht sein Antlitz. Flehte ich zu meinen Göttern, so erhob sich ihr Haupt nicht. Der Wahrsager deutete nicht durch Wahrsagen die Zukunft, durch eine Spende stellte der Seher mein Recht nicht her. Ging ich den Totenbeschwörer an, so ließ er mich nichts vernehmen, der Beschwörer löste meinen Bann nicht durch ein Zaubermittel. Wie (erscheinen) doch die Taten anders in der Welt! Blickte ich hinter mich, so verfolgte mich Mühsal, als ob ich meinem Gott keine Spende dargebracht hätte und bei der Mahlzeit meine Göttin nicht angerufen worden wäre, (als ob) ich mein Antlitz nicht niedergeschlagen, keinen Fußfall getan hätte, (wie einer) in dessen Mund Gebet und Flehen stockten, (bei dem) der Tag Gottes aufhörte, die Feier des Neumondes ausfiel, der sich auf die Seite legte, ihren Ausspruch verachtete, (Gottes) Furcht und Verehrung sein Volk nicht lehrte; der seinen Gott nicht rief, von dessen Speise aß, seine Göttin verließ, ihr kein Getränk brachte; der den, der geehrt war, seinen Herrn vergaß, den gewichtigen Namen seines Gottes leichtsinnig aussprach — so erschien ich."

„Ich selbst aber dachte nur an Gebet und Flehen. Gebet war meine Regel, Opfer meine Ordnung, der Tag der Verehrung Gottes war meine Herzenslust, der Tag der Nachfolge der Göttin war (mir) Gewinn und Reichtum. Gebet eines Königs, das war meine Freude, und Gesang eines solchen, das war mir genehm. Ich lehrte mein Volk den Namen Gottes bewahren, den Namen der Göttin zu verherrlichen unterwies ich mein Volk. Die Furcht vor dem König machte ich Riesen gleich, auch in der Ehrfurcht vor dem Palast unterwies ich das Volk. Wüßte ich

---

1) K. B. III, b, 30.
2) K. A. T., S. 385.

doch, daß vor Gott solches wohlgefällig ist! Was aber an sich gut erscheint, das ist schlecht bei Gott; und was in sich verächtlich ist, das ist bei Gott gut. Wer verstände den Plan der Götter im Himmel, den Plan Gottes, voll von Dunkelheit, wer ergründete ihn? Wie verständen den Weg Gottes die blöden Menschen! Der am Abend noch lebt, ist am Morgen tot. Plötzlich wird er betrübt, eilends wird er zerschlagen. Im Augenblick singt und spielt er noch, im Nu heult er wie ein Klagemann. Wie Tag und Nacht ändert sich ihr Sinn. Bald hungern sie und gleichen einer Leiche, bald sind sie fett und wollen ihrem Gott gleichkommen. Geht's ihnen gut, so reden sie vom aufsteigen gen Himmel, sind sie in Kummer, so sprechen sie vom hinabfahren zur Hölle" . . . . .

Hier ist eine größere Lücke, im Kommentar steht:

„ein böser Totengeist ist aus seinem Loche hervorgekommen — zum Gefängnis ist mir das Haus geworden, in die Fessel meines Fleisches sind meine Arme gelegt, in meine eignen Bande sind meine Füße geworfen; mit einer Peitsche hat er mich geschlagen, voll von . . mit seinem Stabe hat er mich durchbohrt. Der Stich war gewaltig. Den ganzen Tag verfolgt mich der Verfolger [1]), mitten in der Nacht läßt er mich keinen Augenblick aufatmen [1]). Durch Zerreißung sind meine Gelenke gesprengt, meine Gliedmaßen sind aufgelöst, sind . . . auf meinem Lager wälzte ich mich wie ein Stier [1]), war begossen wie ein Schaf mit meinem Unrat. Meine Fiebererscheinungen [1]) sind dem Beschwörer unklar geblieben, und meine Vorzeichen hat der Wahrsager dunkel gelassen. Nicht hat der Beschwörer meinen Krankheitszustand [1]) richtig behandelt, und einen Endpunkt für mein Siechtum konnte der Wahrsager nicht angeben [1]). Nicht half mir ein Gott, faßte mich nicht bei der Hand. Nicht erbarmte sich meiner eine Göttin, ging mir nicht zur Seite. Schon öffnete sich das Grab, ergriff Besitz (?) von meiner Gestalt (?). Ehe ich noch gestorben war, war die Totenklage um mich vollständig. Mein ganzes Land rief: ‚Wie übel ist er zugerichtet.' Da solches mein Feind hörte, erglänzte sein Angesicht. Als Freudenbotschaft verkündigte man es ihm, sein inneres wurde heiter. Ich (aber) weiß eine Zeit, da meine Tränen zu ende sind, wo inmitten von Schutzgeistern die Gottheit geehrt ist."

Ueber den Einfluß der jüdischen Religion, den man hier anklingen hört, ist schon vorhin gehandelt worden. Viele Züge passen gradezu auf die schwere Krankheit des Königs Nebukadnezar. Als derselbe den Tempel der Gula oder Ninkarrak wieder hergestellt hatte, richtete er an sie das folgende Gebet:

„Ninkarrak, hehre Göttin! Wenn du Eharsagila, den Tempel deiner Gattinschaft, freudig betrittst, so möge dein Befehl Huld gegen mich sein. Mache meine Tage lang, befestige meine Jahre, befiehl meine Lebenskraft zu genießen, laß meine Seele gedeihen, mache meinen Leib gesund, befestige meinen Samen. Niederwerfung meiner Gegner und Verwüstung des Landes meiner Feinde sprich vor Samas, dem König Himmels und der Erde, alljährlich aus [2])."

Wie hier Gula um ihre Fürbitte bei Samas angegangen wird, so werden noch heute Maria und die Heiligen zu Mittlern zwischen Gott und den Menschen gemacht, echt babylonisch. Derselbe Nebukadnezar betet auch:

„Ninkarrak, erhabene Herrin, blicke das Werk meiner Hände freundlich an. Dein Befehl sei Huld gegen mich, ein Leben ferner Tage, Genuß der Lebenskraft,

---

1) Wer sollte hierbei nicht an den kranken König Nebukadnezar denken?
2) K. B. III, b, 45.

Wohlbefinden des Leibes und Frohsinn des Herzens gib mir als Geschenk. Vor Samas und Marduk mache meine Taten offenbar, sprich für Huld gegen mich [1]).“

Daß der oder die Verfasser der vorstehenden Gebete sich durch Reichtum der Gedanken hervortun, wird man schwerlich behaupten. Auch scheint einer die Niederschrift des andern benutzt zu haben, oder sie haben beide nach e i n e r Vorlage gearbeitet. Aehnlich ist es mit den folgenden Gebeten bestellt, die an die Istar gerichtet sind, deren erstes aus sumeroakkadischer Zeit stammen soll. Dasselbe lautet:

„In deiner Hauptstadt Uruk werden Gebete abgehalten. In Eulbar, dem Hause deiner Weissagung, wird Blut wie Wasser vergossen. O meine Herrin, ich bin gar sehr an die Schlechten gekettet. O Herrin, schmerzlich hast du mich niedergebeugt. Der mächtige Feind hat mich wie ein einzelnes Rohr zerbrochen. Meiner selbst habe ich nicht geachtet, wie ein Schilfrohr klage ich bei Tag und bei Nacht. Ich bin dein Knecht. Dein Herz möge sich beruhigen, dein Gemüt sich erfreuen [2]).“

„Gebete will ich sprechen, um mir Heil zu schaffen. O meine Herrin, seit Tagen liege ich darnieder, gar sehr bin ich an die Schlechten gekettet. Tränen sind meine Speise [3]). Weinen ist mein Trank. Voller Schmerz klage ich. O meine Herrin, lerne mein Tun kennen, bereite mir eine Ruhestätte, bedecke meine Sünden und trage sie fort von mir. Wer da betet, mein Gott möge dessen Gebete dir verkündigen. Wer da fleht, meine Göttin, möge dessen Flehen dir verkündigen [4]).“

Eine feine Gabe der Naturbeobachtung beweist, was vom Klagen des Schilfrohres gesagt wird, das Wind und Wasser bei Tag und bei Nacht rauschen machen; aber das ist eine für uns unvollziehbare Vorstellung, wie ein frommer Babylonier seine Bitte um Vergebung der Sünden an das Freudenmädchen der Götter richten kann? Ein anderes Gebet an dieselbe lautet:

„Der Herr, der große Berg, der Gott Bel, möge dein Gemüt besänftigen. O Istar, Herrin des Himmels, möge dein Herz sich beruhigen. Gebieterin, Herrin des Himmels, möge dein Gemüt sich erfreuen. Gebieterin, Herrin von Eanna, möge dein Herz sich beruhigen. Gebieterin, Herrin des Bodens von Urugga [5]), möge dein Gemüt sich erfreuen. Gebieterin, Herrin von Charsag-kalamma, möge dein Gemüt sich erfreuen. Gebikterin, Herrin von Tintirra, möge dein Gemüt sich erfreuen. Gebieterin, Herrin des Namens Nana, möge dein Herz sich berhigen. Herrin des Hauses, Herrin der Götter, möge dein Gemüt sich erfreuen [6]).“

Dies Gebet besteht aus den Namen der Göttin und zwei Bitten desselben Inhalts, die regelmäßig abwechseln, was auf den Wechselgesang zweier Chöre hinweist. Man findet Gebete dieser Art noch heute bei den Hindus und Tibetanern. Wer solche Machwerke den hebräischen Psalmen gleichstellen kann oder sie gar noch über diese Gebete stellt, der übt kein gerechtes Urteil oder hat keinen literarischen Geschmack. Dieselbe Istar wird auch also angerufen:

1) K. B. III, b, 53.
2) Hommel, Sem. V. u. S. I, S. 225.
3) Auch Ps. 42, 4.
4) Fr. Hommel, Sem. V. u. S. I, S. 308.
5) Uruk oder Erech.
6) Fr. Hommel, Sem. V. u. S. I. S. 263.

„O meine Herrin, verkünde deinem Knecht Vergebung. Dein Herz beruhige sich. Deinem Knecht, der böses getan hat, gewähre Gnade. Wende ihm dein Antlitz zu, nimm sein Wehklagen an. Versöhne dich wieder mit deinem Knecht, auf den du gezürnt hast. O meine Herrin, meine Hände will ich zu dir erheben. Zum Sonnengott hin, dem Gemahl deiner Neigung [1]), führe meine Sache. So will ich im Leben ferner Tage vor dir wandeln [2])."

„In Wehklagen saß er da, in schmerzlichen Worten, zerknirschten Herzens, in bösem Weinen, in bösem Wehklagen. Wie eine Taube klagt er Tag und Nacht, zu seinem barmherzigen Gott brüllt er wie ein Saier. Ein schmerzliches Wehklagen stellt er an, in Jammer wirft er vor seinem Gott das Antlitz nieder. Meine Missetat will ich dir sagen. Meine Worte will ich wiederholen, meine unwiederholbaren Worte [3])."

Man sieht, die schöne Missetäterin zieht die Beter besonders an.

„Die lebenden Menschen werfen das Antlitz nieder. Ich, dein Knecht, flehe dich an um Ruhegewährung. Wer Sünde hat, dessen inbrünstiges Wesen nimmst du an. Wessen du dich erbarmst, dieser Mensch wird leben. Machthaberin über alles, Herrin der Menschheit, barmherzige, der sich zuzuwenden gut ist, die die wehklagende Bitte annimmt, sein Gott und seine Göttin flehen mit ihm und sprechen zu dir: Wende dein Antlitz zu ihm und ergreife seine Hand. Außer dir gibt es keine recht leitende Gottheit. Treulich erbarme dich meiner, nimm meine wehklagende Bitte an, verkündige meine Errettung, und es besänftige sich wieder deine Seele. Wie lange noch ist dein Antlitz, o Herrin, abgewandt? Wie eine Taube klage ich und zergehe in Seufzen [4])."

Es ist kaum eine Gottheit vorhanden, die nicht gelegentlich einmal an die höchste Stelle gerückt würde, wie hier Istar. Die Götter sind auch darin menschlich gedacht, daß sie für Schmeicheleien empfänglich sind. Aber in ihrer Art sind diese Heiden doch fromm zu nennen; denn sie pflegen sogar der Fürbitte, sowohl untereinander als für ihre Obrigkeit. So bittet ein Untertan des assyrischen Königs für diesen seinen Herrn:

„Lange Tage, dauernde Jahre, eine starke Waffe, lange Regierung, ausgedehnte Jahre des Ueberflusses, den Vortritt unter den Königen gewähret, o Götter, meinem Herrn, der solcherlei seinen Göttern gegeben hat [5]). Die ausgedehnten und weiten Grenzen seines Reiches und seiner Herrschaft möge er hinausrücken und ergänzen. Mit der Herrschaft über die Könige, mit königlichem Ansehn und Gewalt möge er zu grauen Haaren und zu hohem Alter kommen [6]). Und nach dem Leben dieser Tage möge er bei den Festen der Silberberge, den himmlischen Höhen, der Wohnung der Seligkeit und in dem Licht der seligen Gefilde wohnen und ein Leben führen, ewig und heilig, in der Gegenwart der Götter, die Assyrien bewohnen."

Es bittet auch ein König für sich selbst oder ein Fürst für seinen Herrn:

„Ewiger, hocherhabener Herr über alles, was da ist, für den König bitte ich, den du lieb hast, und dessen Namen du ausrufest. Geleite seinen Namen nach

---

1) Es kommt den babylonischen Göttern allerlei Schande zu. Istar treibt mit Somas Ehebruch, mit ihrem Vater Blutschande.
2) Hommel, Sem. V. u. S., S. 320.
3) Hommel, Sem. V. u. S., S. 320.
4) Ebenda S. 321.
5) Vorher war jedenfalls von den Opfergaben des Königs gesagt worden.
6) Diese Bitte ist kaum ein Mal erfüllt worden.

deinem Wohlgefallen, führe ihn auf dem rechten Wege. Ich bin der Fürst, der dir gehorsam ist, das Geschöpf deiner Hände. Du hast mich erschaffen und mir das Königtum über das ganze der Völker verliehen nach deiner Gnade, die du, o Herr, über sie alle ausstreckst. Laß mich deine erhabene Herrschaft lieben und laß die Furcht deiner Gottheit in meinem Herzen wohnen und gib mir, was dir wohlgefällig ist, wodurch du mein Leben wirkest."

Der Loblieder auf die Götter gibt es eine große Anzahl, und sind einige derselben bei den betreffenden Göttern bereits mitgeteilt worden. Ein Loblied auf den Gott Samas enthält das Epos Enunna elis:

„O Herr, Erleuchter der Finsternis, der du öffnest das dunkle Antlitz, barmherziger Gott, der den Gebückten aufrichtet, der den Schwachen schützt. Nach deinem Licht schauen die großen Götter aus. Die Geister der Erde, sie alle blicken auf zu deinem Antlitz. Du regierst die Sprache des Lobpreises wie Ein Wort, die Schar ihrer Häupter sucht das Licht des Sonnengottes. Wie ein .... lässest du dich nieder, freudig und wohlgemut. Du bist das Licht der fernen Himmelsräume, du bist das Panier der weiten Erde. O Gott, es blicken zu dir auf und freuen sich die weithin wohnenden Menschen."

Ein Gebet an Marduk, abgefaßt im Emesaldialekt der sumerischen Sprache, der sag. Weibersprache, wurde von den Priestern am elften Nisan gesungen, wenn sie das Bild des Gottes nach Beendigung der Neujahr-Prozession wieder auf seinen Standort im Tempel Esagila zurückgebracht hatten. Dieser Litanei ist eine babylonische Uebersetzung in kleiner Schrift beigefügt:

„Herr, bei deinem Einzug in das Haus, dein Haus möge sich deiner freuen. Ehrenwürdiger Herr Marduk, bei deinem Einzug in das Haus, dein Haus möge sich deiner freuen. Starker großer Gott Enkilulu, bei deinem Einzug in das Haus, dein Haus möge sich deiner freuen."

„Ruhe, Herr. Ruhe, Herr. Ruhe Herr von Babel. Ruhe, Herr von Esagila, bei deinem Einzug in das Haus, dein Haus möge sich deiner freuen. Ruhe, Herr von Ezida, bei deinem Einzug in das Haus, dein Haus möge sich deiner freuen. Ruhe, Herr von Emahtila, bei deinem Einzug in das Haus, dein Haus möge sich deiner freuen. Esagila, das Haus deiner Herrlichkeit, bei deinem Einzug in das Haus, dein Haus möge sich deiner freuen."

„Deine Stadt möge „Ruhe" zu dir sagen, bei deinem Einzug in das Haus, dein Haus möge sich deiner freuen. Babel möge „Ruhe" zu dir sagen, bei deinem Einzug in das Haus, dein Haus möge sich deiner freuen. Anu, der große Vater der Götter, möge „Ruhe endlich" zu dir sagen. Der große Hort, Vater Bel, möge „Ruhe endlich" zu dir sagen. Die hehre in Stadt und Haus, die große Mutter Belit, möge „Ruhe endlich" zu dir sagen. Ninib, der erstgeborene Sohn Bels, die erhabenen Streitkräfte Anus, mögen „Ruhe endlich" zu dir sagen. Sin, der Erleuchter Himmels und der Erde, möge „Ruhe endlich" zu dir sagen. Der Held Samas, der gewaltige Sohn der Ningal, möge „Ruhe endlich" zu dir sagen. Damgalnunna, die Herrin des Ozeans, möge „Ruhe endlich" zu dir sagen. Die Braut, die erstgeborene Tochter des Uras [1]), möge „Ruhe endlich" zu dir sagen. Tasmitum möge „Ruhe endlich" zu dir sagen. Die erhabene große Herrin Nana möge „Ruhe endlich" zu dir sagen. Bau, die gütige Frau, möge „Ruhe endlich" zu dir sagen. Adad, der Lieblingssohn Anus, möge „Ruhe endlich" zu dir sagen. Sala, die große Gemahlin, möge „Ruhe endlich" zu dir sagen."

„Herr, Machthaber, der in Ekur wohnt, das Gemüt deiner Himmlischkeit beruhige sich. Herr der Götter, die Götter des Himmels mögen deinen Grimm be-

1) Ninib.

sänftigen. Verwirf nicht deine Stadt Nippur. „Herr ruhe“ möge sie zu dir sagen. Sippar verwirf nicht. „Herr ruhe“ möge sie zu dir sagen. Babel, die Stadt deiner Freude, verwirf nicht. „Herr ruhe“ möge sie zu dir sagen. Dein Haus blicke an, deine Stadt blicke an. „Herr ruhe“ möge sie zu dir sagen. Die Riegel Babels, das Schloß Esagilas, die Ziegel Ezidas bringe zurück an ihren Ort. Die Götter des Himmels und der Erde, „Herr ruhe“ mögen sie zu dir sagen.“

Diese Litanei wurde augenscheinlich von mehreren Chören der Priester und Priesterschüler im Wechselgesang aufgeführt. Sang und Gegensang sind nach dem Kehrreim leicht zu unterscheiden. Sein dreimaliger Wechsel zeigt an, daß die Litanei in drei Teile zerfällt, einer so inhaltsleer wie der andere. Ein assyrisches Exemplar hat am Schluß die Worte:

„Asurbanaplu, den Hirten, deinen Pfleger, erhalte am Leben. Erhöre seine Gebete. Gründe fest in Freundlichkeit den Grund seines Königtums. Er halte das Szepter des Vaters auf ewige Zeiten.“

Daß die Gebete und Hymnen, an die Götter gerichtet, gedankenarm sind, darf niemand wundern. Diese Götter haben einen Mund, aber sie können zu ihren Anbetern nicht reden. Diese sind ganz auf sich selbst angewiesen. Wo keine Offenbarung möglich ist, wird menschliche Dichtung zur Notwendigkeit. Das ist deutlich an einem Hymnus zu sehen, der an Bel gerichtet ist.

„O Vater Bel, o Herr des Landes. Das Mutterschaf verstößt sein Lamm, die Ziege ihr Zicklein. Wie lange noch soll in deiner treuen Stadt die Mutter ihren Sohn verstoßen, das Weib seinen Mann verstoßen? O Vater Bel, Himmel und Erde sind niedergeworfen. Licht ist nicht vorhanden. O Herr des Landes. Die Sonne geht über die Lande nicht glänzend auf. O Vater Bel, der Mond geht über die Lande nicht leuchtend auf. Sonne und Mond gehen über die Lande nicht glänzend auf.“

Bei diesem Hymnus und ähnlichen Stücken ist man versucht, die Frage zu stellen, ob nicht vielleicht ein Priesterschüler der Verfasser sei. Wer kann oder will dafür einstehn, daß das nicht der Fall sei? Aber wir wollen hiermit auch die Reihe der Lieder, Gebete [1]), Fürbitten und liturgischen Gesänge schließen, da der geneigte Leser Mittel genug empfangen hat, sich selbst ein Bild über die babylonisch-assyrische Frömmigkeit und religiöses Leben bilden zu können.

Doch ist noch des Fastens zu gedenken, das zu dem Gebet hinzukommt und fleißig geübt wird. Der Fastende versagt sich reine Speise, reines Quellwasser. Er enthält sich der Mitfeier von Festen, er nimmt keinen Teil an lauter Freude, er schließt sich selbst von dem Schönen und der Freude dieses Lebens aus. Er schließt seine Augen, als wären sie versiegelt, oder hebt sie kaum über den Erdboden und wandelt nicht herrschergleich, sondern demütig dahin. Aber dieses Fasten wird dem betreffenden Gott wie ein Opfer und andre Gabe im Gebet vorgehalten,

1) Was Knudtzon „Gebete an den Sonnengott“ nennt, verdient eher den Namen „Vorbereitung der Orakel“. Wir werden sie später kennen lernen.

damit er sich erweichen und zur Erzeigung seiner Güte durch Dankbarkeit und Anerkennung der Verdienste des Bittenden bewegen lasse.

Die Gerechtigkeit aber erfordert es, daß wir nicht nur die helleren Seiten des religiösen Lebens aufdecken, sondern auch zu den dunklen Tiefen hinabsteigen. Das ist die Herrschaft des Aberglaubens. In Babylonien wie in Assyrien war der Glaube an gute Geister und die Furcht vor den bösen Geistern, die dem Menschen allerlei Uebel antun, allgemein verbreitet. Da wir von den Geistern selbst schon Kenntnis genommen haben, wird es sich hier um das Verhalten der Menschen ihnen gegenüber handeln. Wir hören aber in der gesamten babylonisch-assyrischen Steinliteratur von nichts mehr, als von den mannigfaltigen Mitteln, wie sich die Menschen gegen die Wirkungen der bösen Geister schützen können.

Man hatte wohl Amulette und Talismane, aber am meisten wurden Beschwörungen und Zaubersprüche gebraucht, unter denen die Zauber von Nunki-Eridu und ihre Beschwörung als stets wirksam sehr berühmt waren.

Die Amulette und Talismane wurden entweder an der Lagerstätte oder an den Wänden des Hauses, wo ein Kranker lag, oder an dem Kranken selbst befestigt, weil man die Erwartung hegte, die bösen Geister würden sich vor ihrem Anblick zurückziehn. Zu den Talismanen gehören auch die Kanephoren, Bilder von Korbträgerinnen, die nach der Entdeckung von de Sarcy in Tell Loh in Hohlräumen von 80 Zentimeter Länge, Höhe und Breite in den Ecken der Paläste aufgestellt wurden, um die Gebäude und ihre Bewohner gegen allerlei Feinde zu schützen.

Zu den ältesten Steininschriften, die wir aus Babylonien und Assyrien überkommen haben, gehören die vielen tausend Zaubersprüche und Beschwörungen, die in sumero-akkadischer Sprache geschrieben sind. Einer lautet:

„Die Bannsprüche (?) des Gottes Ea sind in meiner Hand, das gismanu, die erhabene Waffe des Himmels ist in meiner Hand, die Dattelblüte der großen Gebote (? eher Bäume) halte ich in meiner Hand [1]).“

Dieser Spruch wurde, wie ich vermute, von den alten Babyloniern hergesagt, wenn sie ihre weiblichen Dattelbäume bestiegen, um deren Blüten mit dem Blütenstaub der männlichen Blüte künstlich zu befruchten. Das war ihnen ein Zauberwerk, weil sie den natürlichen Hergang noch nicht erkannten. Wenn aber H. Zimmern [2]) meint, die Befruchtung hätten die Winde besorgt, so irrt er sich. Ob die Winde in vorigen Zeiten stärker geweht haben als in unsern Tagen, weiß ich nicht; aber sicher ist, daß der Berber in Nordafrika, der Tamule in Indien täglich seine Palmbäume zur Zeit der Blüte besteigt, das gismanu in

1) K. A. T., S. 631.
2) Fr. Hommel, Grundriß, S. 371.

seiner Hand, nämlich den männlichen Blütenwedel. In Nervi sieht man schöne alte Dattelpalmen, aber sie tragen nur leere Hülsen, weil die Nervianer entweder dem Wind vertrauen oder die künstliche Befruchtung nicht verstehen, während die Leute von Bordighera und auf Sizilien wohlschmeckende reife Datteln erzielen. Ein andrer Spruch lautet:

„Feuer, Held, im Land erhaben, tapfrer Sohn der Wassertiefe, im Land erhaben. Feuer, deine helle glänzende Flamme macht Licht im Hause der Finsternis. Von allem, was einen Namen hat, bestimmt es das Geschick. Des Kupfers und des Zinnes Schmelzer bist du, des Goldes und des Silbers Läuterer bist du, der Göttin Ninkasi [1]) Genosse bist du, des Feindes Brust wendest du bei Nacht zurück ... Der Mensch, der Sohn seines Gottes, sein Leib werde rein, wie der Himmel strahle er, wie die Erde glänze er, wie die Mitte des Himmels leuchte er; der feindliche Spruch lasse sich seitwärts von ihm nieder [2])."

Dieser Feuerspruch wurde vermutlich bei der Reinigung derer gebraucht, die sich irgendwie, z. B. durch Berührung eines Toten oder eines Gebannten, verunreinigt hatten. Sie wurden vermutlich einem Räucherverfahren ausgesetzt. Und wie bei einem jeglichen Stoff, der in's Feuer gebracht wird, eine Veränderung oder Verwandlung vor sich geht, so soll der Rauch oder das Feuer eine Veränderung des Unreinen hervorbringen. Zu gleicher Zeit sehen wir aus diesem Spruch, daß die Erfindung der Bronze sehr alt ist, daß die Sumero-Akkadier schon Gold und Silber schmelzen konnten.

Zahlreich sind die Beschwörungen der Labartu. Da heißt es:

„Erste Beschwörung Labartus, Tochter Anus. Zweite Beschwörung, Schwester der Straßengöttin. Dritte Beschwörung: Schwert, das den Kopf zerschmettert. Vierte Beschwörung: Die das Holz anzündet. Fünfte: Göttin, deren Gesicht schrecklich ist. Sechste: Anvertraute der Göttin Irinna. Siebte Beschwörung: Bei den großen Göttern sei beschworen, mit dem Vogel des Himmels mögest du entfliegen. Ritual: Auf einen Ziegelstein sollst du sie schreiben, an den Hals des Kindes ihn legen. Beschwörung: Labartu, Tochter Anus, bei dem Namen der Göttin genannt, Iningöttin, Herrscherin, Herrin der Schwarzköpfigen, bei dem Himmel sei beschworen, bei der Erde sei beschworen. Ich habe dir einen schwarzen Hund als deinen Diener gegeben, ich habe dir Quellwasser ausgegossen — mache dich davon, gehe weg aus dem Leibe dieses Kindes, des Sohnes seines Gottes. Ich beschwöre dich bei Anu und Anatu, bei Bel und Belit, bei Istar und Anunita, bei den großen Göttern des Himmels und der Erde, daß du nicht nach diesem Hause zurückkehrest."

Ein anderes Ritual gibt die Anweisung:

„Eine Labartu sollst du gleich einer Gefangnen machen, eine Zurüstung zurüsten, zwölf Brote von ..... mehl ihr vorlegen, Quellwasser ihr ausgießen, einen schwarzen Hund ihr geben, drei Tage zu Häupten des Kranken sie [3]) setzen, das Herz eines jungen Schweines ihrem Mund vorlegen, bahru-Früchte ihr ausschütten, Oel und Speisen ihr zu essen geben" ... Beschwörung: „Ergrimmt ist sie, schrecklich, furchtbar. Ueberschreitet sie einen Fluß, so wird das Wasser trüb. Steht sie an einer Wand, so schmiert sie Schmutz an. Tritt sie zum Greis heran, so muß er sterben. Tritt sie an den Mann, so wird sein Sinn umnachtet. Tritt sie zum

1) Ninkigal oder Ereskigal.
2) Fr. Hommel, B. u. A., S. 192.
3) Die Puppe der Labartu, die wie eine Gefangene gefesselt war. Vergl. S. 385.

Weib heran, so nennt man sie Labartu. Tritt sie zum Kind heran, so nennt man sie Rabkamme. Weil du gekommen bist und faßtest die Gestalt seines Gesichtes, packtest die Körperkräfte, ergriffst die Glieder, zerschneidest die Sehnen, bindest die Gelenke, machst die Gesichtsfarbe blaß, veränderst die Leibesgestalt, legst Leid auf, brennst den Leib wie Feuer: dich zu entfernen und zu verjagen, daß du nicht wiederkommst zu dem Leibe des N. N., beschwöre ich dich bei Anu, dem Vater der großen Götter, beschwöre bei Bel, dem großen Berg, beschwöre bei Ea, dem König der Wassertiefe, dem Schöpfer des Weltalls, dem Herrn der Gesamtheit, beschwöre bei der Herrin der Götter, der großen Königin, der Bildnerin der Schöpfung, beschwöre bei Sin, dem Herrn der Königsmütze, der Entscheidungen entscheidet, der Zeichen sehn läßt, beschwöre bei Samas, dem Lichte des, das droben und drunten ist, dem Schöpfer der Welt, beschwöre bei Marduk, dem Herrn der Beschwörungskunst, beschwöre bei Ninib, dem ersten unter den Göttern, seinen Brüdern bei Ninahakuddu, der Herrin der Beschwörung, bei Ninkarak, der Machthaberin von Ekur, bei Istar, der Herrin der Länder, bei Ubsukinna, dem Wohnsitz der Entscheidung der großen Götter in Ekur, sei beschworen, daß du nicht zu N. N., dem Sohn des N. N., zurückkehrst" rc. rc.

Eine andere Formel lautet:

„Den brennenden Geist der Eingeweide, der den Menschen verzehrt, den Geist der Eingeweide, der übles wirkt, beschwöre, o Geist des Himmels, o Geist der Erde, beschwöre ihn. Möge Ninkigal, die Gattin des Ninazu, ihr Angesicht anders wohin wenden. Möge der schädliche Geist ausfahren und sich seitwärts niederlassen. Möge der gnädige Kurub und der gnädige Dämon sich auf seinen Leib setzen [1]."

Die bösen Geister, die den Menschen schaden, kommen nach Anschauung der Babylonier und Assyrer aus der Unterwelt. Gegen sie werden die Geister der oberen Welt zu Hilfe gerufen. Bei Kranken spricht man:

„N. N. ist krank. Die Herzpflanze ist in Makon entsprossen, Sin riß sie aus und hat sie auf den Berg gepflanzt. Samas hat die Pflanze vom Berg herabgebracht und in die Ebene gepflanzt. Ihre Wurzel füllt den Erdboden, ihre Hörner stoßen an den Himmel; und sie hat gefaßt das Herz des Samas in seinem Hause, hat gefaßt das Herz des Sin in den Wolken, gefaßt das Herz der Ziege in der Hürde, gefaßt das Herz des Esels in der Herde, gefaßt das Herz des Hundes im Zwinger, gefaßt das Herz des Schweines im Koben, gefaßt das Herz des Mannes in der Freudenstätte, gefaßt das Herz des Mädchens in der Schlafkammer, gefaßt das Herz des N. N., Sohnes des N. N. Wohin er sie gelegt hat, weiß er [2]."

Sehr bezeichnend ist die Gesellschaft, in die hier Sin und Samas gebracht werden. Die von Menschen erdichteten Götter müssen sich alles von ihren Meistern gefallen lassen. Wie weit in dieser Richtung solche heidnische Gottlosigkeit und Gottvergessenheit hinabsteigen kann in den finstern Abgrund der Blasphemie, zeigen die folgenden Sprüche:

„Wind der Glut, Wind, Wind. Verwandter der Götter bist du, Wind, der du zwischen Kot und Harn ausgingst, dessen Stuhl bei den Göttern, deinen Brüdern, aufgestellt ist."

„Ich werfe einen Zauber auf die Tochter des Ea. Ich werfe einen Zauber auf die Tochter des Anu. Ich werfe ihn auf die Tochter der Gottheit. Weswegen, weswegen? Des Bauches wegen, des Innern wegen, des Kranken wegen. Be-

1) Nach Sayce bei Urquhart a. a. O.
2) Dieser und die folgenden Sprüche nach Küchler a. a. O.

schwörung. Zauberspruch. Rituelle Handlung: Weiße Wolle sollst du zu einem Band spinnen, sieben Knoten binden, sein . . . . binden, so wird er genesen."

Genau so sind bis in unser 20. Jahrhundert nach Chr. die sympathetischen Heilungen beschaffen, die leider noch immer in Stadt und Land gebraucht werden. Das Glied, das mit dem Knotenband gebunden werden soll, ist selbstverständlich nicht genannt, weil die Zauberanweisung für verschiedene Fälle ausreichen soll.

„Die Ziege ist gelb, gelb ist die Ziege. Im grünen Garten sind grüne Pflanzen. Er hat ihr hingeworfen einen Zweig von Tirra. Er hat ihr hingeworfen einen Stengel von Haldapann. Zauberspruch. Uljauttu. Zauberspruch des Ea. Beschwörung. Zauberspruch."

Was dann den Sinn dieses Spruches betrifft, so liegt er noch ganz im Dunkeln.

„Geist des Uruki [1]), der sein Zauberschiff über seinen Fluß setzen läßt, beschwöre. Geist des Babbara, des Königs, des Richters der Götter, beschwöre. Geist der Ninni [2]), der auf Geheiß kein einziger von den Anunaki widerstrebt, beschwöre. Geist der Gur [3]), der Mutter des Dugga, beschwöre. Geist des Nindar [4]), des Hirten der Herrscherinnen, beschwöre. Geist des Gibil, des Machthabers auf der Erde, beschwöre. Geist der sieben Tore der Erde, beschwöre. Geist der sieben Riegel der Erde, beschwöre. Geist des Nagab, des gewaltigen Torwächters der Erde, beschwöre. Geist der Rusbisa, der Gattin des Namtar, beschwöre. Geist der Gadimkurazag, der Tochter der Wassertiefe, beschwöre [5])."

Hier werden zur Seite der höchsten Götter die Geister der Erdtore, Erdriegel usw. gestellt. Der Zauberer holt seine Helfer, wo er sie findet.

„Gisbarra, der Sohn des Enkimagh [6]), der Vernichter der Dämonen, und der Held Nindar mögen zum Schutz des Lebens zu seinen Häupten sich niederlassen. Um sein Leben zu verlängern mögen sie sich nicht von ihm trennen. Geist des Himmels beschwöre. Geist der Erde beschwöre [7])."

„Wer bist du, Geiferhexe, in deren Herzen das Wort meines Unglücks wohnt, auf deren Zunge meine Verzauberung entstand, auf deren Lippen meine Vergiftung entstand, in deren Fußtapfen der Tod steht? Du Hexe, ich packe deinen Mund, ich packe deine funkelnden Augen, packe deine behenden Füße, packe deine ausschreitenden Kniee, packe deine fuchtelnden Hände, binde dir die Hände auf den Rücken. Der leuchtende Mondgott vernichte deinen Körper, werfe dich in einen Schlund von Wasser und Feuer. Wie der Umkreis dieses Siegels (?) möge dein Gesicht, du Hexe, fahl werden und erblassen."

Das eigentliche Gegenmittel gegen die arge Hexerei, das nach den rhetorischen Uebungen vermutlich mit dem „Umkreis des Siegels" angegeben wird, bleibt einstweilen noch dunkel. Vielleicht ist es der Feuertod, der nach einem Prozeßverfahren an der „Rachepuppe" vollzogen wurde.

---

1) Sin.
2) Istar.
3) Bau, die Mutter Eas.
4) Ninib.
5) Fr. Hommel, Sem. V. u. S. I, S. 361.
6) Ea.
7) Fr. Hommel, Sem .V. u. S. I, S. 392.

18*

Solche und ähnliche Sprüche sind in zwei Sammlungen erhalten, Maklu und Surpu genannt. Beide Worte bedeuten „verbrennen", und spielt das Feuer bei Beschwörungen eine bedeutende Rolle. Die Sprüche der ersten Sammlung betreffen die Behandlung von allerlei Krankheit, Ungemach und Sünde, die der zweiten Sammlung das böse Treiben der Hexen. Diese Unholde mit bösem Auge, böser Zunge und bösem Mund haben Macht über verschiedene Dämonen und machen allerlei Figuren von Ton, Erdpech, Honig, Mehl, Bronze, Holz oder Erde, alles Bilder der Personen, die bezaubert werden sollen. Dann macht der Beschwörer ähnliche Bilder der Hexen und verbrennt diese unter Anrufung von Licht- und Feuergottheiten [1]).

„Beschwörung. Ich, der Oberpriester, zünde das Feuer an, zünde das Kohlenbecken an, werfe die Lösung (?) hinein. Der heilige Priester des Gottes Ea, der Bote des Gottes Marduk bin ich. Das Kohlenbecken, das ich angezündet, lösche ich aus. Das Feuer, das ich angefacht, dämpfe ich. Den Weizen, den ich darauf geschüttet, ersticke ich. So möge Siris, der Gott und Menschen befreit, den Knoten, den er geschürzt, lösen. Das verschlossene Herz seines Gottes und seiner Göttin stehen dem N. N., Sohn des N. N., wieder offen. Sein Vergehen werde verziehen, heutigen Tages mögen sie ihn retten, ihn lösen."

Siris ist sonst die weise Frau, die Zauberei treibt; hier ein Dämon, der andere austreiben soll.

„Beschwörung. Ruhe, kriegslustiger Feuergott. Mit dir mögen ruhen die Berge, die Flüsse; mit dir ruhen Euphrat und Tigris, mit dir ruhe das Meer der großen Tnamat. Mit dir ruhe die Straße (?), die Tochter der großen Götter, mit dir ruhe die Kigalpflanze, das Erzeugnis der Flur, mit dir ruhe das Herz meines Gottes und meiner Göttin, die da zürnen. Mit dir ruhe das Herz meines Stadtgottes und meiner Stadtgöttin, die da zürnen. Heutigen Tages stehe das verschlossene Herz meines Gottes und meiner Göttin wieder offen, und der Bann meines Leibes weiche. Weil du ein Richter durch dein Licht und ein Rächer durch dein Schwert bist, so schaffe mir Recht und fälle den Spruch."

Solche Zaubersprüche legt das Epos Enuma elis der Tiamat in den Mund, da sie den Kampf mit Marduk aufnimmt. Die Priester aber gebrauchten sie bei Kranken und bei Schuldbeladenen, bei Dämonischen und andern Leidenden, namentlich zu nächtlicher Stunde, wenn die Zauberkräfte walten [2]).

Dann begibt sich der Priester, begleitet von einigen Amtsgenossen, in das Haus des Kranken, und facht die Kohlen im Becken zur Glut an. Dann läßt er den Kranken durch seine Begleiter ergreifen und fest machen. Nun hält er dem Kranken eine Tonfigur vor, ruft die Götter der Nacht an und mrmelt heilkräftige Beschwörungsformeln, während die übrigen Anwesenden sich in frommem Glauben niederbeugen. Noch ist kein Einfluß des Zaubers zu spüren. Aber draußen dämmert schon der Morgen. Nun rasch mehr Feuerwerk auf das Kohlenbecken, dann die Figur verbrannt und die Dämonen bannenden Götter kräftig an-

1) Bezold, N. u. B., S. 99, auch die folgenden Sprüche.
2) Vergl. Bezold, N. u. B.

gerufen. Starr folgt der Blick des Kranken den geschäftigen Bewegungen des Magiers, sein Mund ist verstummt, kalter Schweiß bedeckt seine Stirne, dann sinkt er erschöpft auf sein nahes Lager zurück. Der Bann ist gebrochen, der Zauber hat gewirkt, der Schweiß ist ausgebrochen. Rasch enteilt der Priester mit den Gefährten; doch steht zu vermuten, daß er nicht von dannen eilt, ohne für sich und sein Haus und seine Gehilfen einen klingenden Lohn als Dank des Kranken und seiner Angehörigen in Empfang genommen zu haben.

In der ältesten Zeit unterwiesen Ea und sein Sohn Asari oder Marduk die Menschen, wie sie sich gegen Zauber und andere Feinde schützen sollten. Die dazu gebrauchten Beschwörungen wurden meist im Flüsterton [1]) gesprochen, wie das Vorschrift erheischte. Noch heute verstehen und üben das die Stiller oder sympathetischen Heilkünstler. Eine Sammlung dieser Sprüche hieß „Ritual des geflüsterten Zaubers". Wie weit und tief die Herrschaft des Aberglaubens in diesen beiden gebildeten Völkern ging, mögen noch einige dieser Zauberformeln deutlich machen.

So wurde zum Schutz der Gebäude gegen die bösen Geister diese Formel an den Toren aufgeschrieben:

„In den Palast sollen sie niemals eindringen, dem Tore des Palastes sollen sie niemals nahen, den König sollen sie niemals ergreifen."

Auch an die Toten kann sich die Beschwörung wenden, wie an Gilgamis:

„Gilgamis, vollkommener König, Richter der Anunaki, der die Weltteile überschaut, Verwalter der Erde, Herr der unteren, du bist Richter und prüfst wie ein Gott. Du stehest in der Erde und vollendest das Gericht. Dein Gericht wird nicht geändert, deine Rede nicht mißachtet. Du untersuchst und richtest, du prüfst und bringst zurecht. Samas hat den Rechtsspruch und Urteil deiner Hand anvertraut. Könige, Landpfleger und Fürsten knieen vor dir. Richte mein Gericht, urteile mein Urteil, reiß heraus die Krankheit meines Leibes, laß das böse in meinem Fleisch an diesem Tage hinausfahren. Ich habe dir reines upuntu-Mehl hingeschüttet, habe dir Lammopfer geweiht, ein Festkleid dargebracht, ein Schiff aus Zedernholz, ein Schwert aus gutem Gold [2])."

Solche Beschwörer der Toten oder Totenbefrager bildeten eine besondere Abteilung unter den Priestern, sailu genannt. Bei ihnen wird es ebensowenig ohne Betrug abgegangen sein, wie bei den heutigen Spiritisten, die auch behaupten, sie könnten die Toten befragen; denn die Toten waren in Babylonien gewiß ebenso stumm wie heute in Deutschland.

Bei einer Gebärenden wird also verfahren: Nachdem die Zauberin ihre Beschwörung hergesagt und auf ihren Lehm (?) geworfen hat, kneift sie 14 Stücke davon ab, legt sieben zur rechten und sieben zur Linken, zweischen beide Reihen einen Ziegelstein. Dann ruft sie Frauen,

1) Jes. 8, 19.
2) Nach K. B. VI, S. 267.

Gattinnen, sieben und sieben Mutterleiber, sieben Männlein und sieben Weiblein bildet sie schön. Die Bilder der Menschen zeichnet Mami, die Menschen schaffende Göttin. Im Hause der Gebärenden möge sieben Tage lang ein Ziegelstein liegen, die Frau Mami möge im Hause der Wehemutter fröhlich sein, die Gebärende ihr Kindlein selbst zur Welt bringen [1]).

Bei Kranken wird auch dieser Zauberspruch angewendet:

„Marduk hat sein Elend angesehen. Zu seinem Vater Ea tritt er in's Haus und spricht: „Mein Vater, der Irrsinn kam aus der Unterwelt." Und zum zweiten Mal spricht er zu ihm: „Was soll dieser Mensch tun? Er weiß nicht, wodurch er wieder zur Ruhe kommt." Da antwortete Ea seinem Sohn Marduk: „Mein Sohn, was weißt du nicht schon? Was soll ich dir noch hinzufügen? Was ich weiß, das weißt auch du. Gehe, mein Sohn Marduk, hole ein Gefäß und hole darin ein Wiegmaß Wasser von der Mündung der Ströme, und tue zu diesem Wasser deine reine Beschwörung und besprenge damit diesen Menschen, den Sohn deines Gottes." Seine Krankheit möge schwinden, das Wort Eas möge ihn wieder zurückbringen. Marduk, der erstgeborne Sohn der Wassertiefe, möge eine günstige Gestalt für ihn sein [2])."

Bei Einweihung eines Götzenbildes braucht der Priester diese Beschwörung:

„Glänzende Wasser brachte er hinein. Ninzadim, der große Goldschmied des Anu, hat dich mit seinen reinen Händen bereitet. Er nahm dich weg an dem Ort der Reinigung, an den Ort der Reinigung nahm er dich, mit seinen reinen Händen nahm er dich, zu Milch und Honig nahm er dich. Wasser der Beschwörung tat er dir in den Mund, deinen Mund öffnete er durch Beschwörungskunst: Sei rein wie der Himmel, sei rein wie die Erde, glänze wie das Innere des Himmels [3])."

Die Beschwörungen sind gleich den Zaubersprüchen, wie wir oben vernahmen, gegen die bösen Geister gerichtet, auf deren schädliche Einwirkung im allgemeinen eine jede Krankheit oder Unfall, insbesondere aber die Leiden des Hauptes, der Augen, dann Gliederschmerzen und ähnliche Leiden zurückgeführt werden, wobei zwischen medizinisch-pathologischer Behandlung und magischer Beschwörung bei den Babyloniern keine Grenze gezogen wird. Einige dieser Formeln teilt Fr. Hommel mit [4]):

„Sieben sind sie, sieben sind sie. In der Tiefe des Ozeans sieben sind sie. Die Verstörer des Himmels sieben sind sie. In der Tiefe des Ozeans, der großen Behausung, wuchsen sie auf. Nicht männlich, nicht weiblich sind sie. Wie weithin strahlende Lichter sind sie. Ein Weib nehmen sie nicht, Kinder erzeugen sie nicht. Scheu und Mildtätigkeit kennen sie nicht, Gebet und Flehen erhören sie nicht. Wie ein wildes Roß auf dem Gebirge wuchsen sie auf. Des Gottes Ea Feinde sind sie, die Thronträger der Götter sind sie. Um die Wege zu verwüsten, lagern sie auf der Landstraße. Böse sind sie, böse sind sie. Sieben sind sie, sieben sind sie. Den Geist des Himmels beschwöre, den Geist der Erde beschwöre."

Geheimnisvoll und feierlich mutet diese Formel an:

---

1) Daselbst S. 287.
2) Nach Hommel, Sem. V. u. S. I, S. 296.
3) A. Jeremias, A. T. O., S. 101.
4) B. u. A., S. 366 ꝛc.

„Ihr Haupt zu seinem Haupt, ihre Hände zu seinen Händen, ihre Füße zu seinen Füßen sollen sie nicht tun. Nicht sollen sie zu ihm nahen. Den Geist des Himmels beschwöre, den Geist der Erde beschwöre."

Schauerlich klingt die dritte Formel [1]):

„Der Utuk, der den Menschen packt, der Gikim, der den Menschen packt, der Gikim, der böses tut, der feindliche Utuk, den Geist des Himmels beschwöre, den Geist der Erde beschwöre. Was die Gestalt des Menschen ergreift, das böse Antlitz, das böse Auge, der böse Mund, die böse Zunge, die böse Lippe, das böse Gift, den Geist des Himmels beschwöre, den Geist der Erde beschwöre. Das schmerzhafte Fieber, das starke Fieber, das Fieber, das den Menschen nicht losläßt; das Fieber, das nicht ausgeht; das Fieber, das sich nicht entfernt; das böse Fieber, den Geist des Himmels beschwöre, den Geist der Erde beschwöre. Die Göttin Ninkigal, die Gemahlin des Gottes Ninazu, möge ihr Antlitz nach einem andern Ort richten. Der böse Utuk möge ausfahren, zur Seite möge er sich niederlassen. Der gnädige Sedu, der gnädige Lamassu möge in seinen Leib eingehn. Den Geist des Himmels beschwöre, den Geist der Erde beschwöre. Der Gott Jsum, der große Führer, der erhabene Wächter der Götter, möge sich gleich dem Gott, seinem Erzeuger, zu seinen Häupten niederlassen. Zu seinem Leben möge er sich nicht von ihm trennen. Den Geist des Himmels beschwöre, den Geist der Erde beschwöre."

Je nachdem eine Krankheit geartet war, wurden von den sehr zahlreichen Formeln der Beschwörung eine oder mehrere gebraucht. So geben die surpu-Tafeln Formeln auch gegen die tiu-Krankheit, die den Menschen plötzlich befällt, von Fieber begleitet ist und den Kranken schnell ermatten läßt. Bei hohem Fieber wird die Zunge trocken, starker Durst stellt sich ein, die Haut an den befallenen Körperteilen schwillt an, auch wandert die Krankheit bisweilen von einem Körperteil zum andern. Es können sich auch Anfälle von Raserei einstellen, und der Kranke wird dann bald wie ein Rohr entzweigeschnitten. Ist die Krisis vorüber, so fällt die Oberhaut wie bei einer Zwiebel in Fetzen ab. Diese Zeichen stellt der Arzt noch heute bei Rose, Rotlauf und Scharlach fest. Als Mittel gegen dieses Leiden wurde neben den üblichen Beschwörungen Wollflocke und Knoblauch verordnet, die man ins Feuer warf.

Wenn aber der König des Landes von Mißgeschick und Leibesschmerzen heimgesucht ist, dann braucht der Priester an der Pforte des königlichen Palastes einen dunkelfarbigen Lappen und das Fell einer Ziege, die noch nicht empfangen hatte, und das Fell eines Lammes. Die spannt er aus, bis sie trocken sind, und umwickelt mit ihnen die schmerzenden Glieder des Königs, daß er sein Haupt in Frieden erhebe wie der Mond, wenn er aus der Verfinsterung hervorgeht. Fluch aber wird allen bösen feindlichen Geistern gedroht, damit sie nicht eintreten, auch dem Tor des Palastes nicht nahe kommen [2]). Wird aber bei solcher Beschwörung ein Opfer dargebracht, so muß der Priester die Formel dem Opfertier in das Ohr flüstern.

---

1) Haupt bei Hommel, Sem. V. u. Spr. I, S. 303.
2) Fr. Hommel, Sem. V. u. S. I, S. 311.

Bei dieser Vorschrift ist einmal der Aberglaube mit gutem Verstand verbunden, der die passenden Mittel gewählt hat, wie wir sie noch heute in gewissen Fällen brauchen. Der Kranke selbst hat zu sprechen:

„Zu meinem Leibe mögen sie — die sieben bösen Geister — sich nicht nahen, mein Auge mögen sie nicht befeinden, in meinen Rücken mögen sie nicht kommen, in mein Haus mögen sie nicht kommen, in mein Dach mögen sie nicht eindringen. Den Geist des Himmels beschwöre, den Geist der Erde beschwöre, den Geist des Enlilla, des Königs der Länder. Beschwöre den Geist der Ninlilla, der Herrin der Länder. Beschwöre den Geist des Ninib, des mächtigen Helden, des Gottes Enlilla. Beschwöre den Geist des Nusku, des hohen Dieners des Gottes Enlilla. Beschwöre den Geist des Sin, des erstgebornen Sohnes des Enlilla. Beschwöre den Geist der Istar, der Herrin der Heerscharen. Beschwöre den Geist des Ramman, des Königs von gutem Getöse. Beschwöre den Geist des Samas, des Herrn des Gerichtes. Beschwöre den Geist der Anunna, der großen Göttin."

Wieder eine andre Weise der Beschwörung findet sich bei Hommel [1]):

„Zauber, Zauber, Bann, der nicht weiter geht. Bann der Götter, der nicht weicht. Bann Himmels und der Erde, der sich nicht ändert, den kein Gott hinfällig macht, den kein Gott noch Mensch löst; unfehlbare Waffe, die auf den Feind gerichtet ist; nicht versagendes Schwert, das gegen den Feind gezückt ist; sei es der feindliche Utuk, der feindliche Ala, der feindliche Gikim, der feindliche Galla, der feindliche Gott, der feindliche Maskim, die Lamartu, die Labassu, der Schazu, der Lilla, der feindliche Namtar, das beschwerliche Fieber, die ungünstige Krankheit. Den das Fieber ergriffen, auf den der feindliche Utuk sich gestürzt, den auf seinem Lager der feindliche Ala überdeckte, auf den der feindliche Gikim sich niederließ, den der große Galla vernichtete, dessen Glieder der feindliche Gott zerfleischte" . . .

Alle diese bedauernswerten Menschenkinder haben, wie sich versteht, von der Zauberkunst oder Beschwörung keine Hilfe gegen ihre Leiden gehabt, und die viel gebrauchten Amulette und Talismane waren auch nicht kräftiger, einerlei ob sie aus Tierknochen oder Zähnen oder Ton angefertigt waren. Schon Berosus erzählt, vom Schiff des Xisuthros sei ein Teil in den gordyanischen Bergen liegen geblieben. Von ihm pflegten die Pilger Erdpech abzuschaben, um dasselbe gegen Zauber zu gebrauchen.

Wenn ein Kind von einem bösen, brüllenden, heulenden Geist mit Löwengesicht und Eselsgestalt besessen war, dann wurde es zuerst mit einer gewissen Salbe eingerieben. Darnach mußte ein Tonbild des Dämon samt dem Bilde des schwarzen Hundes, der uns schon früher begegnet ist, drei Tage lang zu Häupten des kranken Kindes stehn. Nach drei Tagen wird das Bild zerschlagen, begraben und mit Mehlwasser begossen [2]).

Diese magischen Hundebilder tragen Inschriften wie „Feindefänger" oder „der seine Widersacher beißt".

Das Amulet nennt der Babylonier mamit, ein Wort, das nach Hommel von amu „reden" abzuleiten ist, sodaß mamit so viel wie Besprechung oder Beschwörung bedeuten würde. Aber mamit ist daneben

---

1) Fr. Hommel, Sem. V. u. Spr. I, S. 312.
2) Bezold, N. u. B., S. 100.

ein toter Gegenstand und keine menschliche Handlung. Daher lautet eine Anweisung zum Gebrauch des mamit, in dem ich eine Figur oder Puppe aus Ton erkenne, wie sie auch sonst bei Beschwörungen gebraucht wurden:

„Nimm ein weißes Tuch. Darein lege das mamit und tue es in des Kranken rechte Hand. Dann nimm ein schwarzes Tuch und binde es um seine linke Hand. Alle die bösen Geister und die Sünden, die er begangen hat, werden ihren Halt an ihm verlassen und nicht mehr zurückkehren [1])."

Ein Amulet, das einem kranken Kind um den Hals gehängt wurde, trägt folgende Inschrift:

„Beschwörung. Die Labartu, Tochter Anus, ist ihr Name erstens. Zweitens heißt sie Schwester der Straßengöttheiten, drittens Dolch, der das Herz trifft, viertens die das Holz entzündet; fünftens Göttin, deren Antlitz fahl ist; sechstens Handlangerin der Göttin Irnini; siebtens bei dem Namen der Götter, der Götter sei beschworen: Wie Vögel am Himmel flieg fort [2])."

Die letzte Anrede ist an das Zahnweh, den Kopfschmerz oder ein andres Leiden des Kindes gerichtet. Noch heute legt man auch in christlichen Häusern dem Kind, das mit dem Zahnen not hat, ein rotes Band mit einem Zahn oder andern Amulet um den Hals, damit das Zahnen leichter vor sich gehe. Immer wieder der alte Aberglaube.

Ein Siegelamulet ist in mehreren Stücken erhalten. Die Gelehrten [3]) lesen seine Inschrift:

„Siegel des Urzana, des Königs von Musasir, der Stadt des Vogel Strauß, dessen Mund gleich der Schlange auf bösen Bergen geöffnet ist."

Musasir war eine armenische Stadt. Das Reliefbild des Siegelcylinders stellt einen Genius mit vier Flügeln und Menschenkopf dar, der einen Vogel mit schlangenartigem Hals erwürgt. Vielleicht war solch ein Amulett geschätzt als hilfreich gegen den Biß giftiger Schlangen.

Ein andres Relief zeigt einen Genius mit vier Flügeln, der gegen zwei Ungeheuer kämpft. Als besonders kräftig galt das Amulet aus Asnanstein, dem Stein der Beschwörung, der Gnade und des Vertrauens, der Krankheit wegnimmt, Ungemach fernhält. Solche Amulette wurden am Hals getragen.

Nach dem babylonischen Volksglauben stehen vor dem Tore der Hölle steinerne Stierbilder, die auch angerufen wurden, wie ein akkadisches Fragment mit assyrischer Uebersetzung davon Zeugnis gibt. Die Gläubigen beten also:

„O großer Stier, sehr großer Stier, der vor den heiligen Toren stampft, und das innere auftut, Spender des Ueberflusses, der den Gott Nirba [4]) unterstützt, der den angebauten Feldern ihre Herrlichkeit gibt; meine reinen Hände opfern dir. Du bist der Stier, gezeugt von dem Gott Zu, und bei dem Eingang in das Grab . . . .

1) Nach Sayce bei Urquhart a. a. O.
2) Mitteil. 1901, 9, S. 14, in andrer Uebersetzung S. 275.
3) A. Jeremias in Z. f. A., Bd. I.
4) Der Gott des Ackerbaues.

trägst du. Für die Ewigkeit hat die Herrin des magischen Ringes dich unsterblich gemacht [1])" . . . .

Von hier an ist die Tafel so beschädigt, daß nur einzelne Worte der Schrift lesbar sind, die keinen gewissen Sinn ergeben.

Hierher sind auch die Zauberknoten zu ziehen, die je sieben auf sieben von der Hexe geknüpft werden, während der Leib des Kranken siebenmal mit dem Reinigungsöl gesalbt wird. Die Zauberei, die mit Knüpfen von Knoten getrieben wurde, nannte man nertu, die mit Tränken verbundene kispu.

Von den Babyloniern lernten auch die in Südbabylonien eingewanderten Aramäer, wie man durch Beschwörung die bösen Geister entweder aus ihren Wohnungen vertreibt oder sie bestimmt, sich ruhig zu verhalten, wie man sie bindet und versiegelt. So fand man in dem bezeichneten Land verschiedene Tongefäße mit aramäischen Inschriften dieses Inhalts. Aber sie gehören sämtlich jener späteren Zeit an, wo in den babylonischen Schulen jüdische und mandäisch-gnostische Gedanken verschmolzen wurden, wodurch die Anfänge der Kabbala entstanden [2]). So liest man auf einem jener Gefäße:

„In deinem (Gottes) Namen mache ich ein Heilmittel vom Himmel dem Achtabuj, dem Sohn des Achathabu aus Daithos mit dem Erbarmen des Himmels. Amen. Amen. Sela. Gebunden, gebunden, gebunden sollen sein die männlichen Geister und die weiblichen Istarten und die bösen Geister, Mächte des Widerspruchs, die Fürsten des Götzenhauses, die Teufel alle von West und Ost, Nord und Süd. Gebunden, gebunden sollen sein alle bösen Zauberer und alle, die Gewalttaten verüben. Gebunden und versiegelt sollen sein alle Verbannungen, Verfluchungen, Beschwörungen und Verwünschungen. Gebunden seien die Engel des Zornes, die Engel des Götzenhauses und des Irrtums, ihr alle, die gewaltigen Fürsten und die harten Fürsten, die zahllosen Krankheiten und Leiden, der Schwären, die Hautflechte, die Entstellung, die Krätze, der Ausschlag, schlechte Flüssigkeit, die aus dem Ort des Truges in den Leib fließt, der Geist der Leichname, der Geist der Toten, der Geist der Krankheiten und der Gespenster, gebunden sollt ihr alle sein vor Achtabuj, dem Sohn des Achathabu. Gehet und entfernt euch auf Berge und Höhen und auf das unreine Vieh [3]). Wenn ihr am 1. Nisan kommt, geht weg von Achtabuj, dem Sohn des Achathabu, im Namen Gabriels, der Elpassas genannt wird, und im Namen Michaels, der Demuthja genannt wird, und im Namen Elbanmaz und im Namen Elbabaz. Beim großen Kidron und Man. Amen. Daß ihn die Fliegen des Brandes nicht umgeben, und wenn sie ihn umgeben, sei dieses heilsame Werk, dieser Anblick eine Heilung und Beruhigung. Verschaffet Ruhe dem Achtabuj, dem Sohn des Achathabu, von allen Bannflüchen, Verfluchungen, Beschwörungen und Verwünschungen, vom Aussatz und von allem bösen. Amen. Amen. Sela."

Es war aber dem frommen und dem gleichgiltigen Babylonier und Assyrer bei jedem Unternehmen doch darum zu tun, zu erfahren, was die Götter dazu sagen, was ihr Wille und ihre Meinung sei?

Einst wurde der König Asurbanipal in seinem Herzen von banger Sorge bewegt. Aber seine ernsten Gedanken verscheuchte der Anblick

1) Sayce bei Urquhart a. a. O.
2) Wohlstein, Z. f. A. 1893, S. 322. Nach ihm auch die Beispiele.
3) Vergl. Matth. 8, 28. Mark. 5, 12. Luk. 8, 32.

seines Hofastrologen Nebaa, der sich vor dem Herrscher auf den Boden niederwirft. Sein Bericht lautet: „Glück verheißt der Stand der Gestirne. Mond und Sonne sind am Morgen nicht mehr zusammen gesehn worden. Jupiter und Venus verkünden großes Unheil für Elam, Königsmord von Verwandtenhand. Des Königs Herz möge sich freuen. Größere Beute, als die Jagd ergibt, versprechen heute die Sterne." Mit diesem Gedicht kennzeichnet Bezold [1]), wie die Astrologie oder falsch angewandte Wissenschaft der Astronomie zur Wahrsagekunst geworden ist, die guten Gewinn abwarf. Die Fragen nach dem Willen der Götter bezogen sich in den meisten Fällen darauf, welcher Tag oder Stunde für dieses oder jenes Unternehmen günstig oder glückverheißend sei. Es war das noch lange später geübte Tagewählen, das den Israeliten verbotene ghonen [2]). Dabei handelt es sich nicht um fromme Gefühle oder Verlangen nach der Gottheit, sondern um klingenden Gewinn im Handel, um möglichst großen Vorteil im Geschäft.

Die Antworten, die auf solche Fragen von den Priestern oder Magiern erteilt wurden, Omina oder Orakel genannt, werden zum Teil auf Aussprüche alter Weisen, die noch vor der großen Flut lebten, zurückgeführt [3]). Von diesen Orakeln ist uns eine große Anzahl, man sagt an 20 000, durch die Keilschriften erhalten worden. Mehrere von ihnen werden später mitgeteilt werden, wo von dem Wirken der Astrologen besonders zu handeln ist.

Aber nicht allein aus den Sternen suchte man den Willen der Götter zu erforschen. Die Wahrsager beobachteten auch den Flug der Vögel, den Nesterbau der Schwalben; sie beschauten die Eingeweide der Opfertiere u. a. So hat man eine aus Stein gehauene Schafleber gefunden, die mit seltsamen Linien bedeckt ist, quadratisch eingeteilt, sodaß man vermutet, hier werde eine Anweisung für die Untersuchung der Schafleber gegeben.

Jedes noch so geringfügige Ereignis wurde für den Blick in die Zukunft verwertet. Das bloße Erscheinen eines Tieres an einem Tore oder in einem Tempel hatte gewiß etwas zu bedeuten. Zeigte sich gar ein Löwe oder ein Fuchs in der Nähe eines Menschen, lief eine Hyäne — noch heute ein Hase — über den Weg, erschien ein Ochse in einem Torweg, zeigte ein Hund besondere Bewegungen oder sein Fell besondere Farben, begegnete einem ein Hund oder ein Kalb, brüllten die Ochsen, wieherten die Pferde, begatteten sich Schafe mit Hunden oder Schweinen, Ochsen mit Pferden, waren die Hörner der Tiere eigentümlich gebogen, alles wurde beobachtet und zum Wahrsagen benutzt [4]). Sehr wichtig erschienen auch die Bewegungen der Schlangen, ob sie am Eingang eines

1) B. u. N., S. 78.
2) Lev. 19, 26. Jes. 2, 6.
3) A. Jeremias, A. T. O., S. 118.
4) Nach Bezold, B. u. N., S. 84.

Hauses oder im Innern des Tempels erschienen, ob sie züngelten oder zischten; ob der Skorpion sich auf einem Ruhebett oder auf dem Weg gezeigt, ob er die Zehe eines Menschen am rechten oder linken Fuß mit seinem giftigen Stachel getroffen; wie die Motten am wollenen Kleid genagt, wie die Heuschrecken in die Häuser eindrangen, wie die Fische schwammen, und was das zweigeschwänzte Zuririttum [1]) anrichtete, das alles war bedeutungsvoll.

Die Wahrsagepriester, baru oder barutu genannt, sahen auch auf das Wasser und in den Kelch. Hydromantie und Kylikomantie sind schon aus der Zeit des Königs Hammurabi bezeugt. Die baru beobachteten Trinkschalen, die mit reinem Wasser gefüllt waren, hinter dem die Sonne stand. Das aufgeworfene Sesamöl zerfällt entweder in kleine aufsteigende Tropfen oder es bildet am Boden der flachen Schale eine Art Hügel. Die aufsteigenden Tropfen vereinigen sich an der Oberfläche des Wassers zu einer linsenförmigen Scheibe, die eine Reihe von Farbenringen zeigt. Diese sind desto lebhafter gefärbt, je schräger das Licht darauf fällt. Dort, wo die Oelschicht am dünnsten ist, am Rand der Scheibe, erscheint sie schwarz, der erste Ring rot, der dritte grün. Ist die Oberfläche des Wassers hier und da mit Schmutz bedeckt, so wandern die farbigen Ringe und der Muttertropfen im Zentrum oder die am Rand stehenden Tochtertröpfchen oder kleine Fettaugen nach der reinen Stelle.

Das mit Macht auf das Wasser geworfene Oel sinkt in demselben zunächst auf den Boden, steigt dann in einzelnen Tropfen in die Höhe, die sich dort vereinigen und Ringe bilden können, auch Hörner oder einen Stern; oder der Oelarm ist wie eine Gurkenranke gewunden oder wie ein Schafschwanz gezackt. Auch Luftblasen können entstehen, wenn das Oel mit Kraft auf das Wasser geworfen wird. Wieder andre Erscheinungen treten auf, wenn auf die Oelschicht andres Wasser gegossen wird [2]).

Bei der Mannigfaltigkeit der Lichterscheinungen, die in der Physik als Interferenzfarben, wo ein Lichtstrahl gespalten wird und verschieden lange Wege zurücklegt, wohl bekannt sind und von unsern Kindern an den Seifenblasen beobachtet werden, hatte die Einbildungskraft und der forschende Verstand der baru einen recht weiten Spielraum, wie unsre Jugend, wenn sie zu Neujahr flüssiges Blei in das Wasser gießt und aus den Gestalten des hartgewordenen Bleies die Zukunft oder die Schickungen des angefangenen Jahres zu erraten sucht. Aber was hier als Spielerei getrieben wird, beschäftigte den baru mit vollem Ernst.

Es gab in Babylonien und Assyrien kein Geschäft noch Arbeit, die nicht unter dem Einfluß des Götterglaubens und damit unter den

1) Noch unbekanntes Tier.
2) Nach G. Quincke, Z. f. A. 1904, S. 229.

Priestern gestanden hätte. Selbst das Bereiten der Ziegel aus Lehm oder Ton hatte seine religiöse Ordnung. So bezeugt eine Inschrift des Königs Sargon:

„In dem Monat des ersten Sommers, dem Monat der königlichen Zwillinge, der der Monat des Ziegelmachers genannt wird nach dem Gesetz des Anu, Bel und Ea, des Gottes mit dem hellen Auge, daß Ziegel in demselben gemacht werden sollen, um eine Stadt oder ein Haus zu bauen; am Tage der Anrufung .... habe ich seine Ziegel streichen lassen. Dem Laban, dem Herrn der Ziegelgrundlage (darunter kann man sich nichts rechtes denken; vielleicht Ton- oder Lehmgruben?), und dem Nergal, dem Sohn des Bel, habe ich Schafe zum Opfer gebracht. Ich habe mit Flöten spielen lassen und meine Hände in Anrufung erhoben."

Schon Gudea, der Patesi von Sirpurla, ließ den Ton zu seinen Ziegeln an einem reinen Ort entnehmen und die Steine am Licht der Sonne bereiten [1]).

Die mannigfaltigen Mittel, durch die ein babylonischer oder assyrischer Priester eingebildete oder wirkliche Krankheiten und menschliche Leiden aller bekämpft, haben wir kennen gelernt; aber endlich siegt doch der Tod, und wir haben noch zu vernehmen, wie des Todes Reich und Macht in Babylonien und Assyrien verstanden wird.

Einige Forscher haben die schon erwähnten Tafeln der Gnade, der Sünde und der guten Werke auf das Gericht über die abgeschiedenen Seelen bezogen und damit eine Gleichung für ähnliche Aussagen der hl. Schrift gewonnen. Aber die Vorstellungen der Babylonier und Assyrer von dem Leben der Seelen nach dem Tode sind außerordentlich unsicher und wechselnd, ein Hinweis darauf, daß wir hier von keiner ursprünglichen Ueberlieferung reden dürfen. So sind denn die Alten bei dem Blick in das finstere Todestal ganz auf ihre eigene Vorstellungskraft und Dichtung angewiesen. Ist doch uns Christen sogar trotz aller Offenbarungen Gottes im alten und neuen Bund das Leben der Seele nach dem Tod oder im Todeszustand von der göttlichen Weisheit mit dichtem Schleier bedeckt worden. Wie viel weniger werden die Heiden alter und neuer Zeit davon zu sagen haben.

Wenn nun neuere Gelehrte [2]) meinen, das Gilgamis-Epos sei dazu gedichtet, um über Tod und Leben im Jenseits zu belehren und mit Hoffnung der Auferstehung zu erfüllen, weil Gilgamis sowohl Richter in der Unterwelt ist als auch den jährlich neu erstehenden Sonnengott darstellt, so können wir dem nicht beipflichten; denn wir haben in dem genannten Epos so gut wie gar nichts über das Leben im Jenseits gefunden, wenigstens nicht mehr als in dem Märchen von der Höllenfahrt der Istar.

H. Zimmern [3]) aber hält die Meinung fest, die Tafeln der Gnade und der guten Werke seien dieselben, wie die Schicksalstafel, darauf Nabu am Neujahrstag das Lebensgeschick der Menschen aufschreibt. Aber

---

1) K. B. III, S. 57.
2) Bezold, B. u. N., S. 110.
3) K. A. T., S. 402.

was Nabu schreibt, sollen doch wohl die äußerlichen Widerfahrnisse sein, die den Menschen in dem kommenden Jahre bestimmt sind. Die Tafeln der Gnade und der guten Werke aber werden aufnehmen, was die Menschen gegenüber den Göttern versäumt oder getan haben. Sie könnten demnach eher mit den Tafeln der Sünde verglichen werden, von denen die frommen Babylonier bitten, daß sie zerbrochen werden mögen, wie man einen Schuldschein zerbricht, wenn die Schuld bezahlt ist; oder wie es in einer Beschwörung heißt:

„Die Tafel seiner Sünden (des Gebannten), seiner Uebertretungen, seiner Missetaten, seiner Bannsprüche, seiner Verwünschungen werde in's Wasser geworfen."

Nach babylonischer Anschauung gehören die Seelen der Frommen in die seligen Wohnungen, die der Gottlosen in die Hölle. Aber ein andermal heißt es von dem Reich der Toten, dort herrsche weder Leben noch Tod, alles sei dumpf und dunkel. Dort irren dann die einen Seelen ohne Ruh noch Rast umher und müssen sich von der elendesten Nahrung genügen lassen, während andre sich am frischen Wasser erquicken.

Jedenfalls erwartet diejenigen Seelen ein trauriges Geschick, deren tote Behausung oder Leichnam u n b e s t a t t e t auf der Erde liegen geblieben ist.

Kurnugi, der Ort der Toten, wird in Texten, deren vorliegende Abfassung semitischen Ursprungs ist, die aber nach ihrem Inhalt doch sehr alt sein können, also beschrieben: Er ist das Haus, dessen Eingang ist ohne Ausgang; die Straße, deren Hinweg ist ohne Heimweg; das Haus, dessen Bewohner vom Licht abgeschlossen sind; der Ort, da Staub ihre Nahrung und Kot ihre Speise ist. Licht schauen sie nicht, in Finsternis wohnen sie. Sie sind den Vögeln gleich in ein Federgewand mit Flügeln gekleidet und wie die Nachtvögel gleiten sie mit lautlosem Flügelschlag dahin. Ueber Türe und Riegel ist Staub gebreitet. Von einer künftigen Auferstehung wissen weder Babylonier noch Assyrer irgend etwas; und wenn sie ihrem Gott Marduk und der einen Istar nachrühmen, sie machen Tote lebendig, so bezieht sich diese gerühmte Kraft doch nur auf die Erweckung für dieses Leben. Doch spricht sich in mehreren Gebeten und Fürbitten für Sterbende ein gewisses Erlösungsbedürfnis und Verlangen nach einem bessern Leben aus. So betet einer: „Möge die Sonne ihm Leben geben und Marduk ihm eine Wohnung der Seligkeit schenken", oder: „Möge er emporsteigen zur Sonne, der höchsten Gottheit. Möge die Sonne, die höchste Gottheit, seine Seele aufnehmen in ihre gnädigen Hände."

Zu dem Erforschen des Willens der Götter ist noch nachzutragen, daß auch die Träume als ein Mittel der Offenbarung des Verborgenen angesehn wurden. Asurbanipal läßt aus der Zeit, da sein Bruder Samassumukin, den er zum Statthalter von Babylonien bestellt hatte, sich gegen ihn erhob, auf dem Rassamcylinder folgendes berichten:

„Zu jener Zeit legte sich ein Traumseher gegen Ende der Nacht nieder und sah einen Traum. Auf der Mondscheibe stand geschrieben: „Wer gegen Asurbanipal, den König von Assyrien, böses plant und einen Kampf unternimmt, dem will ich bösen Tod zu teil werden lassen durch das blitzschnelle Schwert, Feuerbrand, Hungersnot und Berührung der gira werde ich ihrem Leben ein Ende machen“[1]). Dies hörte ich und vertraute auf das Wort Sins, meines Herrn.“

Die Gira, die hier erwähnt wird, kann nicht gleich girra sein, womit Marduk bezeichnet wird. Entweder heißt so eine Gefährtin der Ereskigal oder ein Ort in der Unterwelt.

Asurbanipal läßt auch die Erfüllung dieses Traumes durch eine Hungersnot berichten, die so schwer auf Babylonien lastete, daß die Eltern gar ihre Kinder verzehrten; und die zweite Erfüllung wird in dem Tod seines Bruders gesehn, den die Götter selbst in eine brennende Feuerstelle werfen [2]).

---

1) A. Jeremias, A. T. O., S. 34. Derselbe Traum in andrer Uebersetzung. S. S. 124.

2) K. B. II, b, S. 191.

Achter Abschnitt.

Staatsverfassung und Rechtsleben in Babylonien und Assyrien.

1. Staatsverfassung.

Ein treffendes Gleichnis hat der Prophet Ezechiel [1]) von dem assyrischen Königreich gesagt: „Assur war wie ein Zedernbaum auf dem Libanon, von schönen Aesten, dick von Laub und sehr hoch." Babylonien aber war Assyrien wie in Sprache und Schrift, Religion und Sitte, also auch in der Regierungsform und Weise sehr ähnlich. Hier und dort bestand das unabhängige Königtum, wenigstens dem Namen nach, nur mit dem Unterschied, daß der König von Assyrien, nicht aber der von Babylonien, zugleich Oberpriester war. Dieser Unterschied mochte seinen Ursprung in der verschiedenen Entwicklung haben, die beide Reiche durchgemacht, indem das Gebiet des späteren babylonischen Weltreiches aus einer Menge kleinerer Herrschaften bestand, die von Patesis regiert waren und später wieder mehrmals selbständig zu werden suchten. Assyrien dagegen entwickelte sich aus einer einzigen Patesiherrschaft und breitete sich durch siegreiche Kriege aus. Daher hieß der König von Babylon sar sarrani König der Könige, nachdem die Patesi zu Statthaltern geworden waren, während derselbe Titel in Assyrien einen andern Sinn in sich barg. Die Statthalter des assyrischen Königs waren assyrische Beamte, nicht aus königlichem Geschlecht, aber über fremde Völker gesetzt, deren Könige gefangen oder tot waren. Babylonien war von Anfang zum Frieden bestimmt und meist auch im Frieden erwachsen, Assyrien ein Reich aus Gewalt. Jenes aus verwandten Völkern zusammengesetzt, ähnlich wie Preußen, dieses wie Oesterreich aus ganz fremden. Daher konnte auch der Versuch, so oft und mit welchen Mitteln er auch unternommen wurde, aus Assyrien ein einheitliches Reich zu machen, nie gelingen. Die gewaltsam und künstlich hergestellte Schöpfung brach gleichsam über Nacht zusammen, wie die Propheten in Juda und Israel vorhergesagt hatten.

1) Ezech. 31, 3—14.

Der Hof eines babylonischen oder assyrischen Königs sollte ein Abbild des Himmels sein, nur nicht in der Götter Vielherrschaft. Sie waren Alleinherrscher und selbst Götter. So gefielen sie sich in dem Scherz, zuweilen sich als Götter zu verkleiden und mit ihren Gewaltigen Götter-Maskeraden aufzuführen [1]. Weil aber diese Könige sich selbst für Götter hielten und von ihren Völkern also geehrt wurden, konnte auch der Begriff des Königtums von Gottes Gnaden gar nicht im babylonisch-assyrischen Orient entstehen, wie H. Winckler [2] entdeckt haben will. Denn ein König oder Fürst, der dieses christliche Bekenntnis, das Bekenntis des Apostels Paulus [3], zu dem seinen macht, spricht in Demut aus, daß er seiner hohen Stellung gar nicht wert ist; und sieht man hier wieder deutlich, wie das Aergern an einer christlichen Lehre oder Sitte bisweilen aus einem gründlichen Mißverstand hervorwächst. H. Winckler aber durfte auch daran denken, daß die ersten christlichen Fürsten, die sich Fürsten von Gottes Gnaden nannten, vom Orient so gut wie nichts wußten! Den Königen von Babylonien und Assyrien kam es auf das grade Gegenteil als wie jenen an: Ihre Völker sollten an ihnen wie an Göttern in die Höhe schauen. Sie waren die Herren der untern Welt, Söhne der Götter, gekleidet wie die Götter. Binde, Mütze und Szepter schimmerte auch bei ihnen von blauem Lasurstein [4]. Die vier Ecken des Königspalastes wiesen auf die vier Himmelsgegenden hin, über die der „Herr der Welt" sein Szepter ausstreckte. So nannten sich die Könige von Babel, bald auch die von Ninive, wenn nicht aus eigner Ueberhebung, dann doch in herablassender Annahme der ausgelassenen Schmeichelreden ihrer Diener. Die hohe Sprache der assyrischen Beamten ist auch in der hl. Schrift [5] treffend dargestellt und aus vielen Inschriften uns bekannt geworden.

Obwohl des Königs Wille von vornherein als unumstößliches Recht und Gesetz galt, versammelten diese unumschränkten Herrn, wenn es ihnen nicht an Klugheit mangelte, doch von Zeit zu Zeit die Vornehmen ihres Reiches, um ihren Rat und Meinung über wichtige Staatsangelegenheiten zu hören. Von solchen Versammlungen berichtet Herodot; eine derselben beschreibt auch das Buch Esther [6]. Folgten die Könige nicht diesem Gebot der Klugheit, so wurde ihnen, trotzdem daß sie für Götter galten, häufig sehr schnell und zwar mit blutiger Tat bedeutet, daß sie sterbliche Menschen waren und daß es Leute gebe, die nur mit Widerstreben gehorchten und für den Thron einige Prätendenten bereit hielten.

---

1) Perrot und Hoffmann, Z. f. A. 1896.
2) B. u. A., S. 106, 209 ꝛc.
3) 1. Kor. 15, 10.
4) K. B. VI, S. 583.
5) Jes. 36, 18—20. 37, 10—13.
6) Esth. 1, 13—20.

Aus dem Priesterstand hervorgegangen, blieb der assyrische König noch weiter der oberste Priester, der nicht nur Tempel und Altäre der Götter baut, sondern auch unter dem Beistand der von ihm eingesetzten Priester in der Verehrung der Götter mit täglichen Opfern vorangeht. Er nennt sich Sonne des Landes oder des Volkes, in den Inschriften steht vor seinem Namen stets das Götterzeichen, und wie später den Kaisern zu Rom wurden ihnen Tempel gebaut und Opfer gebracht [1]. Hilprecht hat in seiner „Erforschung der biblischen Länder" nachzuweisen versucht, daß die babylonischen Pyramiden oder Stufentürme Göttergräber waren, während Hommel mit größerer Wahrscheinlichkeit Königsgräber in ihnen vermutet. Schon den alten Königen oder Patesi Dungi und Gudea wurden in ihren Tempeln von ihnen Priestern Opfer dargebracht. Um so greller war der Widerschein ihres meist gewaltsamen Todes, um so erwiesener das Lügenwerk solcher Menschenvergötterung. Aber bis zu dem jähen Absturz stand der babylonische König wie auch der Großkönig hoch über seiner ganzen Umgebung, seinen Beamten, seinen Weibern, seinen Untertanen. Niemand durfte vor ihn treten ohne seine Aufforderung, die durch das Neigen des Szepters kundgetan wurde [2]. An gewissen Tagen erteilt er Audienzen, empfängt Bittschriften, hört die Beschwerden und entscheidet die Klagen der Untertanen. Königtum und Staat werden in beiden Reichen nicht unterschieden, Königstreue und Vaterlandsliebe finden dasselbe Lob. Die tollste Laune, der verwegenste Einfall des Königs verlangt Gehorsam. Als Kambyses seine persischen Richter fragte, ob das Gesetz erlaube, daß der Bruder die Schwester zur Frau nehme, antworteten die Richter, darüber könnten sie kein Gesetz finden. Wohl aber hätten sie das Gesetz gefunden, daß dem König von Persien erlaubt sei zu tun, was ihm beliebe. Also heiratete Kambyses seine Schwester. Die Perser aber hatten das Erbe der Babylonier und Assyrer angetreten, wie uns die Geschichte gezeigt hat.

Ist der Großkönig Abbi'd und Stellvertreter der Götter und selbst Gott, so steht er doch unter dem Willen und Gebot der Götter, das will sagen: unter den Gesetzen seines Landes. Der König von Babylon konnte seine Herrschaft nur am Neujahrsfest oder Zagmuk antreten, und Jahr für Jahr mußte seine Herrschaft neu und zwar an diesem Tage bestätigt werden. An diesem Tage mußte der König „Marduks Hände ergreifen", während das vor dem Tempel wogende Volk einen Sklaven oder Verbrecher in königlichen Kleidern auf den Thron erhob und ihm andre königliche Ehren erwies.

Der assyrische König wurde im zweiten Monat gekrönt. Er bekleidete im ersten Jahre seiner Regierung die Limmuwürde. Daß aber in Assyrien wie in Babylonien die Könige ursprünglich nur e i n Jahr

1) Fr. Hommel, Grundriß, S. 126, Anm.
2) Esth. 5, 2.

regiert hätten und dann getötet worden seien, ist eine unbewiesene Annahme. Glaubhafter ist eine Entwickelung von der göttlichen Würde zum Priesterkönigtum, von diesem zur militär-politischen Diktatur. Daß aber der König von Assyrien mit dem Limmu-Amt nach e i n e m Jahre den geistlichen Teil seiner Würde niedergelegt habe, stimmt nicht mit der Tatsache, daß er auch in den folgenden Jahren seiner Regierung den Göttern Opfer brachte.

Wehe dem König, der schlecht regiert, der nicht auf die Ratschläge der Fürsten, Heerführer und Priester achtet, der die Schranken des Gesetzes durchbricht. Dann steht dem Land, das ist die feste Ueberzeugung jedes Untertanen, ein furchtbares Unglück bevor. Inschriftlich heißt es:

„In seinen Tagen wird der Bruder den Bruder fressen, der Mann wird die Frau, die Frau den Mann verlassen, die Mutter wird der Tochter das Tor verriegeln, der Schatz von Babel wird nach Assur wandern."

Oder:

„Dann wird ein Bruder seinen Bruder, seinen Freund der Freund mit der Waffe niederstrecken."

d. h. es wird ein Bürgerkrieg entstehn, wie das häufig eingetreten ist, so daß diese Vorhersagung auf Erfahrung beruhte.

„Richtet sich aber ein König nach den Geboten Eas, die in dem Buche sippar oder din matsu stehn [1]), so werden die Götter ihn erheben, und zwar Samas in Sippar, Bel in Nippur, Marduk in Babel, sei es der Oberhirte, sei es ein Tempelvorsteher oder ein königlicher Beamte, der in Sippar, Nippur oder Babel angestellt ist; sie werden ihnen die Frondienste der Tempel der großen Götter auferlegen. Die großen Götter werden zürnen, sie werden ihre Wohnungen vergessen, sie werden nicht in ihre Heiligtümer einziehen."

Diese Inschrift muß verdorben oder lückenhaft sein. Jedenfalls will sich der Schlußsatz vom Zorn der Götter nicht zu dem Vordersatz von der Götter Wohlgefallen reimen.

Die Könige von Babel und Ninive hatten wie die andern Herrscher des Morgenlandes ihre Frauenhäuser oder bit riduti, d. i. Haus des Geheimnisses. Diese Einrichtung war von dem größten Einfluß nicht allein auf das königliche Haus und auf das Hofwesen und die Regierung des Landes, sondern auch auf das ganze Volk, und zwar überall von schädlichen Wirkungen begleitet, davon hernach noch die Rede sein wird. Diese Häuser wurden mit den schönsten Mädchen des eignen Landes besetzt; dazu kamen dann die Töchter der befreundeten oder unterworfenen Könige der Nachbarschaft. Eine unter diesen Frauen nahm den höchsten Rang ein und trug Titel und Namen der Königin, tasmatum sarrat, d. i. Herrin des Palastes, genannt. So war Atossa Hauptgattin des Darius, des Hystaspes Sohn, Amestris oder Esther für Xerxes, Statira für Darius Kodomanus. Als Königin trug sie Krone, Diadem oder Tiara, vor ihr beugten sich die Kebsweiber zur Erde nieder. Ein bedeutendes

1) Tiele a. a. O., S. 504.

19*

Jahreseinkommen gehörte ihr nicht nur nach dem Willen des Königs, sondern auch nach Recht und Gesetz. Die Frauenhäuser aber übten ihren schädlichen Einfluß zunächst an der Person des Königs selbst aus, sodann wirkten sie auf das Hofwesen und die Regierung des Landes, weil mit diesen Häusern das Unwesen der Eunuchen oder Frauenwächter unzertrennlich verbunden ist. Diese Halbmänner standen dem König als erste Hof- und Hausbeamte besonders nahe, an ihrer Spitze der Rabsag oder Rabsake [1]), was Luther mit „Erzschenke" wiedergegeben hat. Dieser Beamte konnte allein bei dem König einführen, er war der Hofmarschall und General-Adjutant. Von ihm sagt Rawlinson, er sei nicht nur Ratgeber des Königs gewesen, sondern er war auch zur Ausführung der königlichen Verfügungen berufen und trug die kostbarsten Gewänder wie der König. War er bei der Audienz zugegen, so durfte niemand zwischen ihn und den König treten. Er stand also stets neben dem König. Er begleitete auch den König auf seinen Feldzügen, jeder Heerführer war ihm Gehorsam schuldig, und er verfügte über tote und lebende Kriegsbeute.

Es scheint demnach, daß dem Stand der Eunuchen in Babylonien und Assyrien gar nichts Ehrenrühriges anklebte, im Gegenteil war er hochgeehrt. Aber die Hebräer hatten über diesen Stand *eine ganz andre Anschauung*, wie die strafende oder drohende Rede des Propheten Jesaja, die er an den König Hiskia von Juda richtete, bezeugt: „Deine Söhne werden Kämmerer — sarisim, d. i. Eunuchen — im Palast des Königs von Babel sein [2])."

Neben dem Rabsak hatte der Rabsaris, den Luther Erzkämmerer nennt [3]), die Verwaltung des königlichen Haushaltes als Haushofmeister zu leiten. Er war Eunuche wie auch der Träger des königlichen Sonnenschirms und der Fliegenabwehrer und viele andre Diener; denn das Bewachen der Frauen war nicht der einzige Dienst dieser Halbmänner, sondern sie kamen durch des Königs Gunst in viele hohe und niedere Beamtenstellen, sie umgaben den König selbst in der Schlacht und kämpften nicht schlecht.

Mit ihnen wetteiferten an Einfluß die Magier und Priester, Weise und Schriftgelehrte, die auch die Gesetzeskundigen waren, die auch die Omina oder Orakel über die Erscheinungen am Himmel und auf der Erde abfaßten. Sie wohnten aber nicht in des Königs Palast, sondern bei den Tempeln.

Eine andre Abteilung der höheren Beamten waren die Tartane, die in zwei Reihen standen als tartanu immu und tartanu sumilu, rechte und linke Tartane, vermutlich also genannt nach der Aufstellung, die sie

---

1) Jes. 36, 2 ꝛc.
2) Jes. 39, 8.
3) 2. Kön. 18, 17.

bei besondern Festlichkeiten zur Seite des Königs oder des königlichen Thrones einzunehmen hatten. Die Bedeutung ihres Amtsnamens ist noch dunkel. Aus ihnen wurden die obersten Heerführer des Königs erwählt, sie leiteten auch die Verwaltung des ganzen Reiches.

Ihren Gehalt empfingen alle diese Beamte nicht in barem Geld, das erst unter den Persern verbreitet wurde, sondern als sattukku, womit auch eine Opfergabe bezeichnet wird, also Naturalien, unter denen Datteln besonders oft genannt werden, indem sie ein vorzügliches Nahrungsmittel waren.

Die Verwaltung zerfiel in Assyrien in zwei Hauptteile, das alte Reich und die später eroberten Länder, die ihre angestammten Fürsten nur so lange behielten, als diese den festgesetzten Tribut zahlten und im Kriegsfall ihre Streitmacht dem Großkönig zu Hilfe schickten. Der Statthalter hatte dieselben Verpflichtungen. Er mußte alle Abgaben in Gold, Silber und Metallen, in Pferden und allerlei Vieh, Räucherwerk und dergleichen durch seine Boten, amalu enzu, einfordern und an den Großkönig abliefern. Die ihm unterstehenden assyrischen Untertanen zweiten Ranges mußten Frondienste aller Art leisten, zumal bei dem Bau öffentlicher Wege und Gebäude. Nur die Freistädte entrichteten keine Abgaben.

Auch bei den Statthaltern gab es verschiedene Rangstufen. Alle hatten über die Zustände in ihren Bezirken an den Großkönig zu berichten und seine Befehle einzuholen. Fiel ein unterworfenes Volk wieder ab und wurde der Tribut nicht gezahlt, so wurde ein solches Volk als im Aufruhr begriffen angesehn und behandelt, der König abgeurteilt, das Land dem assyrischen Reiche einverleibt und von Statthaltern oder Satrapen verwaltet; denn sein König hatte bei den Göttern geschworen, dem Großkönig Treue zu halten. Das Brechen aber des Eidschwures mamitu, hebr. mameh, galt als eine der schwersten Missetaten, gegen die Götter selbst gerichtet, und wurde mit ausgesuchten Martern gestraft.

Andre königliche Beamte waren der Rabbilub, Napirikali, Salat, Tukulu, der Schwertträger, der Bogenspanner, die Stadtkommandanten, Hauptleute über fünfzig, Oberweingärtner, Deichvögte, Oberhirten, Zeugmeister, Oberkamelhüter, Oberziegler, Generale, Wegeaufseher, Aufseher der Bauern, der Rohrpflanzungen, der Wildparke, der königlichen Forste u. a. [1]).

Die Polizei hatte für die Sicherheit des Königs und des Staates zu sorgen; aber häufig war sie dann grade nicht am Platze, wenn die Person des Königs wirklich bedroht war, oder sie spielte gar, wie man das heute noch im nächsten Morgenland erlebt, mit den Verschworenen unter einer Decke, und die Verschwörung wurde angezeigt, wenn der König tot war.

Es gab auch geheime Polizei, die selbst über Vorgänge im Ausland dem König Bericht erstattete. So als Hosea, der letzte König von Israel,

1) Vergl. Tiele a. a. O., S. 514.

sich nach Aegypten um Hilfe gewandt hatte, war man in Assyrien alsobald von seinem Abfall unterrichtet. Er wurde zu einer Unterredung mit den Räten des Großkönigs berufen, folgte und kehrte nicht wieder in sein Reich zurück. Er war nach der Weise der Assyrer ganz still beiseite geschafft worden.

Eine Assyrien eigentümliche und recht wichtige Staatseinrichtung war der sog. Limmu. Nach diesem Recht bezeichnete der König ein jedes Jahr mit dem Namen eines höheren Beamten, damit es in aller späteren Zeit nach ihm genannt werde, ähnlich wie in Griechenland die Archonten, in Rom die Konsuln dem Jahr seinen Namen gaben, daher in Griechenland die betr. Archonten Eponymoi genannt wurden. In Assyrien konnte der König selbst Limmu sein, in seinem ersten Regierungsjahr mußte er es sogar sein. Diese Einrichtung war besonders für das handeltreibende Volk wichtig, da die genaue Angabe der Zeit für die Giltigkeit von Verträgen und andere Urkunden oftmals entscheidend ist. Ihr Ursprung ist dunkel. Der uralte Brauch, den die neuesten Forschungen entdeckt haben wollen, der bei andrer Veranlassung schon einmal berührt wurde, soll darin bestanden haben, daß die alten Könige bereits göttliche Verehrung erfuhren, aber immer nur e i n Jahr regieren durften, um dann wie ein Weisel der Bienen eines gewaltsamen Todes zu sterben. Aber dieser Brauch trägt das Zeichen der Unwahrscheinlichkeit offen an sich und bringt kein Licht in das Dunkel.

Die Limmu wurden in chronologischen Annalen aufgezeichnet, und für zweihundertachtundzwanzig Jahre ist solcher Eponymenkanon uns erhalten. Er gibt für diese Zeit einen im ganzen zuverlässigen Anhalt für die Berechnung und leistet also der Geschichtschreibung noch heute gute Dienste. Trotzdem kommt es vor, daß die Regierungszeit eines Königs um fünf, zehn oder mehr Jahre verschieden bestimmt wird. Aber manche Gelehrte halten diesen Eponymenkanon trotzdem für ganz unfehlbar und bleiben, wie Oppert klagt, bei der Mode, die Aussagen der Bücher der Könige und der Chronika als ungenau zu behandeln, während grade „sie die wirkliche Grundlage unserer geschichtlichen Kenntnis über den Gegenstand sind, sodaß die vermeinte keilschriftliche Chronologie sich vor der mathematischen Genauigkeit der hl. Schrift beugen muß". Jedenfalls vergessen d i e Gelehrten, welche die Annalen über die hl. Schrift setzen, wie vielen Einfluß in Assyrien die Parteiung, Aufruhr, Herrschsucht, Aberglauben aller Art auf die öffentlichen Angelegenheiten und damit auch auf die Geschichtschreibung hatten.

Waren in Assyrien die obersten Beamten und Heerführer eine stete Gefahr für den König, so in Babylonien die Magier oder Chaldäer, aus deren Mitte häufig der König hervorging, der zum Dank für seine Erhebung sich dem Willen seiner Kastenbrüder gefügig zeigen sollte.

2. Rechtsleben.

Die steinerne Gesetzsammlung des babylonischen Königs Hammurabi, die bis 1901 nur bruchstückweise bekannt war, enthält meist strafrechtliche Bestimmungen, sodaß nur die kleinere Hälfte dem Privatrecht dient. Die Strafabmessungen dieser alten Zeit sind hart und grausam. Allgemein ist der Gebrauch der Tortur, um den Angeklagten zum Geständnis seiner Schuld zu nötigen. Die angedrohten Strafen bestehen in Schlägen, Gefängnis, Tötung durch Ertränken, wilde Tiere [1]), Schwert, Pfählung (andre sagen Kreuzigung) oder Feuer. Ein Weib, das ihren Gatten hat töten lassen, wird gepfählt [2]).

Die meisten Strafbestimmungen beruhen auf dem Grundsatz der Vergeltung: Auge um Auge, Zahn um Zahn, Knochen um Knochen. Der Baumeister muß sterben, dessen Bau einstürzt und den Herrn des Hauses tötet. Schlägt aber das einstürzende Haus den Sohn des Besitzers tot, so muß der Sohn des Baumeisters sterben [3]). Die Tötung eines Sklaven wird mit leichterer Strafe bedroht, weil er als Sache betrachtet wird; daher kann sein Verlust durch Hingabe eines andern Sklaven gut gemacht werden [4]).

Ein altes sumerisches Gesetz bestimmt:

„Wenn ein Aufseher einen Sklaven mißhandelt, daß dieser stirbt oder sonst zu Schaden kommt, so soll er als Milch (Entschädigung) für die verlorene Handarbeit (des Sklaven) für jeden Tag ein Bar Getreide geben,“

nämlich dem beschädigten Herrn des Sklaven.

Wird ein Vertrag gebrochen, so fällt die als Faustpfand gezahlte Summe an den Tempel. Wer Tempel- oder Krongut stiehlt, muß des Todes sterben. Wird der Räuber nicht ergriffen, so wird der Beraubte unter Eid genommen, und die Gemeinde muß den Beraubten schadlos halten [5]); aber man weiß nicht, welche Gemeinde verpflichtet ist, die des Räubers oder des Beraubten?

Ist ein Schuldner zahlungsunfähig, so muß er dem Gläubiger als Sklave dienen. Jeder haftet für seine Schulden mit Eigentum, Familie und eigner Person. Wie kurz Klage und Prozeßverfahren damals waren, zeigt u. a. folgende Niederschrift:

„Dillilitum sprach zu dem Richter des Königs von Babylon, Nabunaid: „Im Ab des ersten Jahres des Nergalsarusur, des Königs von Babylon, habe ich meinen Sklaven Bazuzu für ½ Mine 6 Sekel Geld an Nabnachiiddin verkauft. Einen Schein hat er erhoben, aber Geld hat er nicht gegeben.“ Die Richter forderten den Nabnachiiddin und ließen ihn vortreten. Nabnachiiddin zeigte den Richtern den Vertrag, den er mit Dillilitum geschlossen und den Preis für Bazuzu, den

---

1) Dan. 3, 6.
2) H. G. B. § 153.
3) Ebenda § 229 u. 230.
4) Ebenda § 231.
5) Ebenda § 23.

er bezahlt hatte. Als Zeugen wurden die Söhne der Klägerin, Nabusumlisir und Idillu, von dem Richter vernommen; sie bezeugten, daß ihre Mutter Dillilitum das Geld richtig empfangen habe. Die Richter berieten und entschieden gegen Dillilitum und gaben das Geld an Nabuachiiddin. Bei der Entscheidung dieses Rechtsstreites haben geurteilt" ....

Nun folgen die Namen der Richter und der Schreiber und das Datum:

„Am 12. sebat des ersten Jahres des Nabunaid."

Es wurde die Grundlosigkeit der Klage schnell offenbar, da die eignen Söhne der Klägerin die Zahlung des Geldes bezeugten.

Oder es heißt:

„Entscheidung des Asursallim und des Salmuase betr. des Sulmueres, des Sklaven des Asursallim. Sie klagten und traten vor Nirisar, den Richter. Ueber ein einhalb Minen Silber entschied der Richter. Wenn einer gegen den andern klagt, soll er zehn Minen Silber geben an Asur, den Herrn seines Rechtsstreites. Im Monat Tammuz des Jahres des Limmu Asurgimillitar [1])."

In assyrischen Entscheidungen ist der Tatbestand nicht so klar dargestellt wie in den babylonischen. Man vergleiche nur die folgende dunkle Entscheidung des Nabuachiiddin betr. Kamunis, des Verwalters:

„Im Monat Tebet wird Adadbelrisua an die Stelle der Sulmui treten. Seine Sklavin ging fort. Wenn er nicht kommt, so soll Sulmui eine Sklavin für die Sklavin stellen. Nabuachiiddin ist Bürge, daß die Sulmui bis zum 1. Tebet dieses tut. Wenn sie das Weib nicht liefert, so soll Nabuachiiddin an den Kamuni eine Sklavin anstatt dieser Sklavin stellen."

Folgen die Namen der Zeugen. Datum:

„Den 20. .... des Jahres des Limmu Mardukšarusur."

In der Tat ist solch eine richterliche Entscheidung ohne besondere Erläuterung nicht zu verstehn.

Ob Hammurabis Gesetze oder andre uns bekannte babylonische Rechte auch in Assyrien zur Geltung und Anwendung gekommen sind, war eine ungelöste Frage, bis in der Bibliothek Asurbanipals Gesetzesformeln in sumerischer und assyrischer Sprache gefunden wurden, dazu noch Verträge aus der Zeit Hammurabis und ganze Stücke aus dessen Gesetzsammlung, die, wenn nicht mit einem Male, so doch nach und nach auch in Assyrien Geltung erlangte und schriftlich wie mündlich von Geschlecht zu Geschlecht fortgepflanzt wurde [2]).

Die assyrischen Rechtsausdrücke sind aber nicht von den Babyloniern entlehnt [3]), ein Zeichen, daß neben den babylonischen Gesetzen auch eine eigne assyrische Rechtsentwicklung vor sich ging. Auch in Babylonien waren schon vor dem Kodex Hammurabis Gesetze gesammelt worden,

1) Nach J. Oppert, Z. f. A. 1898, S. 272.
2) Bezold, B. u. N., S. 125.
3) Oppert, Z. f. A. 1898, S. 275.

wie die sumerischen Hausgesetze[1]), die bei ihrem geringen Umfang hier mitgeteilt werden können:

„Für immer, für die Zukunft. 1. Wenn ein Sohn zu seinem Vater sagt „du bist nicht mein Vater", so soll er ihm die Narbe (das Zeichen des Sklaven) schneiden, ihn zum Sklaven machen und für Geld verkaufen. 2. Wenn ein Sohn zu seiner Mutter sagt „du bist nicht meine Mutter", so soll man ihm die Narbe schneiden, ihn in der Stadt herumführen und aus dem Hause vertreiben. 3. Wenn ein Vater zu seinem Sohn sagt „du bist nicht mein Sohn", so muß er (der Sohn) Haus und Hof verlassen (denn der Vater wird wohl wissen, warum er das sagte). 4. Wenn eine Mutter zu ihrem Sohn sagt „du bist nicht mein Sohn", so muß er (der Sohn) Haus und Hausgeräte verlassen. 5. Wenn eine Ehefrau sich von ihrem Ehemann lossagt und sagt „du bist nicht mein Mann", so soll man sie in den Fluß werfen. 6. Wenn ein Ehemann zu seiner Ehefrau sagt „du bist nicht meine Frau", so soll er eine halbe Mine Silber zahlen. 7. Wenn jemand einen Sklaven mietet, und (dieser) stirbt, kommt abhanden, entlauft, wird eingesperrt oder erkrankt, so soll er als Milch (Entschädigung) für ihn täglich ein Bar (kleines Maß) Getreide erlegen[2])."

Andere altbabylonische Gesetze sind uns in neubabylonischer Fassung erhalten, aber nur acht von den fünfzehn Sätzen sind gut erhalten, die andern sind durch Verstümmelung unlesbar geworden:

„Ein Mann, der die Tafel des Feldbesitzers und die Urkunde auf einen andern Namen gesiegelt und dabei weder einen Vertrag der Vollmacht abgeschlossen noch eine Abschrift der Tafel genommen hat, der Mann, auf dessen Namen Tafel und Urkunde geschrieben sind, wird jenes Feld oder Haus nehmen. 2. Wenn ein Mann eine Sklavin für Geld verkauft, während Zugrecht für sie vorlag, und sie weggeführt wird, so soll der Verkäufer gemäß dem Schein das Geld dem Käufer erstatten. Hat sie Kinder geboren, wird er für jedes einen halben Sekel Silber geben. 3. Wenn jemand seine Tochter dem Sohn eines andern gibt, und der Vater alles, was er in der Urkunde angegeben hat, (gibt), und sie haben gegenseitig eine Urkunde ausgestellt, so können sie ihre Urkunde nicht ungiltig machen. Der Vater kann Vorbehalt auf irgend etwas, worüber er seinem Sohn den Vertrag ausgestellt hat, und den er seinem Schwäher gezeigt, nicht machen. Wenn die Ehefrau des Vaters stirbt, er eine zweite Frau nimmt, diese ihm Kinder gebiert, so sollen die Kinder der zweiten Frau ein Drittel vom Rest seines Vermögens erhalten. 4. Ein Mann, der seiner Tochter ein Mitgift versprochen oder urkundlich verschrieben hat, dessen Vermögen sich aber hernach verringerte, soll die Mitgift gemäß dem Vermögen, das ihm geblieben ist, seiner Tochter geben, ohne daß Schwiegervater und Schwiegersohn beiderseitig Ungiltigkeitsklage erheben können. 5. Wenn jemand seiner Tochter eine Mitgift gegeben hat, und sie stirbt, ehe sie Sohn oder Tochter geboren hat, so fällt ihre Mitgift an das Haus ihres Vaters zurück. 6. Eine Frau, deren Mitgift ihr Mann empfangen hat, aber er stirbt, ehe sie Sohn oder Tochter geboren hat, so soll man ihr die Mitgift vom Vermögen ihres Mannes unverkürzt geben. Wenn der Mann ihr Geschenke gegeben hat, so soll sie die Geschenke ihres Manes samt ihrer Mitgift nehmen und forttragen. Wenn sie keine Mitgift gehabt hatte, soll der Richter das Vermögen des Mannes berechnen, um ihr gemäß dem Vermögen des Mannes etwas zu geben. 7. Wenn jemand eine Frau nimmt, und sie ihm Kinder gebiert, dann aber der Mann stirbt, und diese Frau in eines andern Haus einzutreten beschließt, so soll sie die Mitgift, die sie aus ihrem Vaterhaus gebracht und alles, was der Mann ihr geschenkt hat, erhalten, und der Mann ihres Herzens sie heiraten. So lange sie lebt, soll sie Unterhalt nebst . . . . dort erhalten. Wenn sie (ihrem) Manne Kinder (gebiert), so sollen nach ihrem Tode ihre Kinder und die früheren Kinder ihre Mitgift (erhalten) . . . Der Rest dieser Tafel ist verdorben und unleser-

1) H. Winckler, G. H. S. 43.

2) Vergl. S. 295.

lich. 8. Wenn jemand eine Frau nimmt und sie ihm Kinder gebiert, und seine Frau stirbt, und er eine zweite Frau nimmt, die ihm auch Kinder gebiert; wenn dann der Mann stirbt, so sollen vom Vermögen des Vaterhauses zwei Drittel die Söhne der ersten und ein Drittel die Söhne der zweiten Frau erhalten, ihre Schwestern" . . . .

Der Rest ist wieder unleserlich [1]).

Nach den Gesetzen Hammurabis (Satz 162) fällt bei dem Tod der Mutter ihre eingebrachte Mitgift den Söhnen zu. Stirbt der Mann vor ihr, so erhält sie das im Ehevertrag vorgesehene Geschenk und gebraucht das vorhandene Vermögen für sich und die Kinder. Ist aber nichts ihr zugesichert, so erhält sie neben ihrer Mitgift von dem Vermögen des Mannes noch ein Kindesteil. Eine Urkunde betreff solcher Vermögensteilung veröffentlicht Bezold [2]):

„Einen Sklaven namens Anasamaskalama und dazu zehn Sekel Silber dem Sinisamas. Zehn Sekel Silber und noch zehn Sekel Silber dem Sinmuballit, seinem Bruder, und fünfzehn Sekel Silber hat Lamassu, ihre Mutter, dem Taribum gegeben. Niemals werden auf irgend etwas, was Lamassu oder ihr Sohn Sinistar oder ihr Sohn Apilili oder Amatadad oder ihre Tochter Madgimilistar besitzen oder erwerben werden, Sinisamas oder sein Bruder Sinmuballit oder sein Bruder Taribum irgend welchen Anspruch haben. Mit ihrem Einverständnis ist dies schriftlich aufgesetzt, sie werden keine Ungiltigkeitsklage anstrengen. Sie schwuren bei den Göttern Sin und Samas und bei dem König Hammurabi vor Kistiurra, dem Vorsitzenden, Abupiam, dem Sohn des Ismili, Apilsin, dem Sohn des Siniddina; Sinsamuttu, dem Sohn des Appa; Siniris; Igmilsin, Sohn des Samasturam; Sinnzilli, Sohn des Sinistar; Apilmartu, Sohn des Kistiurra. Im Monat Adar des Jahres, in dem König Hammurabi für die Göttinnen Istar und Nannai den Tempel Eturkalama wiederherstellte."

Wie das Erbrecht war auch das übrige Privatrecht in beiden Ländern so weit ausgebildet, als es das jeweilige Bedürfnis, das Eigentum, der Handel und Verkehr der Untertanen zu sichern, erforderte.

Mochten die Herrscher von Assyrien auch sonst gewalttätig sein, so vergriffen sie sich doch nicht leicht an dem Eigentum ihrer Untertanen. Vielmehr ließ König Sargon II. die Grund- und Bodenrechte der Einwohner von Haran aufzeichnen und ordnen; und bei Besiedelung der Stadt Magganubba gab er Geld für die zur Anlage eines Festungsgrabens gebrauchten und enteigneten Grundstücke gemäß den Preistafeln der Kataster; aber den Bürgern ,die kein Geld annehmen wollten, gab er ein dem enteigneten Grundstück gleichwertiges anderes Grundstück.

Auch das Eherecht erfuhr schon in alter Zeit eine vielseitige Ausbildung, zumal es sich hier nicht allein um das Verhältnis von Mann und Frau, sondern auch noch um die Nebenfrauen oder Kebsweiber handelte. Die Grundlagen für spätere Bestimmungen gaben die sumerischen Hausgesetze und Hammurabis Gesetzessammlung.

Wird auch jede Ehe nach diesem Gesetz durch einen schriftlichen Vertrag zwischen dem Bräutigam und dem Vater der Braut geschlossen,

1) K. A. IV, S. 321, verglichen mit H. Winckler.
2) B. u. N., S. 77.

so ist die Wertschätzung des Ehestandes bei den Babyloniern und Assyrern doch sehr gering. Während in Israel Ehescheidungen nicht häufig waren [1]), ist es hier umgekehrt. Dazu kommt die Vielweiberei und in Assyrien noch die Möglichkeit, daß ein Mann selbst seine Hauptfrau verkaufen oder zu schwerer Arbeit vermieten kann. Dazu werde der folgende Vertrag verglichen:

„Siegel des Mannukiarbael, Eigentümer der verkauften Gattin Belikut, die Gattin des Mannukiarbael. Erworben hat sie Zarpi, die Frau des Präfekten. Für ein einhalb Mine Silber nach dem Gewicht von Karchemis hat sie sie von Mannukiarbael gekauft. Der volle Preis ist berichtigt, dieses Weib ist bezahlt und gekauft. Rückkehr und Klage sind nicht zulässig. Wer in den zukünftigen Tagen zu irgend welcher Zeit aufsteht und von Mannukiarbael oder seinen Söhnen die Klage der Nichtigkeit gegen Zarpi, die Frau des Präfekten, anstrengt, der soll zehn Minen Silber, eine Mine Gold in den Schatz des Gottes Ninib, der in Ninive wohnt, legen und den zehnfachen Kaufpreis der Besitzerin zurückgeben. Dann mag er seinen Rechtsstreit anstrengen, aber die Sache bekommt er nicht. Willensfreiheit und Ruhe für hundert Tage, dies ist die Obliegenheit für alle Jahre."

Folgen die Namen von elf Zeugen . . . den 27. Ab im Jahre des Limmu Marlarim, des Tartan von Kommagene. Vor Asurbanipal, dem König von Assyrien [2]).

Zu der leichten Scheidung und dem Frauenverkauf in Assyrien kommt in Babylonien der Greuel, daß jede Frau oder Mädchen sich wenigstens einmal in ihrem Leben im Tempel der Istar öffentlich preisgeben muß [3]), und der Hohn, daß auch die Eunuchen verheiratet waren.

Hat der Vater des Mädchens vom Bräutigam den Kaufpreis (babyl. tirhatu, hebr. mohar) erhalten, so zieht die Tochter mit oder ohne Aussteuer (Mitgift, babyl. sariktu, hebr. schilluach; Ex. 22, 16. 1. Kön. 9, 16) in das Haus ihres Mannes. Einen bezüglichen Vertrag teilt H. Winckler [4]) mit:

„Bunene-abi und Belisunu kaufen Samasnur, die Tochter des Ibisan, daß Buneneabi eine Frau, Belisunu eine Dienerin an ihr habe."

Einen rätselhaften Vertrag teilt Peiser mit [5]):

„Das ist. Ziria sprach zu Iddinamarduk: Sieben minen Silber, drei Sklaven und Hausgerät . . dazu drei minen Silber . . . wenn ich sie dir mit meiner Tochter Inaisaggilramat werde gegeben haben, werden die Gläubiger deines Vaters Beschlag darauf legen." Iddinamarduk sprach zu Ziria: „Anstatt der Mitgift, die ich werde genommen haben, (sollen als Sicherheit dienen) Ubartum und ihre drei Kinder, Nanakisianni und ihre zwei Kinder." Und er ließ seine ganze Habe in Stadt und Land gerichtlich aufnehmen und übertrug sie an seine Frau Inaisaggilramat."

Herodot erzählt eine nach seiner Ansicht sehr vernünftige Sitte der Babylonier, die inschriftlich freilich noch nicht bestätigt ist: „Die freien

---

1) J. Jeremias, M. u. H., S. 12.
2) Nach J. Oppert, Z. f. A. 1898, S. 267.
3) A. Jeremias, A. T. O., S. 37, 322.
4) H. G. B. S. 25.
5) Z. f. A. 1888, S. 76.

mannbaren Töchter werden dort öffentlich an den Meistbietenden verkauft, das Geld aber, das für die Begehrten einkommt, wird dazu verwendet, den nicht begehrten Häßlichen eine Mitgift zu geben [1])." Solcher Mädchenverkauf mag auf dem Land vorgekommen sein, schwerlich aber in den Städten; oder wir hätten hier ein Beispiel von Sozialismus, dem man in Babylonien sonst nicht begegnet.

Wie der Schluß wurde auch die Scheidung der Ehe urkundlich vollzogen. Wir haben einen solchen Vertrag aus der Zeit des Königs Sinmuballit von Babel:

„Samasrabi hat die Naramtum aus der Ehe entlassen. Ihre Habe führt sie mit sich fort. Ihr Entlassungsgeld hat sie erhalten. Wenn ein Freier die Naramtum heiratet, wird Samasrabi keine Klage führen. Mit Anrufung von Samas, Malkat, Marduk und Sinmuballit hat sie gesprochen."

Es folgen die Namen von zehn Zeugen.

Bei der Scheidung wurde wie auch in andern Ehesachen die Frau anders behandelt wie der Mann; für sie war die Scheidung erschwert, während der Mann nur den gezahlten Kaufpreis, in Wirklichkeit den eingebrachten Malschatz zurückgibt und ein Geschenk hinzufügt, auch ein Kindesteil, wenn die Kinder alle erwachsen sind. Streitet aber die Ehefrau mit ihrem Mann, so muß eine Untersuchung eingeleitet werden. Hat sie recht, so geht sie mit einem Geschenk in ihres Vaters Haus zurück; hat sie unrecht, so bestimmte das Gesetz, daß sie ins Wasser geworfen werde [2]). Das Geschenk (babyl. nudunu) hebr. neden) wird auch in der Schrift erwähnt [3]).

Der Ehebruch wurde, wie der 5. Satz der Hausgesetze berichtet bei den Sumeriern sterng bestraft. Auch nach den Gesetzen Hammurabis wird der Ehebruch bestraft, wenn die Uebeltäter auf der Tat ertappt waren, und zwar mit dem Tode beider. Auch hier [4]) wird schon der Fall vorgesehn, daß der Ehemann seinem gefallenen Weibe verzeiht, der König aber den Ehebrecher begnadigt. Werden die beiden nicht auf der Tat betroffen, so soll sich die beschuldigte Ehefrau durch einen Eid oder ein Gottesurteil reinigen, indem sie in den Fluß springt [5]). Aehnlich ist die Vorschrift, die das mosaische Gesetz [6]) über Eiferopfer und Fluchwasser gibt; doch ist es nicht nötig, hierin ein Gottesurteil im gemeinen Sinn des Wortes zu erkennen.

Ein Ehevertrag aus der Zeit Nebukadnezars II. lautet:

„Dagilili, Sohn des Zambubu, sprach zu Hamma, der Tochter des Nergalíddin, des Sohnes von Babutu, folgendermaßen: „Gib mir Latubasinni, deine Tochter, sie soll meine Frau sein. Hamma hörte ihn und gab ihm Latubasinni, ihre

1) Tiele a. a. O., S. 506.
2) H. G. B. § 138. 142.
3) Ezech. 16, 33.
4) H. G. B. § 129.
5) H. G. B. § 131 u. 132.
6) Num. 5, 11—31.

Tochter, zur Ehe. Aber Dagilili gab freiwillig an Hamma den Sklaven Anailliki-mur, der um eine halbe Mine Geld gekauft war, dazu ein einhalb Mine Geld für Latubasinni, ihre Tochter. Am Tage, wo Dagilili sich eine zweite Frau nimmt, wird Dagilili eine Mine Geld an Latubasinni geben, und sie wird an ihren früheren Ort gehen."

Es folgen die Namen der Zeugen [1]).

Einen ähnlichen Vertrag hat Peiser veröffentlicht [2]):

„Nabuachiiddin sprach zu Dalilissu also: „Gib mir deine Tochter Banatisagil, die Sängerin, daß sie meine Frau werde." Dalilissu hörte ihn und gab ihm seine Tochter Banatisagil, die Sängerin, zur Ehe. Wenn Nabuachiiddin die Banatisagil fortschickt und eine andere nimmt, wird er ihr sechs Minen Geld zahlen, und sie wird in's asar simatu gehn. Wenn die Banatisagil mit einem andern hurt, soll sie durch ein eisernes Schwert getötet werden. Den Vertrag nicht anzufechten beteten sie mit Anrufung ihrer Götter Nabu und Marduk und ihres Herrn, des Königs Nabukudurusur."

Ein andrer Vertrag lautet:

„Nabunadinachi sprach zu Sumukin also: „Gib deine jungfräuliche Tochter Inaisagilbanat meinem Sohn Uballitsugula zur Ehe. Sumukin hörte ihn und gab seine jungfräuliche Tochter Inaisagilbanat an jenes Sohn Uballitsugula. Eine Mine Geld, Latubarann, Inasillibitinizig und Taslimu nebst Hausgerät gab er mit seiner Tochter Inaisagilbanat an Nabunadinachi. Die Nanakisirat, Sklavin des Sumukin, hat Sumukin an stelle von zweidrittel Mine Geld an Nabunadinachi gegeben, eindrittel mine Geld ist (ungedeckt). Eine Mine Geld wird Sumukin dem Nabunadinachi geben, und seine Mitgift ist ausbezahlt. Je ein Schriftstück nehmen sie."

Diese Eheverträge sind nach mehreren Seiten hin lehrreich und, trotzdem sie nach einer Vorlage gearbeitet sind, nach den Verhältnissen der Vertagschließenden mannigfaltig. Bald verheiratet der Vater, bald die Mutter die mannbare Tochter; in diesem zweiten Fall mag sie von der Mutter in die Ehe eingebracht worden sein. Bald wird eine Scheidung schon vor dem Eheschluß vorgesehn, bald eine Strafe für Hurerei festgesetzt. Es scheint nach diesen Verträgen, als habe es sich in Babylonien in vielen Fällen nur um Zeitehen gehandelt.

Was das Vermögen der Eheleute betrifft, so herrschte unter ihnen praktische Gütergemeinschaft. Für Schulden, die in der Ehe gemacht werden, müssen beide Ehegatten aufkommen [3]). Aber für Schulden, die der Mann vor der Ehe gemacht hat, braucht die Frau nicht aufzukommen, wenn sie sich darüber eine Urkunde hat ausstellen lassen [4]).

Die Kinder sollen gegen ihre Eltern ehrerbietig und gehorsam sein. Dem Sohn, der seinen Vater schlägt, sollen beide Hände abgehauen werden [5]). Im Volke Israel stand auch in dieser Hinsicht die Mutter

1) K. B. IV, S. 187.
2) Z. f. A. v. 1888, S. 78.
3) H. G. B. § 152.
4) H. G. B. § 151.
5) H. G. B. § 195.

dem Vater gleich [1]). Daß der Vater über seine Kinder eine unumschränkte richterliche Gewalt habe, galt schon als festes Recht bei den alten Sumero-Akkadiern, die wir aus dem ersten Satz der Hausgesetze ersehn haben. Deren zweiter und vierter Satz beweisen ferner, daß in dieser alten Zeit die Mutter noch ihre alte Stellung neben dem Vater hatte, wie das in Israel auch später bewahrt worden ist.

Unter den Kindern wurden die Söhne, unter den Söhnen der älteste bevorzugt, wie bei den Römern aus dem major natu ein magister, aus dem minor natu ein minister wurde [2]).

Zahlreich sind die uns erhaltenen Verträge über Annahme an Kindesstatt [3]), die Kauf-, Zins- und Mietverträge. So heißt es in einem derselben:

Bilkasir, Sohn des Nadinu, Sohnes des Sagillai, sprach zu Nadinu, seinem Vater: „Zum Bitmarbani hast du mich gesandt, und Zunna habe ich zum Weibe genommen. Sohn oder Tochter hat sie mir nicht geboren. Bilusat, den Sohn der Zunna, meiner Frau, den sie dem Nikudu, Sohn des Nursin, ihrem früheren Mann geboren hat, will ich als Sohn annehmen, wahrlich er soll mein Sohn sein. Bei der Abfassung seiner Sohnschaftsurkunde sollst du zugegen sein, und unser Einkommen und unsre Habe, so viel ihrer ist, verschreibe ich ihm urkundlich. Er soll der Sohn sein, der unsre Hände faßt." Nadinu stimmte dem Worte seines Sohnes Bilkasir nicht bei, sondern schrieb eine Urkunde, daß für ewige Zeiten kein andrer sein Einkommen und Leistungen nähme, und band die Hände des Bilkasir, indem er also bestimmte: Wenn Nadinu das Zeitliche segnet, und nach ihm ein leiblicher Sohn des Bilkasir, seines Sohnes, geboren wird, soll dieser das Einkommen und die Leistungen seines Vaters Nadinu in Besitz nehmen. Wenn ein leiblicher Sohn des Bilkasir nicht geboren wird, soll Bilkasir seinen Bruder adoptieren, Bilkasir wird einen andern nicht zum Sohn annehmen. Wenn jedoch sein Bruder (sich der Annahme weigert), soll Bilkasir seine Schwester" . . .

Das weitere ist verwischt.

Auch Sklaven konnten adoptiert werden und hießen dann marbani, bei den Hebräern ben bajith oder julid bajith, Sohn des Hauses. Ein Vertrag dieser Art lautet:

„Die marbanuti, vor denen Sakinsum . . . und Balatu . . . gegen einen über das Einkommen vor dem Stadtgott von Sarrabanu Klage erhoben . . . . . Balatu hatte auf das Einkommen keine Hypothek aufgenommen. Balatu sprach zu Sakinsum also: „Ich sehe, das Einkommen ist zu deiner Verfügung. Betr. der zehn Sekel Geld, die ich an Susa für deine Rechnung gegeben habe, wohlan gib (mir diese). Namen der Zeugen." Am 25. Duzu im 27. Jahr des Königs Nabunaid. Es erfolgte Zustimmung, keine Weigerung."

Die marbanuti, die im bit marbani hausen, scheinen die Vormundschaftsrichter zu sein. Einen Erbvertrag, der wahrscheinlich auch vor dieses Gericht gehörte, um da bestätigt zu werden, teilt Feuchtwang mit [4]):

---

1) Spr. Sal. 30, 17.
2) Fr. Hommel, Sem. V. u. S. I, S. 410.
3) K. B. IV, S. 239 u. 245.
4) Z. f. A. 1891, S. 441.

„Die Kaſſa, die außer anderm ein gur Saatfeld und einen Sklaven Bitſilmi beſitzt, übergibt ihren beiden Töchtern, der älteren drei pi zwölf ka, der jüngeren ein pi vierundzwanzig ka des Feldes, der älteren außerdem noch den genannten Sklaven. Sie behält ſich den Nießbrauch vor. Freies Eigentum ſollen die Töchter erſt nach dem Tode (der Mutter) erhalten."

Das Folgende ſcheint mir kein Vertrag, ſondern ein Stück aus dem Vortrag eines babyloniſchen Rechtsgelehrten zu ſein, alſo ein Beiſpiel eines Rechtsfalles, vielleicht zum Zwecke des Unterrichts gegeben:

„Wenn der Beſitzer eines Gartens zu ſeinem Kaufmann ſpricht: „Die Datteln, die in meinem Garten ſind, nimm für dein Geld in Empfang", und der Kaufmann weigert ſich (die gekauften Datteln zu nehmen), ſo wird der Beſitzer des Gartens die Datteln, die im Garten ſind, nehmen, der Kaufmann aber muß ſeiner Verpflichtung gemäß das Geld und die Zinſen bezahlen, und die übrigen Datteln, die im Garten ſind, wird der Herr des Hauſes nehmen."

Es ſind damit die Datteln gemeint, die noch nicht verkauft waren, ein ſelbſtverſtändliches Ding. Ein andrer Fall: Aradiſtar hat von Siltmaſſur eine Mine Silber geborgt. Als antichretiſches Pfand ſtellt er ſechshundert Kab Grundbeſitz, vierhundert Kab Fruchtfeld, zweihundert Kab Wieſe zur Verfügung von Silimaſſur, der das Grundſtück in ſtand hält und davon vier Kornernten und vier Wieſenſchnitte nimmt. Damit ſind Kapital und Zinſen getilgt, und das Grundſtück fällt an Aradiſtar zurück.

Schon in der älteſten Zeit, da noch viele Dynaſtieen auf dem Gebiet von Babylonien herrſchten, wurden Kaufverträge oder Urkunden über Beſitzwechſel ſowohl bei beweglichem wie bei unbeweglichem Eigentum ſchriftlich aufgeſetzt, wobei ein oder mehrere Götter und der Landesherr angerufen wurden. Auch mehrere Zeugen werden mit Namen genannt. Sehr häufig handelt es ſich um Ankauf von Sklaven, Haustieren aller Art, Getreide, Oel und Wein, von Häuſern, Ländereien und andrer unbeweglicher Habe. In dieſem Fall wird das betreffende Grundſtück nach ſeiner Größe, Lage und anſtoßenden Nachbarn beſchrieben, auch die Ungiltigkeitsklage und Rückforderung von vornherein abgelehnt. Ein Vertrag zwiſchen Aſurnirari und Matiilu wird durch ein Schafopfer beſtätigt und ſchriftlich alſo erklärt:

„Dieſes Haupt iſt nicht das Haupt des Bockes, das Haupt Matiilus iſt es. Wenn Matiilu ſeine Eidſchwüre bricht, gleichwie das Haupt dieſes Bockes abgeſchnitten iſt, ſo ſei das Haupt des Matiilu abgeſchnitten. Dieſe Lende iſt nicht die Lende des Bockes, die Lende Matiilus iſt ſie" u. ſ. w.[1])

Bei Verträgen über verkaufte Grundſtücke kam es ſelbſtverſtändlich beſonders auf die Feſtſtellung der Größe oder der Grenzen an. Die Grenzſteine galten als heilig und unverletzlich, ihre Verrückung war mit ſchwerem Fluch belegt, der auf den fallen ſoll, der den Stein verſenkt oder durch einen Feind, Tauben, Toren oder den Sohn des Beſitzers verändern läßt oder der den Stein ins Feuer oder ins Waſſer wirft. Auf dieſem

1) A. Jeremias, A. T. O., S. 230.

Steinen finden sich auch Schenkungsurkunden aufgezeichnet, wie die folgende kudurru-Inschrift:

„Zwanzig Acker Saatland großer Quadratelle auf der Flur des Landes Amirea am Ufer des Zirzirri, innerhalb von Bitada. Mardukmadinachi, König von Babylon, sah in Folge des Sieges, da er Assyrien schlug, seinen Knecht Rammanzerikisa gnädig an und sprach zu Mardukkinaphari, Sohn des Inaisagillazer, dem Minister: „Für den König von Babylon (verfasse) eine Urkunde" . . Und gemäß dem Auftrag des Königs von Babylon vermaß er zwanzig Acker Saatland großer Quadratelle für einen Knecht Rammanzerikisa und beschenkte ihn damit für ewig. An der oberen Langseite N. der Kanal Zirzirri, grenzend an Bitada und das Feld des Statthaltereihauses. An der oberen Breitseite O. grenzend an die Tempelgenossenschaft Eulbar. An der untern Breitseite W. grenzend an Bitoda. Gemäß dem Auftrag Mardukmadinachis, des Königs von Babylon, ward die Urkunde gesiegelt. Belzerkani, Sohn des Aradistar, war Feldmesser. Dindubit am 28. Ijjar des 10. Jahres Mardukmadinachis, des Königs von Babylon, im Beisein von" . . .

folgen die Namen von sechzehn Zeugen, darunter neben mehreren Beamten ein Sohn des Königs gen. Abullutapazarau und ein Arzt. Dann fährt die Inschrift fort:

„Für alle zukünftige Zeit. Wer von den Brüdern, den Söhnen, von der Familie oder sonst einer Familie Bitadas auftreten wird und von wegen dieses Feldes klagen oder klagen lassen wird, indem er spricht „dies Feld ist kein Geschenk" oder spricht „das Siegel ist nicht gesiegelt"; sei es ein zukünftiges Familienoberhaupt von Bitada oder ein Statthalter Bitadas oder ein Aufseher Bitadas oder Ratsherr Bitadas oder ein gutaku Bitadas oder ein lubuttu oder ein Schriftgelehrter oder andre zukünftige Beamte Bitadas; wer immer angestellt sein wird und spricht: „Das Feld ist nicht vermessen worden" oder spricht „das Siegel ist nicht gesiegelt"; wer dieses Feld einer Gottheit schenkt, für sich selbst behält, seine Grenze, sein Gebiet oder seinen Grenzstein verändert, Schaden und Zerstörung auf diesem Feld anrichtet oder einen Blödsinnigen, Tauben, Blinden, Taugenichts oder Unverständigen sendet und diesen Denkstein nehmen läßt, in's Wasser wirft, mit Staub bedeckt, mit einem Stein vernichtet, mit Feuer verbrennt; selbigen Menschen mögen alle Götter, so vieler Name auf diesem Denkstein genannt ist, mit unlösbarem Fluche verfluchen! Anu, Bel und Ea, die großen Götter, mögen sein Fundament ausreißen, vernichten, seinen Sproß ausrotten, seine Nachkommenschaft wegraffen! Marduk, der große Herr, möge eine unlösbare Bande, einen unzerreißbaren Strick ihn tragen lassen! Nabu, der erhabene Bote, möge seine Grenze, sein Gebiet und seinen Grenzstein verändern! Ramman, der Vorsteher Himmels und der Erde, möge die Flüsse mit Schlamm erfüllen, und seine Auen mit Dorngestrüpp erfüllen; den Pflanzenwuchs, das Futter mögen seine Füße zertreten! Sin, der Bewohner der glänzenden Himmel, möge mit bösem Ausschlag gleich einer Hülle seinen Körper bekleiden. Samas, der gewaltige Richter, der König Himmels und der Erde, möge richten sein . . . . . . und gewaltig wider ihn treten! Istar, die Herrin Himmels und der Erde, möge vor die Götter und den König von Babylon zu Unglück ihn verfolgen! Gula, die große Herrin, die Gemahlin Adars, möge mit nicht weichender Blindheit seinen Körper behaften, und Eiter und Blut möge er statt Wasser pissen! Adar, der Herr der Grenzen, möge ihn des Sohnes, des Wasserträgers berauben! Nergal, der Herr der Speere und der Bogen, möge seine Waffen zerbrechen! Zamama, der König der Schlacht, möge in der Schlacht ihm nicht beistehn! Papsukal, der Bote der großen Götter, welcher geht . . . . der Götter, seiner Brüder, möge sein Tor verriegeln! Isharra, die Herrin des Sieges über die Völker, möge in gewaltiger Schlacht ihn nicht hören! Malik, der große Herr, möge Tränenerguß und Gewalttat ihn packen lassen! Alle Götter, so vieler Name auf diesem Denkstein genannt ist, mögen mit unlösbarem Fluch ihn verfluchen [1])!"

Daß der Schreiber sich Mühe gibt, die Götter in möglichster Vollständigkeit anzuführen, hat darin seinen Grund,, daß der nicht genannte Gott leicht den Uebeltäter unterstützen und damit seinen kräftigen Fluch null und nichtig machen könnte. In dieser Götter-Aufzählung und der ihnen zugedachten Strafmacht besteht das Interessante dieser Inschrift.

Auf einem andern Grenzstein steht die Inschrift:

„Hasse das Böse und liebe das Recht."

Die Einreden, denen man bei Verträgen begegnet, sind unter andern, daß ein Grundstück nicht übergeben oder nicht vermessen sei, oder daß der Vertrag nicht untersiegelt worden sei. Bei Sklavenverkauf wird die Einrede der Königsdienstschaft und der Adoption abgelehnt [2]). Weiter wird jeder Beamte, Gelehrte, Vertreter, Vorsteher mit dem Fluch belegt, der das betr. Feld oder Grundstück abtrennt, wegnimmt oder einem andern schenkt und sagt, das Grundstück sei nicht Gabe des Königs, oder dasselbe einem Gott schenkt oder sich selbst zu eigen macht.

Ist ein Vertrag erfüllt, so wird die bezügliche Urkunde, nämlich die Tontafel, darauf sie geschrieben ist, zerbrochen, damit diese Forderung nicht zum zweiten Mal erhoben werden kann [3]).

Wird aber eine Schuld am Fälligkeitstermin nicht gezahlt, so kann der Schuldner selbst in Anspruch genommen werden. Er muß seinem Gläubiger als Sklave folgen. Sobald aber die Schuldsumme gezahlt ist, wird er ohne weiteres frei. Es kann auf diese Weise eine Schuldsumme, die Jahre lang gestanden hat, noch abgetragen werden; oder es wird ein Pfand gegeben [4]). Der Schuldvertrag kann aber auch andre Folgen bei Nichtzahlung festsetzen, wie der folgende tut:

„Sechzehn Sekel Silber des Kisiraſſur angesichts Abdisamsi. Als Anleihe hat er es entnommen. Am 1. Duzu wird er das Geld zurückzahlen. Tut er das nicht, so wird das Silber um ein viertel sich vergrößern. Am 11. Nisan des Limmu Belndari. In Gegenwart des Giritta, des Lulgi, des Ardibanit."

Kisirassur ist hier der Geldgeber, Abdisamsi der Schuldner. Der vierte Teil sind für knapp ein halbes Jahr fünfzig Prozent Zinsen, das Geschäft eines Halsabschneiders. Noch schlimmer ist der folgende Vertrag:

„Siegel des Zabina. Eine Mine Silber nach dem Gewicht des Landes Karkemis, Kapital aus dem Schatz der Istar von Arbela, ist die Forderung von Silimasur an den oben genannten. Im Monat Adar wird er eineinhalb Mine zurückerstatten. Wenn er sie nicht zurückerstattet, so soll das Silber zwei Drachmen (Sekel) für den Monat Zins tragen. Am 26. Marcheswan des Limmu Bambai.

1) Nach K. W. Belser, babyl. Kudurru-Inschriften.
2) K. B. IV, S. 187.
3) K. B. IV, S. 185.
4) K. B. IV, S. 147.

20

In Gegenwart von Sinšaruṣur, des Verwalters der Supa; von Abdunu, des Wagenführers des Königs; von Akirib, von Ašurnaid, Ištaršumiddin, des Oberrichters."

Die Dauer des Darlehns beträgt nur vier Monate, die eine Mine trägt in dieser Zeit eine halbe Mine Zins, das sind fünfzig, im Jahr also einhundertfünfzig Prozent. Ein andrer Vertrag lautet:

„Siegel des Uttama. Zwei Homer Wein. Forderung von Mannukiinna an Uttama. Im Monat Ijjar wird dieser den Wein in Ninive liefern. Wenn er ihn nicht liefert, so wird er das Silber nach dem Kaufpreis von Ninive zahlen. Den 15. Ijjar des Limmu Mannukiadad."

Das merkwürdigste aber ist der folgende Vertrag aus dem Jahre 655 v. Chr.:

„Drei Homer Wein nach dem Maße des Landes Juda. Forderung des Adonia an Ahassur. Die Getreidelieferung ist verbürgt durch Pedi. Im Monat Elul wird er es ohne Vermehrung — ana kakkadiša — in Ninive liefern. Wenn er es nicht liefert, wird es für den Homer um einhalb Homer anwachsen. Im Ijjar des Limmu Girizabuni, In Gegenwart von Abinuma, von Ištartazi, von Biršamas [1])."

Für den, der sich gegen einen abgeschlossenen Kauf- oder andern Vertrag mit Klage erhebt, wird eine ansehnliche Summe als Reugeld festgesetzt, die in eine Tempelkasse fließen soll, wie es in einem Vertrage heißt:

„Zehn Minen reinen Silbers und eine Mine lautern Goldes in die Kasse der Ištar, die zu Ninive wohnt [2])."

Das bei rückgängig gemachtem Geschäft zu zahlende Reugeld betrug gewöhnlich zwölf von sechzig, also zwanzig Prozent. Solcher Betrag war auch in Israel üblich [3]). Darum aber ist der Schluß nicht gerechtfertigt, daß der Priesterkodex in Babylonien entstanden sei. Ein verbanntes und unterdrücktes Volk schafft sich keine Gesetze. Vielmehr weisen solche gleiche Gebräuche auf das uralte Zusammenleben beider Völker hin.

Ein früherer Besitzer eines Grundstücks, der sein Zugrecht geltend gemacht hatte, erhält in dem nachfolgenden Vergleich mit dem Käufer eine Entschädigung [4]).

Einen Pachtvertrag über Palmenfelder stellt Feuchtwang [5]) also dar: Iddinnabu hatte von dem gepachteten Palmengarten Datteln abzuliefern, konnte oder wollte aber das giddanu nicht vornehmen und hatte infolgedessen keine genügende Menge Datteln geerntet und abgeliefert. Daher wird ihm der Prozeß gemacht. Er wird dazu verurteilt, in einer bestimmten Frist die nötige Menge Datteln zusammenzubringen und das giddanu regelmäßig vorzunehmen, widrigenfalls er, wo er immer die

---

1) Vergl. J. Oppert, das assyr. Landrecht 1898.
2) K. B. IV, S. 141.
3) Lev. 27, 13. 19. 31.
4) K. B. IV, S. 169.
5) Z. f. A. 1891, S. 446.

Datteln hernehmen möge, sie abzuliefern gezwungen werden würde. Das giddanu entspricht dem ruubbunu. Das eine ist nicht unser Beschneiden, das auf die Dattelpalme nicht anwendbar ist, weil sie keine Aeste hat, auch nicht unser Pfropfen oder Okulieren; was nur der meinen kann, der nie eine Dattelpalme gesehn hat. Sie werden aus Kernen gezogen, und bedürfen die jungen Bäumchen keiner Veredelung. Aber der betr. Pächter war vermutlich zu faul gewesen, seine tragbaren Bäume zu besteigen und die weiblichen Blüten mit dem Staube der männlichen zu befruchten, in der Meinung, das werde der Wind oder die mancherlei Insekten besorgen. Auf diese Tätigkeit weist die Wurzel rabu, die in ruubbunu erscheint, gradezu hin. Ueber das Verhältnis des giddanu hier und des gismanu in dem früher [1]) aufgeführten Zauberspruch wage ich keine Vermutung auszusprechen.

Bei Darlehn von Kapitalien wird der Zinsfuß voraus bestimmt, während das Zinsnehmen den Volksgenossen gegenüber den Hebräern verboten, nur den Fremden gegenüber erlaubt ist [2])! In einer kappadokischen Urkunde wird als monatlicher für ein Darlehn von achtzehneinhalb Sekel eindrittel Sekel bestimmt, was nach unsrer Rechnung mehr als einundzwanzig Prozent für das Jahr ausmacht. Je nach Art des Geschäftes wird der Zinsfuß bald höher, bald niedriger bemessen, wie das noch heute geschieht. Es kommen sechzehn, zwanzig und mehr Prozent vor. Bei einem baren Darlehn vom 11. Nisan 711 v. Chr. wurden dreiunddreißigeindrittel vereinbart [3]). Aber wir haben bereits noch höhere Zinsforderungen aus mehreren Verträgen kennen gelernt.

Die Rückzahlung des Kapitals wird dem Ueberbringer der versiegelten Urkunde geleistet, oft am Tage der Ernte.

Es gab aber in Babylonien und Assyrien auch zinslose Vorschußzahlungen auf gewisse Zeit, die erst dann Zinsen trugen, wenn die bedungene zinsfreie Zeit abgelaufen und das Kapital noch nicht zurückgezahlt war [4]).

Mietsverträge erstreckten sich meist auf Häuser, Gärten und Felder; doch waren Sklaven, ja selbst Frauen nicht ausgeschlossen.

Hatte jemand kein Siegel, um eine Urkunde mit dem Zeichen seiner Anerkennung zu versehen,, so durfte er seinen Fingernagel auf der Tonplatte eindrücken. Daher heißt es in einer Urkunde aus den Archiven der Firma Muraschu und Söhne [5]):

„Das Daumennagelzeichen — assyr. supru, hebr. sipporen — von Bagomiri, dem Sohn des Mitradata, wurde statt des Siegels angebracht.“

---

1) S. S. 272.
2) Exod. 22, 2 ꝛc. Lev. 25, 35 ꝛc.
3) K. B. III, S. 111. IV, S. 51.
4) K. B. IV, S. 167.
5) Herausgegeben von Hilprecht.

Dieses Zeichen findet sich besonders bei Schuldanerkennungen. Auch ein liegendes oder stehendes Kreuz wurde wie noch heute die drei Kreuze von Schreibunkundigen zur Anerkennung einer Urkunde verwendet. Das liegende Kreuz wird nach einigen Stellen der hl. Schrift [1]) als das Zeichen Jahves, des Herrn, angesehn, aber mit welchem Grund, ist nicht ersichtlich.

Außerdem hatten die meisten Babylonier und Assyrer, wie auch Herodot bezeugt, ihr eigenes Siegel, das den Namen des Besitzers, den Namen eines Gottes und eine mythologische Darstellung enthielt, bald mehr, bald weniger fein ausgearbeitet.

Sowohl über Geldbeträge wie über Lebensmittel und Hausgerät konnte, nachdem dieselben taxiert waren, Sequestration verfügt werden. Auch konnte die Ernte wegen einer Forderung mit Beschlag belegt werden [2]).

Eviktion oder Entwährung ist dem assyrischen Recht unbekannt. Ein Vertrag darf nicht umgestoßen werden; sonst treffen den Schuldigen schreckliche Strafen und unerschwingliche Geldbußen bis zu einhundertzwanzigtausend Mark und mehr. Hier zeigt sich denn auch die niedrige Stufe heidnischer Sittlichkeit unverhüllt:

„Wer zu irgend einer Zeit in der Folge der Tage sich erhebt, sei es nun Nabudurusur oder Mannakiasur oder Litiru ... oder ihre Brüder oder ihre Erben und durch Prozeß und Klage den Ablia oder seine Söhne angreift und so spricht ‚der ganze Wert ist nicht gezahlt, das Feld, das Haus, der Hain sind nicht entäußert, nicht bezahlt und nicht gekauft', dieser Mann soll eine Mine Menschenkot fressen, einen Ammartopf voll Urin austrinken, seinen Sohn zu Ehren des Sin verbrennen, seine älteste Tochter, mit ihren Schamteilen anfangend, zu Ehren der Wüstenherrin verbrennen, den Kaufpreis und außerdem den zwölffachen Betrag den früheren Eigentümern zurückerstatten; dann kann er seinen Rechtsstreit anstrengen. Die Sache wird er nicht wieder erlangen [3]).“

Oder es wird festgesetzt:

„Der Kläger (der einen geschlossenen Vertrag anficht) soll zehn Minen Silber, fünf Minen Gold dem Gott Ninib, der in Eridu wohnt, zahlen; zwei weiße Rosse an die Füße des Gottes Nergal binden, vier Maulesel zwischen die Beine des Gottes Nergal stellen, ein Talent Blei dem Tartan geben. Dann soll er den Käufern den zehnfachen Kaufpreis zahlen. Er möge seinen Rechtsstreit anstrengen, aber die Sache wird er nicht wieder erlangen [4]).“

Hier ist schon deutlicher zu sehen, wie es dem Schreiber des Vertrages darauf ankommt, durch unerfüllbare Forderungen die Möglichkeit einer Entwährung von vornherein auszuschließen.

---

1) Ezech. 9, 4. Off. Joh. 14, 1.
2) K. B. IV, S. 251.
3) J. Oppert, Z. f. A. 1898, S. 265.
4) J. Oppert, Z. f. A. 1898, S. 265.

Neunter Abschnitt.

Die bürgerliche Gesellschaft und die Schule in Babylonien und Assyrien.

Man hat die Behauptung aufgestellt, in Babylonien und Assyrien habe es keine streng gesonderte Klassen der Bevölkerung gegeben, keine Kasten wie in Aegypten und Indien; vielmehr habe dort eine für das Morgenland eigenartige soziale Gleichheit geherrscht. Aber dieser Behauptung treten mehrere Tatsachen entgegen. Wir wissen, daß die Nordsemiten bei den Sumero-Akkadiern, den ersten Bewohnern beider Reiche, eingewandert sind; ob friedlich oder mit dem Schwert in der Hand, sei auch hier dahingestellt; aber von einer Vermischung beider Völker vernehmen wir nichts. Dagegen treten neue Einwanderer den Nordsemiten zur Seite, wie Chaldäer, Kossäer und Aramäer. Später aber werden andre Völker Herden gleich in beide Reiche, besonders aber nach Assyrien, verpflanzt, die eignen Untertanen aber zur Auswanderung in die fremden entvölkerten Länder gezwungen. Das alles will uns darauf hinweisen, daß wir weder in Babylonien noch in Assyrien ein einheitliches rassereines Volk vor uns haben, sondern richtige Mischvölker. Wo aber in einem Reiche mehrere Völker ihre Eigenart geltend machen in Sprache, Sitte und Religion, und wenn es nur in einem Stück von diesen drei wäre, da finden sich Klassenunterschiede, in Rom wie in Griechenland, in Aegypten wie in Indien. Warum nicht auch in Babylonien und Assyrien? Dazu kommt der andre wichtige Umstand, daß in beiden Reichen so gut wie in den vorgenannten Ländern die Sklaverei bestand und gesetzlich geschützt war. Die Zahl der Sklaven aber muß, wie wir später sehn werden, stets viel größer sein als die Zahl der Freien; und dies Verhältnis ist von der größten sozialen Bedeutung.

Einen weiteren Unterschied in den Völkern bewirkte die Besteuerung, von der bald einzelne Ortschaften, bald Güter, Häuser oder Personen durch den König befreit waren. Dann durfte weder der König noch der Statthalter, saknu oder sakkanakku genannt, der Provinz diese Ortschaften betreten, auch weder Hengste noch Stuten (des Königs) durften dort auf die Weide getrieben werden, keine Abgabe an Rindern oder Schafen lag auf ihnen, ebenso wenig eine Lieferung von Holz, Spezerei u. a. Auch durfte niemand sich in diesen Ortschaften anbauen, die also ein Einzelleben führten.

Einen weiteren Unterschied bewirkte die Bildung, die unter den verschiedenen Völkern sehr verschieden verteilt war. Dagegen waren die Besitzverhältnisse bei den freien Bürgern noch ziemlich gleichmäßig, und die Lebensweise der Mehrzahl noch einfacher und ursprünglicher als am Ende der vorchristlichen Zeit. Doch sagt Rawlinson von den wohlhabenden Babyloniern, daß sie besser lebten als die weniger bemittelten Klassen. Sie aßen Weizenbrot und Fleisch mannigfacher Art, auch Fische und Wild, Obst und köstliche Früchte wie Bananen und Melonen brachte der Nachtisch. Der Wein, der bald im Land gebaut, bald aus fremden Ländern bezogen wurde, bildete das gewöhnliche Getränk. Die Gastmähler waren üppig und prächtig, ihr Ende häufig eine allgemeine Trunkenheit, doch nicht begleitet von der medischen Roheit.

Während Babylonier und Assyrer bei Tische oder andern Gelegenheiten auf Stühlen und Bänken saßen, befolgten die Perser dieselbe Sitte wie die Griechen und Hebräer, die bei Tische auf niedrigen Bänken lagen, die mit Decken oder Polstern versehn waren.

Für Reinlichkeit hatten die alten Sumero-Akkadier viel Sinn. Sie sangen in einer Hymne:

„Wasche deine Hand, reinige deine Hand! Die Götter, deine Genossen, mögen ihre Hände waschen, ihre Hände mögen sie reinigen. Aus einer Kupferschale iß reine Speise! Aus einem Becher trink reines Wasser. Hin zum Gericht des Königs, des Sohnes seines Gottes, sei dein Ohr gewendet [1].“

Der größte Teil der Bevölkerung widmete sich in beiden Reichen dem Garten- und Ackerbau, und seine nach mehreren Seiten hin schwierigen Bedingungen waren hier wie in Aegypten ein Haupterfordernis und Ansporn der Kultur. Das Zweistromland bestand am Anfang, als die Sumero-Akkadier dort einzogen, halb aus Sumpf, halb aus angeschwemmten Erdhügeln. Da mußten Dämme und Deiche zum Schutz der Aecker und Auen gegen die Ueberschwemmung der Flüsse aufgeschüttet, Kanäle zur Entwässerung der Sümpfe und zum Bewässern der höher gelegenen Ländereien ausgegraben werden, und das alles allein durch Hände Arbeit. Da wurden Hügel abgegraben, Untiefen ausgefüllt und mit vieler Mühe nach und nach das herrliche Ackerland gewonnen, das sich zum Bau von jeder Art von Gemüse, Getreide und Futterpflanzen eignete; und der südliche Himmel, die Fruchtbarkeit des jungfräulichen Bodens, die reiche Bewässerung und der Fleiß der Feldbauer bewirkten, daß Getreide und Vieh so reichlich in Babylonien vorhanden war, daß von dem Ueberfluß in die Nachbarländer ausgeführt wurde, daher das begehrliche Auge von manchen Seiten auf diese Schatzkammern gelenkt wurde. Aber auch in Assyrien ernährte das gut gebaute Land

1) Fr. Hommel, Sem. V. u. S. I, S. 414.

seine zahlreiche Bevölkerung. Auch hier wurde der Ackerbau wie in Babylonien von den Königen selbst auf allerlei Weise unterstützt in der sichern Erkenntnis, daß er die feste Grundlage einer gedeihlichen Volkswirtschaft bilde. Schon die ältesten Herrscher des Landes hatten für Enteignung des Bodens u. a. gesorgt, wo Kanäle anzulegen waren; und waren sie klein, so wurden sie, ranatu genannt, gleich unsern Drainagen unterirdisch geführt. Merodachbaladan war ein besonderer Freund des Gartenbaues. Ein Verzeichnis von allerhand Gartengewächsen und Gartenwerkzeugen trägt die Ueberschrift:

„Gärten des Königs Merodachbaladan. Gemäß dem Original geschrieben und durchgesehn. Tafel des Mardukkumiddin, des Verehrers Marduks. Nicht wegnehmen!"

Etwas anders lagen die Ackerbauverhältnisse in Assyrien, weil dieses ein Gebirgsland ist. Hier mußte das an die Flüsse anstoßende Land vor allem gegen Ueberschwemmungen geschützt werden, die das Land bald mit Steingeröll bedeckten, bald die fruchtbare Ackerkrume hinwegschwemmen. Das zu verhindern mußten beide Flußufer mit Deichen versehn werden. Auch legte man hier, was in Babylonien unstatthaft war, quer durch die Flüsse Wehre oder Talsperren, aus Quadern gebaut, an, um das Wasser zu sammeln und zu stauen und in künstlich angelegten und wohlgeordneten Rinnsalen auf Felder und Wiesen zu leiten, die der Bewässerung bedurften. Sehr naiv äußert sich Herodot hierüber. Er meint, diese Talsperren hätten zum Zweck gehabt, das Einlaufen feindlicher Schiffe zu verhindern!

An Getreide wurden hauptsächlich Weizen und Hirse gebaut, an Oelfrüchten der Sesam; und wäre der Ertrag kaum zu vertilgen gewesen, wenn nicht arge Feinde und Schädlinge das ihre dazu getan hätten. Vor andern verderblich waren die Heuschrecken; aber auch die Schnecken, sibaru genannt, konnten eine Plage werden und mußten gleich den Heuschrecken gesammelt und vertilgt werden, wenn der Landmann etwas für sich behalten wollte.

Auch der Weinbau wurde an vielen Orten betrieben. Aber mit jedem Fortschritt der Landwirtschaft in der vorerwähnten Weise des Betriebes und mit jeder Vergrößerung der Anbaufläche durch Anrodung sowohl in den ebenen, zum Getreidebau besonders geeigneten Gegenden als auch im Hügel- und Bergland war selbstverständlich ein Rückgang der ursprünglichen freien Weidewirtschaft verbunden, worauf wir schon in der Geschichte des Königs Hammurabi acht hatten. Doch hören wir später wieder von Nomaden; denn wenn die Bevölkerung durch endlose Kriege und Krankheiten mehr und mehr verringert oder gar vernichtet wird, sind für den Ackerbau und seine vielen Hilfsmittel wie Kanäle u. a. nicht genug Hände da, es verfällt ein Teil nach dem andern; und wo vorher der Pflug seine Furchen gezogen hatte, weidet von neuem der Hirte seine Herde; aber damit stehen wir auch vor der Auflösung des

Reiches. Wo der Acker nicht mehr bestellt werden kann, fehlen auch die starken Arme, die mit Schwert und Spieß gewaffnet das Ackerland gegen die Einbrüche feindlicher Nachbarn verteidigen. Es muß ihrem Ansturm unterliegen, ein andres Volk tritt das schwere Erbe an.

Das bewässerte Land bot einen vorzüglichen Futterertrag dar, und in beiden Reichen machte die Viehzucht den Landleuten gar keine Schwierigkeit. Als Zugvieh brauchte man neben dem Ochsen auch das Pferd, Kamel, Maultier und Esel, als Milch- und Fleischvieh wurden Rinder und Schafe, Ziegen und Kamele gehalten. Absatz war für die junge Aufzucht stets vorhanden. Schon die häufigen Tieropfer verlangten regelmäßige Lieferungen von reinem Schlachtvieh an die vielen Tempel.

Neben dem Privatbesitz gab es in beiden Reichen auch ilku oder Lehngüter, die unveräußerlich waren und, so lange es an Erben nicht fehlte, in derselben Familie von Geschlecht zu Geschlecht besessen wurden. Starb aber ein Geschlecht aus, oder hatte sich jemand drei Jahre lang um sein Lehngut nicht gekümmert, so würde das Gut einer andern Familie übertragen [1]).

Die Schätzung eines Ackers, wie sie die Besteuerung und jeder Besitzwechsel herbeiführte, geschah nach Hacken, babyl. marri oder ipinnu, hebr. ophen, d. i. Wasserräder; denn die Fruchtbarkeit des Bodens wurde erschlossen und erhalten durch die fleißige Arbeit des Landmannes, und diese wurde vorzüglich durch die Beschaffung des nötigen Wassers in Anspruch genommen, ohne das im heißen Sommer jede Fruchtart vertrocknet und verdorrt wäre. Aber die Wasserräder, durch Ochsen bewegt, hoben Tag und Nacht das Wasser aus den Kanälen auf das höher gelegene Land, wie im ägyptischen Gosen noch heute zu sehen ist; denn die Benutzung des Windes als Kraft der Bewegung war damals noch nicht entdeckt, abgesehn von der Schiffahrt, und findet auch heute noch nicht überall Eingang.

Die Bevölkerung der Städte bestand vorzüglich aus Handwerkern und Kaufleuten, oder es waren beide Berufsarten mit einander verbunden, indem die Verfertiger der mancherlei Waren diese selbst vertrieben. Gehilfen der Handwerksmeister waren neben den Sklaven die eignen Kinder und Lehrlinge. Die Söhne wurden der Regel nach vom Vater in seinem Handwerk unterwiesen, und die Kunstgriffe dieses Handwerks vererbten sich also von Geschlecht zu Geschlecht. Alle Häuser desselben Handwerks bildeten einen Verein oder Gilde, die ihre Oberhäupter und Leiter hatten, dazu auch ihre eigentümlichen Ordnungen und Gewohnheiten, ihre Geheimnisse und ihr Standesbewußtsein. Sollte ein Mitglied der Gilde bezeichnet werden, so fügte man seinem Namen nicht nur den Namen des Vaters, sondern auch den der Gilde bei.

---

1) H. G. B. § 30.

Aus der Zeit des Königs Cyrus ist ein Vertrag erhalten, der die Annahme eines Lehrlings betrifft:

„Nuptu, die Tochter des Idinmarduk, Sohnes des Nursin, hat Atkalamarduk, den Sklaven des Ittik-mardukbalatu, Sohnes des Nabuachiddin, Sohnes des Igibi, zum Weberhandwerk auf fünf Jahre an Bilitiru, Sohn des Apla, Sohnes des Bilitiru, gegeben. Er wird ihm das gesamte Weberhandwerk lehren. Für jeden Tag wird Nuptu ein Ka Essen und die Kleidung an Atkalamarduk geben. Wenn er ihm das Weberhandwerk nicht gelehrt haben sollte, wird er für jeden Tag 6 Ka Korn als seine Abgabe geben."

Es folgen nach die Namen der Zeugen [1]).

Unter den Kaufleuten, die den Austausch der Waren und Produkte sowohl im Innern des Landes, wie die Ausfuhr nach fremden Ländern und die Einfuhr aus denselben vermittelten, blühte schon früh das Geldgeschäft oder Bankwesen, wie wir dasselbe aus den Urkunden zweier Bankhäuser kennen lernen, die Professor Hilprecht in Babylon gefunden hat. Das eine derselben ist uns bereits aus der Zeit Nebukadnezars bekannt, das andere, Maraschu und Söhne, hatte in persischer Zeit das Geldgeschäft in der Hand. Man konnte bei ihnen Geld gegen zwanzig Prozent haben, aber sie gaben auch Geld für Waren hin; denn die Steuern mußten an den Schatzmeister des Königs in Gold und Silber gezahlt werden, obwohl von diesen Edelmetallen nur wenig im Land vorhanden war. Wenn hier von Geld die Rede ist, darf man nicht an gemünztes Geld denken. Das gab es damals noch nicht. Edle und unedle Metalle gingen wie andre Waren nach Gewicht im Tauschhandel aus einer Hand in die andere. Wirkliche, nach bestimmter Größe und Gewicht, mit Bild und Aufschrift geprägte Münzen kennt man erst aus persischer Zeit. Babylonische oder assyrische Münzen hat man bis heute noch nicht gefunden.

Den Geldgeschäften nahe verwandt waren die Verwaltungen der Tempelschätze. Ihre Vorsteher, satammu, hatten nicht nur Häuser und Aecker, sondern auch reiche Metallschätze zu verwalten; sie erhoben viele Strafgelder und gaben Geld um Wucherzinsen aus. Denn der Bauer mußte seine Produkte, der Handwerker seine Ware in die Bankhäuser und ähnliche Institute tragen, um Edelmetall dafür einzutauschen. Auf diese Weise bekamen die Bankhäuser und ihresgleichen das weniger bemittelte, aber schwer besteuerte Volk in ihre Hand und häuften große Reichtümer auf. Für jedes Geschäft wurde eine besondere Tontafel zur schriftlichen Festlegung genommen, jeder Vertrag unter Zeugen abgeschlossen, unterschrieben und untersiegelt. Auf diesen Tafeln finden sich nicht nur assyrische und babylonische, sondern auch chaldäische, jüdische, aramäische und persische Namen.

Bemerkenswert ist noch, daß die „Bücher" der älteren Firma Egibi und Söhne in sumero-akkadischer Sprache geschrieben sind, obwohl diese

---

1) K. B. IV, S. 267.

bereits über tausend Jahre eine tote Sprache war, wie man gewöhnlich annimmt. Diese Annahme aber ist unzutreffend, weil alle diese Tontäfelchen Verträge enthalten, die von beiden Seiten unterzeichnet wurden, also auch beiden Seiten verständlich sein mußten. Die jüngere Firma, Maraschu und Söhne, ließ in babylonischer oder aramäischer Sprache schreiben [1]).

In Gilden zusammengeschlossen finden wir neben den Webern auch die Spinner und Färber, die Metzger und Bäcker, die Schuster und Schneider, die Waffenschmiede und Wagenbauer, die Gärtner und Winzer, die Steinschneider und Holzschneider, die Maurer und Zimmerleute, die Schreiner (Tischler) und die viel beschäftigten Ziegler und Töpfer oder Tonarbeiter.

Wir besitzen die Rechnung des Webers Belikasa vom 5. Nisan des 7. Jahres des Königs Nabupalusur, der verschiedene Gewänder für die Götter Samas, Ai und Bunene angefertigt und an die Tempeldiener oder aslaku abgeliefert hatte.

Die Fischer, Schiffer und Schiffbauer treten weniger hervor, als man bei der Menge der Wasserläufe und der Nähe des Meeres erwarten sollte, obwohl der Sage nach der berühmte Gilgamis oder Xisuthros, der Noah oder Stammvater der Babylonier, das erste Schiff gebaut haben soll. Eine andre Sage aber läßt schon Adapa in einem Schiff fahren; aber diese Kunst ging wieder verloren. Denn als Sanherib auf dem Seeweg in das Land der Elamiter vordringen wollte, mußte er, wie wir früher gehört haben, phönikische Schiffbauer zur Herstellung seiner Kriegsflotte kommen lassen.

Eine Einrichtung aber gibt der Gesellschaft im ganzen Altertum, so auch in Babylonien und Assyrien, ihr eigentliches Gepräge. Das ist die Sklaverei, die durch die andauernden Kriege in doppelter Weise gefördert wurde; denn es verarmten in den Kriegen viele einheimische Familien, machten Schulden und mußten als Sklaven ihren Gläubigern dienen; zum andern wurden viele tausende aus den Gefangenen der besiegten Völker zu Sklavendienst verkauft, um die Seckel des Königs und seiner Heerführer und der Götter, d. i. der Priester, zu füllen. War ein Volk ursprünglich gar nicht zu Trägheit oder Müßiggang und Ueppigkeit geneigt, durch die Sklaverei wurden solche Laster gelehrt und verbreitet. Der Sklave arbeitete für seinen Herrn und dessen Haus, einerlei ob Krieg oder Frieden herrschte; denn der Sklave zog nicht mit in den Krieg. Es kann also auch sein Herr, ohne gradezu Schaden an seinem Hauswesen zu leiden, sich dem Müßiggang und der Ueppigkeit hingeben, nach seinen Lüsten zu leben. Frauen und Töchter der Sklaven stehen zu seiner Verfügung. Der Sklave gilt vor dem Gesetz nicht als eine Person, sondern als Sache, als ein Teil des beweglichen Eigentums, über das

1) Reichsbote von 1905, Nr. 100.

sein Herr mit voller Willkür verfügen kann. Nur zwei Uebungen gab es, die den freien Babylonier oder Assyrer nicht ganz in Schwelgerei verkommen ließen, die besonders in Assyrien kräftig gepflegt wurden, Jagd und Krieg. Denn das lag auf der Hand: Wurden die Sklaven bewaffnet und in Waffen geübt, so war es ihnen bei ihrer großen Anzahl ein leichtes Ding, sich die Freiheit zu erkämpfen.

Sollte ein Freier von inländischer oder ausländischer Abkunft zum Sklaven gemacht werden, so wurde dem Mann Haupthaar und Bart kurz geschoren; denn alle Freien, an der Spitze der König und seine Beamten, trugen, wie die Abbildungen zeigen, langes Haupthaar und Vollbart, eine Sitte, die wir auch bei andern Semiten finden. Nur die Eunuchen waren durch ihre Unnatur eines Bartes unfähig; so ist das glatte Gesicht auf den Bildern das Kennzeichen dieser Menschenklasse.

Eine Inschrift aus alter Zeit berichtet aus dem Sklavenleben:

„Aradbunene, den sein Herr Pirhi ilisu für eineinhalb Minen Silber nach Asnunnna verkauft hatte, verrichtete dort fünf Jahre die Dienste seines Herrn (der vermutlich oft wechselte, da Aradbunene kein gewöhnlicher Sklave war) und floh dann nach Babel. Die Aufseher Sinmusalim und Mardukkamazasu ergriffen ihn und sprachen also zu ihm: „Ein helles Merkmal ist dir eingeprägt, gehe zurück unter die ridute". Aradbunene antwortete: „Unter die ridute werde ich nicht gehn, ich werde die Güter meines Vaterhauses bearbeiten und nutznießen." Libitramman, Rammanluzirum und Ibniramman, seine Brüder, schwuren bei Marduk und Ammiditana, dem König, daß, ohne daß Aradbunene, ihr Bruder, auf den Besitz (der väterlichen Güter) Anspruch erheben kann, Aradbunene mit seinen Brüdern, so lange er lebt, die väterlichen Güter bearbeiten und nutznießen kann. Vor Avilramman, dem Schreiber des Martu; vor Ilubisa, dem Sohn des Siniddinam. Am 25. Duzi des Jahres, da Ammiditana nach der großen Entscheidung von Samas und Marduk (König von Babel) wurde [1])."

Eine ähnliche Urkunde besagt:

Der Hirte Anatu, Sohn des Kanisitu, der als einer der rid sabe abgeliefert war, ist auf Befehl des Königs dem Ilunkasin und Sintajar als Hirte zurückgegeben. Marzilama, der Sohn des Mardukabi, ist an seiner Stelle als einer der rid sabe dem Ibikilisu und dem Caribatu, den Söhnen des Dumba, gegeben worden [2])."

Die meisten Sklaven waren Kriegsgefangene, Beutestücke, die auf den Sklavenmärkten zu Geld gemacht und nach der bereits erwähnten Weise verteilt nicht nur den König, sondern auch die Heerführer und das Heer und die Priester zu neuen Kriegen reizten, die, in der Absicht auf Gewinn unternommen, als Raubzüge zu verurteilten sind.

Kaufverträge über Sklaven sind auch erhalten, wie einer aus dem Jahre 708 v. Chr., wonach ein Phönikier zwei israelitische Männer und ein israelitisches Weib an einen Aegypter für drei Minen Silber oder fünfhundertvierzig Mark verkauft. Die Israeliten werden Haman und Melchior genannt. Der Vertrag ist bezeugt und besiegelt nach allen ge-

1) Nach Deiches, Z. f. A. 1904/5, S. 208 ꝛc.
2) Br. Meißner, Z. f. A. 1904, S. 394.

setzlichen Vorschriften, die für solche Geschäfte in Geltung waren. Der Wert der Mine aber wurde nach dem in der Stadt Karchemisch üblichen Wert angenommen. Dann heißt es:

„Der Preis ist endgiltig festgesetzt. Diese Leute sind gekauft und bezahlt. Ein Zurückziehn von dem Vertrag und ein Aufheben des Vertrags sind nicht erlaubt. Wenn in den Tagen des Sohnes oder Enkels des Käufers, der Verkäufer oder seine Erben diese Leute oder ihre Nachkommen zurückzukaufen wünschen, so soll der zu zahlende Preis zehn Minen Silber und eine Mine Gold betragen."

Das sind viertausendsechshundert Mark; denn damals war die Mine Silber einhundertachtzig Mark, die Mine Gold zweitausendachthundert Mark wert. Der Wert des Silbers verhielt sich zu dem des Goldes wie eins zu fünfzehneinhalb.

Der gewöhnliche Preis eines Sklaven betrug eine Mine Silber, wie auch im obigen Vertrag angenommen ist [1]).

Die Kinder der Sklavinnen gehörten wie bei den Hebräern [2]) dem Herrn der Mutter. Das Zeichen der Unfreiheit bestand nicht allein aus dem schon erwähnten Scheren des Haares bei den Männern; vielmehr trugen die Sklaven auch eine Dattel oder Olive aus Ton, an einer Schnur um den Hals gebunden. Auf dieser kleinen Figur waren die Namen des Sklaven wie die seines Herrn und der Tag des Ankaufs aufgeschrieben, wie im folgenden:

„Chipa, zu Handen des Siniris. Monat Sebet. 11. Jahr des Mardukpaliddin, des Königs von Babylon."

Ein Sklave, der vor Gericht klagte, wird aus folgender Urkunde bekannt:

„Bariittiilani, ein mit Geld gelöster Sklave der Gaga, der im 35. Jahr Nabukudurusurs, des Königs von Babylon, Achnuri für eine halbe Mine acht Sekel Geld gekauft hatte, erhebt den Anspruch „Klient des Bilrimanni aus der Hand des Samasmudammik und der Kudasu bin ich." Vor dem Richter des Nabunaid, Königs von Babylon, erhoben sie gerichtliche Klage. Die Richter hörten die Klage an und lasen die Verträge über die Sklavenschaft des Bariittiilani, der vom 35. Jahre des Nabukudurusurs, des Königs von Babylon, bis zum 7. Jahr des Nabunaid, Königs von Babylon, für Geld verkauft, als Pfand gegeben, zur Mitgift an Nubta, Tochter der Gaga, gegeben war. Darauf hatte ihn Nubta nebst Hausgerät und Sklaven an Zamamaiddin, ihren Sohn, und an Idinnaapil, ihren Mann, rechtlich begeben . . . und sprachen zu Bariitiilani: „Du erhebst den Anspruch ‚Klient bin ich', zeige deine Urkunde." Bariitiilani antwortete: „Zweimal bin ich vom Hause meines Herrn geflohen, eine Urkunde habe ich nicht." „Gaga gab mich an Nubta, ihre Tochter, Nubta an Zamamaiddin, ihren Sohn, und Idinnaapil, ihren Mann; nach dem Tod von Gaga und Nubta bin ich an Ittimardukbalatu für Geld zugewiesen."

Die Richter hörten die Zeugen und machten dem Sklaven, der durch drei Menschengeschlechter gedient hatte, eine Urkunde, deren Inhalt uns leider nicht bekannt ist.

---

1) K. B. IV, S. 199.
2) Ex. 21, 4.

Man unterschied helle und dunkle Sklaven. Die hellen kamen aus Guti und Suri. Der Markt für Sklaven, der gewöhnlich im Monat Sebatu stattfand, bot eine reiche Auswahl. Die meisten Sklaven besaßen begreiflich die babylonischen und assyrischen Könige. Bei der Herstellung ihrer großen Bauten dienten ihnen Könige und Herren, Bürger und Bauern der eroberten Länder, um nach Vollendung des Baues als Sklaven verkauft zu werden! Chaldäer, Aramäer, Kleinasiaten aus allen Provinzen, Aegypter, Aethiopier, Araber, Elamiter, Hethiter, Phöniker, Israeliten und Juden wurden zu vielen Tausenden gezwungen, die Erde zu den großen Terrassen der königlichen Paläste herbeizutragen, die gewaltigen Stierkolosse aufzurichten, Ziegel zu formen, zu trocknen und zu brennen. Eine jede Nation hatte, wie die Reliefbilder zeigen, ihre besondere Tracht, jede Abteilung ihren Aufseher, der sie mit Schlägen zu ihrem Tagewerk antrieb. Viele waren auch während der Arbeit an Händen und Füßen gefesselt. Alle aber wurden nicht wie Menschen, sondern wie das Vieh behandelt; und in diesem Stück der Menschenverachtung hat Assyrien Großes geleistet.

Eine hervorragende Klasse der Bevölkerung bildeten in beiden Reichen die Gelehrten, die ihre mannigfaltigen Kenntnisse von Geschlecht zu Geschlecht vererbten, ähnlich wie in andern Gilden Kunstfertigkeit und Handgriffe fortgepflanzt wurden. Auch das Priesteramt war erblich für diejenigen Söhne, die ehelich geboren und frei von leiblichen Gebrechen waren [1]).

Gewöhnlich heißen alle Gelehrten „Chaldäer" im engern Sinn dieses Wortes, während das Wort im weiteren Sinn nach Ktesias die ersten Bewohner von Babylonien, insbesondere des Meerlandes, also Sumero-Akkadier bezeichnet. Sie tragen auch den Namen Magier, ein Wort, über dessen Sinn die Gelehrten noch nicht einig sind. Während Hommel an die Zauberformeln emegu oder imiku denkt, weist Delitzsch auf das Traumauslegen magh oder Machu hin. Andere ziehen das Wort imka „Weise" hierher. Ihr Oberster war der Rabmag. Sie verstanden nicht nur zu schreiben, zu lesen und zu rechnen, sondern auch Eisen und Ton zu bearbeiten, Städte zu bauen, des Himmels Erscheinungen zu beobachten und aufzuzeichnen. Sie schrieben alle mythologischen, astrologischen und mathematischen Werke nieder, zuerst in der sumero-akkadischen als in der heiligen Sprache, später auch in der babylonisch-assyrischen; dazu auch die vielen tausend Inschriften, Annalen der Könige, Zauberformeln u. a. m.

Bei Daniel und ähnlich bei Diodorus Sikulus werden sechs Abteilungen der Magier oder Priester genannt: Gelehrte, Zauberer, Sternseher, Weise, Wahrsager und Chaldäer. Die Gelehrten asipi aram.

---

1) Vergl. Lev. 21, 17 ꝛc.

aschefin, waren auch Beschwörer und Propheten. Sie schließen in sich den isakku oder Oberpriester, die songu, kalu und emu, Abteilungen der Tempelpriester, sowie die ramku, das sind die Reinigungspriester und Zauberer. H. Zimmern [1]) unterscheidet baru, das sind die Zeichendeuter oder Wahrsager, asipu die Beschwörer, zammaru die Sänger, paschu die Gesalbten, ramku die Gewaschenen, mahhu, die Rasenden, munambu die Schreier oder Heuler, sangu und nisakku die Priester im allgemeinen. Die ummanu Weisen und mudu Wissenden sind nach ihrer Tätigkeit noch nicht näher bekannt. Andere Diener waren die Kedeschen und Totenbeschwörer.

Die Kleidung der Priester bestand aus Leinwand kitu, die bei den Asipu rot samu gefärbt war. Die barutu nennt H. Zimmern eine uralte Zunft, die ihren Ursprung auf den sagenhaften König Enmeduranki zurückführte. Sie erforschten den Willen der Götter durch das Beschauen der Leber und durch Wahrsagen aus der Schüssel. Ein baru muß aus priesterlichem Geschlecht und frei von leiblichen oder geistigen Fehlern sein. Er muß viel gelernt haben und bedarf gewisser Geräte zu seiner Amtsführung. Seine Hauptgötter sind Samas und Ramman. Die Ritualtafeln, die darüber Bestimmungen geben, müssen ein hohes Alter haben, wenn man annimmt, daß Marduks Verehrung erst zu der Zeit eingeführt wurde, als Babel Reichshauptstadt geworden war.

Die Chartumim, bei Luther Sternseher, sollen ihren Namen von dem Szepter karatu haben, das bei der Beschwörung der bösen Geister und Zerstörung der Kapellen gebraucht wurde, die sie im Leibe der Kranken inne haben. Dann wären auch sie Beschwörer und keine Sternseher. Näher liegt die Ableitung ihres Namens von cheret Griffel, mit dem alle Schriften in die Tafeln eingegraben oder geritzt wurden. Dann sind sie die Schreiber und vermutlich auch Ausleger der heiligen Schriften und Gebräuche gewesen [2]). Die Goserim oder kasiru waren die Aufzeichner der astronomischen Beobachtungen, die aus den verschiedenen Stellungen der Gestirne die Zukunft vorhersagten. So sind sie auch die nabe sirute oder Wahrsagepriester, die durch ihre Orakel einen großen politischen Einfluß ausübten. Die Chakamim oder Weisen begreifen in sich die Aerzte und die Einreiber pasihu, die Schriftgelehrten sapiru, die Tafelschreiber dupsarri. Schon diese gedrängte Ueberschrift läßt erkennen, daß die Abteilungen der babylonisch-assyrischen Priester nicht so streng geschieden waren, daß nicht eine in die andre übergehn und mancher mehreren Abteilungen zu gleicher Zeit angehören konnte. Ihre Namen sind meist uralt und meist akkadischen Ursprungs.

Alle diese Künste und Wissenschaften, deren Vertreter wir hier kennen gelernt haben, ihren Inhalt werden wir später betrachten, sollen

---

1) K. A. T., S. 589.
2) Fürst, hebr.-chald. Wörterbuch I, 438.

nicht nur erhalten und gepflegt, sondern auch fortgepflanzt und ausgebildet werden. Dieses Ziel ist aber nur durch verschiedene Schulen zu erreichen. Die Grundlage eines jeden höheren Unterrichts mußte auch hier die Volksschule geben. Professor Hilprecht fand auf dem Tempelberg von Nippur eine Menge kleiner Tontafeln, auf denen Kinder, vermutlich Kinder der Priester, ihre ersten Schreibübungen angestellt hatten. Sie schrieben ban, banu, bane, bani, banini, banija, baninu usw. Er fand auch Rechenaufgaben mit ihren Lösungen, wie (60 + 7) × 10 = (332 + 3) × 2 oder (60 + 8) 10 = (34 × 2) 10. Alle diese Rechnungen standen auf große Tafeln geschrieben, die unsern Schul-Wandtafeln zu vergleichen sind. In den oberen Klassen der Schulen oder in den höheren Schulen, die selbst in dem Palast des Königs eine Stätte fanden, umfaßte der Unterricht Astronomie, Geometrie, Poetik, Baukunst und Literatur. Ob auch fremde Sprachen gelehrt wurden, wissen wir nicht. Jedenfalls aber wurde hier Unterricht im Sumero-Akkadischen erteilt, nachdem dieses aufgehört hatte, eine lebende Sprache zu sein. Und dieser Unterricht war der wichtigste, weil der schwierigste von allen. Im Laufe vieler Jahre wurde der Schüler, wie noch heute bei den Chinesen, nach und nach in das Geheimnis der vielen Silben- und Wortzeichen eingeführt. Vermutlich fing der Lehrer mit dem leichtesten, dem Lesen der historischen Inschriften, an, ging dann über zu den medizinischen und astrologischen Tafeln, zuletzt zu den Schriften über Opferwesen, Wahrsagerei und Beschwörung. Verschiedene Sammlungen dienten bei diesem Unterricht als philologische Hilfsmittel. Das Buch dimmer dingir ilum enthielt in jeder Zeile ein sumerisches Wort, dann eine sumerisch-dialektische Form desselben Wortes, zum dritten die assyrische Uebersetzung. Eine zweite Sammlung brachte ein assyrisches Wortzeichen, dann den Wert dieses Zeichens, zum dritten ein assyrisches Wort gleicher oder ähnlicher Bedeutung. Eine dritte Sammlung, Gott Anum genannt, erklärte die Zeichen für die einzelnen Gottheiten; eine vierte, malku sarru, stellte assyrische, mit Silbenzeichen geschriebene Worte von gleicher und ähnlicher Bedeutung zusammen. Sodann hatte man die sog. Syllabare, darin der Silbenwert eines jeden Zeichens und seine Aussprache im sumerischen und im assyrischen angezeigt wird [1]).

Sehr wahrscheinlich ist, daß zur Zeit Asurbanipals und des neubabylonischen Reiches in den höheren Schulen auch in griechischer Sprache unterrichtet wurde; denn man hat Uebersetzungen aus der Keilschrift in das Griechische gefunden.

Solche Priesterschulen bestanden nach Diodor in Borsippa, Sippara und Uruk, sicher auch in Ninive und andern assyrischen Städten.

Von der höchsten Bedeutung für die bürgerliche Gesellschaft war das Heerwesen in beiden Reichen. Wie das ägyptische Volk im ganzen

---

1) Nach Bezold, N. u. B., S. 125.

niemals kriegstüchtig werden konnte, weil eine Kriegerkaste vorhanden war und, wenn diese versagte, Mietstruppen angeworben wurden; so waren auch die stammverwandten Sumero-Akkadier und nach ihnen die Babylonier mehr friedlicher Beschäftigung zugeneigt, obwohl sie keine Kriegerkaste hatten, vielmehr nach den Gesetzen Hammurabis eine allgemeine Wehrpflicht für die freien Männer bestand. Doch finden wir auch hier bald chaldäische und aramäische Mietstruppen, ein Beweis, daß im babylonischen Volk keine Neigung zum Kriegsdienst vorhanden war. Anders bei den Assyrern. Diese sind von alters her als ein kriegslustiges und kriegstüchtiges Volk bekannt.

Das stehende Heer hieß in Assyrien kisir sarruti, königliche Streitmacht. Wie in Griechenland und Rom war jedem freien Mann seine Stelle im Heere durch sein Vermögen angewiesen. Die wenig Begüterten zogen als leichte Truppen, Schleuderer und Bogenschützen in den Kampf. Ihre Kleidung war eine kurze gestickte Tunika. Auch die Waffen zeigten verschiedene Zierrate. Das lange Haupthaar wurde durch ein Band zusammengehalten. Die Wohlhabenden stellten das schwere Fußvolk, das mit Speer und Schild bewaffnet war. Diese Krieger trugen Helme von Erz. Auf der Brust glänzten große Metallscheiben, an der Seite trugen sie noch kleinere Waffen. Sie standen während des Kampfes in Reih und Glied. Die erste Reihe streckte dem Feind knieend die Spieße entgegen, die zweite Reihe tat dasselbe stehend, sodaß die ganze Phalanx eine dichte Hecke von Spießen bildete. Die dritte und vierte Reihe schossen mit Pfeilen über die beiden ersten Reihen hinweg.

Doch lag die Stärke des assyrischen Heeres nicht im Fußvolk, sondern in der Reiterei, die ihre Mannschaften aus den reichen Familien des Landes erhielt und ihre Pferde aus Armenien und Arabien bezog. Die Reiter saßen auf zierlichen Sätteln, trugen eherne Rüstung oder Panzer und waren mit Schwert und Lanze bewaffnet. Diese Reiterei war die Blüte und der Stolz Assyriens, der ritterliche Adel, der mit dem König an der Spitze auch vom Streitwagen herab mit verschiedenen Waffen kämpfte. Ihre Pferde trugen Decken von Purpurseide und gesticktem Tuch, auf ihren Köpfen wehten Federbüsche mit dicken Troddeln. Die Wagen selbst blitzten von Gold und Jaspis, von Email und Elfenbein. Die Wagenkämpfer waren wie die Reiter vollständig gepanzert, ihre Schilde zeigen Löwenköpfe in erhabener Arbeit; über ihren Helmen, die mit Federbüschen geziert sind, hängen hohe Standarten von kostbaren gestickten Stoffen. Auf den Schlachtbildern sind über die ganze Linie der Heeresaufstellung scharlachrote Fahnen verteilt. Befindet sich das Heer auf dem Marsche, so folgen im Nachtrab allerlei Kriegsmaschinen, wie Sturmböcke, auch Leitern und Werkzeuge zum Anlegen von Minen. Der König aber fährt auf einem Wagen, über den ein Thronhimmel oder Baldachin gespannt ist. Stattliche Leibwachen umgeben ihn. Wird ein Lager aufgeschlagen, dann wohnen die Kebsweiber und Eunuchen des

Großkönigs in Zelten von kostbaren bunten Seidenstoffen in der Nähe ihres Herrn.

Wie die Krieger bildeten auch die Jäger in Babylonien keinen besondern Stand. Männer und Jünglinge aus den freien Häusern widmeten sich diesem Beruf und Zeitvertreib, der in der alten Zeit durch die Vertilgung wilder reißender Tiere und giftiger Schlangen sehr nützlich war und manchem Helden wie Nimrod-Gilgamis hohe Ehren eintrug. Es gab auch später noch in beiden Reichen eine Fülle von jagdbarem Getier, Löwen und Büffel oder Wildochsen, Steinböcke und Gazellen, Hirsche und Rehe, Hasen und Geflügel von mancherlei Art. Der König selbst schoß den Löwen, wie ein Basrelief darstellt, vom Streitwagen herab mit Pfeil und Spieß, ein Leibjäger aber hebt das angeschossene Wild am Schwanze aus, damit es mit dem Jagdmesser abgefangen werden kann.

Von einer Seite des bürgerlichen Lebens und der Familie erhebt sich ein tiefer Schatten bei beiden Völkern, der uns schon ein- oder zweimal begegnete, aber auch hier nicht um der Gerechtigkeit willen mit Schweigen zugedeckt werden darf. Ich meine das Institut der Kedeschen oder Freudenmädchen, deren unsauberes Gewerbe sich schon in den Gesetzen Hammurabis [1]) des staatlichen Schutzes erfreut und an den Dienst der Götter angelehnt ist. Gibt ein Vater seine Tochter zur Tempeldirne her, so heißt sie ein Weib Marduks oder steht im Dienst der Istar von Ninive. Demnach ist ihr Stand und Gewerbe vor den Menschen geheiligt, aus der Sünde und Schmach ist ein gutes Werk und Ehre geworden; aber die Finsternis des Überglaubens erntet in der um sich greifenden sittlichen Fäulnis die Früchte, die sie gesät hat: Der König verdarb in seinem Frauenhaus, das Männervolk wurde in den Götzenhäusern und andern Lasterhöhlen an Leib und Seele zu gleicher Zeit zugrunde gerichtet!

Noch ist hier der Großmacht zu gedenken, die auch in Babylonien und Assyrien alle Klüfte und Spalten der bürgerlichen Gesellschaft verschwinden läßt und alle Entschlafenen au den gemeinsamen Totenfeldern vereinigt. Wie in Aegypten konnten auch in Babylonien die Begräbnisplätze nicht überall angelegt werden, weil ein großer Teil des Landes wie dort der Bewässerung ausgesetzt war, aber ein Eindringen des Wassers in die Gräber als eine Entehrung der Toten angesehn wurde und bis heute angesehn wird. Dies zu vermeiden legte man die Totenfelder wie in Aegypten auf dem höher gelegenen Land an, das vom Wasser nicht erreicht wird und darum auch nicht dem Getreidebau dienen kann, aus demselben Grund auch wertlos ist. Diese Vorsicht wäre aber in Babylonien vergeblich gewesen, wenn die Berichte [2]) über die Ausgrabungen der Universität Philadelphia recht hätten, in denen behauptet

1) H. G. B. § 178—181.
2) Reichsbote von 1905.

wird, die Babylonier hätten Krematorien oder Brennöfen gehabt und ihre Leichen durch Feuer in Asche verwandelt. Auch Fr. Hommel [1]) stellt die Behauptung auf, in Babylonien sei wie in Aegypten die älteste Weise der Bestattung das Verbrennen der Leichen gewesen, was die Feuernekropolen von Nippur und Elhibba und die Königsgräber von Negadach und Abydos dartun sollen. Aber der Gelehrte möge uns sagen, woher man in den waldarmen Ländern das Holz zu solchem täglichen Bedarf bezog, wie ihn allein schon die Millionenstädte aufweisen? In Babylonien war ja ein Brennstoff, die Naphtha und Schilf vorhanden; aber Naphtha fehlte in Aegypten ebenso wie das Holz. Oder war auch in diesen Ländern wie in Griechenland etwa eine zweifache Sitte betr. der Behandlung der Toten neben einander üblich, etwa nach Völkerschaften getrennt, so daß die Sumero-Akkadier etwa ihre Toten verbrannt, die Semiten aber dieselben zur Erde bestattet hätten? Volle Gewißheit ist in dieser Frage noch nicht erreicht; doch berichtet schon R. Koldewey [2]) von den Totenstädten Surghul und el Hibba, daß die Leichen, die man dort gefunden, nicht vollständig verbrannt, sondern nur angekohlt waren; und daß die Babylonier zu diesem Feuer Schilf und Asphalt verwendet hatten. Er fand Aschenschichten von zehn bis zwanzig Zentimeter, die der Wind zusammengeweht hatte (?). Die Schmucksachen der Toten waren durch die Hitze zu Klumpen zusammengeschmolzen, aber mitgegebenen Muscheln hatte die Hitze nicht geschadet, ebensowenig den Steinärten und Pfeilspitzen aus Feuerstein. Man fand auch angebrannte Siegel, verkohlte Dattelkerne, halb verbrannte Knochen von Rindern und Schafen, Vögeln und Fischen. In vielen Fällen war die Brandstätte zugleich der Bestattungsort für die Leichenreste; die Leichen aber wurden in feuchten Ton wie in einen Mantel eingehüllt, damit sie nicht unmittelbar vom Feuer berührt würden. Daher stammt aber auch die Unvollkommenheit der Verbrennung, deren Anblick vielleicht auch dem Menschenauge entzogen werden sollte: ein beschämendes Beispiel von feinem Gefühl.

In andern Gräbern fand man die gesammelten Leichenreste, aber die Sammlung war ohne Sorgfalt ausgeführt, schon indem die Gefäße viel zu klein für die Aufnahme sämtlicher Leichenreste waren. In diesen Aschengefäßen oder neben ihnen fand man allerlei kleine Tonbilder von Göttern, Menschen und Tieren, insbesondere viele Phallusbilder. Vornehme Leute bauten schon Totenhäuser und Terrassen, die man mittels einer Treppe bestieg; aber hier wurden Leichen verbrannt, die von andern Orten hierher gebracht waren. J e d e n f a l l s g e h ö r e n d i e s e F u n d e d e r p r ä h i s t o r i s c h e n Z e i t a n, worauf schon die gefundenen Steinwerkzeuge hinweisen. Koldewey denkt an die alten Baby-

1) Grundriß, S. 127.
2) Z. f. A. 1887, S. 403 2c.

lonier oder Sumero-Akkadier, aber ich denke an ein Volk, das noch vor den Sumero-Akkadiern hier wohnte. Diese konnten schreiben und schrieben viel und hätten sicher manches geschriebene Täfelchen den geliebten Toten ins Grab mitgegeben; aber in diesen Gräbern hat man nichts Geschriebenes gefunden.

Daneben ist mir gewiß geworden, daß die Semiten hier so wenig wie in Aegypten ihre Toten verbrannt, sondern feierlich und mit Fleiß zur Erde bestattet haben, sei es in Gewölben oder in Plattformen, wo die aus Ton gebildeten Gefäße, in die der Leichnam eingedrückt war, der Kopf mit einem Ziegelstein gestützt, reihenweis aufgestellt wurden. Die Hände der Leiche waren an die Hüften gelegt, die Füße vereinigt, die Kniee nach außen gebogen. Hier und da finden sich auch Spuren von leinenen Streifen, mit denen die Leichen wie die ägyptischen Mumien umwickelt gewesen waren [1]). Diese Totentöpfe, die einen Leichnam aufnehmen mußten, waren teils von rohem Ton, teils gebrannt und glasiert, bisweilen nur von zweidrittel Meter Durchmesser, oben und unten mit Oeffnungen versehen, innen und außen mit Asphalt überzogen. Reichte ein Topf für den zu bestattenden Leichnam nicht aus, so wurden deren zwei aneinander gekittet. Man findet auf den babylonischen Totenfeldern auch Sarkophage, fast zwei Meter lang, eindrittel Meter breit. Andere wieder sind länglich eiförmig mit gleich hohen Wänden und einem Deckel aus Terrakotta, aber ganz schmucklos hergestellt. Daneben gab es auch Massengräber, vermutlich für die Armen und Sklaven, wo die Leichen in Rohrmatten eingewickelt und in einer Grube beigesetzt wurden [2]).

Die Inschrift auf einem der Leichentöpfe lautet:

„Für alle Zeit, für immer, für ewig, für alle Zukunft. Diesen Sarg möge der, der ihn findet, nicht behalten, sondern an seine Stelle zurückbringen. Wer dieses liest und nicht mißachten, sondern sprechen wird „diesen Sarg will ich an seine Stelle zurückbringen“, dem möge die Guttat, die er getan, belohnt werden. Droben sei sein Name gesegnet, drunten mögen seine Manen klares Wasser trinken.“

In diesen Worten hat Fr. Delitzsch den Anfang der späteren Vorstellung von einer heißen Hölle und einem mit Wasser reich gesegneten Garten gefunden [3]). Aber wo ist in dieser Inschrift auch nur die leiseste Andeutung eines heißen Aufenthaltes? Auch die andern Sagen von der Unterwelt wissen nichts von Hitze und Glut. Das „Oben“ und „Unten“ auf Himmel und Hölle zu deuten, bei einem und demselben Toten zu deuten, ist eine absonderliche Liebhaberei oder dogmatischer Fehlschuß, während bei einfacher nüchterner Betrachtung „Oben“ sich als das Reich der Lebendigen auf der Erde, „Unten“ sich als das Reich der

---

1) Fr. Hommel, B. u. A., S. 216.
2) Mitteil. v. 1903, 17, S. 5.
3) Mitteil. v. 1901, 11, S. 16.

Toten, also als Oberwelt und Unterwelt darbietet. Auch A. Jeremias hat Fr. Delitzsch hierin widersprochen [1]).

Mehrere große Totenfelder sind bereits aufgedeckt worden, so bei Mugheir, Tell el Lahm und Warka. Am erstgenannten Ort fand man Grabstätten in Form von Gemachen, die zwei Meter lang, ein Meter breit und eineinhalb Meter hoch waren. Indem sich die Breite dieser Gemache von unten nach oben stets verjüngte, entstand eine tragkräftige, spitzbogenähnliche Decke über der Leiche. Auf dem gepflasterten Boden lag eine Rohrmatte, darauf der Leichnam. Von diesen Grabgemachen zog sich ein breites Feld rings um die Stadtmauer.

Neben die Särge oder die Töpfe setzte man Speise und Trank in besondern Gefäßen. Die trauernden Angehörigen hockten bei der Leichenfeier auf der Erde nieder, zerrissen ihre Kleider, schlagen sich auf Brust und Hüften, zerraufen den Bart und brechen in lautes Wehklagen aus. Ua a, na a klagen die Assyrer, die Hebräer hoi ho. Hier und da wurden auch Ritzmesser gebraucht, um sich leichte Wunden beizubringen [2]). Die Trauernden zogen auch einen Sack assyr. sakku an und ließen sich das Haar scheren.

Von der Weise der Hoftrauer berichtet ein Steinbrief:

„Der König ist gestorben, die Stadt Assur weint. Der Statthalter hat seine Frau aus dem Palast entfernt. Opfer sind gebracht worden. Der Minister hat die Beamten in das Rathaus gerufen. Man hat dunkle Kleidung angelegt und die goldnen Spangen bei dem Stadtobersten niedergelegt. Kisat, der Musikmeister, wird mit seinen Sängerinnen vor den Leuten Trauergesänge vortragen."

Häufig finden sich in den Händen der Toten Trinkgefäße und Farbennäpfchen, deren Zweck noch im Dunkeln liegt. Vielleicht sollten sie zum Schminken dienen? Die Verehrung für die Entschlafenen erforderte, daß ihnen öfter Wassergüsse gespendet wurden. Aus diesem Grunde waren auf den Totenfeldern auch Brunnen gegraben, die um so tiefer sein mußten, als die Felder höher lagen. Koldewey [3]) meint, jeder Tote habe seinen eignen Brunnen erhalten, soweit das Vermögen der Hinterbliebenen solche Anlage gestattete. In den ausgegrabenen Schacht wurden Trommeln von gebranntem Ton mit einhalb Meter Durchmesser eingesenkt.

1) A. T. O., S. 332.
2) Deuter. 14, 1.
3) Z. f. A. 1887, S. 414.

Zehnter Abschnitt.

Künste und Wissenschaften in Babylonien und Assyrien.

1. Die Künste.

In der Kunst, die zu allen Zeiten von den Menschen am höchsten geschätzt wurde, in der „göttlichen" Dichtkunst, haben beide Völker recht wenig geleistet. Einen Anlauf haben die Dichter der Göttersagen, der Hymnen, Klagelieder, Beschwörungen u. s. w. genommen, und wir haben mannigfache Proben dieser Kunst bereits kennen gelernt; aber bei dem Anlauf ist es geblieben und mußte es bleiben. Denn solche Dichtung trug den Richter in sich selbst, sie hatte keinen Boden im Volke unter sich. Und da sie der alten, zum Teil der ältesten Zeit angehört, trat hernach eine lange Dürre und Unfruchtbarkeit ein. Noch streiten sich die Gelehrten über den Strophenbau im sog. Weltschöpfungsepos Enuma elis, ob derselbe eine zweizeilige oder vierzeilige oder achtzeilige Strophe habe? [1]) Man kann aber bei der Gleichmäßigkeit der Zeilen ebensogut auch eine dreizeilige Strophe annehmen.

Einige Bedeutung haben noch die alten Litaneien und Orakel, die sich vor den delphischen durch eine gewisse Aufrichtigkeit auszeichnen. Auch die Zauberlieder wurden, wenn nicht neu erfunden, doch immer wieder gebraucht, mit ihnen die bösen Geister zu vertreiben und die durch sie erregten Gemüter der Menschen zu beruhigen. Ebenso lebendig blieben die Hymnen, die dem großen Bruder, dem Oberpriester von Ekua, vorgetragen wurden.

Alle diese Dichtungen wissen weder von einem bestimmten Maß noch von einem Reim noch von Liedstäben; doch soll Pinches einen alliterierenden Hymnus herausgegeben haben [2]). Sogar ein Doppelakrostichon ist entdeckt, die künstliche Dichtung, in der die Anfangs- und Schlußsilben der einzelnen Zeilen gleichlauten, sodaß die Schlußsilben wie die Anfangssilben von oben nach unten gelesen zusammenhängende Worte oder einen Satz ergeben [3]).

1) Z. f. A. 1896, S. 87.
2) Tiele a. a. O., S. 568.
3) Bezold, N. u. B., S. 106.

Die allermeisten Dichtungen aber bewegen sich in der Form, die aus der hebräischen Literatur wohlbekannt ist, in dem parallelismus membrorum oder dem Gesetz, wonach ein ausgesprochener Gedanke alsobald mit ähnlichen Worten noch ein oder mehrere Male vorgetragen wird, eine Weise der Dichtung, die nicht nur ihre Uebung oder Anwendung, sondern auch ihren Ursprung in dem gottesdienstlichen Wechselgesang zweier Chöre haben wird. Neben diesem Rhythmus der Gedanken kann sehr wohl ein Rhythmus des Worttons einhergehn, aber auch hierin sind die Gelehrten noch bei dem Forschen und Suchen.

Alle diese vorgenannten literarischen Erzeugnisse der Babylonier und Assyrer können weder mit der griechisch-römischen, noch mit den hebräischen Dichtungen verglichen werden. Am nächsten stehen ihnen die ägyptischen [1]).

Noch mögen einige kleine Volkslieder und Sprichwörter erwähnt werden, die ebenfalls der ältesten Zeit angehören sollen. Eines lautet:

'Es eilen meine Kniee, meine Füße lassen nicht nach. Nichts hindert mich in meinem Lauf; verfolge mich nur immer."

oder:

„Weil ich sterben muß, will ich essen. Und weil ich leben will, muß ich arbeiten."

Einige Sprichwörter teilt Hommel [2]) mit:

„Im Fluß bist du nun, und dein Wasser ist trüb. Auch da du im Garten warst, schmeckte deine Dattel wie Galle."

oder:

„Du gingst, du nahmest das Feld des Feindes. Da ging der Feind und nahm dein Feld."

oder:

„Wie ein alter Ofen zischt er dich an", „in einer andern Stadt ist der Arbeiter der Herr" „Das Leben von gestern ist alltäglich"

oder:

„Er soll die Rache nehmen; er möge ihm wiedergeben, wie er ihm getan."

oder:

„Ein Kalbin bin ich, mit der Kuh unter ein Joch gespannt. Der Pflugbalken ist fort, hebt ihn auf."

oder:

„Die Frucht des Todes kann man essen, und die Frucht des Lebens kann man sich erwerben." „Welche Frau wird schwanger ohne Beischlaf, wer wird dick ohne essen?"

Es soll auch babylonische F a b e l n geben; aber die wenigen, die bisher veröffentlicht wurden, sind dem Verfasser noch nicht zu Gesicht gekommen.

---

1) Tiele a. a. O., S. 573.
2) Sem. V. u. S. I, S. 314.

Sowohl die Babylonier wie die Assyrer, in diesem Stück einander ähnlich, hatten im allgemeinen mehr Sinn und Gaben für das materielle Leben. Beide Völker zeichneten sich durch Nüchternheit, kühlen Verstand und Berechnung aus, die sie in andern Künsten hervorragendes leisten machten. Dichtkunst aber und Musik waren nicht ihr Feld.

Es gab an den Höfen der Könige Musiker, deren Führer der Rabsaris gewesen sein mag, der auf den Reliefbildern an der Spitze derselben erscheint. Aber schon von den Instrumenten, die da gebraucht wurden, wissen wir recht wenig, von den gespielten Weisen gar nichts. Manche Instrumente wie die Harfe sind sehr alt. Eine achtseitige Harfe ist schon auf einem Denkmal aus Gudeas Zeit abgebildet. Andre Instrumente gelten für Erfindungen der Griechen, deren Einfluß sich besonders seit der Zeit des neubabylonischen Reiches geltend machte. Sie tragen griechische Namen, wie die Cither und die Sambyke, auch eine Art Harfe, das Saiteninstrument Psalterion und die Synfonie. Auch die Doppelpfeife oder Dudelsack war bekannt. Wenn dazu noch Horn, Flöte und Pauke kamen, so war eine Art von Orchester fertig, das zur Einweihung der Tempel und ihrer Götterbilder, bei öffentlichen Festen und zur Ergötzung der Könige spielte. Aus Daniel [1]) kennen wir Posaunen, Trompeten, Harfen, Geigen, Psalter, Laute und anderes Saitenspiel. Curtius Rufus erzählt von den babylonischen Magiern, bei ihnen sei der Gesang gepflegt worden. Sie sangen vaterländische Lieder, Loblieder auf ihre Könige und begleiteten den Gesang mit Saitenspiel.

Mehr als in Dichtkunst und Musik leisteten Babylonier und Assyrer in der Baukunst, die hier auch eine Entwickelung gehabt hat. Auf der ersten Stufe standen die Sumero-Akkadier, die zweite Stufe nehmen ihre Schüler, die semitischen Babylonier, die dritte Stufe die Assyrer ein. Die Sumero-Akkadier verstanden beides, aus Ton oder Lehm Ziegeln und Backsteine zu bilden, wie auch Schreibtafeln zu streichen, und zwar so meisterlich, daß ihre Ziegeln, Backsteine und Tafeln bis heute gedauert haben. Nur die Lehmsteine, die nicht gebrannt, sondern an der Sonne getrocknet waren und zur Füllung ihrer starken Mauern verwandt wurden, konnten der Witterung nicht lange widerstehn, wenn einmal die schützende Decke der gebrannten Steine verletzt war. Das Material zum Brennen der Steine ist uns nicht sicher bekannt. Holz war ein sehr kostbarer Stoff; aber Rohr und Naphtha gab es genug, wie wir bereits gehört haben, daß Rohr als Nutzpflanze behandelt wurde.

Der gewöhnliche Mauerstein war vierundzwanzig bis dreiunddreißig Zentimeter lang und breit, also quadratisch und vier bis sieben Zentimeter dick. Für die Ecken der Gebäude wurden dreieckige, für die Gewölbe keilförmige Steine geformt. Das Wölben verstand man schon in sehr alter Zeit und wandte es bei Kanalbauten an [2]).

---

1) Kap. 3.
2) Mitteil. v. 1903, 17, S. 9.

Ein vorzügliches Bindemittel besaßen Babylonier und Assyrer an ihrem Erdpech oder Naphtha, das dort häufig aus der Erde quillt. Seine Anwendung bei dem Ziegelbau fällt schon in die ältesten Zeiten [1]. Die Hebräer nannten diesen Stoff chemar, während ihr kopher, assyr. kupru die Kiefer und deren Harz bezeichnet. Wenn Naphtha zwischen den Steinen erhärtet ist, hält es ebenso fest wie der beste kieselsaure Kalkmörtel, der zur Zeit des Königs Nebukadnezar auch in Babylonien bekannt wurde und Verwendung fand, vermutlich weil die Naphthaquellen den Bedarf nicht mehr decken konnten.

Ueber die assyrisch-babylonische Baukunst urteilt W. Lübke im Vergleich mit der indischen: „Der Kunstgeist der Inder war ein verzerrter, verworrener. Den Babyloniern und Assyrern scheint ein eigentlich architektonischer Kunstgeist fast ganz gemangelt zu haben. Die einzige Gliederung, die an allen diesen riesenhaften Bauten bis jetzt gefunden wurde, besteht aus dem Kranzgesims, welches im Palast von Khorsabad die Brüstungsmauer der Terrasse krönte. Es besteht aus einer tief eingezogenen Hohlkehle unter einer vorspringenden Platte, nach unten begrenzt durch einen kräftigen Wulst, eine Form, der man eine lebendige Wirkung nicht absprechen kann. — Im übrigen werden die ungeheuern Mauerflächen des Aeußeren sowie sämtliche innere Wände bloß dekorativ mit Skulpturen bedeckt. Man darf den Grund dieser Eigentümlichkeit nicht im Material des Ziegelsteins suchen; denn die Werke des Mittelalters liefern ein glänzendes Beispiel von reicher Entwicklung des Backsteinbaues. Hätte der Trieb und die Gabe architektonischen Kunstbildens in den Erbauern von Ninive und Babylon gelegen, sie hätten entweder den Backsteinbau kunstgemäß durchgebildet oder auf dem Rücken ihrer Ströme Quadern aus den Felsengebirgen Armeniens herbeigeholt, was sie sogar für andre Zwecke wirklich taten." Schon Gudea hatte Bausteine aus den nördlichen Gebirgen und Zedern aus dem Libanon und Amanus holen lassen [2]; Nebukadnezar aber ließ in Babel die Prozessionsstraße des großen Herrn Marduk mit beschriebenen Kalksteinplatten belegen. Lübke fährt fort: „In dieser Beschaffenheit der babylonisch-assyrischen Architektur liegt auch die Unzuverlässigkeit einer Herleitung griechischer Bauweise aus dieser Quelle klar ausgesprochen. Dagegen ist nicht zu leugnen, daß gewisse dekorative Formen von hoher Schönheit, die sich in diesen assyrischen Gebäuden finden, eine mehr als zufällige Verwandtschaft mit griechischen Ornamenten zeigen, so die geöffneten und geschlossenen Lotosblumen auf einer Fußbodenplatte des Palastes von Kujundschik."

„Die Form der Säulen an diesen Galerien ist höchst merkwürdig, weil am Kapitäl doppelte Voluten vorkommen, eine Bildungsweise, die

---

1) Gen. 11, 3.
2) K. B. III, 1, S. 35—37.

anderwärts in der griechischen Kunst zu so edlen Gestaltungen führen sollte. Andre behaupten, die Babylonier hätten die Säule nie gebraucht."

„Die Bekrönung der Gebäude mit zackenförmigen Zinnen erscheint ebenfalls als eine allgemein beliebte. — Der Sinn dieser Völker war im Gegensatz zu den Indern mehr auf das Praktische weltlicher Zwecke gerichtet; daher ihre Wasserbauten, Dämme, Kanäle, Schutzmauern, Köngspaläste." Hier aber tut W. Lübke den Babyloniern und Assyrern doch bitter unrecht, indem er meint, es sei bei ihnen gar kein eigentlicher Tempelbau gewesen; sondern der Palastbau sei an dessen Stelle getreten. Sicher sind schon vor Lübkes Zeit viele Tempelreste freigelegt gewesen, die seine Meinung entkräften. Eins der ältesten bekannten Bauwerke ist der Tempel des Mondgottes in Ur, den der Patesi Urgur erbaut hatte.

Schon in dieser alten Zeit wurde eine Stiftungsurkunde in den Grundstein eingemauert; und wenn ein Bau später wieder hergestellt werden sollte, wurde zuerst nach der Stiftungsurkunde gesucht, und wenn das Suchen Jahre lang dauern sollte. Darüber läßt der König Nabunaid eingehend berichten, nach den Erfahrungen, die er bei einem Tempel des Samas gemacht hatte; und ist dieser Bericht im dritten Abschnitt bereits mitgeteilt.

Der alte Tempel des Mondgottes zu Ur stand auf einer Plattform, die sich sechs Meter über den Erdboden erhob. Er wurde ein Muster für viele folgende Bauten. Auf der Plattform stand der Unterbau von sechsundfünfzg Meter Länge und achtunddreißig Meter Breite. Noch heute ist diese Tempelruine fast acht Meter hoch, ursprünglich etwa zehn Meter. Sie wurde auf den Langseiten von neun, auf den Breitseiten von sechs Strebepfeilern gehalten, die also auf allen Seiten, vom Mittelpunkt aus gerechnet, sechs Meter von einander entfernt waren.

Von Außen führte eine breite Treppe auf die Höhe des Unterbaus, auf dem sich ein zweites Stockwerk von vierunddreißig Meter Länge und einunddreißig Meter Breite erhob, das seinen eignen Unterbau innerhalb des erstbeschriebnen hatte. Auf diesem erhob sich wahrscheinlich noch ein drittes kleineres Stockwerk, das einer Gottheit zum Tempel geweiht war. Dieser Bau ist der Anfang und das Vorbild der vielen Ziggurats oder Stufentürme geworden, die der Regel nach neben den zugehörigen Tempeln standen, wie später die Glockentürme neben den Kirchen. Hatte die erste Ziggurat mit drei Stockwerken angefangen, wurden sie in der Folgezeit bis zu sieben erweitert, als sollten sie bis in den Himmel reichen [1]). Wenn die Ableitung des Wortes Ziggurat vom hebr. zakar richtig ist, bedeutet es ein Denkmal; aber wie das Werk, wird auch das Wort oder der Name des Baues aus dem Sumero-Akkadischen stammen, und seine Bedeutung ist bis heute nicht bekannt.

---

1) Gen. 11, 3—4.

Tiele und Hommel [1]) meinen, diese Bauwerke hätten bei dem ägyptischen Pyramidenbau als Vorbild gedient; aber ebenso gut können auch die Babylonier von den Aegyptern gelernt haben, oder beide Bauarten können auf eine gemeinsame Quelle zurückgeführt werden, aus der der keimartige Anfang stammte, der sich hernach in den verschiedenen Ländern verschieden entwickelte. Einstweilen wird diese Frage noch eine offne bleiben. Ebenso zweifelhaft ist, ob die Bestimmung der Ziggurats und der Pyramiden die gleiche war, nämlich Gräber der Götter oder der Könige zu sein. Wenigstens gibt der heutige Stand des Sandes, der aus der lybischen Wüste unausgesetzt vom Westwind gerade bei Gizeh nach dem Niltal getrieben wird, meinem Lehrer in der hebräischen Archäologie, Professor Gildemeister, durchaus recht, wenn er behauptete, die Pyramiden von Gizeh seien als künstliche Berge aufgebaut worden, um an dieser besonders gefährdeten Talstelle zu verhindern, daß der Lauf des Nil durch den Wüstensand abgesperrt und Aegypten in einen See verwandelt werde. Der Augenschein lehrt, daß diese merkwürdigen Bauten ihre Bestimmung erfüllt haben und noch heute erfüllen. Der Sand staut sich vor ihnen und wird vom Wind hier aufgehäuft oder zurückgeführt. Die Benutzung der Pyramiden als Grabstätte für Könige oder Apisstiere ist erst von sekundärer Bedeutung.

Die babylonischen Ziggurats oder Stufentürme dienten aber von alters her hauptsächlich als Sternwarten. Hier wurden die astronomischen Beobachtungen gemacht, die für das öffentliche Leben wie für Handel und Gewerbe von großer Bedeutung waren.

Ihren Hauptzwecken entsprechend waren Pyramiden und Ziggurats von Anfang verschieden angelegt. Die ersten waren von vornherein recht in die Breite gezogen, ganz für irdische Zwecke ausgedacht und geeignet, massive Hemmnisse des Windes zu bilden; ihre Spitze war fast bedeutungslos. Die babylonischen Stufentürme dagegen strebten rasch in die Höhe, um einen freien Ausblick zu gewähren und den Bewohner dieses Erdenstaubes den Sternen und der Gottheit gleichsam näher zu bringen.

Die Maße des Stufenturms Etemenanki waren nach Hommel [2]) diese:

Die unterste Stufe hatte fünfzehn gar = neunzig Meter im Quadrat. dreiunddreißig Meter hoch,

die zweite Stufe hatte dreizehn gar = achtundsiebzig Meter im Quadrat, achtzehn Meter hoch,

die dritte Stufe hatte zehn gar = sechszig Meter im Quadrat, sechs Meter hoch,

---

1) Grundriß, S. 126.
2) Grundriß, S. 319.

die vierte Stufe hatte achteinhalb gar = einundfünfzig Meter im Quadrat, sechs Meter hoch,

die fünfte Stufe hatte sieben gar = zweiundvierzig Meter im Quadrat, sechs Meter hoch,

die sechste Stufe hatte fünfeinhalb gar = dreiunddreißig Meter im Quadrat, sechs Meter hoch,

die siebte Stufe hatte vier gar = vierundzwanzig Meter im Quadrat, fünfzehn Meter hoch.

Dieser Stufenturm war also ebenso hoch als seine unterste Stufe im Quadrat breit war, nämlich neunzig Meter oder einhundertachtzig Ellen. Dasselbe Verhältnis hatte bei den Pyramiden statt, und bei unsern Kirchen rechnet man noch heute die Höhe des Turmes gleich der Länge des Schiffes. Bei mehreren Stufentürmen war ein Rampensystem besonderer Art in Ausführung gebracht, wo der Aufstieg in schneckenartigen Windungen um den Kern des Gebäudes allmählich in die oberste Kammer führte, die entweder einer Gottheit zur Wohnung diente oder als Sternwarte zur Beobachtung des Himmels und seiner Gestirne benutzt wurde. Bei einem Rampensystem war in der Mitte einer Seite des Stockwerks eine Treppe eingelegt, durch die man an den Fuß des folgenden Stockwerks gelangte, wo sich aber die eingelegte Treppe nicht grade fortsetzte, sondern in die im Winkel anstoßende Wand eingelegt war. Bei allen Stufentürmen war die Spitze die Hauptsache, und in der obersten Zelle befand sich in den Wänden eine Oeffnung, durch welche der Lichtstreifen der Gestirne auf einen Tisch oder die gegenüber liegende Wand fiel und auf dieser mit der vorrückenden Zeit einen deutlich sichtbaren und leicht zu zeichnenden Weg zurücklegte. Bezold [1]) meint weiter, daß aus Richtung und Beschaffenheit dieser Lichtstreifen geweissagt worden sei, aber er führt nicht eine einzige darauf gegründete Vorhersagung an. Viel näher liegt es, daß die babylonischen und assyrischen Sternseher auf dem Wege der fortgesetzten Beobachtung und Vergleichung der einfachen Spiegelbilder der Gestirne und ihrer Wege zu ihren tiefgehenden astronomischen Kenntnissen gelangt sind.

Diese gewaltigen Türme waren wie alle öffentlichen Gebäude der Babylonier und Assyrer nach den vier Himmelsgegenden gerichtet; und wenn diese Richtung bei den Tempeln und Palästen für unser Begreifen keinen gewissen Grund hatte, so war bei solchen Gebäuden, die der Beobachtung der Gestirne gewidmet waren, der Grund in die Augen springend. Außen hatten die Türme fast gar keine Verzierung. Inwendig aber waren sie geschmückt mit Tafeln von Achat, Alabaster und Marmor, und die meisten dieser Tafeln waren mit Reliefs und Inschriften bedeckt.

---

1) N. u. B., S. 134.

Der Bericht Sargons II., den dieser assyrische König in der Nimrudinschrift über die Wiederherstellung eines alten Königspalastes gibt, läßt uns einen Blick in die Eigenart dieser Gebäude tun:

„Damals war der Palast von Wachholderholz (?) in Kalhu, den Asurnasirapla, mein fürstlicher Vorgänger, vor zeiten gebaut hatte — jenes Gebäudes Grundstein war nicht (genügend) gefestet, nicht auf harten Felsboden gelegt worden — durch Regengüsse, die Wucht des Himmels in Verfall und Altersschwäche geraten, seine Umfassung gelockert, seine Wände verfallen. Ich reinigte den Platz und erreichte seinen festen Untergrund. Auf gewaltigen Quadern führte ich seinen Grundstein gleich dem Damm eines hohen Gebirges auf. Von seinem Grund bis zu seinem Dach baute und vollendete ich ihn. Eine Pforte öffnete ich zur linken seines Tores. Was nach der Eroberung der Stätte meine Waffen, die ich wider die Feinde richtete, herausgehn ließen — er meint die Kriegsbeute — schloß ich in ihm ein und füllte ihn mit reicher Fülle. Nergal Ramman und die Götter, die Kalhu bewohnen, rief ich darin an und opferte große Ochsen, fette Schafe, Hühner paspasu-Vögel vor ihnen. Ein Fest richtete ich aus und erfreute das Herz der Bewohner Assyriens. Damals ließ ich in jenes Schatzhaus 11 Talente 30 Minen Goldes, 2100 Talente 24 Minen Silbers aus der großen Beute des Pisiri, des Königs von Gargamis im Hattiland am Ufer des Euphrat, die meine Hand gemacht hatte, dort hineinbringen."

Aus dieser Inschrift ersehen wir, daß der königliche Palast mit dem Tempel und Schatzhaus eng verbunden war, in Assyrien wie in Babylonien; denn die Assyrer nahmen bei allen ihren Bauten die Babylonier so gründlich zum Vorbild, daß sie selbst mit Tonziegeln oder Lehmsteinen bauten, obwohl sie die besten dauerhaftesten Bruchsteine aus ihren Bergen in beliebiger Menge gewinnen konnten. Aber sie nahmen diese nur zum Fundament und zur Bekleidung der Mauern, wodurch sie ihren Bauten größere Festigkeit und Dauerhaftigkeit zu geben verstanden. Auch stellten die Assyrer, wir wissen noch nicht — warum, die Tempel ihrer Götter und die Paläste ihrer Könige, deren Ansprüche nicht geringer als die der Götter waren, auf Plattformen auf. Vielleicht dachten sie an Sicherung der öffentlichen Gebäude gegen Ueberschwemmung; doch waren dazu diese Plattformen wenig oder gar nicht geeignet, weil sie nur aus Erde oder Schutt bestanden und mit einer schwachen Mauer von Ziegeln eingefaßt waren.

Die Gründung eines babylonischen Tempels beschreibt der König Nabupalusur in folgender Inschrift [1]):

„Marduk der Herr befahl mir, Etemenanki, das Heiligtum von Babel, das vor meiner Zeit baufällig geworden und verfallen war, zu bessern, seinen Grundstein an die Brust der Unterwelt fest zu legen und seine Spitze dem Himmel gleich zu machen. Zahlreiche Werkleute versammelte ich, ließ Backsteine und Ziegel fertigen, Mörtel aus Erdpech und Asphalt ließ ich den Kanal Arachtu bringen. Mit der Kunst Eas, zur Weisheit Marduks, in dem Rate Nabos und der Ninsabi [2]), nach dem Wohlgefallen des Gottes, der mich geschaffen, schüttete ich einen großen Park — den Unterbau, ein künstlicher Hügel — auf. Meine kunstfertigen Baumeister entbot ich, gab die Maße an, die Stelle des Samas, Ramman und Marduk

---

1) Nach K. B. III, b, S. 7 ꝛc.
2) Tasmitum.

grenzte ich ab, mit dem Stab der Wahrsager Eas und Marduks reinigte ich jenen Platz und legte seinen Grundstein in der tiefsten Unterwelt. Gold, Silber, Steine des Gebirges und des Meeres legte ich in seinen Grundstein nieder. Gutes Oel, wohlriechende Kräuter schüttete ich unter die Mauern. Mein Königsbild, eine Ziegeltrage tragend, fertigte ich an und legte es in den Grundstein. Backsteine und Lehm trug ich auf meinem Haupte. Nebukadnezar, den erstgeborenen Sohn, den Liebling meines Herzens, ließ ich Lehm, Gaben an Wein und Oel mit meinen Leuten bringen. Nabusumlisir, seinen Bruder, ließ ich Strang und Wagen ergreifen und legte ihm mein Ziegelbrett auf. Marduk, meinem Herrn, gab ich ihn zum Geschenk[1]). Einen Tempel nach dem Muster von Ebarra erbaute ich unter Jubel und Jauchzen; wie Berge erhöhte ich seine Spitze."

Die Paläste der Könige bestanden aus Hallen, großen Sälen und kleinen Gemachen, die alle um viereckige Höfe herum lagen. Solche Höfe waren bis siebzig Meter und mehr lang und fünfzig Meter breit. In Sargons Palast war der Torweg über sechs Meter breit. An jeder Seite des Tores stand ein geflügelter Stier mit Menschenantlitz, sechs Meter hoch; und jedesmal im rechten Winkel zu ihm ein kleiner Stier, nur viereinhalb Meter hoch, hinter ihm die Kolossalfigur des Nimrod-Marduk, wie er einen Löwen an der Brust totdrückt. Die Hallen und Säle an diesen Höfen sind bis fünfundfünfzig Meter lang, aber nur zwölf Meter breit, offenbar aus dem Grund, damit ihre Deckbalken aus e i n e r Baumlänge hergestellt werden konnten. Die Breite der Säle wurde größer, wenn man statt einer Wand Säulen zum Tragen der Deckbalken einstellte, wie im Palast Asarhaddons der Versuch gemacht ist, nachdem die Säulen in Babylonien mit Nutzen eingeführt waren. Die Wände dieser Hallen waren im Innern mit drei bis vier Meter hohen Alabasterplatten bekleidet, die viele Bildwerke und Inschriften trugen. Oberhalb dieser Platten lief ein Belag aus farbigen glasierten Tontafeln. Auch der Fußboden bestand aus gebrannten Ziegeln. Die Zahl der kleineren Gemache war oft sehr bedeutend. Sanheribs Palast enthielt deren gegen hundert. Sie waren wie die Hallen mit Holz gedeckt und empfingen ihr Licht entweder von oben her oder durch kleine Fenster in den Seitenwänden. Alle diese Gebäude sollten durch ihre Masse wirken, wie der Kunstverständige sagt; denn Sanheribs Palast bedeckte eine Fläche von mehr als acht Morgen Landes oder zwanzigtausend Quadratmeter.

Die Dächer dieser Tempel und Paläste waren aus Zedernholz gefügt, die Balken oft mit Gold oder Silber überzogen. Der Libanon und Amanus mußten tausende und zehntausende dieser kostbaren Bäume[2]) hergeben.

Von dem Palast, den er für sich erbaut hatte, erzählt Nebukadnezar:

„In einem Glück verheißenden Monat, an einem günstigen Tage — wie ihn die Sterndeuter kundgetan — legte ich seinen Grundstein an die Brust der Unter-

1) Indem er ihn Priester werden ließ. Eine sehr kluge Maßregel dieses Chaldäers.

2) Jes. 14, 8. K. B. III, b, S. 105.

welt und erhöhte seine Spitze wie Waldgebirge. In 15 Tagen vollendete ich den Bau und schuf meinen Herrschersitz. Mächtige Zedernstämme und Zypressen legte ich darüber zu seiner Bedachung, Türflügel aus musikanna-Holz — vielleicht Palmen —, Zedern und Zypressenholz, usu und Elfenbein mit einer Einfassung von Silber und Gold und einer Bekleidung von Kupfer. Schwellen und Angeln, aus Bronze gefertigt ,errichtete ich an ihren Toren. Auf beiden Seiten ließ ich uknu-Stein — Lapislazuli — ihre Spitze umgeben. Eine gewaltige Mauer aus Erdpech und Ziegelsteinen führte ich bergehoch darum auf. Neben der Ziegelsteinmauer erbaute ich eine große Mauer aus mächtigen Seinblöcken, dem Erzeugnis der großen Gebirge. Hoch wie Berge machte ich ihre Spitze [1])."

Einen Grundriß dieser Gebäude teilt mit allen eingeschriebenen Maßen Borghardt [2]) mit. Danach sollten die Mauern sieben Steine dick sein oder zweieindrittel Meter. Die Türöffnung hatte im lichten zwei Meter, ein Zimmer war neuneinviertel Meter tief und fünfeinviertel Meter breit. Der ganze Grundriß war angelegt im Verhältnis von ein zu dreihundertsechzig, also nach dem Duodezimalsystem.

Die Tempel, die nach Außen hin ebenso einfach wie die Paläste der Könige waren, erhielten im Innern bei den Assyrern mehr Schmuck als bei den Babyloniern. Sie stellten Säulen ein und bauten vor das Allerheiligste, dessen Fußboden von einer quadratischen Steinplatte gebildet wurde, noch ein längliches Gemach oder Kammer. Jener Raum enthielt die Bilder der Götter mit den Altären, in diesem fand vermutlich der Opferdienst statt. Neben den Tempeln erhob sich hier die Ziggurat.

Ein wichtiger Zweig der Baukunst, der in Babylonien wie in Assyrien gepflegt wurde, war die Wasserbaukunst, dort hervorgerufen durch das Bedürfnis, dürres Land zu bewässern und sumpfiges Land zu entwässern, hier benötigt durch den in ihrem Oberlauf außerordentlich wechselnden Wasserstand der Flüsse. Hier mußte für den dürren Sommer das Wasser durch Wehre oder Talsperren aufgehalten werden, wodurch der Landwirtschaft wie wir bereits hörten, großer Vorteil zugewendet wurde. Aber im Frühjahr bei der Schneeschmelze war alles Land, das von einem Fluß durchströmt wurde, verheerenden Ueberschwemmungen ausgesetzt, wenn es nicht durch Deiche geschützt wurde. Bei diesen Bauten leisteten das Naphtha und der Asphalt besonders gute Dienste; denn sie widerstehen dem Einfluß des Wassers besser als Kalkmörtel. Andere Wasserbauten waren nötig, um die Hauptstädte mit ihren Millionen von Einwohnern mit Trinkwasser zu versorgen. Während in Babel durch strenge Gesetze dafür Sorge getragen wurde, daß niemand das Wasser des Euphrat und seiner Kanäle, auf dessen Genuß die Einwohner angewiesen waren, durch irgend etwas verunreinige; so galt es in Ninive, Wasserleitungen zu bauen, die die Quellen der nächsten Berge und damit das beste Trinkwasser herbeiführten. Die Quellen mußten nur gefaßt und ihre Abläufe vereinigt werden, Anlagen, deren bereits in der Geschichte gedacht wurde.

1) K. B. III, b, S. 29.
2) A. d. W. 1888, S. 129.

Noch ist der Privatbauten Erwähnung zu tun. Nur ganz einzelne Privathäuser sind der Zerstörung entgangen und bis heute erhalten. Nach ihnen zu urteilen war das Privathaus ganz schmucklos gebaut, mehr lang als breit, mit dicken Mauern, ähnlich einem Saal der Königspaläste, die Decke aus Palmbäumen hergestellt.

Die Bildhauerkunst stand schon bei den Sumero-Akkadiern nicht mehr in den Kinderschuhen. Heuzey [1]) urteilt über die Zeit des Königs Gudea: „Es tritt durch das Studium der Details die Unabhängigkeit und Originalität — Aegypten war also nicht der Lehrmeister — dieser Bildwerke klar zu Tage, welche oft eine den von den ägyptischen Künstlern befolgten Prinzipien gradezu entgegengesetzte Art verraten. So läßt sich der chaldäische Künstler weit weniger, als es die ägyptischen tun, von Proportionsgesetzen beeinflussen. Seine kräftigen Gestalten sind von mächtiger Wirkung, aber manchmal von zu untersetzter Form. So kommt uns der Hals fast zu kurz, der Kopf zu stark im Verhältnis zum ganzen Körper vor, wenn dies nicht gleich den glatt rasierten Köpfen ein besondres Kennzeichen der alten Sumero-Akkadier war", — wieder ein Hinweis auf ihre Verwandtschaft mit den Chinesen.

Franz Reber [2]) dagegen sieht in den Bildwerken der Sumero-Akkadier einen Realismus von roher flüchtiger Art. So trägt ein Cylinder die Inschrift:

„Dem Ubildar, dem Bruder des Königs von Erech, der Tafelschreiber, sein Knecht."

Er stellt den Aufzug von einwandernden oder kriegsgefangnen Semiten dar. Voran geht ein Krieger mit Pfeil und Bogen, eine andre Figur trägt ein Schwert oder Streitaxt; dann folgen mehrere waffenlose, einer mit kahlgeschorenem Haupt, alle nur halb bekleidet.

Noch flüchtiger und roher ist ein Cylinder behandelt, der die Inschrift trägt:

„Der Herrin von Uruk Inandub . . . der Sohn des Königs."

Hier thronen zwei Gestalten, bartlos und langhaarig; vor ihnen erscheint ein bärtiger Mann, auf dem Haupt einen Helm, die Arme verschränkt, während eine hinter ihm stehende Frau die eine Hand zum Gebet erhebt, während sie in der andrn einen unkenntlichen Gegenstand hält.

Statt eines Aufsteigens will weiter Franz Reber für die Folgezeit eher ein Abnehmen des künstlerischen Könnens wahrnehmen und zwar augenscheinlich mit allem Recht; denn die einwandernden semitischen Nomaden hatten für bildende Kunst weder Sinn noch Uebung noch Gaben.

---

1) Bei Fr. Hommel, Sem. V. u. Spr. I, S. 219.
2) Z. f. A. 1887.

In die ältere Zeit, um 3000 v. Chr., gehören noch der Cylinder aus schwarzem Basalt mit der Umschrift „Dem Kamuma, Patesi von Sirtella, Tipsar, sein Knecht"; ferner der Siegel-Cylinder aus grünem Jaspis mit der Aufschrift: „Dem Urbau, dem mächtigen Helden, König von Ur . . . . sein Knecht". Auf ihm zeigt das Bild einen kahlgeschorenen bartlosen Mann, der durch zwei Priester vor den thronenden bärtigen Gott geführt wird. Ein Cylinder von Hämatit, d. i. Blutstein oder Roteisenstein, trägt die Inschrift:

„Dem Gamilsin, dem mächtigen König, König von Ur, König der vier Weltgegenden, der Tipsar Kan, Sohn des Uldega, sein Knecht"

und zeigt dieselbe Abbildung einer Vorführung vor die Gottheit. Daneben aber gibt es doch mehrere Arbeiten von fast unerreichter Feinheit und Schönheit wie der Hämatitcylinder mit der Aufschrift: „Sinlidis, der Sohn des Urakidu, Knecht des Nergal". Links sitzt auf dem Bild der Gott Nergal, auf dem Kopf ein Diadem (?), in der linken Hand ein Szepter, während der rechte Arm mit geballter Faust herabhängt. Vor ihm betet an eine Gestalt in gefaltetem Gewand, auf dem langgelockten Haupt eine Tiara, beide Arme hoch erhoben.

Nach fünfhundert Jahren war die Kunst des Steinschneidens bedeutend gesunken, wie ein Hämatitcylinder zeigt, der die Inschrift trägt:

„Dem Duriulmas, Sohn des Belsunu, Knecht des Kurigalzu, Königs von Assar (?), Sakkanakku von der Stadt Durkurigalzu."

Besonders auffallend aber ist der Rückgang der Kunstfertigkeit zu Anfang des 13. Jahrhunderts v. Chr. wie auf dem Freibrief aus der Zeit Nebukadnezars I. Diese Arbeit ist gradezu roh.

Auf die rasierten Köpfe der Sumero-Akkadier zurückzukommen, so hat Heucey vollkommen recht; denn die Semiten hielten große Stücke auf den Haarschmuck bei Männern und Frauen. Was aber das untersetzte der ganzen Gestalt, den kurzen Hals, den starken Kopf angeht, so dürften diese Merkmale den Semiten ebenfalls nicht fremd sein. Man vergleiche nur die Bilder der alten Semiten auf ägyptischen Denkmälern! Heucey fährt fort: „Die Behandlung der nackten Partien ist dagegen von einer Naturtreue, wie sie bei dem widerstrebenden harten Stein nur zu bewundern ist. Die stets entblößte rechte Schulter und Arm sind bewunderswerte Partieen, und die bis ins kleinste Detail ihrer Nägel und Finger durchdachten und fein ausgeführten Hände wie die fest auf den Boden aufgestützten Füße zeigen eine Wahrheit der Auffassung des einzelnen, wie sie bei dem ägyptischen Künstler höchstens ein Gegenstand mittelmäßiger Sorge gewesen zu sein scheint."

Erman [1]) aber weist darauf hin, daß in Babylonien wie in Aegypten bei den ältesten Reliefs Kopf, Arme, Beine und Füße der

1) Bei Fr. Hommel, Grundriß, S. 127.

Figuren stets in Profil, Augen und Schultern aber en face gearbeitet wurden, sodaß die Augen und Schultern einer Person dem Beschauer entgegengerichtet sind, demnach eine viertel Wendung, gegen den übrigen Körper gehalten, gemacht haben.

Aus der Zeit des Königs Gudea, obwohl die einen Gelehrten die Entstehungszeit des Bildwerks früher, die andern später ansetzen, wird die sog. Geierstele stammen, eine Säule, darauf ein Schlachtfeld abgebildet ist, von dem Geier die Köpfe der Erschlagenen forttragen, während die Leiber bestattet werden, eine nach dem Urteil von H. Winckler [1]) feine, künstlerisch vollendete Arbeit.

Auch die den Babyloniern benachbarten, oft mit ihnen gegen Assyrien verbündeten, endlich von Assur unterworfenen Elamiter fertigten schon in alter Zeit trefflich gebildete Kanephoren an, wie die vom König Kudurmabuk [2]). Aus einem harten gelben Stein ausgehauen sieht man oben zwei bärtige Männer, mit Fischhaut überzogen. In der einen Hand halten sie eine Situla oder Wassergefäß, unten aber steht ein weibliches Wesen auf einem Pferd. An seinen Brüsten ruht ein Hund und ein Schwein. Der Kopf dieses Weibes gleicht einem Löwen mit fletschenden Zähnen. Ein jeder der behaarten Arme faßt eine Schlange am Hals. Das linke Bein endigt in eine Vogelkralle, das rechte ist abgebrochen. Dieses Bildwerk hat den Namen „Hadesrelief" erhalten, warum, habe ich nicht erfahren. Ebenso gut kann man behaupten, auf diesem Bild sei der häufig dargestellte Tierkreis abgebildet.

Bei den Assyrern zeigten Reliefs und Bildsäulen anfangs wohl falsche Maße und manche Schwerfälligkeit; aber auch hier wurden in dieser Kunst merkliche Fortschritte gemacht und diese Fehler mehr und mehr vermieden, wie die aus dem achten oder neunten Jahrhundert stammende treffliche Bildsäule des Königs Asurnasirbal beweist. Besonders geschickt waren die Assyrer in der Ausarbeitung des Basrelief. Dazu lassen sich auch die Stempel für die Ziegelsteine rechnen, die bisweilen neun oder zehn Zeilen enthalten, wie der Stempel Asurbanipals:

„Dem Gott Marduk, seinem Herrn, hat Asurbanipal, König des Alls, König von Assyrien, auf daß er selbst Leben habe, das gebrannte Ziegelwerk (? agurri) von Esagila und Etemenanki neu gefertigt."

Schon die alten Sumero-Akkadier verstanden die Kunst des Steinschneidens. Sie ist wohl eine Tochter ihrer eigentümlichen Schreibekunst. Man malte oder schnitt auf allerlei Gefäße Schachbrett- und Gittermuster. Aber die assyrischen Künstler stellten in ihren Basreliefs das gesamte häusliche und öffentliche Leben, insbesondere das Kriegswesen ihrer Zeit dar. Da sieht man die offene Feldschlacht und die Belagerung von Städten, selbst Seeschlachten und Triumphzüge mit allen Beutestücken. Dann bringen sie Bilder aus dem religiösen Leben, Opferszenen

1) Bab. u. Ass., S. 53.
2) Mitt. v. 1901, Nr. 9, S. 10.

und Göttergeschichten, die Arbeiten im Haus und im Garten, die großen königlichen Bauten mit der Fortbewegung der kolossalen Steinbilder von Löwen und Stieren; dann wieder ganze Landschaften mit Bergen, Felsen, Flüssen und Seen, dazu Tiere aller Art, Hirsche, Eber, Antilopen, fliegende und ruhende Vögel, das Futtern der Pferde, das Schlachten der Schafe, auch das Uebersetzen über einen Fluß auf einem Floß von Schläuchen, wie sie noch heute in Klein-Asien und am Euphrat gebraucht werden. So wird uns durch die Kunst des Grabstichels die gesamte Kultur Assyriens, so weit das im Bilde möglich ist, vorgeführt.

Diese Kunst hatte zur Zeit Sargons II. und Sanheribs, also an der Scheide des achten und siebten vorchristlichen Jahrhunderts, ihre höchste Stufe erreicht. In den Reliefs aus dieser Zeit gibt ein reicher Hintergrund dem Bild mehr Leben, nun werden die Gestalten der Menschen, Tiere und Pflanzen getreu der Natur nachgebildet, alles im rechten Maße und mit Sorgfalt ausgearbeitet.

Die Gemmen und Siegelcylinder wurden auch in hartem Stein ausgeführt, wie in Serpentin, Jaspis, Chalcedon, Achat, Quarz oder Lapis lazuli. Auf ihnen wurden neben dem Namen des Inhabers religiöse Szenen oder Jagdbilder und dergleichen, alles sehr fein eingeschnitten. Aehnliche Sorgfalt widmeten die Steinschneider der Herstellung von Amuletten.

Die M a l e r e i lehnte sich an die Bildhauerkunst an, indem zunächst einzelne Teile, dann ganze Bilder bemalt wurden, bald rot und blau, schwarz oder weiß wie Haare und Bärte der Männer, der Kopfputz der Pferde, die Waffen, Vögel und Blumen.

Auch die glasierten Ziegel zeigen stets mehrere Farben und zwar drei bis fünf, hellgrün, hellgelb, dunkelbraun und weiß oder dunkelblau und rot, oder rot, weiß, gelb und schwarz, oder dunkelgelb, dunkelbraun, weiß und hellgelb oder gelb, blau und weiß. Die Glasur wurde wie noch heute aus Soda und metallischen Oxyden wie Bleioxyd u. a. hergestellt. Diodor [1]) bezeugt darüber: „Man suchte die Natur nachzuahmen. So sah man an den Türmen und Mauern Bilder von allerlei Tieren, die in Farbe und Gestalt wohl getroffen waren. Das Ganze stellte eine Jagd dar, wo alles voll von Tieren jeder Art war in der Größe von mehr als vier Ellen. Dort war auch Semiramis zu Pferd dargestellt, wie sie den Spieß nach einem Panther wirft, und nicht weit von ihr Ninus, ihr Gemahl, wie er mit der Lanze einen Löwen durchbohrt."

Auch Nebukadnezar II. ließ Bilder von Wildochsen und riesigen Schlangen in farbigen Ziegelreliefs von glasiertem Ton zum Schmuck der Tore anbringen [2]). Im Kasr oder in der Burg von Babel wurden

1) II, 8.
2) Mitt. v. 1902, Nr. 13. Ezech. 23, 14 ꝛc.

Friese gefunden, die nur aus glasierten Ziegeln zusammengesetzt waren. Sie zeigten auf blauem Grund weißgelbe oder gelbgrüne Löwen, bald rechts, bald links laufend. Außerdem fand man dort Kapitälle mit freier Architekturmalerei, wo aus einem Schaft hellblaue Voluten hervorwachsen, die kleine gelbe Augen tragen. Auf ihren Wurzeln liegen dunkelblaue Deckblätter mit gelbem Kern und weißem Rand, oben eine Rosette mit gelbem Spiegel und sechs weißen Blättern. Dazu kommen blaue Ranken und Lotosblüten, ganze Ranken- und Blütenfriese.

Auch die Töpferarbeiten für den häuslichen Gebrauch waren meist mit Sorgfalt ausgeführt und mit glänzenden Farben bemalt. Die aus Ton gefertigten Siegelcylinder waren bald glasiert, bald unglasiert, im ersten Fall mit weißem, gelbem oder rotem Ueberzug, alle inwendig hohl.

Die Bereitung des Glases war schon den Sumero-Akkadiern wie auch den Aegyptern bekannt, und verfertigten Babylonier und Assyrer allerlei Gefäße und Schmucksachen aus diesem Stoff, den die Phönikier nicht erfunden, sondern nur als Händler weiter verbreitet haben. Man will in Birs Nimrud auch eine konvexe Glaslinse gefunden haben, die wahrscheinlich bei dem Schreiben und Lesen der feinsten Keilschriften gebraucht wurde.

Die Kunst, aus farbig glasierten Ziegeln Reliefbilder herzustellen, wurde von den Babyloniern auf die Perser vererbt, oder man möchte annehmen, babylonische Künstler hätten die Königsgräber von Susa geschmückt.

Im Kunsthandwerk taten sich neben den Ton- und Glasarbeitern auch die Tischler hervor. Sie fertigten Stühle und Tische an, stilvoll angelegt und mit allerlei Bildwerk geschmückt. Wie es sich versteht, waren die Thronsessel der Könige besonders kunstvoll ausgeführt.

Ueber das Spinnen der verschiedenen Stoffe wie Flachs, Wolle, Seide und Baumwolle, die sämtlich den Babyloniern und Assyrern bereits bekannt waren, ist aus den Bildern und ihren Inschriften zu ersehen, daß diese Kunst selbst von den Königinnen geübt wurde. Man zog den Faden aus der Kunkel, wie das bei uns bis in das 16. Jahrhundert geschah [1]).

Die Weberei und Stickerei erreichte mit der Zeit eine hohe Stufe der Vollkommenheit. Freilich konnten solche kostbare Gewebe und Teppiche, wie sie auch von griechischen und römischen Schriftstellern gerühmt werden, nicht bis heute erhalten werden. Wir sind hier nur auf Abbildungen und Berichte angewiesen. Auch die hl. Schrift erwähnt einen kostbaren babylonischen Mantel [2]).

Während die für den täglichen Gebrauch bestimmten Stoffe ihre natürliche Farbe behielten, wurden die Stoffe der Festgewänder mit leb-

---

1) Nach A. Jeremias, A. T. O., S. 275.
2) Jos. 7, 21.

haften Farben bedacht. Besonders beliebt waren blaue Muster auf rotem Grund oder rote Muster auf blauem Grund. Die Kleider der Könige waren über und über mit Stickereien geschmückt, durch die Jagdszenen mit Menschen, Tieren, Bäumen und andern Gegenständen dargestellt wurden.

Die Metallbereitung und Bearbeitung wurde bei beiden Völkern und zwar schon in der ältesten Zeit gepflegt, sodaß wir nur geringe Anzeichen davon haben, daß auch hier einmal eine „Steinzeit" war. Schon aus der Zeit des Königs Gudea sind uns drei Bronzestatuen in knieender Stellung erhalten. Später goß man aus Bronze auch gewaltige kunstgeschmückte Türflügel und Schwellen, wie die des Tempels Ezida und zu Borsippa.

Nicht selten sind die aus Kupfer gegossenen Löwengewichte, d. h. kleine Löwen in liegender Stellung, von bestimmtem Gewicht, auf dem Rücken zu leichterer Handhabung mit einem Ring versehen. Daß diese Löwen zur Befestigung der Zeltseile gedient hätten, ist ganz unwahrscheinlich, da die Anwendung von Zeltpflöcken und Nägeln zu diesem Zwecke auch für Babylonien und Assyrien uns sicher bezeugt, auch ebenso einfach wie zweckmäßig ist. Diese Löwengewichte wurden in verschiedener Größe gegossen, ein sicherer Beweis, daß wir es nicht mit Zeltpflöcken zu tun haben. Die Inschrift auf solch einem Löwen ist früher mitgeteilt.

Arbeiten in getriebenem Kupfer und Elfenbein wurden vermutlich von fremden Arbeitern angefertigt, die König Sargon II. aus Phönikien und Aegypten als Kriegsgefangene heimgebracht hatte.

Die verschiedenen Kunstgegenstände wurden nicht allein für das Bedürfnis des eigenen Landes, sondern auch für die Ausfuhr nach andern Ländern angefertigt. Sie gingen von Babylonien nach Armenien, von Assyrien nach Griechenland und weiter. Eine Handelsstraße führte von Tiphsach, d. i. Uebergang, nach Tadmor, Damaskus und Phönikien. Eine andere ging über Haran und Bir nach Kleinasien. Wieder andre führten nach Norden und Osten. Neben den Webereien, Mänteln und Teppichen wurden viele Spezereien, wie Narde, Gewürze und Wohlgerüche ausgeführt. Die Einfuhr aber bestand aus edlen und unedlen Metallen, Steinen, Bauholz u. a.

Bemerkenswert ist noch die Kunst der Mechanik, die besonders in Assyrien ausgebildet war. Auf Reliefbildern, die in Kujundschik gefunden wurden, kann man deutlich sehen, wie die Kraft vieler Menschenhände die kolossalen geflügelten Stiere an ihre Stelle beförderte. Man stellte sie auf hölzerne Schlitten und stützte sie auf beiden Seiten durch starke Balken. Dann wurde ein solcher Schlitten von tausend oder mehr Menschen auf schräger Ebene in die Höhe gezogen, während mit Hebeln nachgeholfen wurde, damit der Schlitten auf untergelegten Walzen vorwärts komme. So wurden in Aegypten auf ansteigendem Damm die schweren Werkstücke der Pyramiden in die Höhe gebracht, während der Bau der hohen Ziggurats durch das leichtere Material der gebrannten Ziegel weniger Mühe machte.

---

2. Die Wissenschaften.

Was man heute unter Arzneiwissenschaft versteht, war im ganzen Altertum, also auch in Babylonien und Assyrien, gänzlich unbekannt; denn noch hatte man von Chemie, die uns die Arzneistoffe zerlegen und wieder zusammensetzen lehrt, keine Ahnung. Doch verstand man sich auf eine von alter Zeit her vererbte Heilkunde und brauchte, wo diese nicht ausreichte, oder auch an erster Stelle und neben ihr Zaubermittel, Beschwörungen, Amulette und ähnliche Mittel, worüber in anderem Zusammenhang bereits berichtet worden ist.

Schon im Gesetzeskodex Hammurabis [1]) werden Aerzte für Menschen und Tiere erwähnt, aber mit geringer Achtung für ihren Stand; und mit wahrhaft entsetzlichen Drohungen werden sie für den Erfolg ihrer Operationen verantwortlich gemacht. Wenn Tiele in seiner Geschichte von Babylonien und Assyrien nur von der Magie redet, so ist das zu entschuldigen; denn zu seiner Zeit kannte man weder Hammurabis Gesetze noch die babylonischen Rezepte und andere Steintafeln dieses Inhalts.

Herodot erzählt die Anekdote, daß die Kranken auf dem Markt zu Babel ausgestellt wurden, und meint, die babylonischen Aerzte hätten sich keines Weltrufes zu rühmen. Aegyptische und griechische Aerzte seien ihnen überlegen. Ob dieses Urteil ein gerechtes ist, können wir dahin gestellt sein lassen; doch wissen wir, daß die babylonischen Aerzte die Kranken sorgfältig untersuchten und ihre Beobachtungen auch aufzeichneten, um die Diagnose zu unterstützen. Der babylonische Arzt untersuchte die Stirne, das rechte und das linke Auge, das rechte und das linke Ohr, den Nacken und die ausgestreckte rechte Hand, Länge und Farbe des Haupthaares, die Füße, die Handflächen, das Herz und andre edle Eingeweide im Zustand der Ruhe und in der Bewegung, Blut und Fett, Urin und Milch [2]).

Die Arzneistoffe wurden teilweise dem Mineralreich entnommen, teilweise waren sie vegetabilischen oder animalischen Ursprungs. Aber ihre Kraft wird nicht immer als eine dem Stoff innewohnende betrachtet, sondern auf den Einfluß gegründet, den gewisse Gestirne durch ihre Konstellation auf den Ausbruch und Fortgang der Krankheit ausgeübt haben. Durch diese Annahme schafften sich die Magier-Aerzte ein

1) § 215 u. 223.
2) Bezold, N. u. B., S. 86.

Mittel, die Wirkung ihrer Arzneien zu erklären, auch wenn sie in der ursprünglichen Absicht ganz entgegengesetzt ausfiel. Die Beschwörungen, die dem Gebrauch der Arznei zur Seite gingen, wurden ganz besonders bei Geisteskranken angewendet. Häufig sind Verordnungen gegen vergiftete Glieder, gegen Skorpionstich und Schlangenbiß, gegen Geistersehen, gegen den „bösen Fuß“, gegen den Einfluß böser Träume u. a.

Ein altes babylonisches Rezept lautet [1]):

„Gegen Hautausschlag und Geschwulst, die den Körper plagen. Fülle ein Gefäß, darin Arznei gewesen ist, mit Wasser aus einer unerschöpflichen Quelle, tue in dasselbe eine Wurzel von ....., ein ...., etwas Dattelzucker, etwas Wein und etwas bittern Meth; füge noch hinzu etwas ...., sättige es mit reinem Wasser, gieße auf dasselbe das Wasser des kranken Menschen, schneide Ried auf einer etwas erhöhten Wiese, schlage ein wenig Dattelzucker mit etwas reinem Honig, füge ein wenig süßes Oel hinzu, das von den Bergen kommt, und reibe den Körper des kranken Menschen siebenmal damit ein.“

Daß hier das Wasser des Kranken in eine äußerlich zu brauchende Salbe gemischt wird, kann den nicht wunder nehmen, der da weiß, daß noch heute in der volkstümlichen Heilkunde dasselbe häßliche Mittel nicht nur äußerlich, sondern sogar innerlich angewendet wird. Es gibt mit weißem Zucker vermischt ein unfehlbares Brechmittel ab.

Ein andres Rezept findet man bei Fr. Küchler [2]):

„Wenn einem Menschen sein Inneres krank ist, sollst du weißen Zweig von irru zerreiben, durchseihen, in Honig, Wein und lauterem Oel schlagen, es ihn ohne zu kosten trinken lassen, (auch Wasser) in seinen After leiten, so wird er genesen.“

Anstatt des ergänzten Wassers kann auch die Mixtur selbst verstanden werden.

„Wenn einem Menschen sein Inneres krank ist, so sollst du sisi zerreiben, in Wein schlagen und es bei dem Nahen des Sternbildes ohne zu kosten trinken lassen. Du sollst einen Zweig von sinu zermahlen, mit gemahlenem Mehle mengen, mit Saft von kasu anrühren, auf Tücher streichen, ihm damit Bauch und Weichen verbinden.“

„Wenn einem Menschen sein Inneres krank ist, soll er Zypressenzapfen in Rauschtrank trinken, so wird er Oeffnung haben. Wurzel vom männlichen namtar soll er in Rauschtrank trinken, so wird er Oeffnung haben.“

Hier sind zwei Rezepte vereinigt, vermutlich daß dem Kranken die Wahl frei steht, welchem er den Vorzug gibt. Gewiß ist es nicht die Meinung, daß der Kranke beide durchschlagende Tränkchen zu gleicher Zeit brauchen soll.

„Wenn bei einem Menschen die inneren Teile entzündet sind, und es zum Erbrechen kommt, sollst du zu seiner Genesung Zwiebel und Schwarzkümmel in eins zerreiben. Das soll er in Wein ohne zu kosten trinken, so wird er genesen.“

„Wenn bei einem Menschen der Magen keine Speise annimmt, sollst du Samen von Tamariske zerreiben, mit Honig und Butter mengen. Dos soll er ohne zu kosten trinken, so wird er genesen.“

---

1) Sayce bei Urquhart a. a. O.
2) Seinem vorgenannten Buch sind die folgenden Rezepte entnommen.

Vermutlich ist statt Tamariske vielmehr Tamarinde zu lesen, die noch heute Arzneimittel liefert.

„Wenn einem Menschen sein Leib schmerzt, und sein Magen keinen Wein annimmt, seine Weichen ihn beißen, sein Haupt schwer ist, so soll er ... Tage weder Zwiebel noch Lauch essen, sich mit Saft von sinn abspülen, Samen von Stinkgurke und Samen von haldapanu in Rauschtrank trinken, so wird er genesen.“

Wie lange sich der Kranke des Genusses von Zwiebel und Lauch enthalten soll, ist der Bestimmung des behandelnden Arztes anheimgegeben.

„Wenn ein Mensch keine Speise annimmt, sollst du zu seiner Genesung eine Wurzel von Hundszunge, die du vor Sonnenaufgang ausgezogen hast, zerreiben, und er soll es ohne zu kosten trinken, so wird er genesen.“

Wurzel und Blätter der Hundszunge waren auch bei uns offiziell. Die Zeit des Ausziehens von Wurzel und des Sammelns von Kräutern gilt noch heute für bedeutungsvoll. Bevorzugt sind die Osterzeit und der Walpurgistag und zwar aus verständlicher Ursache, weil in der Frühlingszeit Wurzeln und Blätter in vollem Saft stehn.

„Wenn eines Menschen Brust krank ist, und er bei dem Sprechen Husten bekommt, so sollst du ihn zu seiner Genesung Hundszunge in Rauschtrank ohne zu kosten trinken lassen. In kasu-Saft soll er sich abspülen, Saft von sinu sollst du auf seinen After gießen, tigtur-Mehl und uznu soll er durch ein saktar-Rohr in seinen Mund ziehen. Du sollst Diru, Hammeltalg, Datteln, Zypressen und kuknu in eins vermengen, auf ein Leder streichen und ihn damit verbinden.“

Vermutlich soll dieser Teig dem Kranken auf die Brust gelegt werden.

„Wenn ein Mensch mit seinem Auswurf kein Wasser los wird, selbiger Mensch also an den Nieren krank ist, sollst du zu seiner Genesung ein drittel Ka Hammeltalg, ein drittel Ka Datteln, ein drittel Ka ...., ein Drittel Ka kukme, ein drittel Ka Zypresse, ein drittel Ka hal, ein drittel Ka Sesamschrot, ein drittel Ka Tamariskensamen (oder Tamarinden ?), diese acht Pflanzenstoffe in eins mengen, in Butter werfen, auf eine Haut streichen, Bauch und Weichen bis zu seinem Gutwerden drei Monate damit verbinden, den Verband nicht abtun, so wird er genesen.“

„Wenn ein Mensch an Gelbsucht der Augen leidet, und seine Krankheit ins Innere der Augen aufsteigt, und das Wasser aus dem Innern des Auges grün wie Kupfer ist, und die Krankheit dem Menschen den ganzen Leib ausdörrt, so wird er sterben.“

So wußten die babylonischen Aerzte sehr wohl, daß ihre Kunst begrenzt, und gegen den Tod kein Kraut gewachsen ist.

„Wenn einem Menschen der Leib und das Antlitz gelb ist, so ist Gelbsucht der Name der Krankheit. Du sollst Zypressen reiben und in Rauschtrank trinken. Du sollst Wurzel vom männlichen namtar des Nordens, der keine Frucht bringt, zerreiben und in Rauschtrank trinken. Du sollst kurkanu zerreiben und in Rauschtrank trinken.“

Auf diese drei Rezepte folgen noch mehrere zur Auswahl, daß wenn das eine nicht hilft, man zu dem andern greift; davon wir auch zu sagen wissen.

„Wenn ein Mensch an einem ahharu krankt, sein Antlitz, sein ganzer Leib und die Wurzel seiner Zunge ergriffen ist, an selbigen Menschen soll der Arzt nicht die Hand legen, selbiger Mensch wird sterben.“

Aus diesem Rezept ist deutlich zu sehen, daß dieselben nicht für Laien, sondern für Aerzte geschrieben sind, wie auch diese allein die Kenntnis von den vielen angewendeten Arzneistoffen haben konnten. Aber es gibt auch Verordnungen, die an die sympathetische Heilweise erinnern.

„Wenn ein Mensch an Leibschneiden leidet, sollst du seinen Scheitel nach unten legen, seine Füße nach oben heben, sein Gesäß gelind schlagen und darüber sprechen „es werde gut", auch vierzehnmal mit dem Daumen seinen Scheitel beklopfen und den Erdboden beklopfen."

Es ist auffällig, daß in keinem dieser und vieler andern Rezepte des Schröpfens und des Werkzeuges, das bei diesem Verfahren gebraucht wird, zukakipu genannt, gedacht ist. Wie dasselbe beschaffen war, läßt sich nur mutmaßen.

An die schon früher mitgeteilten Zaubersprüche und Beschwörungen lehnt sich die folgende Verordnung an, die Fr. Hommel mitgeteilt hat:

„Die Krankheit des Hauptes fliege davon, wie eine Taube zu ihrem Schlag, wie ein Rabe in die Wolken des Himmels, wie ein Vogel an einen weiten Ort. In die gnädigen Hände seines Gottes kehre er zurück."

Der letzte Satz ist dunkel. Da es sich um Heilung von Kopfkrankheit handelt, kann das „Zurückkehren in die gnädigen Hände seines Gottes" nicht auf ein seliges Abscheiden bezogen werden; das wäre ein christlicher Gedanke, den wir hier nicht unterschieben dürfen. Vielmehr ist nur von diesem Leben die Rede, und das „Zurückkehren" u. s. w. ist die Genesung von der Krankheit, die man als die „gnädigen Hände" bezeichnen kann. Daß aber jeder Babylonier oder Assyrer, jede Stadt oder Ort unter den vielen Göttern, die man verehrte, doch einen gewissen Gott als *seinen* Gott erkannte und sonderlich verehrte, ist schon früher berührt worden. Eine Vorschrift ähnlicher Art lautet:

„Wer vom Skorpion gestochen ist, soll zum Fluß hinabgehn, siebenmal untertauchen[1]), bei dem siebenten Untertauchen in den Fluß ausspeien, was in seinem Munde ist."

Diese Vorschrift zur Heilung vom giftigen Skorpionstich muß sehr alt sein; denn später wurde jede Verunreinigung des Wassers streng verboten, und wer dagegen sich verfehlte, fiel in den Bann.

Bei all diesen medizinischen Vorschriften müssen wir bedauern, daß die Kenntnis der sumero-akkadischen Sprache noch nicht so weit vorgeschritten ist, daß wir verstehen könnten, was für Mittel man zu der Zeit den armen Kranken zu schlucken oder zum einreiben verordnete; vielmehr sind wir auf die bloße Namenkenntnis beschränkt, die ihren Platz in der babylonisch-assyrischen Pharmokopöe am Schluß finden wird.

In der *Naturwissenschaft* waren Babylonier und Assyrer nicht ganz fremd. Wir haben vernommen, daß sie unter den einjährigen Gewächsen männlichen und weiblichen namtar. unterschieden, was an

1) 2. Kön. 5, 10.

unsern Hanf erinnert; daß sie denselben Unterschied auch bei den Dattelpalmen kannten und die weibliche Blüte künstlich befruchteten. Auch finden sich in den Keilschriften Verzeichnisse von Tieren, Pflanzen und Gesteinen, die im Anhang berücksichtigt werden sollen.

Die Sprachwissenschaft wurde schon in alter Zeit angeregt durch die semitische Einwanderung und die daraus entstehende Notwendigkeit, sich mit diesem Volk zu verständigen, wenn die eigne Sprache nicht in der des Eroberers ganz und gar untergehn sollte. So hatten die babylonisch-assyrischen Sprachkundigen mit der Grammatik, Wortbedeutung und Wortbildung zweier Sprachen zu tun, die ursprünglich, so viel wir bis heute sehn, gar nichts mit einander gemein hatten. Aber wie die Semiten die Schrift der Sumero-Akkadier annahmen, so gelangte auch manches sumerische Wort zur Aufnahme in die Sprache der Einwanderer. Wenn dann im Laufe der Jahrhunderte die sumero-akkadische Sprache aus dem öffentlichen Leben verdrängt wurde, so blieb sie doch bis an das Ende des Reiches die Sprache der Gelehrten, der Priester, der Sternkundgen und mancher Geschäftsleute. Den Semiten wurde sie verständlich durch die Wörterbücher, in denen die sumero-akkadische Wörter durch babylonisch-assyrische erklärt waren. Auch fertigten die Sprachkundigen Verzeichnisse der Ideogramme an und sammelten Beispiele der Deklination und Konjungation und stellten auf Tafeln die aus einer Wurzel stammenden Wörter zusammen. Man vergleiche auch den Abschnitt, der über Schrift und Sprache handelt.

Von einer Rechtswissenschaft kann in Babylonien und Assyrien noch keine Rede sein. Die Gesetzsammlung Hammurabis enthielt sowohl Bestimmungen des Strafrechts wie des Privatrechts. Beide Gebiete wurden noch nicht reinlich geschieden, so wenig wie in den vorangehenden sumero-akkadischen Hausgesetzen. Diese beiden Sammlungen konnten aber zu Vergleichungen und Erklärungen anleiten; denn wenn auch der eine große Stein, auf dem die Gesetze geschrieben waren, geraubt und nach Susa gebracht war, so blieben doch Abschriften dieser Gesetze und die mündliche Ueberlieferung. Aber wir wissen nichts gewisses über ihren Gebrauch, nur daß sie auch in Assyrien Geltung erlangt haben.

Eine Theologie oder Gotteswissenschaft kann da nicht erwachsen, wo die Herrlichkeit des unsichtbaren Gottes verkehrt ist in das Bild der vergänglichen Menschen, Vögel und andrer Geschöpfe [1]). Hier wird aus der dichtenden Phantasie der Menschen eine Mythologie oder aus der Naturbetrachtung der Naturmythus geboren, die wir beide in den Göttersagen kennen lernten.

Die Geschichtsschreibung und Erdbeschreibung ist bei Babyloniern und Assyrern in den Kinderschuhen stecken geblieben. Ruhmesinschriften mit Kriegsberichten haben wir schon aus den ältesten

1) Röm. 1, 22 ꝛc.

Zeiten beider Reiche erhalten, dazu kamen später die Annalen und Chroniken, die uns leider nur bruchstückweise bis heute bekannt sind. Ihre Schreibweise ist freilich sehr trocken, aber das ist der Chroniken Art. Es spricht auch die Trockenheit mehr für die Zuverlässigkeit und Glaubwürdigkeit, als wenn pikante Erzählungen darin engeflochten wären. Aber alle Berichte politischen Inhalts, Briefe, Depeschen, Befehle, Verzeichnisse verschiedenen Inhalts sind für uns trotz aller Trockenheit oft sehr wertvoll. Von den wenigen, die bisher übersetzt und veröffentlicht worden sind, teile ich nach Lehmann [1]) eine Botschaft des Königs Asurbanipal mit:

„Botschaft des Königs an Belibni. Friede sei mit dir. Es ergehe dir wohl. In betreff der Pukudu am Flusse Murru, was du gemeldet hast, ein Diener der Treue, ein Mann, der das Haus seines Herrn liebt; was er sieht und was er hört, öffnet die Ohren seines Herrn. Du hälst meine Ohren offen bis zum Geschehen dessen, was du gemeldet hast."

Damit will der König sagen, er sei sehr gespannt auf seines Statthalters weitere Berichte. Eine zweite Botschaft an denselben Belibni lautet:

„...... hinsichtlich dessen, was du über Musesib-Marduk gemeldet hast, bestimme ich: Die Zeit, da er vor meinem Angesicht hätte erscheinen sollen, ist erfüllt. Seinen Weg hatte ich bestimmt. Er ist doch nicht etwa gestorben? In Ninive ist er nicht angekommen."

Dieser Belibni ist vermutlich ein Sohn des Belibni, den Sanherib am Anfang seiner Regierung zum Statthalter von Babylon gemacht hatte; Musesib-Marduk war ein Befehlshaber unter Belibni, er führte eine assyrische Truppenschar gegen elamitische Räuber.

Der Eponymenkanon oder die Listen der assyrischen Limmi reicht von 911—650 v. Chr. Die synchronistischen Listen über die Könige von Babylonien und Assyrien, die Aufzeichnungen der babylonischen Königsnamen u. a. sind uns nur bruchstückweise erhalten.

Wie hoch oder gering die sog. Prunkinschriften der assyrischen Könige betr. ihrer Glaubwürdigkeit zu schätzen sind, darüber gehen die Urteile der Sachverständigen noch recht weit auseinander, zumal für dieselben keine babylonischen Parallelen vorhanden sind, daß wir beider Berichte miteinander vergleichen könnten. Häufig tragen sie die deutlichen Spuren der literarischen Kunst eines bezahlten Hofhistoriographen an sich; sie verschweigen Niederlagen, übertreiben die Siege, brauchen auch die Worte, um ihre Gedanken zu verbergen und widersprechen sich selbst nicht selten. Erzählungen wie die von der Offenbarung Istars an Asarhaddon und von der Eroberung Babels haben wohl ihren historischen Wert für uns, nur nicht den, der im Sinn der Verfasser lag. Immerhin haben die Assyrer mehr Sinn für Geschichtsschreibung bewiesen als für Poesie und Musik. So haben sie die synchronistische Geschichte der assyrischen und babylonischen Könige angefertigt, die von einem Ge-

1) Z. f. A. 1887, S. 59.

lehrten [1]), warum sagt er nicht, eine Gelegenheitsschrift genannt wird. Sie reicht von Asurbalnisesu bis etwa 800 v. Chr. [2]) Wir verdanken solche Aufzeichnungen sicher den Aufträgen der Könige, aber keinen zufälligen Gelegenheiten. Leider besteht noch viel Unsicherheit in der Lesung der Person- und Ortsnamen, wozu die Unkenntnis der Geographie und Völkerkunde der alten Zeit hinzukommt.

Eine Art von Landkarte ist veröffentlicht worden, aber es sind darauf fast nichts als regelmäßige geometrische Figuren zu sehen, wie ein Kreis konzentrisch in einem andern größeren, aus dem sieben Spitzen hervorragen, während im innern des kleineren Kreises ein Balkenkreuz zwischen ganz kleinen Kreisen und Ellipsen zu sehen ist. Die Schrift, die alle diese Figuren bedeckt, sagt uns von acht Gebieten, die keine bedeutende Größe haben. Es ist von dem babylonischen König Samasnapistimusur die Rede. Für die Abschrift vom Original bürgt mit Namensunterschrift .... Sohn des Issuru, Sohnes des Bilbililani.

Asurbanipal, der die trocknen Chroniken seiner Vorfahren eifrig studierte, läßt seine gelehrten Schreiber nicht mehr in der alten Weise reden. Sie müssen von jetzt ab auf die Sprache und den Stil Fleiß verwenden, um ihre Berichte lebendiger und anmutiger zu gestalten.

In Babel gab es verschiedene Systeme der Geschichtsauffassung, vertreten durch verschiedene Schulen [3]). Aber nicht in der Geschichtsschreibung, sagt Bezold mit recht [4]), liegt der Schwerpunkt der literarischen Aufzeichnungen, deren sich die Priester am Hofe Asurbanipals befleißigten. Nur ein geringer Bruchteil der Bibliothek von Kujundschik besteht in historischen Texten; das Groß der Bibliothek ist einer Pseudowissenschaft gewidmet, in deren Dienst alle bisher bekannt gewordenen Wissenszweige zu stehn scheinen, der Astrologie.

Am höchsten unter allen Wissenschaften standen in Babylonien und Assyrien die Astronomie und Mathematik samt ihrer unebenbürtigen Schwester, der Astrologie, von der zu vermuten steht, daß sie die ältere Schwester ist. Welchem Volk das Verdienst zuzuschreiben ist, den Grund dieser Wissenschaften von sehr verschiedenem Wert gelegt zu haben, das steht auch bei den Gelehrten noch nicht fest. Einer meint, hier liege nicht ein Erbstück der alten Chaldäer vor, sondern das Produkt der Vermischung sumero-akkadischer Zivilisation mit semitischer Kultur. Und diese eingewanderten Semiten sollen gewohnt gewesen sein, den Abglanz des von ihnen verehrten Einen göttlichen Wesens in den Gestirnen zu sehen. Das heißt nach der modernen Entwickelungslehre die „Kindheitsstufe des semitischen Monotheismus". So noch Hommel, der sich

1) H. Winckler, B. u. A., S. 15.
2) Tiele a. a. O., S. 17.
3) H. Winckler, B. u. A., S. 14.
4) Bab.-ass. K. S., S. 65.

auf Baudissin und Krehl beruft; und diese Gelehrten merken alle nicht darauf, daß diese Semiten zur Zeit der „Kindheitsstufe“ grade dabei waren, den monotheistischen Glauben aufzugeben und Anbeter der sichtbaren Götter zu werden, oder vielmehr daß die Mehrzahl schon im heidnischen Aberglauben befangen war.

Aber wenn die Sumero-Akkadier sowohl mit den Semiten, von denen nur wenige noch den Glauben an den Einen unsichtbaren Gott festhielten, wie mit andern Völkern des Morgenlandes den Sterndienst gemein hatten, und wenn sich bei ihnen und andern Völkern aus ihrem Sterndienst kein Monotheismus entwickelt hat, so müßten jene Gelehrten für das Volk der Hebräer einen besondern Beweis in dieser Richtung antreten. Aber der Weg zur klaren Einsicht wird durch die Liebhaberei unsrer Zeit versperrt, wonach alles und jedes Leben und Werden auf dieser Erde der Entwickelungslehre unterworfen werden soll. So haben dieser modernen Richtung zu gefallen selbst gläubige Gelehrte den einzig sichern Boden aufgegeben, auf dem sie fest stehn und das Feld behaupten konnten, nämlich die Tatsache, daß von Anfang an nur E i n Gott den Menschen bekannt gewesen ist, nicht durch Schlüsse ihres Verstandes, nicht durch Beobachtung ihrer Sinne, sondern durch seine Offenbarung. Und als selbst die Vorfahren eines Abraham von diesem E i n e n Gott abfielen und seiner Offenbarung nicht mehr achteten, und die Gefahr nahe lag, daß die ganze Menschheit in dem Götzendienst versinke, da kam eine neue Offenbarung der Menschheit zu Hilfe, indem Gott der Herr den Abraham zum Auswandern bewog und zum Fremdling in einem andern Land machte [1]). Dieses Gebiet der Offenbarung ist das heilige Land, wo es heißt „zieh deine Schuhe aus“; dieses Gebiet soll weder die Assyriologie noch eine andre Wissenschaft der Theologie streitig machen [2]).

Will aber jemand schöne rätselhafte Worte vom Ursprung der Astronomie vernehmen, der lese, was die Jubiläen berichten, aber vergesse nicht, daß das Wasser d e r Quelle immer ähnlich sein wird, aus der es entsprungen ist [3]). Die Jubiläen sagen:

„Die Weisheit oder Kunde des Himmels kommt von den Göttern. Henoch, der dreihundertfünfundsechzig Jahre lebte und dann entrückt wurde, lernte von den Engeln Gottes die Herrschaft der Sonne und schrieb alles auf. Wie die Mithrasliturgie von dem Mysten [4]) verlangt, er soll wie ein Adler den Himmel beschreiten und alles beschauen, wird er selbst wie ein Wandelstern sein und den Weg der Götter beschauen.“

Zwei große Vorteile hatten die Bewohner des Mittelstromlandes vor andern Beobachtern des nächtlichen Himmels voraus. Die südliche Lage gab ihnen viele helle Nächte, und die Ebene bot einen weiten

---

1) Gen. 12, 1.
2) Bezold, b.-a. K. S., S. 67.
3) Vergl. A. Jeremias, A. T. O., S. 119.
4) Dem Eingeweihten.

Horizont, der noch bedeutend ausgedehnt wurde, wenn der Beobachter auf der Spitze eines der gewaltigen Stufentürme seinen Standort nahm.

Wo die betr. Sternwarte stand, kann man aus gewissen Beobachtungen schließen. So wenn der längste Tag mit vierzehn Stunden vierundzwanzig Minuten angesetzt wird, wie noch heute die Chinesen annehmen -- während er bei der großen Ausdehnung ihres Reiches im Süden kleiner, im Norden größer ist —, so kann diese Beobachtung nicht in Babel gemacht sein, das zu südlich liegt, sondern etwa in Kalah; denn diese Beobachtung trifft nur auf den fünfunddreißigsten Grad zu.

Als Planeten erkannten schon die alten Sumero-Akkadier die folgenden sieben Gestirne; wobei nur noch nicht feststeht, ob sie die sieben Wochentage in ihrer eignen oder in der bei uns heute gebräuchlichen Reihenfolge diesen Planeten unterstellten.

Die Folge der Planeten bei den Sumero-Akkadiern war diese:

Sonne oder barra, dem Samas heilig. Ihr Metall ist das Gold.

Mond oder inzu, dem Sin heilig. Sein Metall ist das Silber.

Merkur oder udalkud, auch dunghaddauddu, d. i. Held, der den Schreibgriffel ausgehn läßt, dem Nabu heilig. Auch trägt er den semitischen Namen dainu (dajan) oder Richter.

Venus, als Morgenstern nabat oder dilbat, d. i. Verkündigerin, als Abendstern zig oder zib genannt, der Istar heilig. Ihr Metall ist das Kupfer.

Mars oder guttu, sinutu, nibatanu und zalbadanu genannt, dem Nergal heilig. Aber hier begegnen wir schwankenden Meinungen; denn nibatanu wird auch Merkur genannt, zalbadanu auch Jupiter.

Nur zur Charakterisierung der heutigen gelehrten Forschung teile ich mit, was A. Jeremias [1]) gefunden hat: Zalbadanu ist für ihn der Zebedäus des N. T., der Boanerges [2]), Kinder Nerigs oder Nergals hat! Aber Zebedäus ist in Wirklichkeit die griechische Aussprache von dem hebräischen Zabdi oder Zabdiel, d. i. Gottes Gabe, ein Name, der mit zalbadanu nur etwas Gleichklang gemein hat. So ist es auch mit Boanerges und Nergal [3]) und hört bei Bne Harkam ganz auf.

Jupiter oder bibbu, d. i. Stier oder gudibir, Stier des Lichtes oder sagmasa oder tiut genannt, dem Marduk heilig. Wenn bei seinem sichtbarwerden Dunghaddauddu oder Merkur X Grade hochsteht, heißt er Nibiru [4]).

Der Saturn oder kaimanu, sakku, d. i. beständig oder zibaanna genannt, dem Ninib heilig. Unsre Reihenfolge ist nur in den mittleren Planeten eine andre:

---

1) Bab. i. N. T., S. 92.
2) Mark. 3, 17.
3) Später folgt noch weitere Behandlung dieser Gleichklänge.
4) Fr. Hommel, A. u. A., S. 379.

Sonne — Sonntag, sunday im Englischen.
Mond — Montag, monday.
Mars — Dienstag, nach Ziu oder Diu genannt, tuesday.
Merkur — Mittwoch, früher Wodanstag, wednesday.
Jupiter — Donnerstag, nach Donar oder Tor gen., thursday.
Venus — Freitag, nach Freia oder Frigga, friday.
Saturn — Sonnabend, saturday.

Diese Planeten nahmen die sieben Himmelssphären ein, als achte kam hinter ihnen oder über ihnen die Sphäre der Fixsterne. Von diesen hat man lange Verzeichnisse gefunden, wo ihre Namen und ihre Lage zur Ekliptik angegeben sind. Aber es können auch seltsame Dinge aus den Tontafeln gelesen werden. So las einmal Epping [1]): „Am vierzehnten ist der Gott (Sin) mit dem Gott (Samas) zusammen sichtbar, und der Gudud-Planet steht neben dem Mond." Der vierzehnte ist immer der Tag des Vollmonds. Da kann Merkur wegen seiner Sonnennähe unmöglich neben dem Mond stehn, der als Vollmond grade der Sonne gegenüber steht. Der Gudud-Planet muß also der Mars sein in seiner Opposition zur Sonne.

Besonders eifrig wurde der Mond beobachtet. Zahlreich sind die Aufzeichnungen über Mond-Beobachtungen uns erhalten. In solche Tafeln wurden auch andre Bemerkungen aufgenommen, wie betr. des Wetters: „Am 28. Elul des Nachts bewölkt, Wetter ungünstig (zu Beobachtungen). Die Nacht am 29. (der Himmel) bewölkt und dunkel. In diesem Monat — der 29. ist der letzte Tag des Elul — war der Preis des Weizens ein pi, der Datteln zwei pi, der Gerste hundertzwanzig ka, isbar eineinhalb ka, unreife Datteln acht ka, Sesam einundzwanzig ka, Wolle fünf mana für einen Sekel Silber." Eine andre dieser Aufzeichnungen lautet:

„In diesem Jahre war Hungersnot im Land Akkad, die Leute verkauften ihre Kinder um Geld, die Einwohner wurden verkauft. In diesem Jahre herrschte eine schwere Krankheit im Lande. Die Preise in Babylon und den Städten richteten sich nach den Bestimmungen der Könige Antiochus und Seleukus, wie sie für Griechenland gegeben waren."

Die Betrachtungsweise der Planeten ist unsicher und schwankend, namentlich aber ihre Verbindung mit den verschiedenen Gottheiten [2]). Auf die sieben Planeten beziehen sich die Farben der sieben Stockwerke der Neboziggurat in Borsippa und der sieben Mauern der Stadt Ekbatana.

Neboziggurat:	Ekbatana:
Silber — Mond	Gold — Sonne
Blau — Merkur	Silber — Mond
Gelb — Venus	Sandelfarben — Jupiter

1) Z. f. A.
2) Fr. Hommel, A. u. A., S. 378.

Naboziggurat:		Ekbatana:	
Gold	— Sonne	Blau	— Merkur
Rot	— Mars	Rot	— Mars
Braun	— Jupiter	Schwarz	— Saturn
Schwarz	— Saturn	Weiß	— Venus

Indem die Reihenfolge der Planeten an beiden Orten weder unter diesen noch mit der der Sumero-Akkadier noch mit einer andern (der unsern etwa) übereinstimmt, erkennen wir, wie menschliche Willkür oder Irrtum allezeit ihr Spiel getrieben haben. Ebenso geht es bei den Sternbildern des Tierkreises, die auch schon den alten Babyloniern bekannt waren. Unsre gewohnte Folge Sunt aries, taurus, gemini, cancer, leo, virgo, scorpio, libraque, arcitenens, caper, amphora, pisces sei mit den babylonischen Namen nach Hommel [1]), nach Jensen [2]) und Epping-Straßmeier [3]) zusammengestellt:

Widder	ku	kusarikku	Widder kusarikku
Stier	te	alpu	Stier, temenu, pidnu
Zwillinge	masch	tuamu	Zwillinge masu
Krebs	pulukku (nangaru)	pulukku	Streitkolben nangaru pulukku
Löwe	a, aru	aru	Hund aru
Bogensp. Jungfrau	abschinu, schiru	absinu, siru	Aehre seru
Skorpionschere	zibanitu	zibanitu	Wage (Joch) zibanitu
Wage	sig	akrabu	Skorpion akrabu
Schütze oder Pfeil	suchuru	pabilsag	Schütze, Pfeil, pa
Ziege	gu	suchuru	Fischbock, Schildkröte Enzu
Wassermann	rikis	gu	Oellampe, Wassermann, gu
Fische	nuni	nunu	Wasserhuhn, Pferdskopf nuni, zib.

Die neueste Entdeckung von A. Jeremias [4]) will ich meinen Lesern nicht vorenthalten. Einige Namen der Apostel unsers Herrn und Heilandes sollen aus den babylonischen Tierkreisnamen stammen! A. Jeremias sagt: „Alpu weist auf Alphäus hin, und tuamu erinnert an den Apostel Thomas, der auch Zwilling genannt wird". Nur schade, daß diese großartige Entdeckung nicht auf alle zwölf Apostel sich bezieht. Welche Schlüsse ließen sich daraus ziehn! Nun aber ist hier nicht mehr als bei zalbadanu sicher, nämlich ein Anklang, von dem wir früher hörten. Den Freunden der Anklänge aber empfehle ich die Stadt

1) A. u. A., S. 238, 265.
2) Kosmologie am Schluß.
3) Z. f. A.
4) B. N. T., S. 92.

Jskunsin und das nordamerikanische Wiskonsin, den Gärtner Jsulanu und den Spanier Jsolani ꝛc. Auch das sumero-akkadische Hallulaja und das hebräische Hallelujah klingen stark aneinander an; aber das erste bezeichnet ein Insekt, das andre Wort ruft zum Preis des lebendigen Gottes auf.

Am häufigsten finden sich die Tiere und andre Bilder des Tierkreises auf den Grenzsteinen vor; doch ebenfalls in verschiedener Anordnung. Gewisse Zeichen auf den Grenzsteinen deutet Lehmann [1]) auch astronomisch. Joh. Epping und Straßmaier veröffentlichen den Tierkreis vom Jahre 1800 v. Chr., und sind die Entfernungen in Graden beigeschrieben. Noch heute heißt der hellste Stern im Bild der Jungfrau Aehre spica, hebr. schiboleth oder siboleth, woraus nach H. Winckler [2]) das Wort Sibylle geworden ist.

Die neueste Ansicht, vertreten durch R. Redlich [3]), geht dahin, daß die alten Astronomen den Weg der Sonne, des Mondes und der Planeten nicht auf die Ekliptik bezogen, sondern die Bewegungen aller dieser Gestirne in der Himmelsmitte an dem größten Kreis der täglichen Himmelsdrehung gemessen haben. Sie maßen aber die Geschwindigkeit des Mondes und der Sonne, indem sie die Erde als feststehend ansahen. Sie bestimmten die Länge des Monats von Neumond zu Neumond, doch um vier zehntel Sekunden größer als unsre Astronomen; sodann die Dauer des Monats von des Mondes Erdnähe zu Erdnähe oder Erdferne zu Erdferne, diese aber um drei sechszehntel Sekunden kürzer, als heute für richtig gilt. So hatten sie zwei Systeme der Mondrechnung und mehrere Systeme der Planetenbeobachtung [4]).

In der Bibliothek Asurbanipals fand man ein altes Astrolab, ein Instrument zur Winkelmessung, das später seit Hipparch aus zwei runden Scheiben bestand, deren eine in der andern lag. Aus dem assyrischen Werkzeug geht hervor, daß die Ekliptik verschieden eingeteilt wurde. Hommel gibt seine Abbildung in dieser Gestalt:

Marcheswan Schakal 140°	Kislev Zalbadan 120°
Skorpion 70°	Rachenaufreißer 60°

Die ältesten Tierkreise der Babylonier fangen mit dem Stier an und endigen im Widder, ganz entsprechend dem damaligen Frühlingspunkt. Darauf soll, wie wir vernommen haben, das Epos Enuma elis, das die Entstehung der Welt, wie etliche Gelehrte meinen, darstellt, aufgebaut sein. Der Tierkreis soll Marduk mit seinen elf Helfern, den Drachen und andern Ungeheuern sein, als da sind die Aehre, Wage oder Joch, Oellampe und Wasser-

---

1) Ö. f. A. 1895, S. 383.
2) H. Zimmern, K. A. T., S. 428.
3) Globus von 1903. A. Jeremias, A. T. O. Ueber die 7 mehr oder Parsterne s. Jensen, Kosmologie, S. 144.
4) Bezold, N. u. B., S. 94.

huhn! Aus Anklängen ein System zusammenbringen ist immer eine mißliche Sache; eher ist anzunehmen, daß die spätere babylonische Astronomie sich von den Ungeheuren der alten Dichtung abgewendet und die Namen der betr. Gestirne selbständig und in friedlicher Gesinnung gewählt habe.

Ueber die Aufgangszeiten der wichtigsten Planeten Venus, Jupiter und Mars wurden Tabellen angefertigt. Die Mondphasen waren von Tag zu Tag für den ganzen Monat bekannt. 223 Mondwechsel bildeten eine Periode, nach der die Mondfinsternisse vorausgesagt wurden, wie die vom 30. März 721 v. Chr., die eine Stunde nach Mitternacht eintrat. Die Mondfinsternis des Jahres 720 trat um Mitternacht ein, eine zweite desselben Jahres bald nach Aufgang des Mondes. Ueber eine Mondfinsternis, die am 10. April des Jahres 80 v. Chr., am 13. Nisan des 232. Jahres der Arsacidenära stattfand, haben wir einen Bericht des Sternkundigen Urudaa:

„Am 13. Nisan des Nachts hatte der Mond noch 5 Grad 51 Minuten in der Ekliptik weiter zu gehen, indem er 20 Minuten vor seinem Erscheinen im Knotenpunkt stand (wo der Lauf des Mondes die Ekliptik schneidet). Deshalb hat eine Mondfinsternis auf der südlichen Seite der Ekliptik um 10 Grad (= 40 Minuten Zeit) vor Sonnenaufgang mit einer größten Ausdehnung der Verdunkelung von 6 Zoll (?) stattgefunden .... Der Mond ist verfinstert im Sternbild der Wage untergegangen. Auf Geheiß von Bel und Beltis. Ein Horoskop [1]).“

Eine **Sonnenfinsternis** vorherzusagen vermochten die babylonischen und assyrischen Sternkundigen nicht; aber sie haben manche Sonnenfinsternis beobachtet, wie die vom 2. Juli 930 v. Chr. und die vom 13. Juli 809 v. Chr. Sin ihmutamma, samas ustappa, heißt es in einem Bericht über eine atalu oder Finsternis: „Der Mond wich zurück, die Sonne trat strahlend hervor.“ Hiernach erkannten die Alten die Ursache der Sonnenfinsternis ganz richtig in dem Zwischentreten des Mondes zwischen Sonne und Erde. Daß sie die Ursache einer Mondfinsternis ebenso sicher erkannt hätten, ist mir nicht bekannt geworden.

Die Ekliptik wurde in zwölf gleiche Teile geteilt, der Umkreis des Himmels in dreihundertsechzig Grade, der Grad in sechzig Minuten, die Minute in sechzig Sekunden.

Auch die Sonnenuhr ist in Babylonien erfunden worden; aber wir kennen nicht den Namen des Erfinders. Daneben gab es auch Wasseruhren.

Als ein Tag des Weltalls galt den babylonischen Sternkundigen die Zeit, die von der Sonne gebraucht wird, um in der Präzession der Tag- und Nachtgleichen zum Anfang zurückzukehren. Sie hatten aber die jährliche Präzession zu klein angenommen, nämlich nur 30″ statt 50″. So erhielten sie statt 26 000 Jahre 43 200 Jahre als die Dauer eines Welttages. Der Welttag zerfiel in zwölf Weltstunden, sar genannt.

---

1) Nach Epping in Z. f. A. 1889, S. 78.

23

Ein Sar war gleich sechs ner oder dreitausendsechshundert gewöhnlichen Jahren, ein ner gleich einer Weltminute oder sechshundert Jahren, ein soß gleich sechzig Jahren oder sechs Weltsekunden, ein gewöhnliches Jahr gleich einzehntel Weltsekunde. So kann man wohl sagen, die alten Sumero-Akkadier hatten noch mehr als eine Ahnung von der Wahrheit: „Tausend Jahre sind vor dir wie der Tag, der gestern vergangen ist, und wie eine Nachtwache“ [1]).

Der Anfang des Jahres, Zagmuku gen., der, wie früher schon erwähnt, sehr festlich begangen wurde, fiel wie noch heute bei den Chinesen in unsern März, weil das Jahr der Sumero-Akkadier mit der Frühlings-Tag- und Nachtgleiche begann [2]). Die Hebräer aber begannen das Jahr in alter Zeit mit dem Herbst. Die Ansicht H. Winclers [3]), daß diese Verschiedenheit ihren Grund in der Lage der Länder haben soll, weil Babylonien im Osten, Palästina im Westen liegt, ist schlechterdings unverständlich. Eine Inschrift besagt:

„Am 6. Tag des Nisan waren Tag und Nacht gleich, jeder sechs kapsu.“

Ein kapsu aber hat 2 Stunden. So teilen die Chinesen noch heute den Tag ein. Das Jahr aber zerfiel wie noch heute bei uns und allen Kulturvölkern in zwölf Monate, deren Ideogramm die zwei Hörner der Göttertiara oder der Mondsichel sind [4]).

Ihre Namen sind:

Nisanu, althebr. Abib, neuhebr. Nisan, dem Anu und Bel geweiht.

Aru oder Airu, althebr. Ijjar oder Zib, neuhebr. Aru, dem Ea geweiht.

Siwanu, akkad. murga oder Ziegelmachen gen., neuhebr. Siwan. Im Mai und Juni wurden die Ziegel gestrichen, im Juli getrocknet. Im Tierkreis bedeutet das Wort die Zwillinge Sin und Nergal. Er ist dem Sin geweiht.

Duzu, neuhebr. Tammuz. Er ist dem kuradu oder Held Nimib, dem Gott der Sonnenwende geweiht. In ihn fällt das Sommer-Solstitium.

Abu, neuhebr. Ab, ist der Monat des Feuergottes Nusku, der die Quellen versiegen macht, unser Juli.

Ululu, neuhebr. Elul, der Istar geweiht.

Tisritu, althebr. Etanim, neuhebr. Tisri, dem Samas heilig. Er schloß die Herbst-Tag- und Nachtgleiche und den Anfang des bürgerlichen Jahres ein, das denselben Anfang wie das Jahr der Hebräer hatte. Einige Gelehrte nehmen nur Einen Jahresanfang an.

---

1) Ps. 90, 4.
2) Nach Mitteil. von Fräulein Zahn, die in China 13 Jahre als Missionslehrerin tätig war.
3) K. A. T., S. 325.
4) Fr. Hommel, A. u. A., S. 271.

Arach-sammu, d. i. achter Monat, althebr. Bul, neuhebr. Marcheswan war dem Marduk heilig.

Kisliwu, neuhebr. Kislev, dem Nergal heilig.

Tebitu, neuhebr. Tebet, dem Papsukal heilig.

Sabatu, neuhebr. Sebat, dem Ramman geweiht.

Addaru, neuhebr. Adar, dem Siebengott heilig [1]).

Die Götter aber wurden auch in andrer Weise samt ihren Sternen auf die zwölf Monate verteilt.

Dem Nisan steht ilu dunpauddu vor, Nebo als Morgenstern.

Dem Ijjar steht ilu udalkud, Merkur als Abendstern vor.

Dem Siwan steht ilu askar babilani, Istar als Abendstern vor.

Dem Abu steht ilu maakruu, Ninib.

Dem Ululu steht ilu sagmagar, der Planet Jupiter.

Dem Tisritu steht ilu nibiru, derselbe.

Dem Arachsomnu steht ilu rabbu, Nergal.

Dem Kislimu steht ilu ul irsi, ein Fixstern im Schützen.

Dem Tebitu ul sarri, ein desgleichen im Bock.

Dem Sabatu ul gal, einer gleich Gula.

Dem Addaru ul ha ea, ein Fixstern, Fisch des Ea gen.

Daß diese zwölf Gestirne, Planeten und Fixsterne, bald dem Marduk, bald wieder zwölf Fixsterne der Nindaranna gleichgesetzt werden, erklärt Hommel [2]) für eine Marotte der Babylonier. Es ist vergebliche Mühe, hier gewisse Ordnungen festzustellen; denn in dem ganzen Götterwesen herrscht eine große Willkür. Eine dritte Liste der Monate bringt dieselben in Verbindung mit dem Tierkreis in folgender Weise:

Den Nisan mit kumal oder kusarikku, Wider, Nindaranna.

Den Ijjar mit mul und gudanna, Stier, aritum Schild.

Den Siwan mit sibzianna und mastabgalgalla, rischu.

Den Duzu mit allub, Schildkröte (?), nangar ikli.

Den Abu mit urgula Löwe, ban Bogen.

Den Ululu mit absinu, siru Aehre, nunki.

Den Tisritu mit zibanitu Wage, entenamaszig.

Den Arachsammu mit girtab Skorpion, rabbu.

Den Kisliwu mit pabilsag Schütze, giranna.

Den Tebitu mit suchur Fischbock, uz Ziege.

Den Sabatu mit gula Amphora, askar.

Den Addaru mit askar und rikis nunni, ha Fisch.

Diese zwölf Monate hatten abwechselnd neunundzwanzig oder dreißig Tage, nur Addaru hatte auch dreißig Tage, das ganze Jahr also 7 zu 30 und 5 zu 29 oder 210 + 145 = 355 Tage. Demnach blieben die Babylonier mit ihrer Rechnung nach Mondjahren um mehr als zehn

---

1) Fr. Hommel, A. u. A., S. 447 ꝛc.

2) Am gleichen Ort S. 448 ꝛc.

Tage in jedem Jahre hinter dem scheinbaren Lauf der Sonne zurück. Diese Ungleichheit mit dem Sonnenjahr zu verbessern, fügten sie alle vier Jahre einen Schaltmonat ein, magru ſa addari genannt; dann aber alle acht Jahre zwei Schaltmonate, magru ſa addari und magru ſa ululi. Für diese Einfügung des Schaltmonats hatte man die folgenden Regeln, die uns in den Keilschriften aufbewahrt sind:

„Wenn am ersten Tag des Monats Nisan der Stern der Sterne und der Mond parallel stehn, so ist das Jahr „richtig“.“

Es hat dann 355 Tage. Die zweite Regel lautet:

„Wenn am dritten Tag des Monats Nisan der Stern der Sterne und der Mond parallel stehn, so ist das Jahr „voll“.“

Es hat dann, wie noch heute bei den Chinesen, durch Einführung eines Schaltmonats von neunundzwanzig Tagen dreihundertvierundachtzig Tage, alle acht Jahre aber vierhundertvierzehn Tage. Anders urteilt E. Mahler. Er behauptet, daß die Babylonier nach den Zeugnissen aus der Zeit der Arsaciden einen neunzehnjährigen Schaltcyklus hatten, indem jedes 3., 6., 8., 14., 16., 19. Jahr ein Schaltjahr war. So war das Jahr 147/6 v. Chr. das 101. der babylonischen, das 165. der seleukidischen Aera. Wird 101 durch 19 geteilt, so ergibt sich der Rest sechs, und dieses Jahr muß ein Schaltjahr sein. Diesen neunzehnjährigen Cyklus führte Meton schon 432 v. Chr. bei den Athenern ein, angelehnt an den neunzehnjährigen Cyklus des Mondes.

Alle diese und die später folgenden Aufzeichnungen astronomischen Inhalts, die Beobachtungen des Himmels und seiner Gesetze sind in sumero-akkadischer Sprache geschrieben. Schon aus dieser Tatsache kann jeder ersehen, wer in dieser Wissenschaft Meister, und wer Schüler war. Nur haben die eingewanderten Semiten, die vielleicht niemals bis in die Tiefe dieser Wissenschaft eingedrungen sind, es versäumt, die sumeroakkadischen Kunstausdrücke durch Uebersetzung in ihre Sprache verständlich zu machen.

Daher kommt es auch, daß die aus Babylonien wieder auswandernden Tharachiten recht wenig von dem astronomischen Wissen der Altbabylonier in die neue Heimat mitnahmen; und auch die späteren Hebräer hatten wenig Sinn für eine andere als die religiöse Betrachtung des Himmels und seiner Gestirne. Hierauf beruht die Tatsache, daß wir Abendländer die Zeichen des Tierkreises, die Einteilung der Ekliptik, die Wochen und Monate, die Sonnenuhr und anderes nicht etwa durch die Hebräer, sondern durch die Vermittlung der Phönikier, Griechen und Römer aus Babylon empfangen haben.

Wie aber die alten Sumero-Akkadier aus der Astronomie zur Astrologie oder Sterndeutung gekommen sind, erklärt M. Duncker [1]: „Wenn mit dem höheren oder niederen Stand der Sonne, dem höheren oder nie-

1) A. a. O. I, S. 274 ꝛc.

deren Stand dieses oder jenes Sternes eine andere Jahreszeit, Ueberschwemmung der Flüsse, Veränderung des Naturlebens, Erwachen oder Absterben der Vegetation eintraten; wenn von dem Kommen und Gehen der Sonne, des Mondes und der Gestirne auch das Leben der Menschen, ihr Wachen und Schlafen, ihre Frische und Mattigkeit abhing; wenn die Zeiten der keimenden und reifenden Frucht, günstiger oder ungünstiger Schiffahrt mit dem Erscheinen gewisser Sternbilder eintraten, mit ihrem Verschwinden vorübergingen, so lag es solcher Anschauung nahe, das gesamte Leben der Natur und der Menschen von den Lichtern des Himmels abhängig zu glauben, zu glauben, daß Erde und Menschen das Gesetz von oben, von den leuchtenden Bahnen der Gestirne empfingen. Die guten oder übeln Wirkungen, die man den Sternen für das Naturleben beilegte, galten auch für ihren Einfluß auf das Leben der Menschen."

Dieser Glaube oder Aberglaube war nur zu der Zeit möglich, als die Menschen des Einen unsichtbaren Gottes vergessen hatten; doch ist er bekanntlich auch auf dem Gebiet der Christenheit bis in die Neuzeit verbreitet gewesen. Immerhin steht er weit über dem Unglauben dieser Zeit, die alles, was geschieht, dem blinden Zufall unterordnet. In diesem Sinn heißen die Planeten, deren Lauf heute noch ebenso auffällig wie in der alten Zeit ist, obwohl wir seine Gesetze viel besser kennen als die Babylonier, „Do'metscher des göttlichen Willens", und auf ihren Lauf und Stand zu den von ihnen gestirnten Fixsternen wurde vornehmlich die Astrologie begründet. Daher finden sich zahlreiche Aufzeichnungen oder Planetentafeln, auf denen auch die Kehrpunkte bezeichnet sind, wenn der beobachtete Planet „rückläufig" wurde. So auf einer Tafel aus dem Jahre 94 v. Chr.:

„Am 30. Nisan. Am Abendhimmel Venus über den Zwillingen des Hirten. Am 9. Airu wie am 30. Nisan, desgleichen am 13. Airu. Am 25. Airu. Am Abend Venus über dem Doppelgestirn. 4. Siwan: Venus über dem Kopf des Löwen. 11. Siwan: Venus über dem Regulus. 18. Siwan: Venus über dem vierjährigen Sohn hinter dem Löwen. 19. Siwan: Venus unter dem Kopf des Löwen. 6. Duzu: Sohn über dem hintern Fuß des Löwen. 18. Abu: Venus unter Zibanitu gegen Süden. 4. Ululu: Venus unter dem Kopf des Skorpion. Darauf wurde Venus unsichtbar. 27. Arachsamna: Venus am Morgenhimmel im Schützen im heliakischen Aufgang, aber wegen Bewölkung nicht gesehn."

Hier soll nach Epping ein Fehler sein, Venus konnte an diesem Tage und auch noch mehrere Tage später wegen zu geringer Entfernung von der Sonne nicht gesehn werden.

Man hat auch Auszüge aus einem Lehrbuch über Astronomie und Astrologie gefunden, das Belachiiddin 138 v. Chr. in Borsippa eigenhändig geschrieben hatte. Hier behandelt er die Bedeutung des Sommer- und des Wintersolstitiums, der Tag- und Nachtgleiche im Frühling und im Herbst, den Zusammenhang der Orakel mit dem Mond, den Einfluß des Mondes und der Sonnenhitze auf den Gesundheitszustand der Menschen, die Beschwörungen zur Heilung der Krankheiten, die verschiedenen Opfer im Frühling und im Herbst, die Bedeutung des heliakischen Auf- und Untergangs des Sirius und des Sugi. Angeschlossen sind die Vorhersagungen aus den heiligen Vögeln, die in den Tempeln gehalten wurden. Sirius aber ist der Bogenstern, der der Istar zugeeignet wird.

Im allgemeinen galt als Regel, Jupiter und Venus brächten Glück, Saturn viel, Mars wenig Unheil. Merkur, Mond und Sonne deutete man nach Belieben. Die Sonne hatte in der Ekliptik ihre zwölf Häuser oder tubukati, daraus bei den spätern Juden die Vorstellung der sieben Himmel erwachsen sein soll. Jedenfalls sprechen alle Semiten nicht von dem Himmel, sondern von den Himmeln. Auch der Apostel Paulus redet von einem dritten Himmel [1]).

Den scheinbaren Durchmesser der Sonne haben die babylonischen Sternkundigen auf zwei Minuten Zeit, das ist einhalb Grad, ziemlich genau berechnet, indem sie bei Sonnenaufgang zur Zeit der Tag- und Nachtgleiche die Zeit vom Erscheinen des Sonnenrandes bis zur völligen Sichtbarkeit der Sonne bestimmten.

Der Merkur, der der Sonne am nächsten kreisende Planet, hat mehrere Beinamen, wie mustabarru mutanu, nibat anu, das wie gudud oder guddu noch nicht übersetzt ist, oder balum und mumia „Nichtda", sanumme „ein Andrer", dilbat „der Verkünder", weil er gleich der Venus als Morgenstern oder als Abendstern erscheint, kakkab la mineti „der unberechenbare Stern". Unter guddu verstehen einige den Mars, den karradu oder Krieger, der auch bibbu und ningirbanda heißt. Bibbu wird aber auch der Jupiter genannt. Hieraus geht hervor, daß die Planeten, wie das bei unbewaffnetem Auge sehr leicht geschieht, nicht immer richtig erkannt, sondern auch verwechselt worden sind.

Die babylonisch-assyrischen Sternseher konnten bei Planeten-Konjunktionen nicht unterscheiden, welcher Planet der nähere, welcher der fernere war, ob etwa Jupiter vor Saturn oder Saturn vor Jupiter stand [2]). Aber durch großen Fleiß in der Beobachtung der Gestirne und Aufzeichnungen dieser Beobachtungen war es ihnen doch gelungen,, die Perioden der Planeten im engern Sinn, nach deren Ablauf sie denselben Stand am Himmel einnahmen, richtig zu bestimmen, bei Venus auf acht Jahre, bei Merkur auf sechsundvierzig Jahre, bei Saturn auf neunundfünfzig, bei Mars auf neunundsiebzig, bei Jupiter auf dreiundachtzig Jahre. Bei solcher Erkenntnis ist es zu verwundern, daß sie Sonne und Mond auch zu den Planeten rechnen konnten; und diese beiden wurden am allermeisten beobachtet. Den Vollmond nannten sie lal adar sitkula, Sonne und Mond wägen sich, na adar asamis namuru Sonne und Mond werden zu gleicher Zeit gesehn; mat oder kasadu aber zeigt an, daß der

---

1) 2. Kor. 12, 2. Apgesch. 9, 4.
2) Vergl. Epping, Z. f. A. 1890, S. 287.

Mond bald die Sonne erreicht hat, wenn er kurz vor der Sonne als kleine Sichel aufgeht, also bald Neumond ist.

Den Morgen- oder Osthimmel bezeichnet numa oder sitan, der Westhimmel hieß su oder silan. Wie Jensen damit das hebräische Scheol vergleichen kann, ist mir unverständlich.

Von den Fixsternen galten dreißig als Ratgeber, vierundzwanzig als Richter, nämlich zwölf Sterne von Akkad und zwölf Sterne des Westens [1]).

Der Gott Anu hatte seinen Ort oder Haus im Nordpolarstern oder Aldebaran, nämlich im ersten Drittel der Ekliptik, Ea in einem Stern des Schützen, wo sich die Milchstraße in den „Euphrat" und „Tigris" teilt, und in dem Kopf der Fischziege, wo das dritte Drittel der Ekliptik anfängt, während das zweite Drittel die Bahn des Bel ist, die vielleicht im großen oder kleinen Bär gesucht werden muß [2]).

Wer nun den Lauf der Gestirne verstand, der verstand auch als in einem Spiegel das Schicksal der Menschen und Völker zu schauen. Er hörte das Rauschen ihrer Fluten lange, ehe etwas davon sichtbar wurde. Dahin ging die Meinung der Gelehrten, darin lag das Steuerruder der staatslenkenden Einsicht der Staatsmänner, das gefiel dem Aberglauben des Volkes in beiden Reichen. Aber hier lag auch der tiefe Schaden der astronomischen Wissenschaft, daß sie fast nur in astrologischem Interesse betrieben wurde, und diese Kunst dem Gelderwerb und der Herrschsucht dienen mußte. Wieviel Wirren dadurch in der Wissenschaft entstanden sind, hat Jensen treffend gezeichnet [3]).

Die babylonischen Sternkundigen müssen es sich gefallen lassen, daß ihnen die Traumdeuter zur Seite gestellt werden; denn auch die Traumbilder stammen nach ebenso gutem Glauben aus der oberen Welt und tun den Willen der Götter kund. Auch für das Auslegen der Träume hatte man viele Tafeln gesammelt, die uns erhalten sind — also wieder eine Art Wissenschaft. Zu den merkwürdigsten Träumen, die hier behandelt werden, gehört, daß ein Mensch sich erinnert, er habe im Traum mit einem nahen Verwandten Streit gehabt, wobei es für die Deutung des Traumes darauf ankommt, ob dieser Verwandte noch lebt oder schon gestorben ist. Wichtig erscheint auch der Traum von dem Essen eines gewissen Krautes oder dem Trinken eines Saftes; oder es träumt einer, er esse Tier- oder Menschenfleisch; oder er weiß von einem Gesicht von Fußspuren, die er im Traume gesehn, oder von einem Geist oder von Verstorbenen, die sich wie Lebende bewegten. Besonders auf-

1) 2. Kön. 23 5—7.
2) Fr. Hommel, A. u. A., S. 411.
3) Kosmologie, S. 101 2c.

fällig ist, wenn jemand träumt, er trage etwas auf dem Kopf [1]) wie Datteln oder einen Berg [2]).

Dieses treffliche Brüderpaar der Stern- und Traumdeuter hatte das Tun und Lassen wie der Untertanen so der Herrscher in seiner Hand. Will der König in den Krieg ziehen, so fragt er zuvor über den Ausgang desselben bei dem Hofastrologen an. In deren Macht steht es, ob Krieg oder Friede sein wird. Wollen sie Friede haben, so erklären sie, ungünstige Zeichen seien erschienen, und warnen den König vor einem Kriegszug. Der König aber kann und darf nicht gegen seine Magier auftreten. Seine Truppen würden nicht fechten und standhalten, wenn allerlei Mißgeschick für diesen Krieg vorausgesagt war. Wollen aber die Sternkundigen, daß Krieg werde, so ermuntern sie den König und rufen ihm und seinen Kriegern im Namen der Götter zu: „Zieh hinaus, wir helfen dir, wir werfen deine Feinde vor dir nieder.“ Die Magier hatten auf diese Weise auch den Krieg zu leiten, wohin sie wollten, ganz in ihrer Hand; denn sie brauchten nur bei dem einen Nachbar ein günstiges, bei dem andern ein ungünstiges Zeichen gesehn zu haben. Wie bei den Kriegen verfuhren sie auch bei Jagden und andern Unternehmungen.

Astrologische Aussprüche der Magier, sog. Omina, haben Rawlinson und Sayce gesammelt und herausgegeben. Aus sehr alter Zeit, der des Königs Sargon I., stammt das folgende:

„Wenn ohne Berechnung Sonne und Mond zusammen sichtbar werden, dann rücken wieder feindliche Krieger heran und beherrschen das Land. Die heiligen Schreine der großen Götter werden wieder entführt, der Gott Bel muß wieder nach dem Land Elam auswandern. Nach dreißig Jahren kehren die großen Götter mit ihm zurück.“

Aus derselben Zeit stammt auch das folgende Orakel:

„Ein Omen für Sargon, der in diesem Zustand (bei diesem Stand der Sterne?) nach Elam zog und die Elamiter vernichtete. Eine große Strafe legte er ihnen auf, ihre Glieder schnitt er ab.“

Hier muß das eigentliche Omen verloren sein, oder es ist unleserlich geworden; denn das vorliegende erzählt, aber redet nicht von der Zukunft.

Auch ohne besondere Anfrage des Königs hatten die Hofastrologen nach Dienst und Pflicht dem König über alle himmlischen Erscheinungen täglichen Bericht zu erstatten. Ein solcher Bericht lautet:

„Der Mond sammelte einen tarbaz, und Mars trat in ihn: Vernichtung des Viehstandes. Im ganzen Land wird die Dattelernte mißraten, und das Westland wird verringert.“ (?)

Was tarbaz bedeutet, ist noch ungewiß, vielleicht bezeichnet es die Strahlenbrechung des Mondlichtes, die wir Hof nennen. Ein andrer Bericht trägt auch den Namen des Magiers, der ihn verfaßt hat:

---

1) Gen. 40, 16.
2) Vergl. Bezold, N. u. B., S. 86.

„Am vierzehnten Tag (Vollmond) wurden Sonne und Mond mit einander gesehn. Treue und Glauben. Das Herz des Landes wird fröhlich, Freude zieht ein in die Herzen seiner Bewohner. Die Götter des Landes Akkad sinnen auf Gunstbezeugung. Mond und Sterne begegneten sich, der König des Landes tat die Ohren weit auf. Bericht des Ablua."

Ein andrer Bericht läßt die Entscheidung nach der Zeit zweifelhaft:

„Wenn es der achtundzwanzigste ist (an diesem Tage verliert der Mond sein Licht), dann wird der König dieses Landes krank dahinsinken, sein Haus wird leben. Nindingirra, die Tochter des Königs, wird sterben. Im Lauf des Jahres (kommen) Feindseligkeiten, das Land wird verbrannt werden, bis ins Herz des Landes wird der Feind eindringen, Niederlage des feindlichen Heeres. Wenn der neunundzwanzigste ist, dann wird der König von Akkad sein palu fallen lassen, Adad wird regnen über Kebar, Adad wird regnen über den Wäldern, viel telitu in den Feldern (wahrscheinlich Unkraut). Wenn der dreißigste, wird der König sein palu verlängern, das Land wird unter der Hungersnot seufzen, der ippira wird als Herr auftreten. Wenn bei bedecktem Himmel Dilbat und Sagmagar erscheinen, wird Gesundheit dem König angezeigt, Einfall der Feinde in das Land [1])."

So geht es immer weiter in der astrologischen Dichtung, und es bleibt nicht aus, daß sich die Dichter recht häufig wiederholen.

Ein Horoskop ist, so zu sagen, ein immerwährendes Omen. Wir haben eins aus dem Jahre 141 v. Chr. vom 6. Adar (28. Febr.):

„Im Anfang der Nacht sah man den Mond, westlich davon sur narkabti in einer Entfernung von einer Elle (= 2° 3'). Am 6. des Morgens wurde ein Knäblein geboren unter seinem Zeichen. Der Mond stand am Anfang der Zwillinge, die Sonne in den Fischen, Jupiter in der Wage, Venus und Mars im Steinbock, Saturn im Löwen."

Oder ein Horoskop vom 4. Nisan (27. März) desselben Jahres:

„Tag- und Nachtgleiche. Im Hause verkündet man, daß ein Knäblein unter Jupiter geboren sei."

Dieser Planet stand damals in Opposition zur Sonne, war also die ganze Nacht sichtbar. Bei diesen beiden Horoskopen vermissen wir schmerzlich die Deutung der Konstellation.

Horoskope wurden auch bildlich dargestellt. Eins ist bei Koldewey [2]) beschrieben: Vier Postamente tragen einen Ziegenkopf, einen Keil und zwei Kronen. Vor dem ersten und zweiten Postament liegt ein Tier mit graden Hörnern und gespaltener Zunge. Es ist dieses Bild wie ein Rebus-Rätsel. Ob es ein Gelehrter geraten hat, ist mir nicht bekannt geworden.

Aus einigen in Ninive gefundenen Tafeln lassen sich noch bestimmtere Regeln der Sterndeutung erkennen, als zuvor angedeutet wurden.

„Wenn der Planet Jupiter im Monat Duzu erscheint, dann giebt es Leichen, d. h. ein großes Sterben. Wenn Venus dem Sternbild der Fische gegenübersteht, so ist Verwüstung des Landes zu erwarten. Wenn der Stern des großen Löwen, den die Babylonier den großen Bären nennen, düster erscheint, wird sich das Herz des

1) Vergl. Virolleaud, Z. f. A. 1902, S. 205 zc.
2) Mitteil. v. 1901, N. C., S. 28.

Volkes nicht freuen [1]). Wenn der Mond sich am 30. Tebitu zeigt, werden die Suri die Ahlamu, die Nomaden an der Westgrenze des Reiches verderben; ein fremdes Volk wird das Land Martu (d. i. Syrien und Kanaan) verwüsten. Wenn am 14. Adaru in der ersten Nachtwache eine Mondfinsternis eintritt, so gibt sie das Vorzeichen für den König der Kissati, Ur und Martu."

Die Kissati aber waren ein mesopotamisches Volk, das bald von den hethitischen Mitannis, bald von den Assyrern beherrscht wurde. Dieses letzte Omen erinnert an die Weise der Orakelpriester zu Delphi, die sich die Erfüllung ihrer Vorhersagungen durch die Zweideutigkeit ihrer Sprüche zu sichern verstanden. Oft halten sich auch die Antworten der babylonischen Magier ganz allgemein: „Wenn diese oder jene Konstellation eintritt, dann werden die Götter zürnen, dann wird das trübe hell, das reine schmutzig werden, dann werden die Regengüsse und Hochwasser aufhören, dann werden die Länder in Verwirrung geraten, dann wird keine Erhörung der Gebete stattfinden, dann werden die Vorzeichen der Wahrsager nicht günstig sein [2])."

Es ist bereits erwähnt worden, daß der König vor Unternehmung eines Feldzuges seine Astrologen befragte. Dasselbe geschah bei der Belagerung einer festen Stadt, bei der Einweihung eines Tempels und allen andern öffentlichen Angelegenheiten. Die Sternseher hatten viele Arbeit, keine Ruh bei Tag und Nacht; denn auch die Untertanen wollten den Rat der Weisen wissen für den Bau eines Hauses, für eine Eheschließung, bei dem Antritt einer Reise, bei einer beabsichtigten Handelsunternehmung u. s. w. Für alle und um alles mußten die Sterne und Sternseher wissen. Dabei aber braucht niemand sich vorzustellen, daß bei jeder Anfrage eine besondere Beobachtung des Himmels angestellt worden sei. Die Magier hatten dafür ihre Steintafeln zu tausenden aus allen Zeiten. Die schlugen sie nach und erteilten daraus den Ratsuchenden bald Antwort. Wenigstens 70 Tafeln dieser astrologischen Unterweisungen fangen an: „Wenn der Belstern"; eine andre Serie beginnt auf jeder Tafel: „Wenn der Mond bei seinem Erscheinen" . .

Ehe Asarhaddon Esagila, den Tempel Marduks, betrat, wurden als Vorzeichen göttlichen Wohlgefallens und göttlicher Gnade, die folgenden Beobachtungen am Himmel festgestellt und aufgezeichnet:

„Die Sterne des Himmels gingen an ihren Ort, sie nahmen den rechten Weg und verließen den unrechten."

Die Sternkundigen reden hier von den Planeten, die scheinbar bald rechtläufig bald rückläufig gehen. Die Beziehung auf die politische Lage ist unschwer zu finden. Das Rückwärtsgehen der Planeten zeigte den Aufruhr der Söhne Sanheribs und die Ermordung dieses Königs an, das Vorwärtsgehen aber die Bestrafung der Königsmörder und die Erhebung Asarhaddons auf die Throne von Ninive und Babylon. Man

1) M. Duncker a. a. O. I, S. 276.
2) Nach H. Zimmern, K. A. T., S. 393.

sieht, die Priester von Esagila wußten das Gewicht der Tatsachen zu schätzen.

Aus einem babylonischen Hemerologium, d. i. Tagezeiger, eine Art Kalender, teilt Fr. Hommel [1]) folgende Anweiseung der Astrologen mit.

„Der Belitigurra und Dikud (Richter, dieser beiden Sohn ist Nergal oder Nebo). Günstiger Tag. Nachts soll der König angesichts des Margidda-Sternes (des Lastwagens), des Sternes des Sohnes der hehren Göttin, seine Opfergabe darbringen."

So beziehen sich die in den Hemerologien gesammelten Sprüche vor allem auf die Verehrung der Götter, indem sie für jeden Tag des Monats Anweisung geben, wie der fromme Babylonier sein Opfer und Gebet zu verrichten habe.

Ein astrologischer Bericht an den König lautet:

„An den König, meinen Herrn, dein Knecht Abilistar. Heil dem König, meinen Herrn. Mögen Nebo und Marduk den König, meinen Herrn, segnen! Lange Tage, Gesundheit des Leibes und Freude des Herzens mögen die großen Götter dem König, meinem Herrn, gewähren! Mit Bezug auf die Mondfinsternis, deretwegen der König, mein Herr, zu mir sandte, berichte ich. In den Städten Akkad, Borsippa und Nippur wurden Beobachtungen gemacht. Dann sahen wir in der Stadt Akkad einen Teil .... Die Beobachtung wurde gemacht, und die Finsternis fand statt. Ich machte die Beobachtung .... und sende dies dem König, meinem Herrn. Und was ich mit meinen Augen sah, an den König, meinen Herrn, sende ich es. Diese Mondfinsternis, welche stattfand, bezieht sich auf die Länder mit allen ihren Göttern (vielleicht dehnt sich aus, ward sichtbar). Ueber Syrien endet sie, das Land Phönikien, das Land der Hethiter und das Volk von Chaldäa ... Aber dem König, meinem Herrn, bringt sie Freude; und nach der Beobachtung wird sie über den König, meinen Herrn, kein Unglück bringen."

Augenscheinlich haben wir hier das Begleitschreiben des Astrologen Abilistar zu seinem Bericht über die Beobachtungen einer Mondfinsternis, die zu gleicher Zeit wenigstens an drei Orten angestellt worden waren. Es ist immerhin möglich, daß der Bericht selbst auch noch gefunden wird.

Ein Orakel betr. die Mondfinsternis lautet:

„Eine Mondfinsternis am 11. Tage wird Unheil bringen den Ländern Elam und Amurru, aber wird glückverheißend sein für den König, meinen Herrn. Möge das Herz des Königs, meines Herrn, beruhigt sein."

Die Deutungen der Finsternisse an Sonne oder Mond bezogen sich meist auf das öffentliche Leben, auf das Neujahrsfest, Götterprozessionen, Einweihung von Tempeln, Hoffeste u. a.

Ein ähnliches Orakel lautet:

„Am 6. Tag des Monats Nisan hielten sich Tag und Nacht die Wage, 6 kapsu Tag, 6 kapsu Nacht. Möge Nebo und Marduk meinem Herrn König gnädig sein."

Oder:

„An meinen Herrn König (berichte ich) Istarnadinapal, der Oberste der Sternseher der Stadt Arbela. Friedensgruß dem König, meinem Herrn. Istar von Arbela sei dem König, meinem Herrn, gnädig. Am 29. Tag machten wir eine Be-

1) A. u. A., S. 408.

obachtung, aber die Sternwarte war umwölkt, und wir sahen den Mond nicht. Am 1. Tag des Monats Sebat im Eponymat des Bilharransadua."

Einen Bericht über die Beobachtung einer Sonnenfinsternis teilt Hommel mit [1]):

„Dem König, meinem Herrn, dein Knecht Maristar. Friede sei dem König, meinem Herrn. Die Götter Nebo und Marduk mögen dem König, meinem Herrn, Segen verleihen. Lange Tage, leibliches Wohl und Freude des Herzens mögen die großen Götter dem König, meinem Herrn, schenken. Am 27. Tag stand da der Mond. Am 28. 29. 30. schauten wir nach einer Sonnenfinsternis aus. Er (der Mond) rückte jedoch weiter, ohne eine Finsternis zu veranlassen. Am 1. Tag (des folgenden Monats) war der Mond sichtbar. Am kunu-Tag des Monats Duzu in betreff des Sternes Sagmagar (des Planeten Jupiter), von dem ich dem König, meinem Herrn, früher berichtete, (nämlich) in der Bahn in bezug auf Anu, im bereich des Sternes Sibzianna (treuer Hirte des Himmels) sollte er gesehn werden unterhalb, konnte aber infolge des Untergehens (?) des Hornes (des Mondes) nicht wahrgenommen werden, (infolgedessen) ich also berichtete. Auf der Bahn in bezug auf Anu fand seine Konjunktion (mit dem Mond) statt . . . berichte ich nun dem König, meinem Herrn, also: Er ist wieder da und wird wieder wahrgenommen unterhalb des Morgensternes (kakkab markabti semit.); auf der Bahn in bezug auf Bel steht er, dem Wagenstern zu nähert er sich, seine Konjunktion (mit dem Mond) ist also verhindert, während seine Konjunktion, (nämlich die des Jupiters) so lange er noch auf der Bahn in bezug auf Anu sich befand, wovon ich ja dem König, meinem Herrn, früher berichtet hatte, nicht verhindert war. Der König, mein Herr, möge es wissen."

Es kann nicht viel gewesen sein, was der König und Herr des Maristar, des Sternkundigen, aus diesem Bericht erfahren hat. Jedenfalls hat er aus ihm nichts über eine beobachtete Sonnenfinsternis gehört.

Vom Wagenstern kakkab markabti wurde wie vom Lastwagen dem kakkab sumbi, sumer. margidda, schon früh die Beobachtung gemacht, daß er das ganze Jahr sichtbar ist, kal schatti izzaz jede Nacht leuchtet, weil er zu den Cirkumpolarsternen gehört.

Solche und ähnliche Beobachtungen wurden bereits in sehr alter Zeit in dem namar Beli oder Licht Bels in eine Art von System gebracht. Die Gestirne wurden aber nicht allein auf ihren wechselnden Stand am Himmel und im Verhältnis zu andern Gestirnen beobachtet, sondern auch nach ihrer Lichtstärke und ihrer Farbe geordnet; und auch diese Beobachtungen wurden aufgezeichnet und daneben festgehalten, was um diese Zeit auf Erden vorgefallen war, so weit nämlich als der Gesichtskreis der Magier reichte. Deren Gesichtskreis aber war gar nicht klein; denn es wurde bei ihren Aufzeichnungen nicht etwa nur Babylonien und Assyrien berücksichtigt, sondern auch andre Länder, obwohl das alte Akkad immer an erster Stelle in Betracht kam. An zweiter Stelle achteten die Sternkundigen auch auf die Vorgänge in Elam, bei den Subarti, die im Norden wohnten, bei den Ummanmanda, den Skythen oder Medern, den Hatti, den Martu oder Amurru. Und bei der Geburt eines Königssohnes in Amurruland werden die Magier eine denkwürdige

1) A. u. A., S. 400 2c.

Beobachtung am Himmel gemacht und aufgezeichnet haben, deren Wiederkehr ihnen nach manchem Jahrhundert die Gewißheit gab, daß wieder ein Königssohn in diesem Land geboren sein müsse: „Wir haben, sagen sie in Jerusalem, seinen Stern im Morgenland gesehen und sind gekommen, ihn anzubeten [1])." Ob die siebzig Wochen des Daniel über die Zeit, wann dies geschehen ist, Aufschluß geben können, ist hier nicht zu untersuchen.

Wurde also irgend ein Gutachten der Sternkundigen begehrt, so gab das Buch des Lichtes Bels insoweit Antwort, als eine ähnliche oder gleiche Konstellation wie die der Gegenwart darin gefunden wurde. Dann wurden dieselben oder ähnliche Ereignisse, wie die dort bemerkten, in gewisse Aussicht für die nächste Zukunft gestellt oder als schon geschehen behauptet. Häufig aber wurden auch ganz bestimmte Fragen vom König an die Magier gestellt. Eine ganz eigenartige Gestalt und Aussehn tragen schon die Vorbereitungen der Orakel an sich, die zur Zeit Asarhaddons und Asurbanipals von den Priestern des Samas in Ninive komponiert wurden. Einige mögen hier nach Knudtzon [2]) mitgeteilt werden.

Es redet aber der Priester in den sog. assyrischen Gebeten an den Sonnengott als Mittler zwischen der Gottheit und dem König oder seinem Hause, um die Gottheit wegen der Geschicke der Herrschaft zu befragen. Diese Reden sind nach festen Vorlagen abgefaßt, sodaß gewisse Sätze immer wiederkehren, auch eine gewisse Ordnung der Handlung eingehalten wird. Alle Stücke haben mehrere Teile, zuerst ein Eingangsgebet; darauf kommt die Frage an den Sonnengott wegen des vorliegenden Falles, dann das „Uebersieh" und zuletzt ein Schlußgebet. Der Eingang lautet regelmäßig: „O Sonnengott, großer Herr, den ich frage. Mit wahrer Gnade antworte mir." Es fragt der baru oder der Wahrsagepriester, und diese Fragen bilden den zweiten Teil eines jeden Stückes; und scheint es, daß diese Fragen unmittelbar nach der Handlung niedergeschrieben sind, vermutlich um den König zu überzeugen, daß der Priester seine Schuldigkeit mit Befragen getan, also den Auftrag des Königs erfüllt habe. Wie lange Zeit das ipisti baruti, das Werk der Wahrsagerei, in Anspruch nahm, wissen wir nicht. Vielleicht war sie vom König bestimmt, die Antwort also an einem bezeichneten Tag erwartet. Dann kommt das „Uebersieh", eine lange Aufzählung von allen möglichen Anstößen, die die Erhörung des Gebetes auf Seiten der Gottheit verhindern könnten. Dazwischen stehn oft noch Omina. Den Schluß macht wieder ein Gebet, gewöhnlich dieses:

„Infolge dieses Lammopfers mache dich auf und schaffe wahre Gnade, heilvolle Gestalten, Körperteile (nämlich die edlen Eingeweide, Herz, Lunge und Leber, die unter dem Einfluß des Sonnengottes stehend gedacht werden und dessen Antwort

---

1) Matth. 2, 2.
2) Assyrische Gebete an den Sonnengott.

an den Priester vermitteln), die heilvollen Gnadenerweise des Befehles, des Mundes deiner großen Gottheit — schaffe, daß ich sie sehe — bekunden, und deine große Gottheit setze es fest. Zu deiner großen Gottheit, o Samas, großer Herr, möge es dringen, und sie möge mit einem Orakel antworten."

Die Ueberschriften bringen bald den Namen eines Eponymen, bald den des Schreibers.

Zunächst mögen solche Fragen der Priester aus der Zeit Asarhaddons mitgeteilt werden:

„Von diesem Tage, dem 3. dieses Monats, des Monats Ajar (Ijjar) bis zum 11. des Monats Ab dieses Jahres, auf diese 100 Tage und 100 Nächte erstreckt sich eine für Magierhandlungen bestimmte Zeit. Wird in dieser bestimmten Zeit Kastariti mit seinen Kriegern, oder werden die Krieger der Gimiräer oder die Krieger der Meder oder die Krieger der Mannäer oder andre Feinde, so viel ihrer sind, mit ihrem Plan Gelingen haben?"

„Werden sie, sei es durch Sturm, sei es durch Gewalt, sei es durch Krieg, Kampf und Schlacht, sei es durch nikši, sei es durch Breschen mittelst ipal und kipal, sei es durch Mauerbrecher, sei es durch šupi, sei es durch Hungersnot, sei es durch Aussprechen der Namen des Gottes und der Göttin, sei es durch freundliche Rede und freundliches Entgegenkommen, sei es durch irgend welche Kunstgriffe, so viel ihrer zur Einnahme einer Stadt dienlich sind, Kišassu einnehmen, werden sie ins Innere jener Stadt Kišassu eindringen, wird ihre Hand jene Stadt Kišassu erobern, wird sie ihrer Macht anheimfallen? Deine große Gottheit weiß es. Die Einnahme jener Stadt Kišassu durch die Hände irgendwelcher Feinde, so viel ihrer sind, von diesem Tage aber während der Tage der von mir bestimmten Zeit, ist sie im Befehle, im Munde deiner großen Gottheit, o Samas, großer Herr, befohlen, festgesetzt? Wird man es sehen? Wird man es hören?"

„Uebersieh, was nach der von mir bestimmten Zeit kommen mag . . . Uebersieh, daß sie ein Gemetzel und Plünderung ihres Feldes vollführen . . Uebersieh, wie das Entscheidungsopfer dieses Tages sein mag, gleichviel ob derselbe gut oder böse ist, ein stürmischer Tag, an dem es Regen gibt (Samas, die Sonne, also verborgen ist). Uebersieh, daß etwas unreines am Ort des Schauens Unreinigkeit verursacht und verunreinigt haben mag. Uebersieh, daß das Lamm deiner Gottheit, das zum Zweck des Schauens angeschaut ist, mangelhaft und fehlerhaft sein mag. Uebersieh, daß derjenige, der die Vorderseite des Lammes angefaßt hat, seine Opferungskleider als aršati angezogen haben mag, irgend etwas unreines gegessen, getrunken, sich eingerieben, das fun der Hand gebeugt . . . haben mag. Uebersieh, daß im Mund des Magiersohnes, deines Knechtes, ein Wort sich übereilt haben mag" . . .

„Ich frage dich, Samas, großer Herr, ob von diesem Tage, dem dritten Tage dieses Monats, des Monats Ajar, bis zum 11. Tage des Monats Ab dieses Jahres Kastariti nebst seinen Kriegern oder die Krieger der Gimiräer oder die Krieger der Mannäer oder die Krieger der Meder oder irgendwelche Feinde, so viel ihrer sind, jene Stadt Kišassu einnehmen, ins Innere jener Stadt Kišassu eindringen werden, ob ihre Hand jene Stadt Kišassu erobern, sie ihrer Macht anheimfallen wird?

Omina wechseln mit dem schon oben mitgeteilten Schluß.

„Kastariti, der Stadtpräfekt von Karkašši, der an Mamitiaršu, den Stadtpräfekten der Meder, folgende Botschaft geschickt hat: „Wir wollen uns gegen Assyrien verbinden", wird Mamitiaršu auf ihn hören, ihm gehorchen? und in diesem Jahre gegen Asarhaddaon, den König von Assyrien, feindselig auftreten? Deine große Gottheit weiß es."

„Asarhaddon, der König von Assyrien, möchte aussenden, und der Rabsak Sanabušumma mit den Streitkräften, so viele bei ihm sind, möchten zur Einnahme der Stadt Weg und Straße nehmen und gehen. Wenn er gegangen ist und sein Feldlager gegen jene Stadt Amul aufgeschlagen hat, werden dann durch Krieg . . . oder durch Gewalt oder durch nikki oder durch supi oder durch Empörung in der Stadt oder durch irgend welche Kunstgriffe, so viele ihrer zur Einnahme einer Stadt dienlich sind, die Streitkräfte Asarhaddons, des Königs von Assyrien, jene Stadt Amul einnehmen . . . . wird sie ihrer Macht anheimfallen? Deine große Gottheit weiß es. Die Einnahme jener Stadt Amul, ist sie im Befehl, im Mund deiner großen Gottheit, o Samas, großer Herr, beschlossen, festgesetzt? Wird man es sehen? Wird man es hören?"

„Durbel, eine Festung Asarhaddons, des Königs von Assyrien, die an der Grenze der Mannäer gelegen ist, die die Mannäer eingenommen haben, der Rabsak möchte mit Kriegern und Rossen gehn, jene Stadt wieder einzunehmen. Werden entweder durch Krieg, Kampf und Schlacht oder durch freundliche Rede und freundliches Entgegenkommen oder durch Not oder durch Hunger oder durch Gewalt oder durch nikki oder durch Holz zum niederreißen der Mauer oder durch lulimiti (Mauerwidder) oder durch Aussprechen des Namens des Gottes und der Göttin oder durch irgendwelche Kunstgriffe, so viele ihrer zur Einnahme einer Stadt dienlich sind, die Streitkräfte Asarhaddons, des Königs von Assyrien, jene Stadt Durbel einnehmen, wird Durbel ihrer Macht anheimfallen? Deine große Gottheit weiß es. Wird man es sehen? Wird man es hören?"

„Wenn Asarhaddon, der König von Assyrien, Bartatua, dem König von Iskuza, der jetzt einen Boten vor des Angesichts Asarhaddons, des Königs von Assyrien, gesandt hat . . . . eine Prinzessin des bit riduti zur Frau gibt, wird dann Bartatua, der König von Iskuza, mit ihm Frieden machen; wird er wahre zuverlässige Reden gegenüber Asarhaddon, dem König von Assyrien, führen? Wird er die Satzungen Asarhaddons, des Königs von Assyrien, halten und in Treue vollführen? Deine große Gottheit weiß es. Seine Reden, sind sie im Befehle, im Munde deiner großen Gottheit, o Samas, großer Herr, befohlen, festgesetzt? Wird man es hören? Wird man es sehen?

„Seien es . . . . seien es . . . . ich frage dich, Samas, großer Herr, ob Asarhaddon, der König von Assyrien, eine Prinzessin des bit riduti dem Bartatua, dem König von Iskuza, die Satzungen Asarhaddons, des Königs von Assyrien, halten und in Treue vollführen wird? Ob er Reden des Friedens gegenüber Asarhaddon, dem König von Assyrien, führen und alles, was Asarhaddon, dem König von Assyrien, recht ist, tun wird?"

"Ich frage dich, Samas, großer Herr, ob die Großen und Statthalter von Bitkari und Saparda (wahrscheinlich Stämme der Kimmerier) nebst Kriegern, Rossen und Streitkräften . . . gehn werden, ob . . . . ob er selbst oder sein Sohn oder iskuzäische Krieger . . . . gegen die Großen und Statthalter von Bitkari und Saparda, die nach einem Bezirk der Meder ziehen und von dort zurückkehren . . . . ob sie einen starken Wolf, der böses gegen sie anrichten wird, in ihrer Mitte" . . .

„Werden in der bestimmten Zeit vom 22. Siwan bis 21. Duzu iskuzäische Krieger, die an die Grenze der Manäer gezogen sind, mit ihrem Plan Gelingen haben? Werden sie von dem Paß von Hubuskia nach den Städten Harrania und und Anisuskia ausrücken, von der Grenze Assyriens große Beute, schweren Raub erbeuten und rauben? Deine große Gottheit weiß es. Ist es im Befehle, im Munde deiner großen Gottheit, o Samas, großer Herr, befohlen, festgesetzt? Wird man es sehen? Wird man es hören?"

„In der bestimmten Zeit vom 10. bis 29. Siwan, zwanzig Tage und zwanzig Nächte, möchte Asarhaddon, der König von Assyrien, der jetzt auf Aussendung von Kriegern, Rossen und Streitkräften, so viele er will, noch dem Lande Siris bedacht ist, den deine große Gottheit kennt, gemäß dem Befehle deiner großen Gottheit, o Samas, großer Herr, und deiner vollkommenen Entscheidung möchte dieser unser Herr Asarhaddon, der König von Assyrien, mit seinem Plan Gelingen haben und

Krieger, Rosse und Streitkräfte, so viele er will, nach dem Lande Siris aussenden. Ist es deiner großen Gottheit wohlgefällig?"

„Wenn dieser unser Herr Asarhaddon, König von Assyrien, geplant und ausgesandt hat, werden dann von diesem Tage ab während aller Tage der von mir bestimmten Zeit die Streitkräfte, so viele er gegen die Stadt Siris senden wird, die Siriśäer oder die Mannäer oder . . . . überwinden, . . oder werden irgend andre Feinde mit ihrem Plan Gelingen haben gegen das Feldlager Asarhaddons, um zu töten, was zu töten ist, zu plündern, was zu plündern ist, zu rauben, was zu rauben ist?"

„Wird in der bestimmten Zeit vom 1. Nisan bis zum 1. Duzu Ursa, der König von Urati, den sie Jaia nennen, ... mit seinem Plan Gelingen haben? Wird er selbst mit seinen Streitkräften nach dem Rat seiner Ratgeber, oder werden die Gimiräer oder wer sonst mit ihm verbündet ist, von dem Ort, wo sie wohnen, Weg und Straße nehmen, um Krieg, Kampf und Schlacht zu beginnen, um zu töten, zu plündern und zu rauben; nach dem Land Supria oder nach den Städten Bumu und Kullimirri oder nach den Festungen des Landes Supria ziehen, töten was zu töten ist, plündern was zu plündern ist, rauben was zu rauben ist? Deine große Gottheit weiß es. Ist es im Befehl, im Munde deiner großen Gottheit, o Samas, großer Herr, befohlen, festgesetzt? Wird man es sehen? Wird man es hören?"

„Mugallu mit seinen Kriegern, so viele bei ihm sind, der jetzt gegen die Stadt Milidia sein Feldlager aufgeschlagen hat, wird der Rabsak Asarhaddons, des Königs von Assyrien, nebst den Kriegern, die mit ihm nach der Stadt Milidia ziehn werden, den Mugallu und seine Krieger von der Mauer der Stadt Milidia vertreiben, wird er den Wall verlassen? Deine große Gottheit weiß es. Wird man es sehen? Wird man es hören?"

„Ich frage dich, Samas, großer Herr, ob der Rabsak Asarhaddons, des Königs von Assyrien, nebst den Kriegern und Streitkräften, die mit ihm gegen Mugallu nach der Stadt Milidia ziehen, den Mugallu und seine Krieger vertreiben, daß er den Wall verlassen wird?"

„Ich frage dich, Samas, großer Herr, ob von diesem Tage, dem 11. dieses Monats, des Monats Ijar dieses Jahres, bis zum 10. Tag des Monats Siwan dieses Jahres, während der 30 Tage und 30 Nächte der von mir bestimmten Zeit . . . . . (hier wird der Name des Fürsten gestanden haben, der mit Asarhaddon verbündet war; er ist ausgewischt) zahlreiche und mächtige Streitkräfte aufbieten und mit den Großen und den Streitkräften Assyriens ausziehn wird, um die Festung Mugallus, wohin Mugallu sich geflüchtet hat, zu erobern. Ob sie töten und plündern werden, ob das Herz Asarhaddons, des Königs von Assyrien, bedrängt und krank werden wird?"

Schon weist uns diese Frage des Priesters auf die Zeit hin, wo Asarhaddon aus Rücksicht auf seine Gesundheit damit umging, seine Söhne mit der Herrschaft in beiden Reichen zu betrauen. Die folgenden Stücke versetzen uns teils in eben diese Zeit, teils sind sie unter der Regierung Asurbanipals entstanden.

„Asurbanipal, der Sohn Asarhaddons, des Königs von Assyrien, möchte den Rabmag Nabusarusur zu Ikkalu, der in der Stadt Arwad wohnt, senden. Wenn er ihn gesandt hat, wird Ikkalu auf allen Befehl und Bescheid, den Asurbanipal durch den Rabmag Nabusarusur dem Ikkalu sendet, hören und gehorchen? Deine große Gottheit weiß es. Ist es im Befehle, ist es im Munde deiner großen Gottheit, o Samas, großer Herr, befohlen, festgesetzt? Wird man es sehen? Wird man es hören?"

Asarhaddon, der König von Assyrien, möchte mit seinem Plan — der oben erwähnt wurde, die Regierung seinen Söhnen zu überlassen — Gelingen haben. Siniddinapal, seinen Sohn, dessen Name auf dieser Tafel geschrieben, und der vor deine große Gottheit gestellt ist, möchte er in das bit-riduti einführen. Ist es deiner großen Gottheit wohlgefällig, ist es deiner großen Gottheit angenehm? Deine große Gottheit weiß es. Der Einzug Siniddinapals, des Sohnes Asarhaddons, des Königs von Assyrien, dessen Name auf dieser Tafel geschrieben ist, in das bit riduti, ist er im Befehl, im Munde deiner großen Gottheit befohlen, festgesetzt? Wird man es sehen? Wird man es hören?"

„Werden sie Auflehnung gegen Asarhaddon, den König von Assyrien, ins Werk setzen? Werden sie ihre feindselige Hand an ihn legen? Deine große Gottheit weiß es. Daß eine Auflehnung gegen Asarhaddon, den König von Assyrien, ins Werk gesetzt wird, ist es im Befehle, im Munde deiner großen Gottheit, o Samas, großer Herr, befohlen, festgesetzt? Wird man es sehen? Wird man es hören?"

Diese beiden Fragestücke sind recht wichtig. Die letzte Tafel tut uns kund, daß in Assyrien wahrscheinlich von Seiten der Feldobersten eine Empörung gegen Asarhaddon, der lieber in Babel als in Ninive war, geplant war, während wir aus dem zweiten entnehmen, daß mit dem Regierungsantritt eines Königs die Uebernahme des Frauenhauses verbunden war, nicht neben dem Vater, sondern an der Stelle des Vaters.

„Ich frage dich, Samas, großer Herr, ob dieser unser Herr Asarhaddon, der König von Assyrien, den Menschen, dessen Name er auf diese Tafel geschrieben, und den er vor deine große Gottheit gestellt hat, zu welchem Amte er will, bestellen wird? Und ob er (dessen Name also mit Absicht nicht genant ist) feindliche Hand an Asarhaddon, den König von Assyrien, legen, Auflehnung gegen ihn ins Werk setzen wird?"

„Den Menschen, dessen Namen auf dieser Tafel geschrieben ist, und der vor deine große Gottheit gestellt ist, möchte Asarhaddon, der König von Assyrien, vor sich stehn lassen. So lange er vor ihm stehn wird, wird er in seinem Herzen Umwälzung, Auflehnung, Aufruhr gegen Asarhaddon, den König von Assyrien, planen, ins Werk setzen, ins Werk setzen lassen, befehlen, befehlen lassen, planen lassen und lehren, oder wird er sein Antlitz gegen seine Widersacher richten? Deine große Gottheit weiß es. Ist es im Befehle, im Munde deiner großen Gottheit, o Samas, großer Herr, befohlen, festgesetzt?"

„Asurbanipal, der Königssohn des bit riduti, der Monat für Monat vor deiner großen Gottheit, o Samas, großer Herr, Tag und Nacht steht, den deine große Gottheit kennt, gemäß dem Befehle deiner großen Gottheit, o Samas, großer Herr, und deiner vollkommenen Entscheidung möchte dieser unser Herr Asurbanipal, der Königssohn des bit riduti, entweder für sich selbst oder für Asarhaddon, seinen Vater, die Hand ihres Gottes oder die Hand ihrer Göttin, die Hand des Gottes ihrer Stadt oder die Hand der Göttin ihrer Stadt ergreifen. Möge der Gott .... Sorge tragen und ihr Gebet (erhören). Das (Eintreten) des Gottes und der Göttin für Asurbanipal, dem Königssohn des bit riduti, und Asarhaddon, den König von Assyrien, seinen Vater, ist es im Befehle, im Munde deiner großen Gottheit befohlen, festgesetzt? Wird man es sehen? Wird man es hören?"

„Asurbanipal, der König von Assyrien, den jetzt eine Krankheit befallen hat, den deine große Gottheit kennt, möchte gemäß dem Befehle deiner großen Gottheit, o Samas, großer Herr, und deiner vollkommenen Entscheidung (dich befragen). Wird Asurbanipal, der König von Assyrien, aus der Krankheit, die ihn befallen hat, lebend, wohlbehalten, unversehrt davonkommen? Deine große Gottheit weiß es. Die (volle) Wiederherstellung Asurbanipals, des Königs von Assyrien, von dessen Krankheit, ist sie im Befehle, im Munde deiner großen Gottheit, o Samas, großer Herr, befohlen, festgesetzt? Wird man es sehen? Wird man es hören? Ich frage dich, Samas, großer Herr, ob Asurbanipal, der König von Assyrien, aus dieser

Krankheit, die ihn befallen hat, lebend, wohlbehalten, unversehrt gerettet werden, davonkommen wird?"

„Samassumukin, der Sohn Asarhaddons, des Königs von Assyrien, möchte in diesem Jahre die Hand Bels, des großen Herrn Marduk, ergreifen und vor das Angesicht Bels nach Babel gehn. Ist es deiner großen Gottheit und dem großen Herrn Marduk wohlgefällig? Ist es deiner großen Gottheit und dem großen Herrn Marduk angenehm? Deine große Gottheit weiß es. Ist es im Befehle, im Munde deiner großen Gottheit, o Samas, großer Herr, befohlen, festgesetzt? Wird man es sehen? Wird man es hören?" „Ich frage dich, Samas, großer Herr, ob Samassumukin, der Sohn Asarhaddons, des Königs von Assyrien, in diesem Jahr die Hand des großen Herrn Marduk ergreifen und vor das Angesicht Bels gehn wird, und ob dies dem großen Herrn Marduk wohlgefällig, dem großen Herrn Marduk angenehm sein wird?"

„Asurbanipal, der König von Assyrien, möchte mit seinem Plan Gelingen haben und den Rabsak Nabusarusur nebst Kriegern, Rossen und Streitkräften, so viele er will, aussenden, und er nach dem Bezirk der Stadt Gambuli ziehen, um zu töten, zu plündern und zu rauben. Wenn er ihn ausgesendet hat, wird er im Bezirk der Stadt Gambuli töten was zu töten ist, plündern was zu plündern ist, rauben was zu rauben ist? Und werden die Krieger der Stadt Gambuli mit den zahlreichen Kriegern der Stadt Urbi Krieg, Kampf und Schlacht mit dem Rabsak Nabusarusur und den Streitkräften Asurbanipals, des Königs von Assyrien, anfangen; oder werden die Leute der Stadt Gambuli mit den Kriegern der Stadt Urbi Kampf anfangen? Wird der Rabsak Nabusarusur nach Assyrien lebendig zurückkehren? Ist es im Befehle, im Munde deiner großen Gottheit, o Samas, großer Herr, befohlen, festgesetzt? Wird man es sehen? Wird man es hören? Ich frage dich, o Samas, großer Herr, ob Asurbanipal, der König von Assyrien, den Rabsak Nabusarasur nebst Kriegern, Rossen und Streitkräften nach dem Bezirk der Stadt Gambuli um zu töten, zu plündern und zu rauben aussenden, und er hinziehn, töten, plündern und rauben wird; und ob die Leute der Stadt Gambuli und Urbi Krieg mit dem Rabsak Nabusarusur anfangen werden, oder ob die Leute der Stadt Gambuli Krieg, Kampf und Schlacht mit dem Urbi anfangen werden?"

Von den priesterlichen, recht inquisitorischen Fragen an die Gottheit mag hiermit eine ausreichende Wahl gegeben sein. Aber der geneigte Leser wird nunmehr auf die Antworten, die Samas, der große Herr, seinen Priestern gab, gespannt sein, und dann auch auf die Weise, w i e er sie gab? Der Text der Antworten ist bis heute noch unbekannt. Was aber die Weise, w i e die Gottheit antwortete, betrifft, so könnte man im Andenken an die fleißige Beschäftigung der Assyrer mit der Beobachtung aller Gestirne vermuten, daß sie die Antwort des Samas an seinem Gestirn, der Sonne, erwarteten. Aber wir haben keine Spur von einer besondern Beobachtung der Sonne gefunden. Abgesehn davon, daß nicht Samas, sondern Sin meist als Herr des Himmels angesehn wird, wissen wir gewiß, daß die Antworten der Gottheit auf diese Fragen gar nicht am Himmel erwartet wurden, sondern die Gottheit antwortete durch die Beschaffenheit der geschlachteten Opfertiere. Die Magier beschauten das Herz libbi, die Leber, das kabaltu oder Leibesmitte, den Kopf kakadu, die Knöchel kursinni, die Galle martu, das Fleisch siru und das ubanu, dessen Bedeutung noch zweifelhaft ist. Vielleicht ist das hebr. obnajim zu vergleichen, das Zeichen des männlichen Geschlechtes am Opfertier. Jedenfalls war die Haruspicie in Assyrien wie in Babylonien viel geübt und kam von da auch in das Abendland. Die Beschaffenheit der Eingeweide, äußerer und innerer Körperteile gab den Beschauern nicht etwa Anlaß, ihre anatomischen Kenntnisse zu vermehren, sondern sie bot den geübten Beschauern nur die Unterlage für ihre Antworten und gab ihnen alle nur zu wünschende Freiheit für ihre Deutung oder Dichtung. Es blieb ein weiter Spielraum für die mannigfaltigen Unterschleife, deren sich die Priester bedienen mußten, besonders wenn die Gottheit einmal scheinbar ihnen nicht zu willen war. Wenn aber die Priester ganz naiv bei der Gottheit anfragen, ob eine Auflehnung gegen den König Meinung oder Befehl der Gottheit sei; so liegt es auf der Hand, daß solch eine Frage nur Vorwand ist. Die Priester stellen die Frage und geben die Antwort, sie machen die Revolution oder sie treten ihr entgegen, beides im Namen der Gottheit, aber in Wirklichkeit nach dem Kompaß ihres Urteils. Von einer politischen Ueberzeugung muß man bei dem Volk absehn, das auf Töten, Plündern, Rauben die meiste Mühe und Arbeit verwandte.

Doch kehren wir zu den Sonnenfinsternissen zurück:

„Wenn im Monat Siwan vom ersten bis dreißigsten Tag eine Verfinsterung eintritt, so wird das Wachstum im Lande zurückbleiben.“ „Wenn im Monat Elul vom ersten bis dreißigsten Tag Winde wehen, so wird Regenflut und Hochwasser eintreten.“

Ueberall tritt uns eine merkwürdige Mischung von Wissenschaft und Aberglauben, von Herrschsucht und Betrug entgegen. Selten ist das „Licht des Bel“ wirklich hell, bisweilen aber ganz naiv, wie in den folgenden Orakeln:

„Steht Mars den Fischen gegenüber, so werden die Fischer einen guten Fang tun.“ Steht Mars dem Marduk (Planet Jupiter) gegenüber, so sieht der König einer Niederlage entgegen.“

Wenn freilich auch Mißgeburten sorgfältig aufgezeichnet und als ernste Vorzeichen eines bevorstehenden Unheils verwendet werden, so hört damit alle Wissenschaft auf. Nach Umständen werden sie auch günstig gedeutet. Man achtete auf Gestalt und Farbe der Augen und Ohren, die Haare, Nase und Zunge des Neugeborenen, ob es einem Ochsen, Kalb oder Vogel ähnlich sei; ob seine Lippen den Lippen eines Schweines oder einer Gazelle glichen; ob die rechte Hälfte des Schädels unbehaart sei oder Hörneransätze sich finden wie bei einem Kalb oder jungen Gazelle. Besonders wurde auf die Zwillingsgeburten geachtet. Den Tiergeburten wurde nicht weniger Aufmerksamkeit geschenkt, Löwen mit Schweinsaugen, Mißgeburten mit Hundekopf und Löwenfüßen, mit zwei Köpfen oder zwei Schwänzen werden genau verzeichnet [1]).

1) Vergl. Bezold, N. u. B., S. 86.

Die Deutung sagt: „Wenn das Kind an Stelle der Ohren rechts und links Hörner hat, dann wird der König viele Länder beherrschen [1]).“

Neben dem Himmel und seinen Gestirnen, neben der Erde und allen ihren Ereignissen beobachteten die Priester oder Magier auch das Steigen und Fallen des Wassers im Euphrat und seinen Kanälen. Ein Bericht darüber liegt in akkadischer Sprache mit semitischer Uebersetzung vor. Er lautet:

„Im Monat Nisan am 2. Tag, ein kaspu in der Nacht — das ist so viel als 8 Uhr abends, da der Tag der Babylonier mit 6 Uhr abends begann — kommt der Amilsisgal näher und beobachtet das Wasser des Flusses. Er tritt vor das Angesicht Bels und mißt und vor dem Angesicht Bels macht er sein Zeichen (wie hoch oder tief das Wasser stand) und spricht im Gebet zu Bel also: O Herr, der in seiner Macht seines gleichen nicht hat, o Herr, guter Fürst, Herr der Welt, der den Frieden der großen Götter hält, der in seiner Herrschermacht die Gewaltigen niederwirft; dein Wohnsitz ist Babel, Borsippa ist deine Krone, ... ist die Ruhe deiner Seele.“

Sodann folgt die rein semitische Fortsetzung:

„Herr der Länder, Glanz der sieben Götter, Verkünder der Gnade, wer ist wie du? Kein Gott faßt deine Macht. Gib Gunst denen, die sich niederbeugen. Antworte dem Menschen, der deine Macht preist. Ergreife die Hände, die zu dir sich heben. Schenke Babel, deiner Stadt, Gunst. Zu deinem Tempel Esagila neige dein Angesicht und schenke Segen den Söhnen Babels und Borsippas [2]).“

In seinem Werk über den Einfluß und Charakter der Gestirne gibt Ptolemäus eine Anweisung zur Beobachtung der Gestirne, die seine Bekanntschaft mit der Weise und Lehre der Magier verrät. Er sagt [3]): „Zuerst beobachte man den Ort des Tierkreises, der dem vorgelegten Gegenstand angehörig oder verwandt ist. Dann beobachte man die Gestirne, die an seiner Stelle eine Macht oder Herrschaft besitzen. Ferner achte man auf das Wesen jener Gestirne, auf ihre Stellung gegen den Horizont und gegen den Tierkreis. Endlich schließe man auf die Zeit im allgemeinen aus ihrer Morgen- und Abendstellung gegen die Sonne und gegen den Horizont.“

Die Babylonier aber und Assyrer hätten Sterne und Opfer und Träume und anderes entbehren können; denn Omina fanden sie überall. Wie der König in seinem Wagen ausgefahren ist, wie er seinen Bogen gehalten hat, was einem Mann bei dem Schlachten des Opfertieres zugestoßen ist, alles hat seine Bedeutung. Ja der Schatten eines Menschen, das Flackern eines Lichtes, das Zittern der Flamme, das Feuer im Ofen, das Wachsen des Getreides u. a. geben dem Kundigen Bilder der Zukunft, dazu unglückliche Ereignisse, wie die Zerstörung eines Gebäudes, der Tod des Königs oder eines hohen Beamten, die Verwüstung von Feld und Au, Hungersnot, Ueberschwemmung, Trockenheit, Sklaverei [4]).

1) Z. f. A. IV, S. 439.
2) Nach Fr. Hommel, Sem V. u. Spr. I, 476.
3) Nach A. Jeremias, A. T. O., S. 7.
4) Bezold, N. u. B., S. 89.

Arithmetik.

Die Babylonier und Assyrer verstanden das Dezimalsystem und Duodezimalsystem in der Zahl 60 zu verbinden, sodaß bei ihnen 1, 10, 60, 600, 3600 eine Einheit bildeten. Vielleicht beruht diese Rechnung auf einer alten Teilung des Jahres in 6 × 60 oder 12 × 30 Tage, wie die Ekliptik in 360 Grade geteilt war. Als Zeichen für Addieren brauchte man zwei wagerechte Keile — naphoru „ganz" oder isipu „hinzufügen", hebr. asaph. Das Subtrahieren wurde durch zwei verschieden gestellte Keile angezeigt [1]).

Die Elle, akkadisch u, babyl. amatu, hebr. amma, wurde in sechzig Linien eingeteilt. Die große Elle hieß amatu rabitu. Während die ägyptische Elle zweiundfünfzig Zentimeter groß war, rechnet man die babylonische bald zu fünfzig, bald zu vierundfünfzig Zentimeter. Sechs Ellen machen ein Rohr oder Kan, hebr. kaneh; sechzig Ellen ergeben das Plethron, dreihundertsechzig Ellen die Stadie der Griechen, dreißig Stadien die Parasanges der Perser, d. i. eine Wegstunde oder dreiviertel deutsche Meile.

Der Fuß betrug sechszehntel Elle oder sechsunddreißig Linien oder einunddreißigeinhalb Zentimeter. Alle kleinen Flächen wurden nach Quadratfuß berechnet, größere Flächen aber nach einem Maß, das bald gur, bald pi, imir, ka, gan, si oder sar genannt wird [2]).

J. Oppert rechnet den gur = 180 ka = 1800 sahia, ein pi = 36 ka = 360 sahia, also ein gur = 5 pi = 3 imeru = 30 bar.

Eine Rechnung nach oben: 7 Ellen machen ein kan aus, 60 Ellen ein soß, 600 Ellen ein ner, 3600 Ellen ein sar.

Mit dem maris oder Kubikfuß, der 31½ Liter faßte, wurden sowohl trockene als flüssige Erzeugnisse gemessen. Der sechzigste Teil eines maris hieß log, das ein wenig mehr als unser Pfund oder ½ Kilogramm war.

Das Korn oder Getreide wurde nach gur oder ka berechnet.. Das Maß des Samas galt als das richtige oder geaichte.

Das Oel wurde mit imir, ka und nisippi gemessen [3]) oder nach appa, bar oder ka [4]). Edelsteine maß man nach maneh und cebi, wie wir aus dem Testament Sanheribs sahen. Maneh, hebr. ebenso, kehrt sogleich als Gewicht, später als Münze wieder, wie sie von den Phönikiern und Babyloniern nach Aegypten und Griechenland gebracht wurde.

Mit Wasser gefüllt wog der maris genau 30,65 Kilogramm = 61,30 Pfund. Das ist im Münzwesen ein Talent. Es wird eingeteilt

---

1) Vergl. Jensen, Kosmol., S. 106.
2) K. B. III, 191 und IV an mehreren Stellen.
3) K. B. IV, S. 281.
4) Balser, Kurn.-Inschr., S. 19.

in 60 mana oder minen, eine mine = 0,511 Kilo oder 1,02 Pfund. Eine mine zerfällt in 60 sekel, paras ist eine halbe mine oder 30 sekel, der sekel wiegt 8½ gramm, zerfällt in 120 oder 180 schi. Auch das griechische Talent hatte 60 Minen, die Mine aber 100 Drachmen. Das babylonische Talent hatte ursprünglich 60 × 60, also 3600 Sekel. Erst später nahmen Babylonier und Assyrer das hebräische Talent an, das 3000 Sekel hatte. Doch wurde mit diesem Gewicht nur das Gold gewogen. Das schwere Gewicht hieß mana sa sarru, d. i. eine Mine des Königs [1]). Während die alten Hebräer die Mine zu 50 sekel rechneten, hatte sie später 100 Sekel oder Drachmen.

Eine Ente, aus Basalt gearbeitet, kam als Beutestück aus Babel nach Ninive, wo sie gefunden wurde. Sie trägt die Inschrift: „30 minen justierten Gewichts. Palast Irbamarduks, des Königs von Babylon."

Aufwärts gerechnet ergaben 60 Talente ein soß, 600 ein ner, 3600 ein sar, wie auch in andern Rechnungen.

In Senkereh fand Loftus 1854 eine Tafel mit folgenden Rechnungen: 43 soß + 21 = 51^2. 45 soß + 4 = 52^2. 46 soß + 49 = 53^2. 48 soß + 36 = 54^2. 50 soß + 25 = 55^2. 52 soß + 16 = 56^2. 54 soß + 9 = 57^2. 56 soß + 4 = 58^2. 58 soß + 1 = 59^2. 60 soß = 60^2.

Geometrie.

Gewiß haben die Babylonier und Assyrer auch in dieser Wissenschaft Ansehnliches geleistet, aber es ist uns so gut wie nichts davon bekannt geworden. In Senkereh fand man Tontafeln mit geometrischen Zeichnungen. Sie teilten den Himmelskreis in 360 Grade ein. Sie wußten auch, daß der halbe Durchmesser des Kreises sich sechsmal in dessen Peripherie eintragen läßt, wodurch das regelmäßige Sechseck entsteht. Sie konnten Erech als ein Siebeneck aufbauen.

1) 2. Sam. 14, 26.

Elfter Abschnitt.

Die Städte beider Reiche.

Es ist selbstverständlich, daß wir von den babylonischen und assyrischen Städten und ihren Bewohnern bei weitem mehr wissen, als von dem flachen Land und den Landleuten; denn in den Städten wohnte die Kultur vornehmlich. Dort schuf sie auch die steinernen Zeugen, die noch nach tausenden von Jahren zu uns reden. Wie in andern Ländern und zu andern Zeiten entstanden auch hier die Großstädte von Babylonien und Assyrien nicht mit einemmale, sondern nach und nach, vorzugsweise durch Zusammenwachsen benachbarter Ortschaften. Nur wenige Städte wurden von vornherein nach einheitlichem Plan angelegt und ausgebaut. Die Großstädte aber hatten vor den heutigen vieles voraus, wie den überaus wichtigen Vorteil, daß fruchttragende Felder und Milch- und Schlachtvieh nährende Wiesen oder Weiden zwischen den einzelnen Stadtteilen oder, wie in Babylon, zwischen den beiden Mauern und den eingeschlossenen Häuservierteln lagen. Sodann findet sich in ihnen nicht das Unwesen himmelhoher Wohnhäuser und zusammengedrängter Mietskasernen, wodurch den Einwohnern Licht und Luft entzogen wird. Aber bei diesem Vorteil der einbezogenen Felder und Wiesen ist doch noch nicht erklärt, wie diese Städte mit Millionen von Einwohnern ohne die heutigen Verkehrsmittel ernährt wurden und sogar längere Belagerungen aushalten konnten? Man kann ja zur Erklärung dieser Tatsache die Einfachheit in der Lebensweise besonders betr. der Nahrungsmittel heranziehn, wie wir sie noch heute bei den Chinesen finden, die ihre großen Städte Peking, Nanking und Kanton bis in unsere Zeit ohne Eisenbahn und Dampfschiffe ernährt haben. Doch mag noch daran erinnert werden, daß Babylon durch einen großen Strom in zwei Teile geteilt wurde, der imerhin einige Zufuhr gestattete, die Belagerung der alten Zeit auch so enge Kreise kaum um diese großen Städte schließen konnte, daß dadurch aller Verkehr mit der Außenwelt verhindert worden wäre.

Abnunna s. Umlias.

Achizuchina war eine assyrische Stadt jenseit des untern Zab.

Achmetha s. Agamatanu.

Adab war eine babylonische Stadt, der Hammurabi wieder aufhalf, da er sie in Not und Bedrängnis fand. Ihr Tempel hieß vermutlich Emach. Vermutlich ist A. dieselbe Stadt am Euphrat, die sonst Adamdun oder Lambun, Udnunki oder Tamnunki heißt.

Afadach war eine Stadt am Tigris.

Agade a. s. Babel.

b. eine Stadt bei Sippara, die etwa um 3000 v. Chr. von Sargon I. gegründet wurde. Fr. Hommel [1]) hält Sippara und Agade für eine und dieselbe Stadt.

Agamatanu, später Ekbatana, hebr. Achmetha gen. erhob der König Dajaukku oder Dejoces zur Hauptstadt des medischen Reiches. Berühmt sind ihre sieben Ringmauern, deren jede eine andre Farbe zeigte. Sie sind bereits früher erwähnt worden.

Agranis nennt Plinius eine babylon. Stadt nahe bei Sippara.

Akabu war eine babylon. Stadt an der assyrischen Grenze.

Akarhallu, eine babylon. Stadt, in deren Nähe Nazideuz, König von Babylonien, durch Adadnirari I. von Assyrien besiegt wurde. Später wurde sie von Asurdan I., dann von Tiglatpilesar I. eingenommen.

Akkad s. Babel.

Akzib oder Achsib, Ekdippa vergl. d. Verf. Pal. u. Syr.

Alkusch, eine Stadt am Tigris, war nach jüdischer Ueberlieferung die Heimat des Propheten Nahum, dessen Eltern unter Tiglatpilesar als Gefangene dorthin gebracht waren. Andre suchen die Heimat dieses Propheten in Kapernaum, das im Aramäischen „Dorf Nahums" bedeutet.

Alnirea, ein Gebiet in Babylonien an den Kanälen Zirzirri und Atabduristar.

Alukari, eine babylon. Stadt am Nahr Sarri, dem Königskanal, der Euphrat und Tigris verbindet.

Amarda s. Marada.

Amatu oder Hamath s. des Verf. Pal. u. Syr.

Amadi s. Amida.

Amida war eine Stadt am obern Tigris im Lande der Kirhi. Sie war Residenz des Königs Ilaniapilzamani und wurde hernach Sitz eines assyrischen Statthalters. Vergl. Turabdin.

Amkaruna oder Ekron s. Pal. u. Syr.

Anaasurutirasbat s. Pethor.

Ansan a. eine babylonische Stadt.

b. eine assyrische Stadt.

c. die alte Hauptstadt von Elam.

---

1) Bab. u. Ass., S. 783.

Antasurra war eine alte Stadt bei Sirpurla.

Anudi, eine Stadt in Nordassyrien, vermutlich gleich Amida.

Anzaganis, eine babylon. Stadt.

Apirak erobert Naramsin von Babylonien. Die Lage der Stadt ist noch ungewiß.

Arakdi, eine Stadt in Assyrien, nannte Asurnasirpal, König von Assyrien, Tukultiasurasbat. Von hier zog der Großkönig gegen Zabramman, den Fürst der Dagara.

Arakizu, bei Ptolemäus Eragiza, eine Stadt der Hethiter, wurde mit Assyrien vereinigt.

Ararma s. Larsa.

Aratta s. Lamkurru.

Arbae war eine assyrische Stadt am Chabur. Hier fand Layard sehr alte Bildwerke, die den Namen des Patesi oder Sangu Musesninib trugen. Wie Haran gehörte Arbae, ehe es assyrisch wurde, zu dem Reich der Kissati.

Arbela war eine alte assyrische Stadt am oberen Tigris zwischen dem großen und kleinen Zab. Die Ziegel, die man in seinem Trümmerhügel gefunden hat, sind seltsamer Weise ohne Inschriften. Hier stand neben dem Tempel der Istar von Arbela eine Priesterschule. Bei Arbela besiegte Alexander d. Gr. den persischen König Darius Kodomannus 331 v. Chr. Noch heute ist Erbil eine volkreiche Stadt.

Ardarikka s. Urdalika.

Aribua, eine patinäische Stadt, wurde unter Asurbanipal assyrisch.

Aridi war eine Stadt im nördlichen Assyrien.

Arimu und Arumu s. Urume.

Arka oder Arak s. Pal. u. Syr.

Arku s. Uruk.

Armad oder Arwad s. Pal. u. Syr.

Arman war eine Stadt in Nordbabylonien nahe bei Gannanati.

Arpaha oder Arrapha war Sitz eines assyrischen Statthalters. Die Stadt lag im Südosten des Reiches nach Elam zu.

Arzasku oder Arzaskunu, eine Stadt in Armenien, die von Salmanassar II. erobert wurde.

Arzuchina oder Azzuchina war eine Stadt in Nordbabylonien, in deren Nähe Tiglatpilesar I. die Babylonier schlug.

Asnunna, eine babylonische Stadt an der Grenze von Elam, in der in alter Zeit ein Patesi herrschte.

Assur, einst die Residenz der assyrischen Könige, die Stadt der Mitte genannt, heute die große Trümmerstätte Kalat Schirgal, wurde in urvordenklicher Zeit am rechten Ufer des Tigris erbaut und nach seinem Schutzgott genannt. Bis zu Sargon II. hielten die assyrischen Könige hier Residenz. Die Stadt bestand noch, als der Perserkönig

Kyros Babel erobert hatte. Die Backsteine seiner Trümmer tragen häufig den dreizeiligen Stempeldruck: „Palast des Adadnirari, Königs des All, Sohnes des Puduilu, Königs des Landes Assur, Sohnes des Belnirari, Königs des Landes Assur." Der Tempel des Gottes Asur führte den Namen Eharsagkurkura oder Eharsaggula, Esora. Zur Zeit des Patesi oder Priesterfürsten Erisum war dieser Tempel bereits gebrechlich geworden und mußte wiederhergestellt werden. Eine hier gesammelte Bibliothek ist entweder ganz verloren gegangen oder liegt noch unter Schutt und Trümmern begraben. Man findet hier sog. Tonpilze, Figuren von Pilzgestalt, die in die Mauern eingelassen sind und häufig Inschriften tragen. Daneben hat man auch Tonprismen und gegen fünfzig Alabastertafeln mit Inschriften gefunden. Die neuesten Ausgrabungen der deutschen Orient-Gesellschaft haben in dem nördlichen Teil des Trümmerhügels das Gurgurri-Tor oder Tor der Metallarbeiter aufgedeckt. Die Befestigung bestand aus zwei zum Teil noch wohlerhaltenen Verteidigungslinien, deren jüngere aus der Zeit Salmanassars II. stammt. Etwa 400 Meter von diesem Tor entfernt fanden sich die Reste des Neujahrfesthauses des Gottes Asur, Kalksteinquadern in einem wohl bewässerten Park. Als Erbauer gilt Sanherib.

Asurnasiraplu nannte Asurnasirpal von Assyrien die von ihm am Quellort des Subnat erbaute Stadt, wo er auch seine Bildsäule aufstellte.

Asurkisa ließ Tiglatpilesar III. als Festung in Urarti bauen.

Atiinni, eine Stadt der Hethiter, eroberte ebenfalls Tiglatpilesar III.

Atlila, eine baufällige Stadt in der armenischen Landschaft Zamua, baute Asurbanipal wieder auf.

Avva, das in 2. Kön. 17, 31 ꝛc. neben Hamath, Arpad, Sepharvajim, Gosen, Rezaph und andern mesopotamischen Städten genannt wird, mag eine Stadt der Kissati gewesen sein. Ihre verpflanzten Einwohner dienten auch in Samarien ihren Götzen Nibhas und Thartak.

Avvim s. Pal. u. Syr.

Azupiram, eine Stadt am Euphrat, war der Geburtsort des Königs Sargon I. Meißner übersetzt das Wort mit „Crocusstadt".

Babbarunuki s. Larsa.

Babbilki lag am untern Euphrat oder am Kanal Arachtu.

Babdur, eine Stadt, deren Lage nicht bekannt ist.

Babel, in K. S. Babilu Tor Gottes, auch Babil, Babili, Babilum geschrieben. Pinches leitet das Wort von babalam ab, erklärt es für nichtsemitisch und vergleicht das deutsche „babbeln". Man kann hier merken, daß die Sprachverwirrung von Babel heute noch nicht zu Ende ist. In Gen. 10, 10 heißt Babel nicht eine Gründung Nimrods, sondern der „Anfang seiner Herrschaft", ist also älter als das von Nimrod gegründete Ninive. Die Sumero-Akkadier nannten Babel Tintirki,

Stadt des Lebensbaumes, Gisgalla oder Kadingira Tor Gottes, Suqmna Stadt der Götter, Hand des Himmels, Uruazagga heilige Stadt oder hochgewaltige Stadt Marduks. Aber vielleicht bezeichnen einige dieser Namen wie die noch von Fr. Hommel aufgeführten Tima, Tiki und Tumaki nur einzelne Teile der großen Stadt.

Von einem Gründer dieser Stadt wissen die Keilschriften nichts, vielmehr reden sie von dem Zorn Bels über die Sünde der Leute, die Babels Mauern bauten und einen Hügel des Palastes. Anu, der die Bauleute tötete, heißt Sartulielli Herr des erhabenen Hügels. Dieser Bericht enthält noch einige Spuren der Erinnerung an das Ereignis, das uns in Gen. 11 erzählt ist.

Die Griechen nennen Bel als Erbauer der Stadt, die Hommel anfangs [1]) für eine Gründung der eingewanderten Semiten hielt, später aber für eine sehr alte Stadt erklärte. Dieselbe wurde vom Euphrat und mehreren Kanälen durchschnitten. An dem Kanal Udkihunna lagen die Stadtteile Mera und Tutul. Im Osten floß der Kanal Libilhigalla.

Eine Vorstadt von Babel, zu Zeiten aber auch ganz selbständig, war Borsippa, in K. S. Barsip, heute Birs Nimrud genannt. Die Stadt hatte ihre eigne Umfassungsmauer Tapirsupursu genannt. Zur Zeit des Königs Nebonassar wurde Borsippa wieder von Babel abgetrennt. Hier stand der höchste Stufenturm des Landes, Esagila oder Euriminanki oder Eteanki oder Bittemennu same u irsiti Haus des Grundes von Himmel und Erde hieß. Den erstgenannten Stufenturm stellte Nebukadnezar II. mit vielem Aufwand wieder her. Er stand noch zur Zeit des Kaisers Septimius Severus. Heute bedecken seine Trümmer eine Fläche von zweiundsechzig Meter Länge und Breite bei zweiundvierzig Meter Höhe. Herodot sagt von dem quadratischen Bau, den er selbst gesehn hat, jede seiner Seiten messe zwei Stadien oder dreihundertsechzig Meter. Plinius nennt ihn einen Tempel des Belus. Auf zwei Toncylindern läßt Nebukadnezar II. sich also vernehmen [2]):

„Wir verkünden das folgende. Der Tempel der sieben Lichter der Erde, der Turm von Borsippa, den ein früherer [3]) König errichtet hatte und bis zu einer Höhe von zweiundvierzig Ellen vollendet, dessen Zinnen er jedoch nicht aufgesetzt hatte, war seit fernen Tagen in Trümmer zerfallen. Man hatte für seine Wasserrinnen keine Sorge getragen, Regen und Sturm hatten seine Ziegel hinweggespült, seine Dachsteine waren zersplittert, die Ziegel des Gebäudes waren hinweggeschwemmt und zu Trümmerhaufen geworden. Der große Gott Marduk trieb mich an, ihn wieder herzustellen. Seine Lage indeß schädigte ich nicht, ich änderte nicht seine Grundmauern. In einem glücklichen Monat, an einem günstigen Tage bildete ich die Ziegel des Gebäudes und die Dachsteine zu einem festen Gebäude und erneuerte den Unterbau. Ich erhob meine Hand, um es wieder herzustellen und seine Zinne

1) Sem. V. u. S. I, S. 238.

2) Diese Inschrift ist schon früher mitgeteilt worden, aber in andrer Uebersetzung.

3) Lenormant übersetzt „der älteste König".

aufzurichten. Wie es vor Zeiten war, baute ich es neu. Wie es in fernen Tagen war, errichtete ich seine Zinne."

In der Tat besteht der Kern des Gebäudes aus gut gebrannten Ziegeln, die mit Erdharz [1]) verbunden sind, wie noch heute ein jeder sehn kann. So ist in diesem Kern der älteste Teil des Turmes erhalten.

Herodot berichtet weiter, daß Babylon ein Viereck in dem andern war, indem die Stadt von einer doppelten Mauer umschlossen wurde. Jede Seite der äußern Mauer war einhundertzwanzig Stadien lang, die der innern neunzig Stadien. Demnach war der Raum zwischen beiden Mauern fünfzehn Stadien breit, was bei den regelmäßigen Vierecken die bedeutende Fläche von 46 656 Hektaren oder beinahe 200 000 Morgen Landes ergeben würde. Hierüber sagt Nebukadnezar in einer Inschrift:

„Bei der Befestigung von Babel habe ich, um dreihundertsechzig Ellen Landes der Seiten von Nimittibel, dem sulhu von Babel, zu schützen, vom Ufer des Euphrat bis zur Schwelle des Istartores zwei mächtige Mauern aus Asphalt und Backsteinen zu einem Duru bergegleich erbaut. Zwischen ihnen führte ich ein Werk von Ziegelsteinen auf. Auf seiner Spitze errichtete ich einen großen Palast als Wohnung meiner Herrschaft aus Asphalt und Backsteinen hoch auf und verband ihn mit dem Palast, der mitten in der Stadt gelegen ist, und ließ die Wohnungen meiner Herrlichkeit erglänzen. Dann habe ich wieder von der Schwelle des Istartores bis zum untersten turru von Nimittibel im Osten dreihundert Ellen Breitseite von Nimittibel an ein mächtiges Duru aus Asphalt und Backsteinen zum Schutze berghoch erbaut und verstärkte die Warte kunstvoll und machte Babel zur Festung [2])."

Was die beiden Mauern Nimittibel, dessen Ziegel häufig neben dem Stempel in Keilschrift auch einen aramäischen Stempel in hebräischen Schriftzeichen tragen, und Imgurbel betrifft, so streiten darüber die Gelehrten. Die einen halten sie mit Koldewey für Mauern der Königsburg, die andern mit Fr. Delitzsch für die beiden Mauern die ganz Babel umschlossen. Sie waren nach Herodot fünfzig Ellen dick, zweihundert Ellen hoch und enthielten hundert eherne Tore [3]). Ueber ihren Bau berichtet Nebukadnezar in einer großen Steininschrift, daß Nebopolassar, sein Vater, ihren Bau angefangen habe, den er vollendete. Sie liefen längs des Kanals Arachtu und des Euphrat von Duazaga, dem Ort der Schicksalsbestimmung, bis zur Straße Aibursabu gegenüber dem Tor der Beltis. Sie waren aus turminabanda-Stein gebaut und mit Erdpech verbunden. Dieser Stein soll eine Art Breccie sein, ein Felsengestein ähnlich der Nagelflue, das aus verschiedenen Gesteintrümmern besteht, aber doch große Festigkeit besitzt. Die genannte Straße aber ließ Nebukadnezar vom Illutore an bis Istarsakkipattibisa durch Aufschüttung so viel erhöhen, daß sie bei der Mardukprozession gebraucht werden konnte. Die Inschrift besagt:

„Aibursabu, die Straße von Kadingira für den Prozessionsweg des großen Herrn, des Gottes Marduk, eine hohe Auffüllung füllte ich auf und mit Mauer-

---

1) Gen. 11, 3.
2) Nach Weißbach und Meißner.
3) Jes. 45, 2.

steinen von Steinen des Bestandes der Berge (er meint Kalksteinplatten) vom Glanztore an bis Nanaisakipattibisa (Istar wirft die Feinde nieder) machte ich ihn schön für den Prozessionsweg seiner Gottheit und verband ihn mit dem, was mein Vater gebaut hatte, und baute den Weg [1])."

Diese Erhöhung machte die Erbauung neuer Tore notwendig. Es entstanden die Marduk- und Nebostraße, gen. Nabuditarnisisu. Inschriftlich läßt der König verkündigen:

„Jene Tore riß ich nieder, legte ihren Grundstein an die Oberfläche des Wassers (des Grundwassers) mit Erdpech und Backsteinen fest. Mit glänzenden uknu (blau) glasierten Ziegeln, die mit Stier- und Drachenbildern geschmückt waren, baute ich das Innere kunstvoll aus [2])."

Babel hatte acht Tore, die verschiedenen Gottheiten geweiht waren, wie das auch in Assyrien üblich war; vergl. Dursarukin. Wer durch das Nannator die Stadt verließ, gelangte in kurzer Zeit nach Borsippa.

Eine Vorstadt, die vermutlich zwischen den beiden Mauern lag, hieß Hillah. Hier fand man eine Menge kleiner Tontafeln, die Kontrakte und Quittungen des babylonischen Bankhauses Maraschu. G. Smith erwarb sie für das britische Museum.

Südöstlich von Babel ließ Nebukadnezar einen See graben, der mehr als siebzig Kilometer Umfang, also gegen fünf deutsche Quadratmeilen Oberfläche hatte, angeblich um die Stadt auf dieser Seite besonders zu schützen; denn an Wasser fehlte es bei dem großen Strom und den vielen Kanälen weder der Stadt noch der Umgegend. Wie sollte auch ein See besser schützen als die gewaltigen Mauern, die wir bereits kennen gelernt haben? Im Gegenteil steht zu vermuten, daß dieser See als stehendes Wasser bald versumpfen und die Stadt mit verderblichen Miasmen erfüllen werde. Und wenn man weiter bedenkt, daß durch diese Anlage ein bedeutendes Gelände, fast dreihundert Quadratkilometer, von fruchttragendem Acker- oder Weideland in ein ertragloses Wassergebiet umgewandelt wurde, so kommt man leicht zu dem Schluß, daß man es hier mit der Ausführung einer fixen Idee eines gestörten Geistes zu tun hat. In seine hängenden Gärten, die den Namen Semiramis mit Unrecht tragen, die aber Herodot noch gesehn haben muß, mag der kranke König als nahe bei seinem Palast geführt worden sein [3]). Sichere Spuren solcher künstlichen Gartenanlage fand Rassam in den Ueberresten von Brunnen und Wasserleitungen, die mit dem Euphrat in Verbindung gestanden hatten. Daneben wird erzählt, Nebukadnezars Gemahlin sei die nordische Königstochter Amyte oder Amytis gewesen, der zu Liebe er diese künstlichen Berge mit Blumen, Quellen und Bächen geschaffen habe, damit sie dadurch für die verlassenen Berge ihrer Heimat entschädigt werde.

---

1) Nach Fr. Hommel, Grundriß, S. 329.
2) Mitt. v. 1902, Nr. 12, S. 16.
3) Dan. 4, 30.

Nitokris, die Mutter des Nabonedus, ließ nach Herodot eine Brücke über den Euphrat bauen, die nach ihr genannt wurde. In ihrem Grabe soll der König Darius diese Worte gefunden haben:

„Wärest du nicht der geizigste unter allen Menschen, so würdest du nicht die Toten in ihrer Ruhe gestört haben.“

Häufig wurde das große Babel [1]) trotz seiner gewaltigen Mauern erobert und zerstört, aber auch wieder aufgebaut. Als Sargon II. von Assyrien 721 v. Chr. die Stadt erobert hatte, ließ er viele von ihren Einwohnern nach Samaria bringen, wo sie ihre alten Götter Marduk und Zirbanit als Sukkoth Benoth weiter verehrten [2]). Nach E. Schrader ist Sukkoth eine und dieselbe Gottheit wie der sumero-akkadische Sikkuth, dem Israel in der Wüste Sinai diente [3]).

Das große Babel enthielt auch viele Tempel der Götter, die in sich einen ganzen Komplex von Gebäuden befaßten. Der uns schon bekannte hohe Weg führte von Marduks Tempel Esagila bis zum Tor der Istar. In Borsippa stand Nebos Tempel Ezida, d. i. ewiges Haus, und zwar in der Vorstadt Agade, von der später das Land und Volk seinen Namen erhielt. Wenn die hl. Schrift [4]) den Namen Akkad überliefert hat, so findet sich auch in K. S. das Land als mat akkadi. Hier stand der Tempel der Istar oder Anunit, der Eulmas genannt war. Auf der Ziggurat von Nebos Tempel wurden vornehmlich die astronomischen Beobachtungen gemacht.

Nachdem Sanherib die Stadt zerstört hatte, ließ er sie 690 v. Chr. wiederherstellen. Besondere Huld widmete ihr sein Nachfolger Asarhaddon. Kyros der Perser gewann die Stadt ohne Belagerung, schonte ihrer und wandte viel Sorgfalt auf die Erhaltung ihrer Heiligtümer. Der Meder Darius ließ 488 v. Chr. die Mauern und Türme der Stadt niederlegen, weil sich ihre Einwohner gegen ihn empört hatten. Xerxes nahm Bels goldne Bildsäule und andre Schätze des Marduktempels zur Bestreitung der Kriegskosten, als er gegen Griechenland auszog. Alexander d. Gr. wollte die Stadt wieder herstellen, aber er starb, ehe noch das Werk in Angriff genommen war.

Noch Antiochus Soter nannte sich König von Babylon, auch Wiederhersteller von Esagila und Ezida. Er legte den Grundstein für Esagila am 20. Adar im dreiundvierzigsten Jahr der seleukidischen Aera, die 312 v. Chr. ihren Anfang genommen hatte. Damals schrieben die Magier noch in der alten Keilschrift. Unter den Seleukiden ging es mit Babel rasch abwärts. Plinius kennt seinen Ort nur als Trümmerstätte, die im fünften Jahrhundert nach Chr. durch einen Aus-

---

1) Dan. 4, 27.
2) 2. Kön. 17, 30.
3) Amos 5, 26.
4) Gen. 10, 10.

bruch der vernachlässigten Kanäle zum Teil in einen Sumpf verwandelt wurde.

Babharru, eine babylon. Stadt, lag an der Mündung eines Kanals.

Babsalimati war die südlichste Stadt von ganz Babylonien.

Bagdadu, nahe bei Meturnat, wird schon 1100 v. Chr. unter Mardukn adinachi erwähnt, in nachchristlicher Zeit dann hochberühmt und ist noch heute eine volkreiche Stadt mit dem alten Namen.

Balawat s. Ninive.

Bargani war eine babylon. Stadt am Euphrat.

Bargisi s. Uruk.

Baz oder Pasa, Pasitu war eine babylon. Stadt zwischen Sippara und Nippur. Hier baute Nebukadnezar dem Belsarbi oder Lugalgisatugablis einen neuen Tempel Edurgina oder Ekugina genannt.

Besim war keine Stadt, sondern ein Fluß oder Kanal in Babylonien.

Bilbulit hieß eine assyrische Stadt nahe bei Ninive.

Bitada war ein babylon. Ort am Kanal Zirzirri.

Bitadini hieß eine altsemitische Stadt und Land an der Stelle, wo später das Land Mitanni genannt wird. In der hl. Schrift [1]) wird Bne eden neben Gosan und Telasar genannt.

Bitalgia war eine Stadt in Nordbabylonien.

Bitchairi war eine Stadt in Assyrien, die unter Sargon von Elam eingenommen, aber von Sanherib zurückerobert wurde. Vergl. Pallukkatu.

Bitdakuri hieß eine babylon. Stadt und Landschaft am Euphrat, die von Ptolemäus Idikara genannt wird.

Bithanbi, eine babylon. Stadt am Besim.

Bithumri oder Bitomri, d. i. Samaria, s. Pal u. Syr.

Bitjakin hieß eine altbabylon. Stadt.

Bitibuni war eine babylon. Stadt am Dubatafluß.

Bitimbiati, eine Stadt in Babylonien.

Bitistar, eine babylon. Stadt, eroberte Tiglatpilesar III. und richtete hier sein königliches Bild auf. Es war mit Inschriften versehen wie auch der Speer des Gottes Nimib, den er hier aufpflanzte.

Bitkilamzeh war eine feste Stadt in dem nördlich von Assyrien gelegenen Gebirgsland. Sanherib eroberte sie und machte Kriegsgefangene aus verschiedenen Völkern zu Einwohnern dieses Ortes.

Bitkubatti, eine babylon. Stadt mit Weinbau, lag östlich von Babel.

Bitriduti, bei Arrian Iridotis genannt, lag in Nordbabylonien.

---

1) 2. Kön. 19, 12.

Bitris, eine babylon. Stadt, hatte einen Tempel der Belit.

Bitsilani war eine Stadt im nördlichen Babylonien.

Bitsirmagir, eine babylon. Stadt, war Sitz eines königlichen Statthalters.

Bittutu, ein südbabylon. Ort, wo Sanherib siegte.

Bitzamani, Stadt und Land in der Nähe von Tuscha, wurde von Assyrien erobert, eine Zeit lang einheimischen Fürsten überlassen, später aber zum Reich geschlagen.

Borsippa s. Babel.

Bulukku s. Pallukkatu.

Chalneh s. Kalno.

Chalulen, eine Stadt am Tigris, war von Chaldäern bewohnt. Hier wurden die verbündeten Babylonier und Elamiter 691 v. Chr. besiegt.

Charran s. Haran.

Charsagkalama s. Harsagkalama.

Charsavva, eine babylon. Stadt, verehrte den Ramman als Martu.

Dabitu, eine nordsyrische Stadt, eroberte Salmanassar II.

Daithos, ein Ort in Südbabylonien.

Damdamusa, eine Stadt am oberen Tigris, war eine alte Residenz der assyrischen Könige. Als aber seine Einwohner sich gegen den Großkönig unbotmäßig zeigten, wurde der Stadtpräfekt Hulai zu Tod gemartert, die Stadt selbst aber in Asche gelegt.

Der oder Deri s. Dir.

Dilbat, eine Stadt im nördlichen Babylonien, diente dem Urasch, d. i. Bel oder Marduk, und der Mama. Auch Ninib hatte hier einen Tempel, wie es in einer Inschrift Nebukadnezars heißt: „In Dilbat baute ich von neuem dem Gott Eb (Ib), meinem Herrn, den Tempel Ideanim [1])."

Dilmun, eine südbabylon. Stadt, lag auf einer Insel des persischen Meerbusens. Hier wurde Nebo neben Zirbanit verehrt. Sein König Upiri lebte zu Zeiten Sargons II.

Dimaski oder Damaskus s. Pal. u. Syr.

Dimatbel ist keine Stadt, sondern vermutlich ein Turm in Sippara.

Dindubit war eine Stadt im babylonischen Gau Almirea.

Dinigli und Imki waren dem König Ninpis untertan.

Dinsari war eine elamitische Stadt.

Dir, auch Diri, Der, war eine abylon. Stadt am Ufer des Tigris, die dem Anu und Bel diente. Diese wurden unter der Gestalt

1) Fr. Hommel, Sem. V. u. S. I, S. 236.

einer Schlange verehrt, die man „Herrin des Lebens" nannte. Auch Gur und Nina hatten dort Tempel und Tempelland.

Dunib s. Tunap.

Duranki, eine babylon. Stadt, diente dem Bel.

Durasur, eine assyrische Stadt, erwarb Asurnasirpal.

Durathara s. Durnabu.

Durbalat war eine assyrische Stadt.

Durbel, eine assyrische Feste an des Reiches Nordgrenze, war eine Zeit lang von den Mannäern besetzt.

Durbelharranbelasur, eine assyrische Stadt, gründete der Minister des Palastes Belharranbelasur.

Durdukka war eine Stadt in Nordassyrien.

Durgurgur, s. Tell Sifr, oder Nazarki, war ein babylon. Ort, wo Kupfer geschmolzen und verarbeitet wurde. Er lag nahe bei Larsa.

Durjakin, eine babylon. Stadt und Festung, hatte ihren Namen von König Jakin, dem Vater Merodachbaladans I. Sie wurde 709 v. Chr. von Sargon erobert.

Durib s. Tunap.

Durilu, eine assyrische Stadt an der Grenze von Elam, wurde von dem Kanal Dutu durchströmt. Hier kämpfte Sargon mit Ummanigas von Elam, wie es scheint, unglücklich. Ihr Gott hieß Kadi.

Durkarasu, h. Akerkuf und Tell Aswad, eine babylon. Stadt, lag oberhalb Sippara am Euphrat. Als hier die Mutter des Königs Nabunaid starb, währte die Hoftrauer drei Tage.

Durkurigalzu, eine feste Stadt in Babylonien, baute der kassitische König Kurigalzu zu seiner Residenz. Sie hatte eine ähnliche Lage wie Durkarasu, wenn nicht beide Orte einander gleich sind; denn man sucht auch die Reste von Durkurigalzu in denselben Hügeln Akerkuf und Tell Aswad. Die Stadt hatte sechs Tempel, darunter ein Egirinna, d. i. Haus des Getreides, und Eugal, d. i. Haus des großen Herrn Bels oder Kurgals, des großen Berges.

Durladima war der Hauptort der babylonischen Provinz Bitdakuri. Hier huldigten Bürger von Babel und Barsippa dem König Sargon II.

Durlagab, ein fester babylon. Ort, war von Samsiiluna erbaut.

Durnabu oder Durathar war eine babylon. Festung, in deren Nähe Merodachbaladan II. und seine Verbündeten von Sargon II. besiegt wurden.

Durpaddu wird dieselbe Stadt sein wie Durlagab.

Durpapsukal war eine Stadt von Nordbabylonien, in der „Hochflut der Wasser" gelegen. Gegenüber dieser Stadt besiegte Samsiramman IV. von Assyrien den Babylonier Mardukbalatsuikbi, der Ela-

25

miter und Aramäer zu seinen Verbündeten zählte, auch Kaldi- und Namri-Söldner in seinem Dienst hatte.

Dursarukin hießen zwei Städte. Die ältere Stadt dieses Namens erbaute Sargon I. in Kardunias [1]).

Die jüngere Stadt gründete Sargon II. an der Stelle der sehr alten, aber wegen Wassermangels verlassenen Stadt Magganubba einige Meilen nordöstlich von Ninive in den Jahren 711—707 v. Chr. Daß diese bedeutende Stadt nicht im ersten Buch Moseh genannt wird, mag anzeigen, daß dieses Buch nicht nach der Erbauung von Dursarukin geschrieben ist. Der Erbauer erzählt inschriftlich:

„Tag und Nacht plante ich den Bau dieser Stadt und gab Befehl, daselbst ein Heiligtum für den Sonnengott zu errichten, den großen Richter der großen Götter, die mich den Sieg gewinnen ließen. Tag und Nacht machte ich Pläne für die Bevölkerung der Stadt und die Errichtung von Heiligtümern zur Wohnung für die großen Götter und für Paläste zum Sitz meiner Herrschaft. Leuten aus vier Weltgegenden, von fremden Zungen und verschiedener Rede, die Berge und Ebenen bewohnt hatten, wo immer der Krieger der Götter, der Herr aller die Herrschaft hat, die ich im Namen Asurs, meines Herrn, durch die Macht meiner Waffen gefangen weggeführt hatte, diesen befahl ich, eine Sprache zu reden und siedelte sie dort an. Söhne Assurs, von weiser Einsicht in alle Dinge, Schriftgelehrte setzte ich über sie, daß sie über der Furcht Gottes und des Königs wachten. Im Einklang mit dem Namen, den ich führe (Sar-gon so viel als „treuer Fürst"), und den die Großen mir verliehen, damit ich Recht und Gerechtigkeit verteidge, die Machtlosen leite und den Schwachen keinen Schaden zufüge, bezahlte ich in Silber und Kupfer den Preis für das Land, auf dem ich die Stadt erbauen wollte, nach den Tafeln, die seinen Wert bestimmten, an die Eigentümer. Und um kein Unrecht zu tun, gab ich denen, die kein Geld für ihr Land wünschten, ein Stück Land, das ihrem früheren Eigentum gegenüber lag (?)."

Diese Uebersetzung wird schwerlich zu halten sein. Es sollte heißen: „Das ihrem früheren Eigentum gleichwertig war." Uebrigens haben wir hier den sichern Beweis, daß es in Assyrien nicht nur Kataster gab, sondern auch das gesetzliche Enteignungsverfahren geübt wurde.

Die Stadt Magganubba, am Fuß des Berges Musri oberhalb Ninive gelegen, war eine altassyrische Stadt, von der Sargons Cylinderinschrift berichtet:

„Sie war wie ein Pfeiler gegründet, und keiner unter den dreihundertfünfzig Fürsten, die vor mir regiert, hatte ihre Lage vergessen."

Aber was hilft das, wenn eine Stadt nicht das allernotwendigste zu ihrem Bestehn hat, wenn sie kein Wasser hat? In der neuen Stadt, die Sargon erbaute und bevölkerte, durch Mauern schützte und mit Wasser versorgte, waren acht Tore, nach den acht Windrichtungen gebaut. Das erste Tor auf der Ostseite war dem Gott Samas geweiht, der den König den Sieg gewinnen ließ, das zweite, etwa nach Nordosten gerichtet, dem Wettergott Ramman, der der Stadt Ueberfluß schenken sollte. Das dritte auf der Nordseite gehörte dem Bel, der der Stadt

1) Tiele a. a. O., S. 113.

Grundstein legte. Das vierte der Beltis, die Fruchtbarkeit und Reichtum vermehrt. Das fünfte auf der Westseite dem Anu, der das Werk der Hände des Königs segnet. Das sechste der Istar, die der Stadt Bewohner gedeihen läßt. Das siebte auf der Südseite dem Ea, der ihre Quellen leitet. Das achte der Herrin der Götter (Damkina), die ihre Nachkommenschaft verbreitet. Die Mauer der Stadt war dem Asur geweiht, der des Königs Jahre alt werden läßt; der Wall aber dem Ninib, der den Grundstein für die Dauer ferner Tage legt.

In dieser Stadt ließ sich Sargon einen Palast von Elfenbein und kostbaren Hölzern bauen, in dessen Grundstein Urkunden, geschrieben auf Gold, Silber und Alabaster, gelegt wurden. Eine Vorhalle, in der Sprache des Westlandes bithilani gen. [1]), ließ er vor den Toren des Palastes erbauen und stellte hier acht Löwen aus Bronze und sechs mächtige Säulen aus Zedernholz, auch Widder und Stierkolosse auf.

Außer dem Tempel des Samas errichtete Sargon hier auch festgegründete Tempel für Ea, Sin, Ningal oder Marduk, Ramman und Adar.

Rings um die Stadt breitete sich ein Park aus, in dem alle Arten von Bäumen standen, die in dem Lande der Hethiter oder Khatti wachsen, auch jede Art von Bergkräutern.

Zwei Mauern, Duru und Schalhu genannt, umgaben die Stadt zu ihrem Schutze. Daß sie konzentrisch liefen, läßt sich nicht erweisen.

Die Reste von Dursarukin liegen in dem Trümmerhügel von Khorsabad, der uns viele Denkmäler und Inschriften geliefert hat.

Duru oder Dor s. Pal. u. Syr.

Duruki war eine babylonische Stadt bei Sippara.

Durziziki, eine Babylon. Stadt, lag am Tigris.

Eden s. Gueddina.

Ekallate oder Hekali, die Stadt der Paläste, lag in Assyrien. Aus ihr raubte der babylonische König Mardukuadinachi die Götterbilder Ramman (Adad) und Sala und brachte sie als Kriegsbeute nach Babel. 418 Jahre später holte sie Sanherib wieder in ihre Heimat zurück.

Ellasar s. Larsa.

Enzi oder Enzudi war eine babylon. Stadt am Euphrat.

Erigiza s. Urakizu.

Erech s. Uruk.

Eridu, Ritu oder Nunki, der Ort des Himmelsozeans und des Orakelbaumes [2]), die Stadt der Fürsten, später Erizibba gen., war eine der ältesten Städte in Chaldäa, wo heute der Schutthügel Abu Schahrein am rechten Ufer des Euphrat liegt. Hier verehrte man besonders den

1) Jerem. 22, 14.
2) Fr. Hommel, Grundriß. S. 365 ic.

Gott Ea. Sein Tempel, darin auch Nannar (Sin) wohnte, Ekisnugal gen., hatte eine Ziggurat von mehreren Stufen oder Stockwerken, die Eapsu, d. i. Haus des Ozeans hieß. Noch heute erhebt sich auf einer sechs Meter hohen Unterlage ein Kegel von zwanzig Meter Höhe. Die Werkzeuge, die man hier fand, waren teilweise aus Ton, teilweise aus Kiesel angefertigt. Der Erbauer dieses Heiligtums war Amarsin, der Patesi von Ur, um 2600 v. Chr. Die Sumero-Akkadier hatten die Stadt Urudugga, d. i. gute Stadt, genannt. Es strahlte am Himmel der Kakkab Nunki, der Stern von Eridu, und die Zauber dieser Stadt galten für besonders kräftig und wirksam. Inschriftlich:

„In Nunki wuchs eine dunkle Dattelpalme auf, an einem reinen Ort wurde sie geschaffen. Der (Garten) des Ea ist ihre Weide(?), in Nunki Ueberfluß die Fülle, ihr Wohnsitz ist der Mittelpunkt der Erde, ihre Blätter sind das Ruhebett der Mutter Bau . . in ihrer glänzenden Behausung, die wie ein Wald ihre Schatten ausbreitet, und in deren Inneres niemand eindringt [1])."

Die Hauptbedeutung von Eridu lag in dem heiligen See, nach dem der Tempel Eas Ezuab hieß und der Stufenturm Eapsu. Eridu hatte in alter Zeit keine Patesi, wohl aber Priester, mit deren Würde die Könige von Uru bekleidet wurden. Auf den heiligen See aber bezieht sich die Inschrift:

„Ich habe meine Hände gewaschen und den Körper gereinigt mit reinem Quellwasser, welches in Eridu erzeugt ist. Ea möge lösen, der König des apsu; der apsu möge lösen, das Haus der Weisheit; Eridu möge lösen, das Haus des apsu möge lösen [2])."

Hier haben wir einen der kräftigen Zaubersprüche von Eridu.

Gananati war eine Stadt in Nordbabylonien, wo Salmanassar I. von Assyrien den aufständischen Mardukbelusati besiegte, nachdem er sich durch ihren Kanal einen Weg gebahnt hatte — durch Aufschüttung von Erde. Vielleicht ist Ganis, ein Ort an der babylonischen Grenze, mit Gananati übereinstimmend.

Gargamis, Stadt der hethitischen Göttin Gamis, später Karchemisch genannt, war eine Hauptstadt des Khattilandes am oberen Euphrat. Salmanassar II. vereinigte sie mit Assyrien; aber sie fiel wieder ab und wurde 717 v. Chr. von Sargon II. zerstört. Bei dem heutigen Gherabis Europos findet man Reste von gewaltigen Mauern und großen Palästen mit Bildwerken und Inschriften, die bis in die neueste Zeit noch nicht mit Sicherheit entziffert worden sind.

Gilzan war eine babylon. Stadt in der Nähe von Karkar.

Girsu, auch Girsuki und Sugir, war eine babylon. Stadt, vielleicht nur ein Teil von Sirpurla, nördlich von Larsa. Hier hatte bereits König Dungi einen Tempel erbaut.

Gisgalla s. Babel. Hommel setzt Gisgalla gleich Girsu.

---

1) Nach Fr. Hommel, B. u. A., S. 197.
2) Fr. Hommel, Grundriß, S. 369.

Gisuch oder Gischu war eine altbabylon. Stadt, die ihren eignen Patesi hatte. Sein erster Herrscher hieß Ezuab, von dem wir nur wissen, daß er mit Eannatumma von Sirpurla im Kampf lag. Nach P. Scheil ist das heutige Djoche der Trümmerort, der die Stätte von Gisuch bezeichnet. Ein andrer Patesi von Gisuch war Bursis, Papsis, Nasiradhi. Gimilsin, der Patesi von Uru, baute hier einen Tempel der Nina.

Gosan, in K. S. Guzanu, in einer Inschrift Ramses II. Gazanadana genannt, war eine Stadt in der gleichnamigen assyrischen Landschaft, ö. v. Euphrat.

Gubal oder Gebal s. Pal. u. Syr.

Gubrun, ein Ort am Idinnafluß.

Gueddina war eine babylon. Stadt und Landschaft zwischen Erech und Nippur, wo der Gubarra, die dem Gott Ramman-Mertu zugesellt wird, gedient wurde. Der Name erinnert an Eden.

Gulat, eine babylon. Stadt, wurde von Samsiiluna befestigt.

Gurninni war eine babylon. Stadt am Tigris.

Gute, eine babylon. Stadt an der medischen Grenze.

Guzanu s. Gosen.

Habor, in K. S. Khabur, hieß eine Stadt und Fluß im Mittelstromland, wo Einwohner aus Samaria und andre Israeliten von König Sargon angesiedelt waren. Es wird in der hl. Schrift [1]) neben Haran und Rezeph genannt. Vordem war hier eine wohlbekannte Marmorstadt auf der Heerstraße von Thadmor nach Thipsach. Der noch im 12. Jahrh. n. Chr. hier bei Raselim wohnenden Israeliten gedenkt Benjamin von Tudela.

Hadarakka oder Hadrach s. Pal. u. Syr.

Haddua s. Handuate.

Haharatu s. Hilmu.

Hala, in K. S. Halahu, war eine Stadt am Fluß Habor [2]).

Hallabi, nach Fr. Hommel gleich Aleppo, eine babylon. Stadt, diente dem Adad und der Anunit oder Nanna. Ihr, „der Himmel und Erde mit ihrem Glanz erfüllenden Göttin", baute hier König Hammurabi den Tempel Ezikalama.

Halman, später Haleb genannt, war eine Stadt des Khattilandes, die mit Assyrien vereinigt wurde.

b. Ein zweites Halman lag im Land der Kuti an einem Nebenfluß des Tigris.

Halulu war eine assyrische Stadt am Tigris.

Halziluha, vermutlich gleich Hulzu. war eine assyrische Kolonie am Kasiara-Gebirg, die von Salmanassar I. angelegt wurde.

---

1) 2. Kön. 19, 12.
2) 2. Kön. 17, 6.

Hamath, eine syrische Stadt am Orontes, wurde 720 v. Chr. von Sargon II. erobert und mit Assyrien vereinigt. Später wurde die Stadt nach Antiochus Epiphanes genannt. Vergl. Pal. u. Syr.

Hamranu, eine babylon. Stadt, wurde von Tiglatpilesar III. von Assyrien erobert und geplündert.

Hana oder Hani, eine Stadt des gleichnamigen Landes, das westlich vom Euphrat gelegen war, unterstand samt ihrem Herrscher bald dem König von Mitanni, bald dem von Assyrien oder von Babylonien. In Sippara fand man diese Inschrift:

„Dem Samas, dem König Himmels und der Erde, seinem König, hat Tukultimir, der König von Hana, der Sohn Ilukisas, des Königs von Hana, zum (Heil) seines Landes und zur Erhaltung seines (Lebens dies) geschenkt."

Handuata oder Haddua, eine assyrische Stadt, deren Lage unbekannt ist.

Hanusa hieß die babylon. Festung, die Tiglatpilesar I. von Assyrien zerstörte. Auf ihre Trümmer ließ er Salz streuen.

Haran, in K. S. Charranu, bei den Griechen Charrä genannt, lag an der nordwestlichen Grenze von Babylonien zwischen dem Chabur und dem Euphrat an der Heerstraße nach Syrien. Ihre Umgebung bildete das fruchtbare ebene Tal des Balich. Gleich Ur dienten die Einwohner dieser alten Stadt des Khattilandes dem Mondgott Sin, der in einer Inschrift aus 800 v. Chr. Herr von Haran heißt. Auch die Stadt selbst hatte in ihrem Grundriß die Gestalt der Mondsichel. Als Sins Tempel Ehulhul verfallen war, ließ Asurbanipal von Assyrien ihn wieder aufrichten. Hier blieb ein Teil der Nachkommen des Semiten Tharah wohnen, und man findet nicht selten hebräische Namen in dortigen babylonischen Inschriften. Dem Dienst des Mondgottes waren noch in christlicher Zeit die dort wohnenden Sabier ergeben, doch ohne sich Götzenbilder zu machen.

Hararatuv, eine babylon. Stadt, wurde von Sanherib geplündert.

Harhar s. Karsarukin.

Harrana oder Harruna war eine assyrische Stadt in dem unterworfenen Armenien, nicht weit von Kirruri.

Harsagkalama, d. i. Berg des Landes, war eine Stadt im nördlichen Babylonien, zwei Meilen von Babel, wo Sanherib die verbündeten Babylonier und Elamiter besiegte und seinen Göttern reiche Opfer brachte. Hommel vermutet, die Stadt habe den Beinamen Melemkurkurra, d. i. Glanz der Länder, gehabt.

Hatu, eine assyrische Stadt von ungewisser Lage.

Hazazu, später Azaz, hieß eine Stadt des Khattilandes, die wie das ganze Gebiet der Hethiter mit Assyrien vereinigt wurde.

Hazzatu oder Gaza s. Pal. u. Syr.

Hekali s. Ekallate.

Hillah s. Babel.

Hilmu oder Hilimmu wird neben Hirima, Hararatu, Hupapazu als babylon. Stadt genannt, die Sanherib zerstörte und plünderte.

Hirimma s. Hilmu.

Hubsan war eine babylon. Stadt in der Nähe von Kis.

Hubuskia hieß eine assyrische Stadt auf armenischem Gebiet.

Hulzu s. Halziluha.

Humut s. Karasur.

Hussu oder Husseti war eine babylon. Stadt, die nach der Schenkung Nebukadnezar I. vermutlich „Stadt der Eria" genannt wurde.

Huzigina hieß eine assyrische Stadt am Euphrat.

Jain, eine babylon. Stadt, hatte einen Tempel Egalmah. Die Einwohner dieser Stadt brachte Hammurabi wieder zu ihrem Besitz.

Jalman oder Halman (b) war eine Stadt in Nordbabylonien, wo die Babylonier durch Rammanirari von Assyrien besiegt wurden.

Japu oder Japho s. Pal. u. Syr.

Jatburi, eine babylon. Stadt, lag entweder an der Grenze von Elam oder war gar elamitisch.

Jdikara s. Bitdakuri.

Jkbibel hieß eine babylon. Festung, wohin Merodachbaladan floh.

Jllab s. Uruk.

Jmgurbel, heute Balawat, östlich von Mosul, hatte einen Tempel des Bel oder Bilu rabu. Andre meinen, Jmgurbel sei dem Traumgott Mahir oder Masur heilig gewesen. Eine Alabastertafel, die man hier fand, berichtet von den Taten Asurnasirpals I. Die Bronzeplatten der Tempeltüren haben 7 Meter Höhe bei 2 Meter Breite. Ein schmaler Rand derselben ist beschrieben und gibt Kunde von den ersten 9 Jahren der Regierung Salmanassars II. Ihr Entdecker war Rassam.

b. s. Babel.

Jmki, eine Stadt östl. vom Tigris, hatte ein Ziggurat Elamkurnugikisarra gen. Als sein König wird Ninpis, d. i. Mausgott, genannt. Ob hier Nachgrabungen stattgefunden haben?

Jridu war eine babylon. Stadt, der Sargon wieder aufhalf. Man vergleicht damit Jridotis in Bitriduti.

Jris oder Jrria, eine Stadt in Nordbabylonien, östlich von Babel, eroberte Asurdan I. von Assyrien.

Js oder Het hieß eine Stadt am Euphrat, aus der schon Pharao Thutmes III. Naphtha bezog [1]).

Jsin oder Nisin, eine babylon. Stadt, hatte in alter Zeit ihr eignes Herrschergeschlecht. Einer dieser Patesi war Gamil-nindar (ninib). Es ist noch nicht entschieden, ob es nicht einst zwei Städte dieses

1) Tiele a. a. O., S. 52.

Namens gab, eine im Meerland, die andre im Gebiet von Bagdad. Die letztere hieß später Karrak. Hier wurde neben Nergal Ninnisin als die Herrin des abnehmenden Mondes verehrt.

Iskunsin s. Isnunnak.

Iskaluna oder Askalon s. Pal. u. Syr.

Ismara nennt Fr. Küchler [1]), aber ohne nähere Bestimmung.

Isnunnak, nahe bei Nippur, hatte auch sein eignes Herrschergeschlecht. Die Stadt wurde zur Zeit Hammurabis durch eine Ueberschwemmung des Tigris gänzlich zerstört. Hier wie in Erech verehrte man Lugalbanda.

Kadingira s. Babel.

Kakzi war eine assyrische Stadt, von der aus Asurnasirpal I. in den Jahren 882 und 881 v. Chr. seine Feldzüge antrat.

Kalchu oder Kalah s. Ninive.

Kalneh im Lande Sinear [2]) ist noch nicht ermittelt.

Kalno war die Hauptstadt des Landes Patin und galt als eigne Herrschaft. In den K. S. heißt die Stadt bald Kinalia, bald Kullani, Kulunu, Kumulua oder auch Zirlab. Sie lag zwischen den Flüssen Afrin und Orontes und wurde um 740 v. Chr. von Tiglatpilesar III. mit Assyrien vereinigt.

Kalweda war eine babylon. Stadt in der Gegend von Bagdad.

Kamarina s. Uru.

Karasur erbaute Tiglatpilesar III. oberhalb Tellkamri oder Humut, besiedelte die Stadt mit den Einwohnern westlicher Länder und setzte einen assyrischen Statthalter über sie.

Karbanta hieß eine babylon. Stadt am Kanal Daban.

Karistar war die babylon. Stadt, in deren Nähe Nasideuz von Babylonien durch Adadnirari von Assyrien besiegt wurde.

Karkar, eine babylon. Stadt, diente dem Gott Adad. Sein Tempel hieß Eudgolgol. Hier schlug Salmanassar II. von Assyrien 854 v. Chr. die verbündeten zwölf Könige in einer großen Schlacht.

Karkamisch s. Gargamisch.

Karnabu, bei Strabo auch Karna oder Karena, war eine babylon. Stadt am Fluß Midarban. Diese alte Stadt der Minäer erhielt später den Namen Magan oder Makan, heißt heute Main. Naramsin, der Sohn Sargons I., eroberte die Stadt und vereinigte sie mit Babylonien, nachdem das Reich der Minäer wohl ein halbes Jahrtausend geblüht hatte [3]). An die Stelle der Minäer traten die Sabäer, mit denen Sargon II. kämpfte.

Karrak s. Isin.

---

1) A. a. O., S. 25.
2) Gen. 10, 10.
3) Fr. Hommel, Grundriß, S. 136.

Karrasamas war eine babylon. Stadt am Tigris. Hier führte Hammurabi eine große Mauer auf.

Karsalmanassar, eine assyrische Stadt an der Südgrenze des Reiches, war der Sammelpunkt der Truppen unter Salmanassar. Heute Til Barsip oder Biradjik gen. Einige Gelehrte wollen darin das alte Pathor oder Pitru erkennen.

Karsarukin, vorher Harhar genannt, lag an der medischen Grenze. Sargon II. bevölkerte die Stadt mit neuen Einwohnern, stellte sein Bild darin auf und führte den Dienst des Gottes Asur ein.

Kasallu war eine altbabylon. Stadt mit eignem Patesi.

Katuna, nahe bei Agade, baute Sargon I. wieder auf.

Khorsabad s. Dursarukin.

Kigalla, eine alte Stadt im Reiche des Patesi von Lagasch oder Sirpurla. Fr. Hommel hält sie gleich Kutha.

Kinabu, eine assyrische Stadt, die aus den Feldzügen Asurnasirpals bekannt ist. Vergl. Sinabu.

Kingi, eine altbabylon. Stadt, hatte ihren eignen Patesi.

Kinijas, ein birtu oder Festung der Aramäer, wurde durch König Tiglatpilesar II. von Assyrien erobert.

Kinunir, eine altbabylon. Stadt, hatte einen Tempel des Duzizuab.

Kir, Stadt und Landschaft in Assyrien, wohin Tiglatpilesar die Einwohner von Damaskus und auch Israeliten verpflanzte [1]). Sie lag im Osten des Reiches neben Elam.

Kirbiti oder Kiribti alani war ein Ort bei Durilu.

Kirruri hieß eine assyrische Stadt im Gebiet der Urardi oder Armenier.

Kirzan heißt die Landeshauptstadt eines nordsyrischen Gebietes, wo Salmanassar II. sein königliches Bild aufstellen ließ. Hier empfing er auch den Tribut von Tyrus und Sidon und von Jehu, dem König von Israel.

Kasassu, eine assyrische Stadt an der Nordgrenze, die von Medern und andern Völkern bedroht war.

Kisch, Kis oder Kesch hieß

1. eine Stadt im nördlichen Babylonien, die „Stadt des Bogens", 2 Meilen östl. von Babel, nahe bei Harsagkalamma; denn Sanherib zählt die Städte der Reihe nach auf in der Richtung von Süden nach Norden: Uruk, Nippur, Kisch, Harsagkalamma, Kutu, Sippar. Als Götter von Kisch und Harsagkalamma werden genannt: Tum, ihre Heiligkeit, Ninliltum ihre Heiligkeit, Ninnanna, Zamelmal, die Waffe der großen Götter; Istar Nannai Kazalsurra, Sin Herr von Kissaki, Ramman, Papsukal, der da Bit Akkil, d. i. Klagehaus, bewohnt;

---

1) 2. Kön. 16, 9. Jes. 22, 6. Am. 1, 5.

Nergal, der Kutha bewohnt; Jsum und seine Gattin Schusilla: „Die Götter der Dignat und der Purattu mögen dir sich lösen, mögen (dir) wieder gut werden [1])". Besondere Ehre genossen hier Zamama und Nintu, d. i. Ninib und Gula. Zamamas Tempel hieß Emeteursag, sein Ziggurat Kidurmag. Jhn ließ der König Hammurabi wieder herstellen und himmelgleich erhöhen. Inschriftlich sagt derselbe König in der Einleitung seiner Gesetze:

„Dem Herrn, dem da zukommt Szepter und Krone, die ihm vollendet hat (nämlich daß er Vollmond wurde) die Weise, die Göttin Mama, die die Bannsprüche von Kis festsetzt, die die reinen Mehlopfer für die Göttin Nintu reichlich machte."

Als Patesi von Kisch wird Manistusu genannt. Nach Hommel sind Kisch und Erech dieselben Städte; wenigstens werden für beide dieselben Götter bezeugt. Hilprecht aber führt noch weiter nach Nordwesten und erkennt Kisch in Haran.

2. Ein zweites Kisch lag in Südbabylonien. Vergl. das folgende.

Kischurra war eine sehr alte Stadt in Südbabylonien, die zu der Herrschaft des Patesi Gimilsin von Ur gehörte, der dreihundert Jahre vor Hammurabi lebte. Sein Zeichen wird auch Sukurru gelesen [2]). Doch regierten in Kischurra in der ältesten Zeit auch selbständige Patesi, wie Dada und sein Sohn Haladda und Jdinilu. Inschriftlich:

„Jdursamas, Statthalter von Rababi, Sohn des Jdinilu, des Patesi von Kischurra, Liebling des Samas und der Nunit [3])."

Kisik, vollständig Kisikminitlaguda, war eine babylon. Stadt, in der König Sargon II. von Assyrien die alten Privilegien des Götterdienstes wieder herstellte.

Kisiri hieß die assyrische Stadt, wo sich die achtzehn Wasserleitungen vereinigten, die Ninive mit Wasser versorgten.

Kiudkis. Larsa.

Kuburnata, eine assyrische Stadt, wird in den sog. kappadokischen Keilschriften genannt.

Kulbari war eine Stadt in Assyrien.

Kullab, eine Stadt in Chaldäa, besaß einen alten Jstartempel. Jensen hält den Ort für einen Teil von Uruk.

Kullani, Kulunu s. Kolno.

Kulmadara, eine Stadt in Nordsyrien, eroberte Tiglatpilesar III.

Kumari war eine babylon. Stadt, in der Nebukadnezar dem Ramman einen Tempel baute.

Kumu heißt eine Stadt in Assyrien.

Kurkh h. Kurkli, war eine assyrische Stadt nahe den Quellen des Subnat. Hier wurde ein Obelisk mit Inschriften gefunden.

---

1) Nach Hommel, Grundriß, S. 387.
2) Mitteil. v. 1903, Nr. 16, S. 14.
3) Fr. Hommel, Grundriß, S. 353.

Kutha oder Kutu, sumer. Gudua, im A. T.[1]) Kuth, h. Tell Ibrahim, lag vier Meilen nordöstl. von Babel. Hier wurde der Löwengott Nergal verehrt, als Sitlamtauddu dargestellt durch zwei Löwenkolosse, likma nirgalli. Er ist der große Held, der König der Kämpfe, der Herr der Schlachten, der Gott der Jagd. Sein Bild zeigt den Kopf eines Löwen und den Leib eines Mannes, der ein Schwert in der Hand trägt. Die jüdische Ueberlieferung berichtet dagegen, die Leute von Kutha hätten ihren Gott unter dem Bild eines Hahnes verehrt. Sein Tempel hieß Esitlam oder Eschidlam. Ihn umgab Nebukadnezar mit Mauern.

Als die Einwohner dieser Stadt sich an einem Aufruhr gegen Assyrien beteiligt hatten, wurden sie in solcher Anzahl nach Samarien verpflanzt, daß die Samaritaner von den Juden gewöhnlich Kuthäer genannt wurden.

Von der in Kuthu gesammelten Bibliothek ist wenig auf uns gekommen. Die sog. kuthäische Schöpfungslegende ist schon früher mitgeteilt worden.

Lagasch oder Sirpurla, Sirpulla h. Telloh, war eine sehr alte und große babylon. Stadt, sechs Meilen östl. von Uruk, h. Warka. Wie Girsu diente sie dem Gott Ningirsu, dessen Heiligtum Tempel der fünfzig hieß. Hier fand 1884 de Sarzec die Annalen der altbabylonischen Könige, die möglicherweise in die Anfänge der Menschheit zurückreichen. Sie sind in sumero-akkadischer Sprache geschrieben. Die Ziegelsteine, aus denen Tempel und Ziggurat gebaut waren, tragen den Stempel Gudeas. Eine Vorstadt hieß Uruazaga. Vielleicht ist aber Sirpurla nur ein alter Name von Babel. Der Stadt Wappenvogel war ein Rabe, sirbur-Vogel genannt, daraus später ein Adler mit Löwenkopf wurde[2]).

Lahabi, eine Stadt in Babylonien, ist vielleicht gleich Rahabu.

Lahari oder Lahiru war eine assyrische Stadt auf babylonischem Gebiet. Sie wird in den Feldzügen Salmanassars II. erwähnt.

Lambun s. Adab.

Lamkurru oder Aratta, h. Fara am Kanal Schattelkar, war eine alte Stadt in Südbabylonien mit eignem Patesi.

Lanaharis oder Laranaha, heißt bei Berosus eine babylon. Stadt, aus der der vorsintflutliche König Amempsinus stammte. Sie soll bei Sippara gelegen haben. Aus Lanaharis kamen drei von den zehn Königen, die vor der großen Flut lebten, fünf aber aus Pautibibla. H. Zimmern erkennt in ihr Surippak.

Larak, eine babylon. Stadt, wurde von Sanherib geplündert. Fr. Delitzsch vergleicht sie mit Lanaharis.

---

1) 2. Kön. 17, 24, 30.
2) Hommel, Grundriß, S. 308.

Larsa oder Ararma, Babbarunuki, Kiudki, Zararma heißt in der hl. Schrift [1]) Ellasar, h. Senkereh. Diese südbabylon. Stadt diente dem Samas oder Utu. Auf den hier gefundenen Tafeln sieht man Zeichnungen von geometrischen Figuren. Auf einem alten Grab fand Loftus Ziegelsteine, die mit Urgur gestempelt waren. Hammurabi erneuerte hier Ebabbar, den Tempel des Samas, und sein Ziggurat Eduranki, die am Anfang des dritten Jahrtausends v. Chr. von Urdur erbaut worden waren. Auch sie hießen Haus der fünfzig. In dieser Zeit war Larsa die Residenz eines eignen Fürstengeschlechtes, das in späterer Zeit von der zweiten Dynastie der Stadt Uru verdrängt, bez. ersetzt wurde.

Lubdu war eine Stadt in Babylonien.

Maalzia war vermutlich eine chaldäische Stadt, neben Agade genannt.

Madaktu wurde nach der Zerstörung Susas die Hauptstadt von Elam.

Madara war eine assyrische Stadt im Bezirk von Nindun.

Magan s. Kanabu.

Maganubba s. Dursarikin.

Magiddu oder Megiddo s. Pal. u. Syr.

Mahaznisin hieß eine babylon. Stadt am Fluß Zirzirri.

Makan s. Karnabu.

Malkati, eine babylon. Stadt, verlor unter Hammurabi ihre Mauern, aber er schützte sie gegen Räuber.

Mar h. Tallid lag in Babylonien nahe bei Erech. Hier erbaute König Dungi, der sechshundert Jahre vor Hammurabi regierte, mehrere Tempel, in deren Ruinen man seine Inschriften fand.

Marad, Marada oder Amarda, eine vorsintflutliche Stadt in Nordbabylonien, gilt bei vielen für die Heimat des Gilgamis oder Izdubar. Wir erkannten Nimrod als entstanden aus Nin-marad, und der König Naramsin baute dem Marduk oder Lugalmarada einen Tempel. Nebukadnezar las die Urkunde, die im Grundstein lag, und stellte den Tempel wieder her.

Marrit war ebenfalls eine Stadt im nördlichen Babylonien.

Marza wird in einer Götterliste als Stadt der Istar von Zasuchunuki genannt.

Maskanschabri, eine babylon. Stadt zur Zeit Hammurabis, hatte einen Tempel, der wie der Tempel Nergals in Kutha Eschidlam hieß. Maskan, das griechische skene oder Zelt, findet sich in mehreren Städtenamen und erinnert daran, daß die ersten Städte aus Hütten oder Zelten bestanden.

Matiatu war ein Ort in der Landschaft Kirhu, wo der sagen. Kurkh-Monolith gefunden wurde, dessen Inschrift den Zug Asurnasir-

1) Gen. 14, 1.

pals im fünften Jahr seiner Regierung beschreibt. In dieser Stadt stellte der König auch sein Bild auf.

Mauru-mair hießen zwei Städte in Babylonien.

Mazanua war eine assyrische Stadt.

Melitene s. Milidia.

Mera s. Babel.

Mespila s. Ninua.

Mesu, eine Stadt in der armenischen Landschaft Zamua, eroberte Asurbanipal und schlug sie zum Reiche.

Meturnat, d. i. Wasser des Turnat oder Tornadotus, auch Miturnu genannt, wird schon in den Inschriften Salmanassars I. dann in den Annalen des Kyros als eine akkadische Stadt erwähnt.

Milidia, später Melitene, war eine Stadt im Lande Tabal.

Miturnu s. Meturnat.

Mosul s. Ninua.

Mutkinu war eine feste assyrische Stadt in der Nähe von Karkemisch, die durch Aramäer besetzt wurde, während Asurirba König von Assyrien war.

Nagarki s. Durgurgur.

Nagitu war eine babylon. Stadt, die von Sanherib zerstört wurde. Hierher war Mardukbaliddin von Babylonien geflüchtet. Ueber Nagitudibina und Nagiturakka findet man Näheres in Z. f. A. 1893, S. 237.

Nakku, eine altbabylon. Stadt in der Nähe von Uruk.

Namrum war eine babylon. Stadt in der Gegend von Sirpurla.

Nareb, eine Stadt in der Nähe von Damaskus.

Nasibina, am Fluß Hermis oder Mygdon, einem Nebenfluß des Habor, wurde später das mygdonische Antiochien, dann wieder Nisibis genannt. Es war eine assyrische Stadt gewesen.

Nia heißt in den Inschriften Thutmes III. eine mesopotamische Stadt. In ihrer Nähe will dieser Pharao hundertzwanzig Elephanten gefangen haben.

Niffer s. Nippur.

Nimidlaguda, eine babylon. Stadt, wurde von Sargon wieder hergestellt.

Nimurusagga, d. i. hochgelegene Hauptstadt, halte ich für keinen Städtenamen, sondern für die poetische Bezeichnung einer Stadt mit anderm Namen.

Ninaa s. Ninuaki.

Nineve, eine feste Stadt in Assyrien, gewann Tiglatpilesar III.

Ninua oder Nina, Ninaa bedeutet im Akkadischen „Gottes Ruhe“. Im A. T. heißt die Stadt Ninive, bei den Griechen Ninus. Es bedeutet aber im Assyrischen wie im Hebräischen nun einen Fisch, daher der Name Ninive auch Fischstadt gedeutet wird. Sie lag auf beiden Seiten des Flusses Choser, nicht weit von dessen Mündung in den Tigris. Dort sah Xenophon auf seinem berühmten Rückzug die Trümmerstätte Mespila. Das heutige Mosul liegt auf der andern Seite des Tigris. In dem Namen Mespila vermutet E. Schrader das assyrische muspalu „Unterstadt".

Die Keilschriften berichten von dem Erbauer dieser Riesenstadt ebensowenig wie von dem der Stadt Babel. Sie sagen nur, Ninive sei „von Anbeginn gemäß der Schrift des Himmels erbaut" oder „sein Grundriß war seit alters zusammen mit der Schrift des Himmels gezeichnet", woraus nur zu entnehmen ist, daß Ninive für eine sehr alte Stadt galt, und daß ihr Ursprung dem Walten der Götter zugeschrieben wurde.

Aus dem A. T. [1]) aber hören wir, daß Nimrod, ein Enkel Hams, zuerst sich zum Herrn von Babel, Erech, Akkad und Chalne im Land Sinear gemacht habe; darnach sei er nach Assur gekommen, dieses Mal als Kolonist, und habe hier Ninive, Rehoboth-Ir, Resen und Kalah gebaut „die große Stadt".

K a l a h, in K. S. Kalchu genannt, ist keine neue Hauptstadt [2]), wenn sich auch Salmanassar I. Asurnasirpal und Tiglatpilesar III. hier Paläste und eine bitsitlan nach der Weise eines Khattipalastes als Ruhestätte gebaut haben. So bezeugt der König Asurnasirpal inschriftlich:

„Die alte Stadt Kalah, die Salmanassar, König von Assyrien, der große, der vor mir wandelte, gegründet hatte, diese Stadt verödete und kam herab. Ich erbaute sie von neuem."

Was Salmanassar I., der um 1300 v. Chr. herrschte, vorgefunden hat,, wird uns nicht berichtet. Jedenfalls sind Ninive und Kalah uralte Städte. Heute erkennt man Kalah in dem Trümmerhügel Birs Nimrud, vier Meilen südöstlich von Ninive. Hier schließen sich die Ueberreste von R e s e n an, das in den Inschriften Sanheribs Rasem genannt wird. R e h o b o t h - I r erinnert mit seinem Namen an ein großes Netzwerk von Städten und kleineren Ortschaften zwischen Zab und Tigris, für das seit der Zeit Sanheribs der Sammelname Ninive gebraucht wurde. Jedenfalls ist Ninive eine sehr alte Stadt, wie denn der Tempel der Istar von Ninive schon um 1800 v. Chr. der Wiederherstellung bedurfte [3]). Oppert aber meint in seiner Expedition nach Mesopotamien mit Recht, der Ausdruck der Genesis sei älter als die Gründung des ersten chaldäischen Reiches am Ende des 21. Jahrhunderts v. Chr. und viel älter als der Glanz des großen Ninive.

Die Reste dieser Riesenstadt bedecken heute eine Fläche von zwölf Meilen Umfang oder ungefähr neun Quadratmeilen Landes. Damit stimmt Diodorus Sikulus überein, indem er den Umfang der Stadt auf einhundertachtzig Stadien angibt, nämlich hundertfünfzig Stadien ihre

---

1) Gen. 10, 10—11.
2) Mitteil. v. 1903, Nr. 20, S. 31.
3) Tiele a. a. O., S. 90.

Länge, neunzig Stadien ihre Breite. Diese Angabe aber stammt aus Ktesias, der auf seiner Reise nach Persien die große Trümmerstätte selbst gesehn haben wird und vollen Glauben verdient.

Das Buch Jona gibt die Größe Ninives in mehrfacher Weise an. Zuerst [1]) heißt Ninive eine Stadt von drei Tagereisen, sodann [2]) waren dort mehr als hundertzwanzigtausend Kinder, die den Unterschied von rechts und links nicht kannten, also Kinder unter vier Jahren. Wenn aber in einer Stadt jährlich gegen dreißigtausend Kinder geboren werden, so muß die Zahl sämtlicher Einwohner mehr als eine Million betragen. Wie aber E. Schrader [3]) auf siebenjährige Kinder fällt, ist nicht leicht zu verstehen. Meint er etwa, daß die assyrischen Kinder betr. ihrer Gaben hinter unsern Kindern gestanden wären?

Außer Birs Nimrud gibt es dort noch andre Trümmerhügel wie Balawat und Nebi Junus. In diesem fand man den Palast des Königs Rammaniraris III., in dem andern zwei Paläste Sanheribs, einen Palast Asarhaddons und einen Sardanapals. In dem Hügel Kujundschik entdeckte Layard die Bibliothek Sardanapals.

Anfangs wird Ninive ähnlich den größeren Städten von Babylonien der Mittelpunkt eines kleinen selbständigen Reiches gewesen sein, das im fünfzehnten Jahrhundert v. Chr. von den hethitischen Mitannis unterworfen wurde; denn Dusratta, der König der Mitannis, schickte das Bild der Stadtgöttin Istar, die er Sausbi nennt, nach Aegypten, wie ein Brief aus dem Tell el Amarna bezeugt. Erst um 1400 v. Chr. wurde Ninive assyrisch, noch später von Sanherib ausgebaut. Er hat darüber aufzeichnen lassen:

„Damals vergrößerte ich den Umfang meiner Residenzstadt Ninive, ihre Straße (?) änderte ich und ließ sie wie den Tag strahlen. Die beiden Mauern baute ich kunstvoll, indem ich sie berghoch machte. Ihren Graben machte ich hundert große Ellen breit. Damit in künftigen Tagen die Straße des Königs nicht verkleinert werde, ließ ich Tafeln fertigen: Wer an jener Seite in der Bauflucht Abmessungen vornimmt, (der möge beachten): als zweihundertsechzig große Ellen habe ich die Breite der Königstraße gemessen. Wenn irgend einer von den Bewohnern der Stadt sein altes Haus einreißt und ein neues baut, dessen Grundstein in die Königstraße hineinreicht, den soll man auf seinem Hause auf einen Pfahl aufhängen [4])."

Der Prophet Nahum [5]) vergleicht Ninive mit einem Teich voll Wassers von jeher, weil man sie seit alter Zeit als eine sehr volkreiche Stadt kennt, die mehr Händler hat, als Sterne am Himmel sind. Aber wie der Prophet Jesaja [6]) schon vor ihm geweissagt hat, verkündigt auch Nahum den Untergang von Ninive. Doch soll die große Stadt

---

1) Jon. 3, 3.
2) Jon. 4, 11.
3) K. A. T.³, S. 448.
4) Nach H. Winckler, B. u. A., S. 146.
5) 2, 9. 3, 16.
6) 10, 16—19. 30, 27—33. 31, 8.

nicht durch das Schwert eines Mannes fallen. Die Weissagung Nahums nimmt Zephanja [1]) wieder auf, und Nabopolassar von Babylonien und Cyaxeres von Medien ernten die Früchte des furchtbaren Gerichtes, das zwischen 608 und 606 v. Chr. über Ninive kam. In welcher Weise sich dieses Gericht vollzogen hat, kann uns bis heute auch die Geschichte nicht darlegen.

Ninive diente besonders dem Ramman, Bel, Istar und Nisroch. Istars Tempel heißt bald Emischmisch, bald Dimgalkalama, bald Kidmuru. Ueber die religiöse sogen. Reformation zur Zeit Rammannivaris III. vergleiche die Geschichte dieses Königs.

Ninuaki oder Ninaa ist eine sonst unbekannte babylon. Stadt, vielleicht nur ein Teil von Lagasch oder Sirpurla. Aber in den Tempellisten aus Telloh wird berichtet, daß Gudea, der Patesi von Lagasch, der Istar in Ninuaki einen Tempel baute.

Nippur, sumero-akkad. Enlilki, d. i. Stadt des Enlil oder Bel, h. Nuffer oder Niffer, war eine alte Residenz der chaldäischen Könige und lag südöstlich von Babel in Kardunias. Vermutlich war Nippur schon vor der großen Flut gebaut. Der dortige Tempel des Bel hieß Ekura, d. i. Haus der Götter oder Egignan, d. i. Haus der Gräber, ein andrer Enamtilla. Den zugehörigen Stufenturm erbaute Urbagas, Patesi von Uru, wie er auch den in Larsa sechshundert Jahre vor Hammurabi erbaut hat. Hier wurden auch Ninlil oder Beltis und Ninib verehrt, der Gott von Nippur heißt [2]). Auf dem Stufenturm Durenki oder Esagasch wurden astronomische Beobachtungen gemacht. In der Nähe von Nippur befand sich der Kanal Kabar, wo verbannte Juden, denen es dort sehr gut ging, angesiedelt waren [3]). In einem alten sumero-akkad. Gedicht heißt es:

„Nippur war noch nicht gebaut, Ekura noch nicht gegründet, Erech war noch nicht gebaut, Eanna noch nicht gegründet."

Nirdun war eine assyrische Stadt an der Grenze des Nairilandes. Der frühere einheimische Fürst war ein Lapturi aus dem Hause Tabusi.

Nisin s. Isin.

Nituk, eine babylon. Stadt, lag an der Grenze des Reiches.

Nunki s. Eridu.

Opis s. Upi.

Paddira war eine assyrische Stadt an des Reiches Nordgrenze.

Pallukatu oder Pallakottas h. Kalat Feludja, lag an einem Kanal des östlichen Euphrat. Diese Stadt hatte Abgaben an den Samastempel zu Sippar zu entrichten. Vielleicht ist Bulukku derselbe Ort, der semit. Bitchari heißt. Der Kanal trug denselben Namen wie die Stadt.

---

1) 2, 13.
2) Fr. Hommel, Sem. V. u. Spr. I, S. 233.
3) Ezech. 1, 3.

Pasa, eine nordbabylon. Stadt, wird in Tempellisten erwähnt.

Passitu s. Baz.

Pautibilla bei Berosus eine alte chaldäische Stadt, vermutlich gleich Sippar.

Pillatu, eine babylon. Stadt, wurde unter Phul zu Assyrien geschlagen, aber nach einem Aufstand von Sanherib erobert und zerstört.

Pitru, im A. T. [1]) Pathor genannt, lag an der Mündung des Sajur in den Euphrat, wenige Meilen südlich von Karkemisch, der Hauptstadt der Hethiter. Hier wohnten diese neben den Aramäern, wie die Inschriften aus der Zeit Salmanassars II. bezeugen. Aus Pathor stammte Bileam, der Magier von Beruf und Prophet des lebendigen Gottes wider eignen Willen. Später nach der Einverleibung in das assyrische Reich wurde Pathor Anaasurutirasbat genannt.

Pursirla s. Lagasch.

Ragiti, eine babylon. Stadt im Meerland, war der Rückzugsort des Königs Merodachbaladan II.

Rahabi wird neben Larsa erwähnt, lag also auch vermutlich in Südbabylonien.

Rapiku, eine babylon. Stadt in der Nähe des heutigen Bagdad, aber westlich vom Euphrat, wurde von Tiglatpilesar III. geplündert.

Resa, eine assyrische Stadt, wurde zur Zeit Sargons II. von Elam besetzt; Sanherib aber gewann sie auf seinem siebten Feldzug zurück. Hierher wird auch Resapi zu ziehen sein.

Resen s. Ninive.

Rezeph oder Resappa war eine Stadt im Land der Laki oder des ostsyrischen Palmyrene, später zu Assyrien geschlagen.

Risni s. Resen.

Ritu s. Eridu.

Saalla, eine babylon. Stadt, war von Phul erobert.

Sabaraim, eine babylon. Stadt, wurde 727 v. Chr. assyrisch.

Sagbat, eine assyrische Stadt an der Grenze von Elam, ließ Sargon II. durch Nabudamkailani befestigen.

Sagiillu, eine nordsyrische Stadt, eroberte Tiglatpilesar III.

Sagipada, eine altbabylon. Stadt, wo Urbau, der Patesi von Lagasch, Tempel baute.

Sakli, eine babylon. Stadt in der Nähe von Upi, wird schon zur Zeit Sargons I. erwähnt.

Saluluni war eine babylon. Stadt am Königsfluß.

Saluri erbaute Salmanassar II. im Lande Enzi und stellte seine Bildsäule daselbst auf.

Samal wird als eine Stadt im Land der Kui genannt, gegen die Salmanassar II. und Tiglatpilesar III. kämpften. In Zindschirli ist die

---

1) Num. 22, 5. Deut. 23, 5.

Bauinschrift eines Königs von Samal aus der Mitte des achten Jahrh. v. Chr. gefunden worden. Salmanassar II. schlug die Bewohner von Samal bei dem Dorf Saluara im Quellgebiet des Karasu.

Samirina oder Samaria s. Pal. u. Syr.

Sangiputi, eine babylon. Stadt, eroberte Tiglatpilesar II.

Sapia, eine babylon. Stadt, war die Stätte, da Ukinzir von Babylonien dem siegreichen Tiglatpilesar III. huldigte. Derselbe Eroberer führte aus einer Stadt Sapazza die Götterbilder hinweg. Ob wir hier eine oder zwei Städte vor uns haben, ist noch nicht ausgemacht.

Sariptam oder Sarepta s. Pal. u. Syr.

Sarrabani, eine babylon. Stadt, zerstörte Phul.

Schuschan, in K. S. auch Schuschin und Schuschun, h. Sus oder Schus, in der Nähe ein Ort Schuschtur, war die Hauptstadt von Elam, die einer Inschrift zufolge Artaxerxes II. Memnon erbaute, die aber in Wirklichkeit viel älter ist. Von Assyrien nur zeitweilig besetzt, wurde Susa Hauptstadt des persischen Reiches, dann der Provinz Susiana, die von den Griechen Elymais genannt wurde. Eine dort gefundene Inschrift lautet:

„Es sagt Artaxerxes, des Sohnes des Königs Xerxes, des Sohnes des Königs Darius, des Sohnes des Hystaspes, des Achämeniden: Dieser Palast, Darius, mein Ahnherr, baute ihn. Zur Zeit des Artaxerxes, meines Großvaters, brannte er nieder. Durch die Gnade von Ormuzd, Anahite und Mithra machte ich diesen Palast von neuem. Mögen Ormuzd, Anahite und Mithra mich vor allem Uebel beschützen und mögen sie mein Werk nicht angreifen noch zerstören."

Dieser Palast der Perserkönige zeichnete sich durch eine große Säulenhalle aus, die apadamon oder apadana, im Buche Esther bithan genannt ist. Sie war von Gärten umgeben und diente als Empfangsraum oder Thronsaal. Die Haupthalle bestand aus 36 gewaltigen Säulen, alle aus Marmor. Das Pflaster des Fußbodens war aus grünen, weißen, gelben und schwarzen Marmelstücken [1]) zusammengesetzt, wie noch heute zu sehen ist. Von diesem Susa, das bira Burg genannt wurde [2]) und mehrere Paläste enthielt, sind ansehnliche Reste aufgedeckt; aber noch sind nicht alle hier gefundenen Keilschriften entziffert worden. Hier fand man auch 1901 die Gesetzessäule des Königs Hammurabi von Babylon und die fünfzig Zentner schwere Bronzebildsäule einer elamitischen Königin. Hier wohnten Daniel [3]), Esther [4]) und Nehemia [5]). Von dieser Burg wohl zu unterscheiden ist die Stadt Susa zwischen den Flüssen Choaspes und Euläus, der in der Bibel wie in den K. S. Ulai heißt. Beide Flüsse fallen vereinigt in den persischen Meerbusen. Die Stadt Susa hatte hundertzwanzig Stadien oder drei deutsche Meilen im

---

1) Esth. 1, 6.
2) Esth. 1, 2 rc.
3) Dan. 8, 2.
4) Esth. 1, 2.
5) Neh. 1, 1.

Umfang. Wie in Babel waren auch hier die Privathäuser meist aus ungebrannten Ziegelsteinen gebaut, während Erdpech die Stelle des Mörtels vertrat.

Alexander d. Gr. überkam Burg und Stadt Susa noch in ihrem vollen Glanz und Reichtum. 226 v. Chr. wurden sie von den Parthern erobert, 640 v. Chr. kamen sie in die Gewalt des Halbmondes, und nicht lange darnach zogen alle ihre Einwohner in andre Städte. Williams und Loftus fanden hier nur unbewohnte Trümmer.

Senkereh s. Larsa.

Siannu und Sibanita wurden unter Tiglatpilesar III. assyrisch.

Sibara in der Landschaft Gizilbunda war eine Stadt der Nairi, die Samsiramman IV. durch Aufstellung seines Bildes für assyrisch erklärte.

Sibur und Silhazi, zwei babylon. Städte, wurden von demselben König erobert und durch Aufstellung des Königsbildes assyrisch.

Sidunnu oder Sidon s. Pal. u. Syr.

Silhazi s. Sibur.

Simira oder Zamar s. Pal. u. Syr.

Sinabu eine assyrische Festung an der Nairigrenze. Vergl. Kinabu.

Singara, eine mesopotamische Stadt, heißt h. Senghero.

Sippara, akkad. Udkibnunki oder Zimbir, die Euphratstadt, hebr. Sepharvaim [1]), heißt h. Abu Habba. Die eine Hälfte dieser babylon. Doppelstadt diente dem Sonnengott, daher sie bei Abydenus Heliopolis genannt wird; die andre Hälfte verehrte Anunit, die Göttin des Morgensterns. Beide Städte umschloß eine Mauer Badudulrusa gen., die Samassumukin wieder herstellen ließ. Der Tempel des Samas hieß Ebabbar, oder Ebarra, semit. Bitbarra oder Haus des Lichtes, aber auch Edikudkalama, erbaut „nach himmlischem Vorbild". Nabuabalidbina schrieb als Ueberschrift einer Urkunde: „Bildnis des Sonnengottes, welcher wohnt in Ebabbara in der Stadt Sippara." Auf diesem Bild hält Samas, der einen mit Cherubin verzierten Thron einnimmt, in der einen Hand einen Ring, in der andern einen Stab. Ein langer Bart vervollständigt die Gewißheit, daß hier ein alter Herrscher zum Gott erhoben ist.

Der Tempel der Anunit, den Sargon I. erbaute, hieß Eulbar oder Eiddina. Berosus erzählt, vor der großen Flut habe Kronos, d. i. Samas, dem Xisuthros oder Hasisadra angezeigt, daß am 15. Dasius eine Sintflut in das Land brechen werde, und befohlen, in Sippara die Schriften niederzulegen, in die er Anfang, Mitte und Ende aller Dinge niedergeschrieben habe. Eine Inschrift sagt von einem der großen Könige von Sippara:

---

1) 2. Kön. 17, 24. 31.

„Dem Enmeduranki, dem König von Sippara, dem Liebling von Anu, Bel und Ea.“

Das Weitere siehe in dem geschichtlichen Abschnitt.

Hier in Sippara richtete König Hammurabi den großen Denkstein auf, der mit den Gesetzen Babyloniens beschrieben war; und als der Stein von den Elamitern geraubt und nach Susa gebracht war, lebten die Babylonier doch nicht ohne Gesetz; denn der Vater lehrte sie dem Sohn wie die Tafel der Götter, auch waren Abschriften dieser Gesetze vorhanden.

Tiglatpilesar eroberte Sippara um 1115 v. Chr., Sargon II. schickte die unbotmäßigen Einwohner nach Samaria, wo sie ihren Götzen Adramelech und Anamelech, d. i. Adarmalik und Anumalik, mit greulichen Opfern dienten [1]).

Nebukadnezar II. ließ hier einen großen See graben, von dem wir bei Babel gehört haben. Rassam entdeckte die Stelle des alten Sonnensippara südwestl. von Bagdad und fand in dem Sonnentempel auch das Tempelarchiv. Die Stelle des Anunitsippar vermutet er in dem heutigen Daja.

Sirgulla u. Sirpurla s. Lagasch.

Sirtella s. Lagasch.

Siruppak oder Surippak, eine sehr alte babylon. Stadt, konnte nach ihrer Lage bis heute nicht bestimmt werden. Sie wird im Gilgamis-Epos als die Heimat des Sitnapistim oder Pirnapistim erwähnt.

Siſku s. Uruk.

Sisunuki s. Uru.

Sittaka, eine babylon. Stadt östl. vom Tigris, erwähnt Strabo.

Suandachul war eine Stadt in Nordassyrien.

Suedin, eine altbabylon. Stadt und Landschaft, lag an der medischen Grenze.

Sugagu war eine babylon. Stadt, in deren Nähe Kurigalzu III. von Babylonien durch Belnirari von Assyrien besiegt wurde. Sie lag am Kanal Zalzallat.

Sukurru s. Kischura.

Surippak s. Siruppak.

Surru oder Zor, Tyrus s. Pal. u. Syr.

Tabuschum, eine babylon. Festung, war von Samsiiluna erbaut.

Tadmor s. Pal. u. Syr.

Taime s. Tema.

Takrita, h. Tekrit, lag am rechten Tigrisufer, 10 Meilen nördlich von der Mündung des Adhem.

Tala s. Tela.

---

1) 2. Kön. 17, 31.

Tamna oder Tinna s. Pal. u. Syr.

Tammun oder Ud, eine altbabylon. Stadt, hatte seinen eignen Patesi. Dieselbe Stadt wird auch Tamnunki genannt.

Tamtamak war eine babylon. Stadt.

Tarava war die Heimat des Magiers Vahyardata.

Tarbisi, h. Scherif Khan, lag etwa drei Meilen nordwestlich von Ninive. Hier baute Sanherib dem Nergal einen Tempel und seinem Sohn Asurbanipal einen kleinen Palast.

Tarzi, später Tarsus gen., soll Sanherib in Kilikien gegründet haben.

Te, eine Stadt in Babylonien.

Tela oder Tilli war eine assyrische Stadt, westl. von Nisibis. Bald wird Tela zum Bezirk Nirtu, bald zu Kirhu gerechnet, wenn nicht zwei Städte als Träger dieses häufigen Namens anzunehmen sind.

Telabni, eine assyrische Stadt, lag nahe an den Quellen des Tigris.

Tekid s. Mar.

Telloh s. Lagasch.

Tema oder Taime hieß die babylon. Stadt, in der Nabunaid während seines Wahnsinns gefangen gehalten worden sein soll.

Teredon gründete Nebukadnezar an der Südgrenze von Babylonien.

Tidu hieß eine Burg oder Festung, die Salmanassar I. von Assyrien an der Nairigrenze anlegte. Hernach gewannen sie die Aramäer.

Tiki s. Babel.

Tilabubi, d. i. Sintfluthügel, hieß ein Ort am Kebar [1]), dem Kanal, an dem ein Teil der nach Babylonien verpflanzten Juden angesiedelt war.

Tilbarsib h. Birdjik s. Kar-Salmanassar.

Tilgarimmi war eine assyrische Festung in Armenien, die durch Sargon II. neu besiedelt wurde. H. Winckler nennt Tulgarimmu die Hauptstadt der Provinz Kammanu.

Tilhammi oder Tilkamri s. Karistar.

Tili s. Tela.

Tilmum s. Dilmun.

Tima s. Babel.

Tintirki und Tunaki s. Babel.

Tinnubitarra war eine babylon. Stadt am Euphrat.

Tunap in Naharina oder Mesopotamien kommt auf ägyptischen Denkmälern vor. In den Briefen des Tell el Amarna heißt sie Dunib. Sie gehörte zum Gebiet von Damaskus.

Turabdin war eine Stadt in der Nähe von Amida oder gleich Amida.

Turuspa, ein armenischer Ort, wurde zu Assyrien geschlagen.

Tusha oder Tushen, nördlich von Amida, wurde von Asurnasirpal befestigt. Hier baute er sich einen Palast und sammelte die Abgaben der Nairiländer. Hier stand auch das Bild des Königs, aus weißem Pilistein gehauen. Der Statthalter von Tushe konnte ebenso gut wie der von Amadi mit der Limmuwürde bekleidet werden.

Tutul s. Babel.

Ubase oder Ubasin wir ein Ort in Assyrien, der Holz und Stein zum Bau des Asurtempels in Assur lieferte.

Uch s. Upi.

Ud s. Tamnunna oder Tamnun.

Uda war eine assyrische Stadt im Bezirk von Nirdun.

Udnunki s. Adab.

Umlias oder Abnunna, eine Stadt am Tigris, wurde schon in alter Zeit durch eine Ueberschwemmung zerstört; aber es scheint, daß der Ort durch Kyros wieder aufgebaut wurde.

Unugga oder Unuki s. Uruk.

Upi oder Uch, Uthu, später Opis gen., war eine wichtige babylon. Handelsstadt, die nach früherer Meinung gegenüber dem Einfluß des Adhem oder Turnat in den Tigris im Land Akkad lag. Aber nach einer neuen von H. Winckler begründeten Ansicht lag diese Stadt gegenüber Ktesiphon am westlichen Ufer des Tigris oberhalb der Mündung des Kanals Zalzallat. Später erhielt Opis den Namen Seleukia. Strabo bezeugt, daß der Tigris bis hierher mit Schiffen befahren wurde. Hier schlug Tiglatpilesar I. die Chaldäer, später Kyros die Babylonier.

Uras war eine Stadt in Nordbabylonien. Vergl. Iris.

Urdalika war eine Stadt der Kassiten an der Grenze von Elam und Babylonien. Sie hieß auch Arderikka.

Ursulimma oder Jerusalem s. Pal. u. Syr.

Uru, Uri, Urumma, bei Eupolemos Kamarina, d. i. Mondstadt, in K. S. auch Sisunnuki, im A. T. [1]) Urkasdim, war neben Eridu die Hauptstadt des ältesten vorderasiatischen Reiches von Sumer und Akkad und die einzige Stadt am rechten Ufer des untern Euphrat. Die ersten uns bekannten Priesterkönige oder Patesi dieses Landes waren Urgur, Kalabgurra, Dungi und dessen Nachfolger. Nach Maspero war Uru ein kleiner, aber fester Platz im Mittelpunkt des alten Handels und Industrie. Der Handel brachte hierher Gold und Edelsteine, Weihrauch und Gummi aus dem mittleren und südlichen Arabien. Eine andre Straße, durch Brunnen bezeichnet, führte von hier nach dem Land der halb fabelhaften Maschu, von da wahrscheinlich nach dem südlichen Syrien und der sinaitischen Halbinsel.

In Uru legte um 2250 v. Chr. der König Hammurabi Wasserleitungen an und baute in der Stadt Tempel, wie andre vor ihm getan.

---

1) Gen. 11, 28. 31. 15, 7.

Später wurde Uru ein Mittelpunkt babylonischer Gelehrsamkeit und Kunst. Von hier zogen Tharah und seine Leute mit ihren Herden [1]) nach dem nordwestlichen Mesopotamien, von da nach Syrien und Kanaan.

Die Trümmer der Stadt entdeckte Rawlinson 1849 in dem Ort el Mugheir oder el Mukajjar, d. i. Asphaltstadt am rechten Ufer des Euphrat und am Kanal Pallakopas. Die Hauptruine ist ein Tempel des Mondgottes Sin oder Nannar, der hier besonders verehrt wurde. Er hieß Gisschirgal oder Egissirgal oder Eschirgal, d. i. Haus des Meteorsteins, ein Name, der die Vermutung nahe legt, es sei in diesem Tempel ein Meteorstein verehrt worden, wie in der Kaaba zu Mekka. Die zugehörige Ziggurat hieß Elugalgalpasidi, d. i. Haus des Königs, der guten Rat gibt, nämlich des Mondgottes. Viele Könige von Nisin, Nippur, Larsa und Babel, unter ihnen auch der Kassite Kurigalzu, zuletzt Nabonedus ließen an diesem Tempel bauen, den Urgur um 2850 v. Chr. auf breiter Unterlage in drei Stockwerken hatte aufrichten lassen.

Einen Hymnus auf den Gott Sin gibt Fr. Delitzsch also wieder:

„O Vater, Gott Uruki, Herr von Uramma, Anführer der Götter, o Vater, Gott Uruki, Herr des Tempels Schirgal, Anführer der Götter, sei gnädig deinem Hause, der Stadt Uramma . . . sei gnädig."

Uruazaga war entweder ein Teil von Sirpurla oder, wie Fr. Hommel [2]) meint, mit dieser Stadt gleich.

Urudugga s. Eridu.

Uruk, d. i. göttliche Ruhe, auch Arku, Sisku, Unugga oder Unuki, d. i. Grabstätte, Illab, Sivera Tivenna, d. i. Hain des Himmels, im A. T. [3]) Erech genannt, bei den Griechen und Römern Orchoe, h. Warka. Diese altbabylon. Stadt lag südöstlich von Babel, zuerst am Euphrat, später an einem Kanal desselben. Hier stand u. a. ein Tempel der Istar oder Nanna, Eanna, d. i. Haus des Himmels, genannt. Nach Jensen [4]) hieß der Tempel der Istar-Nanna von Erech Eulmas, nach Hommel Eanna oder Eulbar. Ihn und seine Ziggurat Egigbar VII., d. i. Haus der sieben gipari oder Rohrpflanzungen, hatten Urgur und Dungi gebaut, und Singasid, einer der ältesten Fürsten von Erech, stellte ihn um 2300 v. Chr. wieder her. Schon 2250 v. Chr. wurde das Bild der Nanna durch Kudurnachunte geraubt und nach Elam gebracht; aber sechszehnhundertfünfunddreißig Jahre später wurde dasselbe durch Asurbanipal zurückgenommen.

Andre Tempel waren dem Anu und der Beltis geweiht. Bei dem heutigen Buwarize fand Loftus 1857 die ältesten babylonischen Urkunden, wie sich denn auch hier die älteste Büchersammlung und Gelehrtenschule von Babylonien befand. Auch war Erech ein heiliger

---

1) Gen. 11, 28. 31. 15, 7.
2) Grundriß, S. 301.
3) Gen. 10, 10.
4) K. B. VI, S. 554.

Begräbnisplatz, wo Kaulen ein Grab neben dem andern sah. Erst die Parther zerstörten die heilige Stadt.

Als ersten König von Uruk-suburi oder „Hürdenerech" nennen die K. S. Izdubar und Gilgamis. Freilich bezeichnet, wenn Jensen recht sieht, suburi die sieben Kammern der Unterwelt, wo Gilgamis als Richter der Anunaki waltet. Nach meiner Auffassung liegt eine andre Erklärung der Hürden viel näher. Sie werden an die Zeit erinnern, wo auch die Städte noch ihre Herden in Hürden hatten, bis dann aus den Hürden Mauern, aus den Zelten Häuser, aus den Hirten des Weideviehs ackerbautreibende Städter wurden [1]).

Im Eura-Mythus heißt Erech die Stadt der Dirnen, Freudenmädchen und Huren, denen Istar den Mann bezahlte und preisgab [2]). Darum aber, daß Istar solchen Frevel verübte, und sich selbst die Männer wählte, die sie unglücklich machte, braucht noch kein Matriarchat angenommen zu werden; denn die ältesten Familiengesetze der Sumero-Akkadier enthalten keine Spur von dieser Rechtsverirrung [3]).

Erech heißt auch eine Stadt der sieben Mauern, die ihr Gilgamis gebaut haben soll; aber die sieben Mauern bildeten doch nur eine Mauer, indem Erech die Gestalt eines Siebenecks hatte. Deshalb heißt es auch die Stadt der sieben ub und der sieben da, das kann heißen, Stadt der sieben Winkel und der sieben Seiten, wofür sonst tupuktu und nagu gesetzt wird [4]). Ueber die Belagerung dieser Stadt erzählt eine Tafel:

„Der Hirte verläßt sein Vieh und geht hinab zum Rohrdickicht. Der Schiffer versenkt sein Schiff im Fluß und meint: was soll aus mir werden? Es hassen die Eselinnen ihre Füllen, die großen Waldkühe ihre Kälber. Das Volk brüllt wie das Vieh, wie Tauben wimmern die Mädchen. Die Götter von Uruk-suburi verwandelten sich in Mäuse und gingen hinaus durch die (Tore)."

Drei Jahre lang umlagert der Feind die Stadt, die Tore sind verriegelt, die Türschlösser angelegt, aber Istar setzt ihr Haupt nicht auf ihren Feind. Da sagt Bel zu Istar, der Königin, diese Worte:

„(Erech) ist mein Herz, Nippur meine Hände, (Imgurbel) die Stadt meiner Wonne, Babel das Haus meiner Freude" . .

Von hier an ist die Schrift der Tafel verdorben, daher unleserlich.

Die Totenstadt von Uruk heißt Bargisi. Noch in später Zeit, berichtet Strabo, war Orchoe der Sitz einer berühmten Gelehrtenschule, noch bis in die christliche Zeit hinein. Aehnliche Schulen gab es in Borsippa und Sippara.

Urume, auch Arimu und Arumu, war eine von Aramäern bewohnte Stadt des assyrischen Reiches. Sein Gebiet reichte bis nach Elam hin.

1) Vergl. Hommel, Grundriß, S. 361.
2) K. B. VI, S. 63.
3) Gegen Tiele a. a. O., S. 570.
4) H. Zimmern, Z. f. A. 5, S. 118.

Uruzibba ist nach Haupt gleich Eridu.
Usianatara, eine babylon. Stadt, befestigte Samsiiluna.
Usti ist eine babylon. Stadt von unbekannter Lage.
Uthu s. Upi.
Warka s. Uruk.
Zab war eine assyrische Stadt am untern Zab.
Zaban, eine babylon. Stadt, eroberte Asurdan I.
Zabini war eine assyrische Stadt nahe bei Ninive.
Zachara, eine Stadt bei Upi, wird schon zur Zeit Sargons I. erwähnt.
Zaddi, eine babylon. Stadt an der Südgrenze von Assyrien am Zab. Hier tötete Samsiramman drei junge Löwen und zog in das Bergland Ibich.
Zakruti, eine Stadt in dem assyrischen Medien.
Zalba, eine assyrische Stadt, deren die kappadokischen K. S. erwähnen.
Zalzallat s. Sugagu.
Zamani s. Bitzamani.
Zamban s. Zaban, wird in den Annalen des Kyros genannt.
Zararma s. Larsa.
Zaribal oder Zirlab, eine babylon. Stadt, die Sargon II. wieder herstellte, ist nach Hommel gleich Erech. Delitzsch liest ihr Ideogramm Kulunnu.
Zasuchunuki, eine Stadt der Istar, im Osten des Tigris gelegen, wird gleich Marza sein.
Zirtella nennt Hauzey einen sehr alten Ort in Babylonien, wo auch Patesi regierten, die noch älter als Gudea waren, wie Haldu, Urninnt, Kurgal.

1. Anhang.

Verzeichnis der den Babyloniern und Assyrern bekannten Tiere, Pflanzen und Steine.

---

1. Tiere.

a) Wilde Tiere.

Antilope
Bär
Elephant, heleb gen.
Gazelle
Heuler
Hirsch
Löwe, der große Hund
Panther
Steinbock
Wildesel
Wildochse
Wildschwein
Wolf
Amphibien: Schildkröte
Zuririttum, ein fabelhaftes zweischwänziges Tier

b) Haustiere.

Dromedar
Esel
Hund
Kamel
Maultier
Pferd, sisu oder susu
Rind
Schaf
Ziege

c) Vögel.

Gänse (Abgabe an Ebarra in Sippara)
Geier
ilziappu
Kranich
kulilu
paspasu (Pfau?)
Rabe oder sirburvogel
Rebhuhn oder kakulu
sutinnu (Eule?)
Schwan
Taube
tusmu, ein Wasservogel
zirin — Vogel

d) Von Insekten waren die Bienen im ganzen Land bekannt und gepflegt, wie die Heuschrecken überall gefürchtet waren. Auch die Fliegen werden erwähnt.

2. Pflanzen,

nämlich Bäume (b), Sträucher und Krautgewächse.

abimi b
ahorn b
allanu b
asuhu b, eine Art Zeder
bilit
Brombeerstrauch simin
butni b
chalub b
Coloquinte, pikkuti
Coriander, kusibiru
Crokus, azupiru
Dill, sibetum
Dorn, gissu
dubran
gismanu, Tamariske (?)
gissu s. Dorn
Gurken, kissu
hasurri b
kal, b
Kardemone, kakulu
Kiefer b
kin b
kiskanu b
kissu s. Gurken
ku und kusari b
kusibiru s. Coriander
Lattig, his
Lauch, karesu
Luzerne, aspasti
Mangold, silka
mera b
missa b
Möhre, leptu
Myrte b
Palme b, musukannu
palu b
pikkuti, s. Coloquinte
Pistazie b, irinu
Platane s. urumi
Rettig, puglu
Rohr
samullu b
sibetum s. Dill
simgir kr.
sumu, Knoblauch
surman b
tarpi b
Teufelsdreck, surbi kr.
urkarini b
urumi b
usu b
Wachholder
Weinstock
Wollflocke

Ysop, zupu
Zeder b
Zwiebel, seel

8. Mineralien,

d. i. Metalle, Salze, Steine, Erdarten.

Achat, sabi
Alabaster, sirgal
Alaun
amanu, Salz
anbutir
appa
asuan
Basalt
Bergstein
Blei
Bronce, siparru
Chalcedon
Diorit, tekkal oder usu
Dolerit
Eisen
enate
gina-filiba
Gips
Gold, suresu
gug silim oder eben rumi
Jaspis
ingisa
iru s. Kupfer
ka
Kalk
kalstein
kalu-ton (weiß)
kapasu
Karneol
Kasulmu
kiesel
Kristall
kumina-turdu
Kupfer, iru
Lapislazuli, uknustein
Lehm
Marmor, zaginna
muschu-digili
Meteorstein, sirgal
Naphta
parin
parutu
pi und pili
Roteisenstein, Blutstein
sabi s. Achat
sadu oder samgu, sumer. gug
Salz
Silber, kaspu, sarpu
siparru s. Bronze
sirgal s. Alabaster und Meteorstein
tekkal s. Diorit
Ton
turminabanda, Breccie
ukuu s. Lapislazuli
usu s. Diorit
Vogelstein
zaginna s. Marmor
zahalu, ein Metall
Zinn.

---

2. Anhang.

Verzeichnis der Arzneistoffe oder babylonische Pharmakopöe.[1])

abrukku
agnt
alapu
alkur
Alaun
am
ambara
ammi
arantu, ein Räuchermittel
arariann
argannu
as, asu
azukiranu
ballukku
baltu
barirasu
batdar
Bergbaum
birugir
Dattel und Dattelmost
dil
dilbat
dir, diru
Dorn
du
duzab
Fuchswein
gabi
Gallenpflanze
Gerste
gida-Oel
giparu
giranu
gur
gurma
ha
hab
hal
haldapanu, ein Zaubermittel
halnamtila
hap
har
harubat
hasu
Herzpflanze, ein Zaubermittel
hi
hulappu
Hundszunge
husisa ibhu
ibhu
il
imhar
imkalla
immandu
indi
ipitatu
iru, irru
kamon
kamka
kan
kanaktu
kasu
kib
kibtu
kidnu
kitu
kukma
kukru
kurkannu
kurkur
kutra
lal
laptu, eine Art Rübe
lardu, eine Narde
Lauch
Langenpflanze
lidgab
lillanu
lilmu
liter
mapimna
maskusakka
mastaka, mastakal
Meerzahn
mirgiranu
muhgalla
mun
musdingurina
Myrte
namrukku
namtar, Hanf (?)
namtila
nigin
nuhurtu
nurmu
Olivenoel
pilu
pipi
pis
puttati
ridmun
Rohr
sagangan
saharra
sais
sakkar
salatu
sallan
sapa
sarbatu
sasik
sasumtu

1) Nach Fr. Küchler, a. a. O.

Schwarzkümmel
Sesamöl
sibaru, siburu
siha
sika, sikannu
sikmis
siman
simur
sinu
siris s. Dattel
sisbanam
sisi
Stinkgurke
sudu
sudupialu
sugulgulhab
sunu
surminu
susu
Tamariskensamen
tarhu
tarmus
tarratu
tiggal
tigsaharba
tigtur
tijatu
tirra, ein Zaubermittel
tuhu, tuhumis
tulal
tumi
tursikam
tussu
uhulu
unab
upuntu — Mehl
urbatu
urnu
ursu
ut
utas
Weizen
Zeder
zibu
zuriru
Zwiebel in mehreren Arten
Zypresse

Die meisten dieser babylonischen Arzneistoffe, an der Zahl einhundertsiebenunddreißig, sind uns nur dem Namen nach bekannt, nur von dreiundzwanzig wissen wir etwas mehr. Die Ursache dieser Dunkelheit liegt in dem Umstand, daß wir zu diesen Rezepten keine semitische Uebersetzung haben, sondern nur das sumero-akkadische Original. Ob die Uebersetzung noch einmal gefunden wird, bleibt abzuwarten.

---

3. Anhang.

Verzeichnis aller hier vorkommenden Personen und Sachen.

27

Universitäts-Buchdruckerei von Joh. Aug. Koch in Marburg

MIX

Papier aus verantwortungsvollen Quellen
Paper from responsible sources

FSC® C141904

Druck:
Customized Business Services GmbH
im Auftrag der KNV-Gruppe
Ferdinand-Jühlke-Str. 7
99095 Erfurt